수능 국어 문법 모의고사

문법백제
PLUS

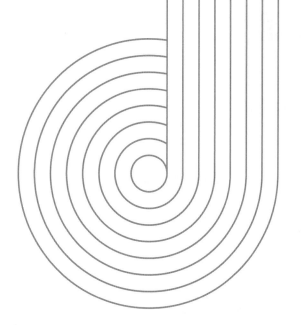

수능 국어 문법 모의고사

문법백제
PLUS

1판 2쇄 발행 2023년 9월 25일

발행인 박광일
기획 홀수 편집부
편집 · 검토 윤지숙 장혜진 이수현 박효비 이소정 장종필 조나리 박지선
디자인 유초아 이재욱
마케팅 · 제작 지원 김창수 민동윤 문희수 박세형 김주현 권지희 이연주

발행처 주식회사 도서출판 홀수
출판사 신고번호 제374-2014-0100051호
ISBN 979-11-89939-86-1

홈페이지 www.holsoo.com

'**문법백제 PLUS**'는 수능 국어 1등급을 목표로 언어(문법) 만점을 받기 위해 풀어 봐야 할 **총 120개의 수능형 제작 문제**를 담은 교재입니다.

'문법백제'의 모든 문제는 평가원 기출 문제에 대한 철저한 분석을 바탕으로 함정 요소를 최대한 활용하여 제작했어요. 수능형 모의고사 형태로 1회차에 5문제를 풀게 되고, 단계별로 **모의고사 총 24회(4주 분량)**가 제공됩니다.

PLUS! 우리는 이 책을 통해 수능형 문법 문제 풀이뿐 아니라 문제 하나하나에 사용된 문법 개념을 익히고, 약점을 극복할 수 있는 **나만의 문법노트**까지 완성하게 될 거예요!

자, 그럼 지금부터 '**문법백제 PLUS**'를 시작해 볼까요?

Structure

'문법백제 PLUS' 교재 활용법

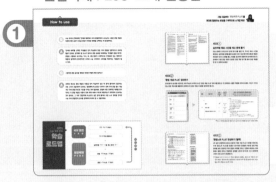

① ⑴

② ⑵

③ ⑶

④ ⑷

수능 국어 선택과목인 언어와 매체의 언어(문법)를 대비하기 위해 이 책을 어떻게 활용해야 하는지 구체적인 방법을 소개합니다. 수능 국어 문법을 비롯한 각종 국어 시험을 준비하는 수험생들이 국어 문법을 '제대로' 공부할 수 있도록 올바른 학습법을 제시합니다.

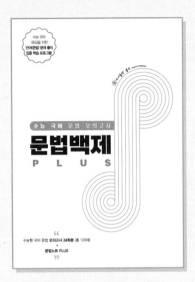

본책 문법백제 PLUS

"문법백제 PLUS는
수능 국어 언어(문법) 문제를
출제자의 시선으로
치밀하게 분석하여
수험생이 반드시 알아야 할
문법 지식과 최적의 문제 풀이
학습법을 제시합니다."

문법 개념 PLUS

④

회차별 모의고사 뒤에 있는 '문법 개념 PLUS'를 스스로 만들어 보세요. 각 문항에서 사용된 문법 개념이나 이론을 개념서나 기출 문제의 지문, 선지 등에서 발췌한 표현을 활용하여 정리하세요. 단순한 문제 풀이로 끝나는 것이 아니라 문제에 쓰인 모든 개념을 내 것으로 만들 수 있습니다.

별책 문법노트 PLUS

문법 핵심 정리

⑤

4주간의 모의고사 문제 풀이와 '문법 개념 PLUS' 정리를 마쳤다면 이제 '문법노트 PLUS' 차례입니다. 수능 국어 문법의 필수 개념과 이론을 정리한 단원별 문법 핵심 정리를 보면서 문법의 체계를 복습합니다.

문법 모의고사 총 24회 (총 120제)

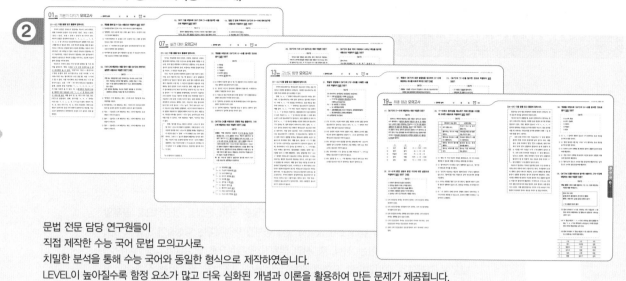

문법 전문 담당 연구원들이
직접 제작한 수능 국어 문법 모의고사로,
치밀한 분석을 통해 수능 국어와 동일한 형식으로 제작하였습니다.
LEVEL이 높아질수록 함정 요소가 많고 더욱 심화된 개념과 이론을 활용하여 만든 문제가 제공됩니다.

정답과 해설 & 문법 개념 담기

지문, 보기, 발문, 선지 등에서 출제 가능성이 높은 문법 개념
들은 각 문항의 해설 아래에 있는 '문법 개념 담기'에 따로
정리했습니다. 더 알아두면 좋은 문법 지식과 문제 풀이 TIP도
제공합니다.

나만의 오답 노트

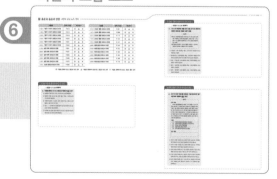

문법 모의고사 24회의 모든 문제는 '문법노트 PLUS'에 단원
별로 재분류하여 다시 한번 실어 두었습니다. 본책 '문법백제
PLUS'를 펼치고 별책 '문법노트 PLUS'의 '나만의 오답 노트'에
틀렸거나 확신 없이 푼 문제를 체크한 후 정리해 보세요.

How to use

Q 수능 국어의 선택과목인 '언어와 매체'에서 국어 문법이 나오는데, 수많은 문법 개념과 이론에 대한 공부가 부담스러워서 '언어와 매체'를 선택하는 게 망설여져요.

A '언어와 매체'를 선택한 학생들은 먼저 학습량이 많은 국어 문법을 집중적으로 공부할 필요가 있어요. 암기해야 할 요소가 많아서 문법 공부를 어려워하는 학생들이 많을 테지만, 문법은 시험에서 요구하는 지식, 즉 시험 범위가 구체적으로 한정되어 있는 영역이기 때문에 철저하게 준비한다면 오히려 수능 국어에서 고득점을 획득하는 지름길이 될 수 있죠.

Q 그렇다면 문법 공부를 제대로 하려면 어떻게 해야 할까요?

A 과목의 특성상 문법 개념과 이론을 먼저 학습하지 않은 채 문제 풀이부터 접근하는 것은 그다지 효율적이지 않아요. '문법백제 PLUS'를 시작하기 전에 국어 문법 필수 개념서인 '국어 문법 FAQ'로 기초를 다지는 것이 필요해요. 문법에 대한 전체적인 체계를 먼저 익히고 각 문법 개념과 이론이 전체 체계 속에서 어디에 해당하는지 파악하며 공부하는 것이 좋아요. 그 이후 '문법백제 PLUS'로 실전 문제 풀이와 오답 노트 정리를 한다면 수능 국어 언어(문법) 공부를 완벽하게 마무리할 수 있을 거예요.

완벽한
수능 국어 문법
**학습
로드맵**

**국어 문법
F A Q**

**문법백제
PLUS**

문법 개념 학습하기

▼

기출 문제로 훈련하기

▼

실전처럼 목표 시간을 재고 문제 풀기

▼

문법 개념 PLUS 정리하기

▼

문법노트 PLUS 완성하기

반복하기

그럼 지금부터 '문법백제 PLUS'를
제대로 활용하는 방법을 구체적으로 소개할게요!

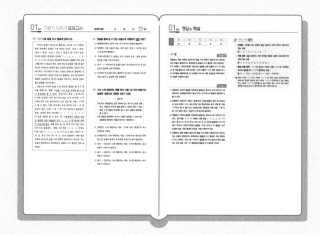

STEP ①

실전처럼 목표 시간을 재고 문제 풀기

오늘 공부할 모의고사의 문제 페이지를 펼친 후, 주어진 목표 시간을
확인하고 실전처럼 문제를 풀어 보세요! 바로 다음 페이지에 정답과 해설이
제시되어 있으니 문제를 풀고 해설을 참고하여 꼼꼼하게 분석해야 합니다.
문제에서 다룬 문법 개념이 정리된 '문법 개념 담기'를 통해 문법 개념을
한 번 더 공부해 보세요!

STEP ②

'문법 개념 PLUS' 정리하기

문제 풀이와 분석을 마쳤다면, 하루 학습의 마지막 코스인 '문법 개념 PLUS' 페이지를 펼치고 각 문제에서 사용한 개념을 체크해 보세요. 자신이 가지고
있는 문법 개념서를 활용하여 문제에 쓰인 문법 개념과 이론을 정리하면 됩니다.

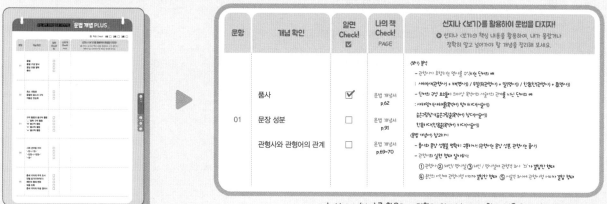

★ 선지나 〈보기〉를 활용하여 정확히 알고 넘어가야 할 개념을 위와 같이 정리해 보세요.

STEP ③

'문법노트 PLUS' 완성하기 (별책)

4주 동안 문법백제 모의고사 풀이와 '문법 개념 PLUS' 정리를 마쳤다면,
이제 '문법노트 PLUS'를 완성할 시간이에요! 단원별로 제시된 문법 핵심
정리를 보며 전체적인 국어 문법의 체계를 익히고, 단원에 해당하는 문제
중에서 틀린 문제나 헷갈렸던 문제를 나만의 방식으로 다시 정리하면
나만의 오답 노트가 완성됩니다.

★ '문법노트 PLUS'는 가지고 다니기 편하게 별책으로 구성되었고, 모의고사의 120문제가 다시
한번 제공되니 편리하게 오답 노트를 정리할 수 있어요! 이 책 한 권을 끝내면 아무도 가질 수
없는 나만의 문법노트가 완성될 거예요.

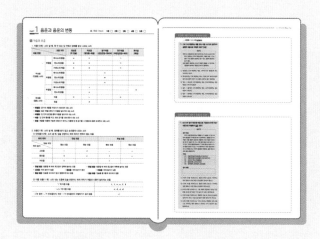

Contents & Plan

문법백제
PLUS

3주차   LEVEL 3   고난도 함정 모의고사

요일	학습 내용	페이지	학습 체크		
			1회	2회	3회
월	13회차 **고난도 함정** 모의고사	P.090	☐	☐	☐
화	14회차 **고난도 함정** 모의고사	P.098	☐	☐	☐
수	15회차 **고난도 함정** 모의고사	P.106	☐	☐	☐
목	16회차 **고난도 함정** 모의고사	P.114	☐	☐	☐
금	17회차 **고난도 함정** 모의고사	P.122	☐	☐	☐
토	18회차 **고난도 함정** 모의고사	P.130	☐	☐	☐

4주차   LEVEL 4   최종 점검 모의고사

요일	학습 내용	페이지	학습 체크		
			1회	2회	3회
월	19회차 **최종 점검** 모의고사	P.140	☐	☐	☐
화	20회차 **최종 점검** 모의고사	P.146	☐	☐	☐
수	21회차 **최종 점검** 모의고사	P.154	☐	☐	☐
목	22회차 **최종 점검** 모의고사	P.160	☐	☐	☐
금	23회차 **최종 점검** 모의고사	P.168	☐	☐	☐
토	24회차 **최종 점검** 모의고사	P.176	☐	☐	☐

5주차   별책   문법노트 PLUS

요일	학습 내용	페이지	학습 체크		
			1회	2회	3회
월	❶ 음운과 음운의 변동	P.004	☐	☐	☐
화	❷ 형태소와 단어	P.022	☐	☐	☐
수	❸ 문장의 이해	P.042	☐	☐	☐
목	❹ 문법 요소	P.060	☐	☐	☐
금	❺ 의미 & 국어의 역사	P.074	☐	☐	☐

수능 국어 문법 모의고사

문법백제
PLUS

WEEK

1

기본기 다지기 모의고사

[01~02] 다음 글을 읽고 물음에 답하시오.

국어의 음절은 단독으로 발음되는 최소의 소리 단위로, 현대 국어에서 음절의 구성 방식은 '중성', '초성 + 중성', '중성 + 종성', '초성 + 중성 + 종성'의 네 가지가 있다. 하나의 음절은 중성에서 단모음 'ㅏ, ㅓ, ㅗ, ㅜ, ㅡ, ㅣ, ㅐ, ㅔ, ㅚ, ㅟ' 중 1개 또는 단모음에 반모음이 결합한 이중 모음 1개를 반드시 필요로 한다. 또한 하나의 음절을 이룰 때 필수적으로 나타나는 중성과 달리 초성과 종성에는 자음이 각각 0개 혹은 1개 나타날 수 있다. 모음은 단독으로 발음하는 것이 가능하지만, 자음은 단독으로 발음하는 것이 불가능하기 때문에 모음만으로 하나의 음절을 이루거나, 모음에 자음이 붙어 음절을 이루게 된다.

다음으로 국어의 음절 구성 방식과 관련된 몇 가지 제약을 살펴보자. 첫째, ㉠자음 'ㅇ'은 초성 자리에 올 수 없고 종성에만 올 수 있다. '중성'이나 '중성 + 종성'으로 구성된 음절의 경우 표기상으로는 초성 자리에 'ㅇ'이 나타나지만 이는 형식적으로 쓰인 것일 뿐, 자음 'ㅇ'이라고 할 수 없다. 가령 '아이'에서 초성 사리에 쓰인 'ㅇ'은 발음되지 않고, 모음 'ㅏ'와 'ㅣ'만 각각 단독으로 발음된다. 둘째, 음절의 종성 자리에는 'ㄱ, ㄴ, ㄷ, ㄹ, ㅁ, ㅂ, ㅇ'의 일곱 자음만 올 수 있다. 즉, ㉡종성에서 비음과 유음을 제외한 다른 자음들은 모두 'ㄱ, ㄷ, ㅂ' 중 하나로 바뀌어 나타나게 된다. 예를 들어 '잎, 낮, 밖'은 각각 '[입], [낟], [박]'으로 발음된다. 셋째, 경구개음 'ㅈ, ㅉ, ㅊ' 뒤에는 이중 모음 'ㅑ, ㅕ, ㅛ, ㅠ, ㅖ, ㅒ'가 올 수 없다. 따라서 '쟈, 져, 죠, 쥬'는 각각 '[자, 저, 조, 주]'로 발음된다. 한편 음운 변동이 일어나면 음절 수의 변화가 동반되기도 하는데, 이는 모음이 탈락하거나 축약하면서 음절의 수가 줄어든 것과 관련된다.

01. 윗글을 통해 알 수 있는 내용으로 적절하지 않은 것은?

① '밝혀[발켜]'에서 '발'과 '켜'는 각각 하나의 음절에 해당한다.

② '양[양]'은 이중 모음에 자음 1개가 붙은 '중성 + 종성'의 음절 구성 방식에 해당한다.

③ '가져[가저]'에서 두 음절은 모두 초성에 자음 1개와 중성에 단모음 1개로 이루어져 있다.

④ '건너- + -어서'에서 한 음절이 줄어 '건너서[건너서]'가 된 것은 모음이 탈락한 것과 관련된다.

⑤ '사이'에서 한 음절이 줄어 '새[새:]'가 된 것은 두 단모음이 하나의 이중 모음으로 축약된 것과 관련된다.

02. ㉠과 ㉡에 해당하는 예를 찾아 이를 〈보기〉와 관련지어 설명한 내용으로 적절한 것은? [3점]

〈보기〉

(가) 최소 대립쌍이란 같은 위치에 있는 하나의 소리로 인해 뜻이 구별되는 단어의 짝을 말한다. 그런데 자음 'ㅇ'과는 달리 'ㅎ'은 음절의 초성에만 올 수 있고, 음절의 종성에는 올 수 없다.

(나) 음절의 종성에는 하나의 자음만 발음될 수 있으므로, 겹받침의 경우에는 자음군 중 하나가 탈락한다.

① '영[영]'은 ㉠에 해당하는 예로, (가)에 따라 '형[형]'과 최소 대립쌍을 이룬다.

② '종이[종이]'는 ㉠에 해당하는 예로, (가)에 따라 '좋아[조:아]'와 달리 앞 음절의 종성이 뒤 음절의 초성으로 옮겨 발음된다.

③ '닭는 → [당는]'은 ㉡에 해당하는 예로, (나)에 해당하는 음운 변동은 나타나지 않는다.

④ '옳지 → [올치]'는 ㉡에 해당하는 예로, (나)에 해당하는 음운 변동이 나타난다.

⑤ '없다 → [업:따]'는 ㉡에 해당하는 예로, (나)에 해당하는 음운 변동이 나타난다.

03. 〈보기 1〉을 바탕으로 〈보기 2〉의 ㉠~㉤을 탐구한 내용으로 적절하지 <u>않은</u> 것은?

〈보기 1〉

용언이 활용할 때에는 어간이나 어미의 기본 형태가 달라지기도 한다. 규칙 활용은 어간이나 어미의 기본 형태가 유지되거나, 어간이나 어미가 달라지더라도 규칙적으로 변하기 때문에 국어의 음운 규칙으로 설명이 가능하다. 이에 반해 불규칙 활용은 용언이 활용할 때 어간이나 어미의 기본 형태가 달라지는 것을 국어의 음운 규칙으로 설명할 수 없는 것을 가리킨다.

〈보기 2〉

㉠ 수호야, 오늘은 아침밥을 일찍 먹었니?
㉡ 집에 이르러서야 몸에 긴장이 풀렸다.
㉢ 우리 가족은 김치를 직접 담가 먹는다.
㉣ 영희의 얼굴이 너무 하얘서 창백해 보였다.
㉤ 자기 것만 챙기는 이기적인 친구가 미워 보였다.

① ㉠: '먹었니'는 어간에 어미가 결합할 때 어간과 어미의 기본 형태가 변하지 않는 규칙 활용에 해당한다.

② ㉡: '이르러서야'는 어간에 모음 어미가 결합할 때 어미의 기본 형태가 변화하는 불규칙 활용에 해당한다.

③ ㉢: '담가'는 어간에 모음 어미가 결합할 때 어간의 기본 형태가 변화하는 규칙 활용에 해당한다.

④ ㉣: '하얘서'는 어간에 모음 어미가 결합할 때 어간과 어미의 기본 형태가 변화하는 불규칙 활용에 해당한다.

⑤ ㉤: '미워'는 어간에 모음 어미가 결합할 때 어간과 어미의 기본 형태가 변화하는 불규칙 활용에 해당한다.

04. 밑줄 친 말에 주목하여 〈보기〉의 ⓐ~ⓔ에 대해 탐구한 내용으로 적절하지 <u>않은</u> 것은?

〈보기〉

ⓐ 수박이 참 잘 <u>익었다</u>.
ⓑ 작년에는 꽃이 가득 <u>피었었다</u>.
ⓒ 민수는 벌써 저녁을 다 <u>먹었겠지</u>?
ⓓ 수호는 지금 빵을 <u>먹는다</u>. / 수호는 내일 여행을 <u>떠난다</u>.
ⓔ 그는 슬픈 얼굴을 하고 있다. / 기차를 <u>타는</u> 그가 보였다.

① ⓐ를 보니, 선어말 어미 '-았-/-었-'은 과거에 일어난 사건의 결과가 현재까지 지속되고 있을 때에도 쓰일 수 있군.

② ⓑ를 보니, 선어말 어미 '-았-/-었-'이 중복된 '-았었-/-었었-'은 과거에 완료된 사건이 현재까지 지속되지 않을 때 쓰이는군.

③ ⓒ를 보니, 선어말 어미 '-겠-'과 함께 쓰인 '-었-'은 가까운 미래에 나타날 상황을 추측할 때에도 쓰일 수 있군.

④ ⓓ를 보니, 현재 시제를 나타내는 선어말 어미 '-는-/-ㄴ-'은 미래의 사건을 나타낼 때에도 쓰일 수 있군.

⑤ ⓔ를 보니, 현재 시제를 나타내는 관형사형 어미 '-는/-ㄴ'은 어간이 형용사이면 '-ㄴ'이, 어간이 동사이면 '-는'이 쓰이는군.

05. 〈보기〉의 (가)를 바탕으로 (나)를 이해한 것으로 적절하지 <u>않은</u> 것은?

〈보기〉

(가) 15세기 국어의 특징
㉠ 주격 조사가 표기상 드러나지 않기도 하였다.
㉡ 연철 표기(이어적기)를 하였다.
㉢ '모/무'로 끝나는 체언이 모음으로 시작되는 조사와 결합하면 체언의 끝 모음이 탈락하고 'ㄱ'이 새로 생기기도 하였다.
㉣ 조사나 어미의 형태는 모음 조화에 따라 결정되었다.
㉤ 명사 파생 접미사 '-음'이 사용되었다.

(나)
불휘(불휘) 기픈(깊-+-은) 남ㄱ(나모+ㄴ)
부르매(부룸+애) 아니 뮐씨 곶 됴코 여름(열-+-음) 하ᄂᆞ니.

[현대어 풀이]
뿌리가 깊은 나무는 바람에 아니 흔들리므로 꽃이 좋고 열매가 많습니다.

① ㉠을 보니, '불휘'는 주격 조사가 표면에 드러나지 않고 문장에서 주어로 쓰이고 있음을 알 수 있군.

② ㉡을 보니, '기픈'은 연철 표기가 반영된 것임을 알 수 있군.

③ ㉢을 보니, '남ㄱ'은 '모'로 끝나는 체언과 주격 조사 'ㄴ'이 결합된 것임을 알 수 있군.

④ ㉣을 보니, '부르매'에서 '애'는 모음 조화의 원칙을 지키기 위해 선택된 것임을 알 수 있군.

⑤ ㉤을 보니, '여름'은 어근에 명사 파생 접미사가 결합하여 명사로 쓰이고 있음을 알 수 있군.

빠른 정답 찾기	01	02	03	04	05
	⑤	③	⑤	③	③

▶ **01** ⑤

정답풀이

윗글에서 '음운 변동이 일어나면 음절 수의 변화가 동반되기도 하는데, 이는 모음이 탈락하거나 축약하면서 음절의 수가 줄어든 것과 관련된다.'라고 하였다. '사이[사이]'를 '새[새:]'로 발음할 경우 음절의 수가 두 개에서 한 개로 줄어드는 것은 맞지만, '새'의 모음인 'ㅐ'는 이중 모음이 아니라 단모음에 해당하므로 두 단모음이 하나의 이중 모음으로 축약되었다는 진술은 적절하지 않다.

오답풀이

① 윗글에서 '국어의 음절은 단독으로 발음되는 최소의 소리 단위'라고 하였으므로, '밝혀[발켜]'에서 '발'과 '켜'는 각각 하나의 음절에 해당한다고 볼 수 있다.

② 윗글에서 "중성'이나 '중성 + 종성'으로 구성된 음절의 경우 표기상으로는 초성 자리에 'ㅇ'이 나타나지만 이는 형식적으로 쓰인 것일 뿐, 자음 'ㅇ'이라고 할 수 없다.'라고 하였으므로, '양[양]'은 이중 모음 'ㅑ'에 자음 1개가 붙은 '중성 + 종성'의 구성 방식에 해당한다.

③ 윗글에서 '국어의 음절은 단독으로 발음되는 최소의 소리 단위'라고 하였고, '경구개음 'ㅈ, ㅉ, ㅊ' 뒤에는 이중 모음 'ㅑ, ㅕ, ㅛ, ㅠ, ㅖ, ㅒ'가 올 수 없어 '쟈, 져, 죠, 쥬'는 각각 [자, 저, 조, 주]로 발음된다.'라고 하였다. 따라서 '가져[가저]'에서 음절은 '가'와 '저'이고, 두 음절은 모두 초성에 자음 1개와 중성에 단모음 1개로 이루어져 있다.

④ 윗글에서 '음운 변동이 일어나면 음절 수의 변화가 동반되기도 하는데, 이는 모음이 탈락하거나 축약되면서 음절의 수가 줄어든 것과 관련된다.'라고 하였다. '건너-'에 '-어서'가 결합할 때 '건너서[건너서]'로 발음하는 것은 모음 1개('ㅓ')가 탈락하여 음절의 수가 줄어든 것이다.

문법 개념 담기

- **단모음**: 소리를 내는 도중에 입술 모양이나 혀의 위치가 달라지지 않는 모음
  예 ㅏ, ㅐ, ㅓ, ㅔ, ㅗ, ㅚ, ㅜ, ㅟ, ㅡ, ㅣ

- **이중 모음**: 입술 모양이나 혀의 위치를 처음과 나중이 서로 달라지게 하여 내는 모음
  예 ㅑ, ㅕ, ㅛ, ㅠ, ㅒ, ㅖ, ㅘ, ㅙ, ㅝ, ㅞ, ㅢ

- **동일 모음 탈락**: 'ㅏ/ㅓ'로 끝나는 어간이 모음 'ㅏ/ㅓ'로 시작하는 어미와 결합할 때 'ㅏ/ㅓ'가 탈락하는 현상
  예 가- + -아서 → [가서], 건너- + -어라 → [건너라]

▶ 이때 어간의 'ㅏ/ㅓ'와 어미의 'ㅏ/ㅓ' 중 어떤 모음이 탈락하는지에 대해서는 학문적 견해에 따라 어간의 'ㅏ/ㅓ'가 탈락했다고 보는 관점도 있고, 어미의 'ㅏ/ㅓ'가 탈락했다고 보는 관점도 있어. 그러니 동일 모음이 결합할 때 둘 중 하나가 탈락한다는 것만 기억해 두면 돼!

▶ 02 ③

정답풀이

ⓒ은 음절의 끝소리 규칙에 관한 설명이고, (나)는 받침에 겹받침이 올 때 하나의 자음만 남고 다른 하나가 탈락하는 자음군 단순화에 관한 설명이다. '닦는'은 음절의 끝소리 규칙이 적용되어 '낙는'으로 바뀐 뒤 다시 비음화가 적용되어 [낭는]으로 발음된다. 따라서 '닦는 → [낭는]'은 ⓒ에는 해당하지만 (나)에 해당하는 음운 변동은 나타나지 않는다.

▶ 쌍자음 'ㄲ, ㅆ, ㄸ, ㅃ, ㅉ'은 각각 음운의 개수가 1개야! 따라서 'ㄲ'이 'ㄱ'으로 바뀐 것은 탈락이 아닌 교체에 해당해! 꼭 기억하자!

오답풀이

① '영[영]'은 ㉠에 해당하는 예로, 초성의 'ㅇ'은 자음 'ㅇ'이 아닌 형식적으로 쓰인 것이므로, '영'은 중성과 종성으로 이루어진 음절에 해당한다. 그런데 (가)에서 'ㅎ'은 음절의 초성에만 올 수 있다고 하였으므로 '형[형]'은 초성, 중성, 종성으로 이루어진 음절에 해당한다. 따라서 '영[영]'과 '형[형]'은 음절 구성 방식이 달라 최소 대립쌍을 이룰 수 없다.

② ㉠에서 자음 'ㅇ'은 초성 자리에 올 수 없다고 하였으므로 '종이[종이]'는 앞 음절의 종성이 뒤 음절의 초성으로 옮겨 발음될 수 없다. (가)에서 'ㅎ'은 음절의 초성에만 올 수 있고, 음절의 종성에는 올 수 없다고 하였으므로 '좋아[조:아]'에서 종성의 'ㅎ'은 탈락한다. 따라서 '종이[종이]'와 '좋아[조:아]'는 모두 앞 음절의 종성이 뒤 음절의 초성으로 옮겨 발음되지 않는다.

④ ⓒ은 음절의 끝소리 규칙에 관한 설명이고, (나)는 받침에 겹받침이 올 때 하나의 자음만 남고 다른 하나가 탈락하는 자음군 단순화에 관한 설명이다. '옳지 → [올치]'는 겹받침 중 뒤의 자음인 'ㅎ'과 뒤 음절 초성의 'ㅈ'이 축약되는 거센소리되기가 적용되어 [올치]로 발음되는 것이므로 ⓒ과 (나)에 해당하는 음운 변동이 모두 나타나지 않는다.

⑤ ⓒ은 음절의 끝소리 규칙에 관한 설명이고, (나)는 받침에 겹받침이 올 때 하나의 자음만 남고 다른 하나가 탈락하는 자음군 단순화에 관한 설명이다. '없다 → [업:따]'는 (나)가 적용되어 [업:다]가 된 뒤 된소리되기가 적용되어 [업:따]로 발음된다. 따라서 ⓒ에 해당하는 예로 볼 수 없다.

☞ 문법 개념 담기

- **최소 대립쌍**: 단 하나의 음운 차이로 인해 서로 다른 단어가 되는 단어쌍
  예 물 : 불, 구슬 : 구실, 발 : 밤
- **음절의 끝소리 규칙**: 받침소리로 'ㄱ, ㄴ, ㄷ, ㄹ, ㅁ, ㅂ, ㅇ' 이외의 자음이 이 일곱 자음 중 하나로 바뀌는 현상
  예 밖[박], 부엌[부억], 닻[닫], 잎[입]
- **자음군 단순화**: 음절의 끝에 두 개의 자음(겹받침)이 올 때, 이 중에서 한 자음이 탈락하는 현상
  예 넋[넉], 앉는[안는], 여덟[여덜], 늙지[늑찌]
- **된소리되기**: 예사소리였던 것이 된소리로 발음되는 현상
  예 국밥[국빱], 꽃병[꼳뼝], 앉고[안꼬], 갈등[갈뜽]
- **'ㅎ' 탈락**: 'ㅎ'으로 끝나는 어간이 모음으로 시작하는 어미나 접사와 결합할 때 'ㅎ'이 탈락하는 현상
  예 낳은[나은], 놓아[노아], 닳아[다라], 싫어도[시러도]
- **거센소리되기**: 예사소리 'ㄱ, ㄷ, ㅂ, ㅈ'이 'ㅎ'과 만나 거센소리 [ㅋ, ㅌ, ㅍ, ㅊ]으로 발음되는 현상
  예 놓고[노코], 맏형[마텽], 넓히다[널피다], 좋지[조치]

▶ 03 ⑤

정답풀이

'미워'는 어간 '밉-'에 어미 '-어'가 결합하여 불규칙 활용한 형태로, 'ㅂ' 불규칙 활용의 예에 해당한다. 'ㅂ' 불규칙 활용은 모음으로 시작하는 어미 앞에서 어간의 'ㅂ'이 반모음 'ㅗ / ㅜ[w]'로 바뀌는 것으로, 어미의 형태는 바뀌지 않고 어간의 기본 형태만 변화한다.

▶ '미워'는 'ㅂ' 불규칙 활용을 하는 용언의 활용형이므로 어간의 형태만 변화하는 경우에 해당해! 'ㅂ' 불규칙 활용에 해당하는 예로는 '도와(돕- + -아), 고와(곱- + -아), 더워(덥- + -어)' 등이 있어!

오답풀이

① '먹었니'는 어간 '먹-'에 자음이나 모음으로 시작하는 어미가 결합하더라도 어간과 어미의 기본 형태에 변화가 나타나지 않는 규칙 활용의 예에 해당한다.

② '이르러서야'는 '르'로 끝나는 어간 뒤에서 모음 어미 '-어'가 '-러'로 바뀌는 '러' 불규칙 활용의 예에 해당한다.

③ '담가'는 '一'로 끝나는 어간이 모음 '-아/-어'로 시작하는 어미와 결합할 때 어간의 끝 모음 '一'가 탈락하는 규칙 활용의 예에 해당한다. 모음 어미 '-아/-어' 앞에서 어간 끝 모음 '一'는 필수적으로 탈락하므로, '一' 탈락은 규칙 활용에 해당한다.

④ '하얘서'는 'ㅎ'으로 끝나는 어간에 어미 '-아서'가 결합할 때 어간의 'ㅎ'이 탈락하고 어미의 모습도 변하는 'ㅎ' 불규칙 활용의 예에 해당한다.

☞ 문법 개념 담기

- **'一' 탈락 (규칙 활용)**: '一'로 끝나는 어간이 모음 'ㅏ / ㅓ'로 시작하는 어미와 결합할 때 '一'가 탈락함
  예 담그- + -아 → 담가, 크- + -어 → 커
- **'러' 불규칙 활용**: '르'로 끝나는 어간 뒤에서 어미 '-어'가 '-러'로 바뀜
  예 푸르- + -어 → 푸르러, 이르- + -어 → 이르러
- **'ㅎ' 불규칙 활용**: 'ㅎ'으로 끝나는 어간에 '-아/-어'가 오면 'ㅎ'이 탈락하고 어미도 변함
  예 하얗- + -아서 → 하얘서
- **'ㅂ' 불규칙 활용**: 모음 어미 앞에서 어간 끝 'ㅂ'이 반모음 'ㅗ / ㅜ'로 바뀜
  예 돕- + -아 → 도와, 곱- + -아 → 고와

▶ 04 ③

정답풀이

'민수는 벌써 저녁을 다 먹었겠지?'에서 선어말 어미 '-겠-'은 선어말 어미 '-었-'과 함께 쓰여 미래가 아닌 과거의 사건에 대한 추측을 나타내고 있다.

오답풀이

① 선어말 어미 '-았-/-었-'은 항상 과거 시제로만 쓰이는 것이 아니라 '수박이 참 잘 익었다.'와 같이 완료된 상태가 현재까지 지속되고 있음을 나타낼 때에도 쓰일 수 있다.

② 선어말 어미 '-었-'이 중복된 '-았었-/-었었-'은 단순히 과거 시제만을 나타내는 것이 아니라, 상황의 변화가 일어나 현재와 단절되어 있는 과거의 사건을 나타낸다. 따라서 '작년에는 꽃이 가득 피었었다.'에서는 '-었었-'으로 인해 현재에는 '꽃이 가득 피어 있지 않은 상태'라는 의미를 포함한다.

④ 선어말 어미 '-는-/-ㄴ-'은 일반적으로 '수호는 지금 빵을 먹는다.'에서처럼 현재 시제를 나타내지만, '수호는 내일 여행을 떠난다.'에서처럼 미래의 사건을 나타내기도 한다.

⑤ 현재 시제를 나타내는 관형사형 어미 '-는/-ㄴ'은 '슬프다'와 같이 어간이 형용사일 때에는 '-ㄴ'이, '타다'와 같이 어간이 동사일 때에는 '-는'이 쓰인다.

▶ 05 ③

정답풀이

ⓒ에서 "모/무로 끝나는 체언이 모음으로 시작하는 조사와 결합하면 체언의 끝 모음이 탈락하고 'ㄱ'이 새로 생기기도 하였다.'라고 했으므로, '나모'에 '온'이 결합한 형태가 '남군'이 된 것을 알 수 있다. 그런데 '남군'에서 '나모'에 결합한 조사 '온'은 보조사에 해당하므로, '모로 끝나는 체언에 주격 조사 '온'이 결합되었다는 설명은 적절하지 않다.

오답풀이

① ⓐ에서 '주격 조사가 표기상 드러나지 않기도 하였다.'라고 한 것과 '불휘(불휘)'의 현대어 풀이가 '뿌리가'임을 참고할 때, '불휘'는 주격 조사가 표면에 드러나지 않고 문장에서 주어로 쓰이고 있음을 알 수 있다.

▶ 중세 국어에서는 앞 음절의 환경에 따라 주격 조사의 형태가 '이/ㅣ/∅'로 달리 실현되었어! 자음으로 끝난 체언 뒤에서는 '이'가, 'ㅣ'나 반모음 'ㆀ'를 제외한 모음 뒤에서는 'ㅣ'가, 'ㅣ'나 반모음 'ㆀ' 뒤에서는 표면적으로 형태가 드러나지 않는 '∅(영형태)'가 쓰였지! 중세 국어에서 주격 조사가 표면에 드러나지 않았더라도, 현대어 풀이를 참고할 때 주격 조사 '이/가'가 붙은 형태로 풀이된다면 주격 조사가 쓰인 것이니까 꼼꼼하게 살펴보도록 하자!

② ⓑ에서 15세기 국어는 '연철 표기(이어적기)를 하였다.'라고 했으므로, '깊- + -은'이 결합할 때 이를 반영하여 '기픈'으로 표기하고 있음을 알 수 있다.

④ ⓓ에서 '조사나 어미의 형태는 모음 조화에 따라 결정되었다.'라고 하였으므로, 양성 모음이 쓰인 '부룸'에 부사격 조사로 양성 모음 '애'가 결합하여 '부루매'로 쓰이고 있음을 알 수 있다.

⑤ ⓔ에서 '명사 파생 접미사 '-음'이 사용되었다.'라고 하였으므로, 용언의 어간 '열-'에 명사 파생 접미사 '-음'이 결합하여 '여름(열매)'이라는 명사로 쓰이고 있음을 알 수 있다.

☞ 문법 개념 담기

- **주격 조사**: 중세 국어에서는 '이/ㅣ/∅'가 쓰였으며, 현대 국어에서 쓰이는 주격 조사 '가'는 17세기 근대 국어 시기 이후에 나타남
- **모음 조화**: 용언의 어간과 어미의 결합, 체언과 조사의 결합 등에서 양성 모음은 양성 모음끼리, 음성 모음은 음성 모음끼리 결합하던 현상. 현대 국어에서는 일부 용언의 어간과 어미의 결합이나 일부 의성어, 의태어에서만 나타남
- **명사 파생 접미사**: 중세 국어의 명사 파생 접미사의 형태는 '-옴/-움'으로 쓰여 명사형 어미 '-옴/-움'과 형태적으로 구별됨

▶ 현대 국어의 경우, 명사 파생 접미사의 형태는 '-(으)ㅁ'이고 명사형 어미의 형태도 '-(으)ㅁ'이 사용되고 있으므로 형태적으로 둘을 구별하기는 불가능하지! 그렇지만 명사 파생 접미사가 결합한 단어는 새로운 명사로 사전에 표제어로 등재되고, 명사형 어미가 결합한 명사형은 용언의 활용형에 해당하므로 사전에 표제어로 등재되지 않고 품사의 변화도 없다는 것을 참고로 알아 두자!

☑ 학습 Check 1회 ☐ 2회 ☐ 3회 ☐

문항	개념 확인	알연 Check! ☑	나의 책 Check! PAGE	선지나 〈보기〉를 활용하여 문법을 다지자! ▶ 선지나 〈보기〉의 핵심 내용을 활용하여, 내가 올랐거나 정확히 알고 넘어가야 할 개념을 정리해 보세요.
01	음절 음절 구성 방식 동일 모음 탈락 축약	☐ ☐ ☐ ☐		
02	최소 대립쌍 음절의 끝소리 규칙 자음군 단순화	☐ ☐ ☐		
03	규칙 활용과 불규칙 활용 'ㅡ' 탈락 규칙 활용 '러' 불규칙 활용 'ㅎ' 불규칙 활용 'ㅂ' 불규칙 활용	☐ ☐ ☐ ☐ ☐		
04	시제 선어말 어미 '–았–/–었–' '–았었–/–었었–' '–겠–'	☐ ☐ ☐ ☐		
05	중세 국어의 주격 조사 연철 표기(이어적기) 체언의 형태 변화 모음 조화 중세 국어의 파생 접미사	☐ ☐ ☐ ☐ ☐		

1 주차

2
3
4

[01~02] 다음은 품사 분류에 관한 탐구 활동 자료이다. 〈대화 1〉과 〈대화 2〉는 학생의 탐구 활동이고, 〈자료〉는 학생들이 수집한 학술 자료이다. 물음에 답하시오.

〈대화 1〉

A: 지난 시간에 품사 분류의 기준과 방법에 대해 배웠잖아. 그런데 형태는 동일하지만 품사는 다른 단어들을 구분하기가 쉽지 않아.

B: 맞아. 나도 '밝다'가 언제 동사와 형용사로 쓰이는지 잘 구분이 안 가. 아마 품사를 분류하는 기준에 따라 구분하는 것 같은데.

A: 그럼 우리 품사 분류의 기준에 대한 자료를 찾아보자.

〈자료〉

품사는 '단어를 문법적인 성질의 공통성에 따라 나눈 부류'이다. 품사 분류는 일반적으로 '형태, 기능, 의미'가 중요한 기준이 된다. 품사 분류는 형태 변화를 기준으로 활용을 하는 단어인 가변어와 활용을 할 수 없는 불변어로 나뉜다. 이때 체언에 조사가 붙는 것은 형태의 변화로 보지 않는다. 다음으로 문장에서의 역할과 관련된 기능을 기준으로 체언, 수식언, 독립언, 관계언, 용언으로 나뉜다. 마지막으로 개별 단어의 어휘적 의미가 아니라 어떤 부류의 공통성을 나타내는 의미를 기준으로 품사를 분류하면 명사, 대명사, 수사, 관형사, 부사, 감탄사, 조사, 동사, 형용사로 나눌 수 있다.

이러한 품사 분류의 기준을 바탕으로 '우물이 매우 깊다.'를 살펴보자. 먼저 '우물'은 형태가 변하지 않고, 문장에서 주어 역할을 하는 체언으로, '사물의 이름을 나타내는 말'을 의미하므로 명사로 분류된다. 그리고 '이'는 형태가 변하지 않고, 자립성이 있는 말에 붙어 그 말과 다른 말과의 문법적 관계를 표시하는 관계언인 조사에 해당하며, '매우'는 형태가 변하지 않고 문장에서 주로 서술어를 꾸미는 부사에 해당한다. 마지막으로 '깊다'는 '깊고, 깊으니, 깊으며' 등으로 활용하는 가변어이고, 문장에서 서술어 기능을 하는 용언으로, 사물의 성질이나 상태를 나타내므로 형용사로 분류된다.

〈대화 2〉

A: 자료를 보니 단어의 품사를 파악할 때에는 먼저 형태와 기능을 기준으로 분류해 보고, 마지막으로 의미를 기준으로 분류하면 될 것 같아.

B: 그럼 동사와 형용사는 형태나 기능은 동일하지만, 의미에서 '동작이나 작용을 나타내는 말'이면 동사로, '성질이나 상태를 나타내는 말'이면 형용사로 구분이 되겠네!

01. 위 탐구 활동과 자료를 바탕으로 품사 분류에 대해 이해한 내용으로 적절하지 <u>않은</u> 것은?

① '방이 밝다.'와 '날이 밝는다.'의 '밝다'는 의미를 기준으로 품사를 구분할 수 있다.

② '엄마가 아기를 안다.'의 '가', '를'은 체언 뒤에 붙어서 문법적 관계를 나타내는 말이므로 하나의 품사로 묶을 수 있다.

③ '지구가 돌다.'와 '주희가 운동장을 돌다.'의 '돌다'는 의미를 기준으로 품사를 구분할 수 있다.

④ '철수가 밥을 먹다.'에서 '철수'와 '밥'을 하나의 품사로 묶어 '먹다'와 구분할 수 있다.

⑤ '나는 사과 하나를 먹었다.'에서 '나, 사과, 하나'는 형태와 기능을 기준으로 품사를 구분할 수 없다.

02. 윗글과 〈보기 1〉을 바탕으로 〈보기 2〉에서 밑줄 친 단어들이 각각 어떤 품사에 속하는지 파악한 것으로 적절한 것은?

〈보기 1〉

[명사의 문법적 특성]

○ 형태적 특성: 활용을 하지 않으며, 격 조사가 붙을 수 있다.

○ 기능적 특성: 문장에서 조사의 도움을 받아 여러 가지 문장 성분으로 쓰일 수 있으며, 관형어의 수식을 받을 수 있다.

○ 의미적 특성: 사람, 사물, 장소, 상태 등의 이름을 가리킨다.

〈보기 2〉

㉠ 광호의 생일이 오늘이니?

㉡ 새 옷을 입으니 기분이 좋다.

㉢ 자기가 먹고 싶은 만큼 먹어라.

㉣ 훌륭한 이 분께 큰 상을 드려라.

㉤ 우리들은 한바탕 크게 웃었다.

① ㉠의 '오늘'은 서술격 조사가 붙어 활용할 수 있다는 점에서 명사가 아니다.

② ㉡의 '새'는 격 조사가 붙을 수 없고 체언을 수식한다는 점에서 명사이다.

③ ㉢의 '만큼'은 관형어의 수식을 받지만, 격 조사가 붙을 수 없다는 점에서 명사가 아니다.

④ ㉣은 '이'는 관형어의 수식을 받고 문장에서 주어로 기능한다는 점에서 명사가 아니다.

⑤ ㉤의 '한바탕'은 격 조사가 붙을 수 없고, 서술어 '웃다'를 수식한다는 점에서 명사가 아니다.

03. 〈보기〉의 '탐구 목표'를 바탕으로 '자료'를 분석한 '탐구 내용'으로 적절하지 <u>않은</u> 것은?

〈보기〉

[탐구 목표]

국어의 음절 종성에서는 자음을 두 개 발음할 수 없기 때문에 겹받침은 두 자음 중 하나가 탈락하거나, 겹받침 중 뒤의 자음이 다음 음절의 초성으로 연음된다. 또한 자음군 단순화를 겪은 후 연음되기도 하고, 다른 음운 변동이 함께 일어나기도 한다. 그런데 겹받침 중에서도 'ㅎ'으로 끝나는 용언의 어간은 연음이 일어나지 않고, 'ㅎ'이 탈락하거나 다른 자음과 축약된다. [자료]를 보고 국어의 겹받침에 적용되는 음운 변동 현상에 대해 설명해 보자.

[자료]

(가)	여덟과[여덜과], 옮는[옴ː는], 앉는[안는]
(나)	여덟이[여덜비], 옮아[올마], 앉아서[안자서]
(다)	값있는[가빈는], 흙일[흥닐]
(라)	잃은[이른], 싫어도[시러도]
(마)	짧지[짤찌], 맑게[말께], 닳는[달른]

[탐구 내용]

① (가)와 (나)를 비교해 보니, 겹받침 뒤에 모음으로 시작하는 형식 형태소가 오면 자음군 단순화가 일어나지 않는군.

② (나)와 (다)를 비교해 보니, 겹받침 뒤에 모음으로 시작하는 실질 형태소가 오면 자음군 단순화가 일어나는군.

③ (다)와 (마)를 비교해 보니, 'ㄹ'을 포함한 겹받침이 자음군 단순화를 겪으면 앞 자음인 'ㄹ'만 남고 뒤 자음이 탈락하는군.

④ (가)와 (마)를 비교해 보니, 겹받침이 있을 때 자음군 단순화만 일어나기도 하고, 다른 음운 변동이 함께 일어나기도 하는군.

⑤ (나)와 (라)를 비교해 보니, 'ㅎ'으로 끝나는 겹받침은 뒤에 모음으로 시작하는 형식 형태소가 오더라도 'ㅎ'이 연음되지 않고 탈락하는군.

04. 〈보기〉의 ㉠~㉣에 대한 탐구로 적절하지 <u>않은</u> 것은?

[3점]

〈보기〉

㉠ 늦게 귀가한 수호는 걱정이 아주 많았다.
㉡ 영희는 수업이 시작되기도 전에 교실에 도착했다.
㉢ 빛의 밝기가 조절되는 전구는 책을 오래 읽기에 편하다.
㉣ 내가 처음 방문한 도시는 생각보다 인구가 정말 많았다.

① ㉠~㉣은 모두 체언을 수식하는 안긴문장이 있다.

② ㉡과 ㉢은 부사어의 기능을 하는 안긴문장이 있다.

③ ㉢은 명사절 속에 부사어가 있고, ㉣은 서술절 속에 부사어가 있다.

④ ㉠은 주어가 생략된 안긴문장이 있고, ㉣은 목적어가 생략된 안긴문장이 있다.

⑤ ㉠은 부사어의 기능을 하는 안긴문장이 있고, ㉢은 관형어의 기능을 하는 안긴문장이 있다.

05. 다음은 중의적 표현을 고쳐 쓰기 활동을 수행한 결과이다. 각 사례를 수정 이유에 따라 고쳐 쓴 것으로 적절하지 <u>않은</u> 것은?

(학습 활동) 중의적 표현 고쳐 쓰기

사　례 1: 그는 어제 아름다운 영희의 동생을 보았다.
수정 이유: 수식 범위의 모호성에 따라 중의성이 나타남
→ 그는 어제 영희의 아름다운 동생을 보았다. ·············㉠

사　례 2: 진수는 나보다 스마트폰 게임을 더 좋아한다.
수정 이유: 비교 대상의 모호성에 따라 중의성이 나타남
→ 진수는 나를 좋아하는 것보다 스마트폰 게임을 더 좋아한다. ·············㉡

사　례 3: 그녀는 동수와 민아를 영화관에서 만났다.
수정 이유: 목적어 범위의 모호성에 따라 중의성이 나타남
→ 그녀는 영화관에서 동수와 민아 두 사람을 만났다.·······㉢

사　례 4: 우리 반 학생들이 수학여행을 다 가지 않았다.
수정 이유: 부정 범위의 모호성에 따라 중의성이 나타남
→ 우리 반 학생들이 수학여행을 다는 가지 않았다.··········㉣

사　례 5: 철수는 구두를 신고 있다.
수정 이유: 동작의 진행과 완료의 모호성에 따라 중의성이 나타남
→ 구두를 신고 있는 사람은 철수이다.··························㉤

① ㉠　　　　　② ㉡　　　　　③ ㉢

④ ㉣　　　　　⑤ ㉤

1
주차

2

3

4

빠른 정답 찾기	01	02	03	04	05
	③	⑤	③	②	⑤

▶ 01 ③

정답풀이

'지구가 돌다.'와 '주희가 운동장을 돌다.'의 '돌다'는 모두 '움직임'이라는 의미를 나타낸다. '지구가 돌다.'의 '돌다'는 주어만 필요로 하는 자동사이고, '주희가 운동장을 돌다.'의 '돌다'는 주어뿐만 아니라 목적어를 필요로 하는 타동사에 해당하지만, 전자와 후자 모두 '돌다'의 품사는 동사이다.

▶ 이 선지에서 언급하고 있는 '의미'라는 것은 〈자료〉에서 명시하고 있듯이 단어 개별적으로 가지고 있는 어휘적 의미가 아니라 '명사, 대명사, 수사, 관형사, 부사, 감탄사, 조사, 동사, 형용사'로 나누어지는 부류(동일한 범주에 속하는 대상들을 일정한 기준에 따라 나누어 놓은 갈래)적 의미를 나타내는 거야! 따라서 '지구가 돌다.'와 '주희가 운동장을 돌다.'에서 쓰인 '돌다'는 동작이나 작용을 나타내는 동사에 해당해~!!

오답풀이

① 〈대화 2〉를 통해 '밝다'는 '동작이나 작용을 나타내는 말'인지 '성질이나 상태를 나타내는 말'인지에 따라 동사와 형용사로 구분할 수 있음을 알 수 있다. '방이 밝다.'의 '밝다'는 '불빛 따위가 환하다'라는 상태를 나타내는 말이므로 형용사이고, '날이 밝는다.'의 '밝다'는 '밤이 지나고 환해지며 새날이 오다'라는 작용을 나타내는 말이므로 동사이다. 따라서 '밝다'는 의미를 기준으로 구분할 수 있다.

② 〈자료〉에서 조사는 '자립성이 있는 말에 붙어 그 말과 다른 말과의 문법적 관계를 표시'한다고 했다. 따라서 체언 뒤에 붙어서 문법적 관계를 나타내는 '가', '를'은 조사에 해당하므로 하나의 품사로 묶을 수 있다.

④ '철수가 밥을 먹다.'에서 '철수'와 '밥'은 형태가 변하지 않고, 기능적으로 문장에서 주어나 목적어의 역할을 하며, 의미적으로는 사람, 사물, 장소, 상태 등의 이름을 나타내므로 명사로 묶을 수 있다. 그런데 '먹다'는 '먹고, 먹으니, 먹는'처럼 형태가 변하고, 문장에서 서술어로 쓰이며, 의미적으로는 움직임을 나타내므로 동사에 해당한다. 따라서 명사인 '철수'와 '밥'은 동사인 '먹다'와 구분된다.

⑤ '나, 사과, 하나'는 각각 구체적인 대상의 이름을 나타내는 말, 사람이나 사물을 지시하는 말, 수량이나 순서를 나타내는 말이며 명사, 대명사, 수사에 해당하는데 이는 의미를 기준으로 품사를 분류한 것이다. 이는 형태를 기준으로 분류하면 모두 불변어에, 기능을 기준으로 분류하면 모두 체언에 해당하므로, '나, 사과, 하나'는 형태와 기능을 기준으로 품사를 구분할 수 없다.

☞ 문법 개념 담기

- **품사**: 단어를 문법적 성질(형태, 기능, 의미)의 공통성에 따라 나눈 갈래
  - **형태**: 단어의 형태 변화에 따라 가변어와 불변어로 나뉨
  - **기능**: 한 단어가 문장 안에서 다른 단어들과 맺는 문법적인 관계에 따라 체언, 수식언, 독립언, 관계언, 용언으로 나뉨
  - **의미**: 단어들이 분류된 갈래 전체의 의미에 따라 명사, 대명사, 수사, 관형사, 부사, 감탄사, 조사, 동사, 형용사로 나뉨

▶ 02 ⑤

정답풀이

ⓜ의 '한바탕'은 격 조사가 붙을 수 없으며, 서술어 '웃었다'를 수식하고 있으므로 명사가 아닌 부사에 해당한다.

▶ 〈보기 1〉을 참고하면 명사는 격 조사가 결합할 수 있다고 했고, 관형어의 수식을 받을 수 있다고 했지? 그리고 윗글에서 부사 '매우'에 대한 설명으로, 형태가 변하지 않고 문장에서 주로 서술어를 꾸민다고 했으므로, 이를 참고하여 '한바탕'도 품사 분류 기준에 따라 품사를 판단해 볼 수 있겠지?

오답풀이

① ㉠의 '오늘'은 서술격 조사 '이다'가 결합했지만 형태는 변하지 않는 불변어이고, 서술어로 기능하는 명사이다.

▶ 조사는 형태가 변하지 않는 불변어에 속하지만, 국어의 서술격 조사 '이다'는 다른 조사들과 달리 마치 용언처럼 활용을 한다는 특징이 있어! 따라서 '오늘이니?'에서 활용형이 쓰인 서술격 조사 '이다'가 활용을 하는 것이지! 그런데 '오늘' 자체는 활용하지 않아! 선지를 꼼꼼히 읽는 습관을 들이자! 참고로 체언이 서술격 조사와 결합하면 문장의 서술어로 쓰일 수 있다는 것도 알아 두자!

② ㉡의 '새'는 격 조사가 붙을 수 없으며, 체언인 '옷'을 수식하고 있으므로 명사가 아닌 관형사에 해당한다.

③ ㉢의 '만큼'은 '먹고 싶은'이라는 관형어의 수식을 받고 있지만, 격 조사가 결합할 수 없는 것은 아니다. '먹고 싶은 만큼을 먹어라'와 같이 쓰일 수 있기 때문이다. 참고로 '만큼', '것', '뿐' 등은 문장에서 반드시 관형어의 수식을 받아야만 쓰일 수 있는 명사로 이들을 의존 명사라 한다.

④ ㉣의 '이'는 형태가 변하지 않는 불변어이고, 뒤에 오는 구체적인 지시 대상인 '분'을 한정해주는 역할을 하는 관형어로 품사는 관형사에 해당한다. 또한 ㉣에서 관형어 '훌륭한'은 '이'를 수식하는 것이 아니라, 체언인 '분'을 수식한 것이다. 따라서 ㉣의 '이'가 관형어의 수식을 받고 문장에서 주어로 기능한다는 점에서 명사가 아니라는 진술은 적절하지 않다.

☞ 문법 개념 담기

- **명사**: 사람이나 사물의 이름을 나타내는 말
- **대명사**: 사람이나 사물의 이름을 대신해 가리키는 말
- **수사**: 사물의 수량이나 순서를 가리키는 말
- **관형사**: 체언 앞에 놓여서 그 체언의 뜻을 꾸며주는 말
- **부사**: 용언 또는 다른 말 앞에 놓여 그 말의 뜻을 꾸며주는 말
- **감탄사**: 말하는 사람이 자신의 느낌이나 의지를 나타내는 말
- **조사**: 자립성이 있는 말에 붙어 그 말과 다른 말의 문법적인 관계를 표시(격 조사)하거나 의미를 추가(보조사)하는 말
- **동사**: 사람이나 사물의 동작이나 작용을 나타내는 말
- **형용사**: 사람이나 사물의 성질이나 상태를 나타내는 말

▶ 03 ③

〈보기〉에서 '겹받침은 두 자음 중 하나가 탈락하거나, 겹받침 중 뒤의 자음이 다음 음절의 초성으로 연음된다.'라고 했다. (마)의 예시를 통해 'ㄹ'을 포함한 겹받침이 자음군 단순화를 겪으면 앞 자음이 'ㄹ'만 남고 뒤 자음이 탈락하는 모습을 확인할 수 있지만, (다)의 '흙일[흥닐]'의 경우 'ㄺ'에서 'ㄹ'이 탈락하고 뒤 자음인 'ㄱ'이 남는 자음군 단순화가 일어난다. 그리고 'ㄴ' 첨가로 인해 비음화가 일어나 '흙일 → 흑닐 → [흥닐]'의 과정을 거치게 된 것이다. 따라서 'ㄹ'을 포함한 겹받침이 자음군 단순화를 겪으면 항상 앞 자음인 'ㄹ'만 남고 뒤 자음이 탈락한다고 볼 수 없다.

① 〈보기〉에서 '겹받침은 두 자음 중 하나가 탈락하거나, 겹받침 중 뒤의 자음이 다음 음절의 초성으로 연음된다.'라고 했다. (가)의 예시를 통해 겹받침 중 하나가 탈락하는 모습을 확인할 수 있고, (나)의 예시를 통해 모음으로 시작하는 형식 형태소가 뒤에 올 경우, 자음군 단순화를 겪지 않고 겹받침 중 뒤의 자음이 다음 음절의 초성으로 연음되는 모습을 확인할 수 있다.

② 〈보기〉에서 '겹받침은 두 자음 중 하나가 탈락하거나, 겹받침 중 뒤의 자음이 다음 음절의 초성으로 연음된다.'라고 했다. (나)의 예시에서는 겹받침 뒤에 오는 모음이 형식 형태소일 경우 겹받침 중 뒤의 자음이 다음 음절의 초성으로 바로 연음되지만, (다)의 예시를 통해 겹받침 뒤에 오는 모음이 실질 형태소일 경우에는 자음군 단순화를 먼저 겪는 것을 확인할 수 있다.

④ 〈보기〉에서 '겹받침은 두 자음 중 하나가 탈락'하거나 '다른 음운 변동이 함께 일어나기도' 한다고 했다. (가)의 예시를 통해 겹받침 중 하나가 탈락하는 모습을 확인할 수 있고, (마)의 예시를 통해 자음군 단순화와 함께 된소리되기나 유음화와 같은 다른 음운 변동이 일어나기도 함을 확인할 수 있다.

⑤ 〈보기〉에서 '겹받침 중에서도 'ㅎ'으로 끝나는 용언의 어간은 연음이 일어나지 않고, 'ㅎ'이 탈락하거나 다른 자음과 축약된다.'라고 했다. (나)의 예시에서는 겹받침 뒤에 오는 모음이 형식 형태소일 경우 겹받침 중 뒤의 자음이 다음 음절의 초성으로 바로 연음되지만, (라)의 예시를 통해 'ㅎ'으로 끝나는 용언의 어간 뒤에 모음으로 시작하는 형식 형태소인 어미가 오면 'ㅎ'이 탈락하고, 남은 자음이 연음되는 모습을 확인할 수 있다.

☞ 문법 개념 담기

- **자음군 단순화**: 음절의 끝에 두 개의 자음(겹받침)이 올 때, 이 중에서 한 자음이 탈락하는 현상
  예 여덟[여덜], 값다[갑], 닭[닥], 굶다[굼:따], 읊다[읍:따]

- **비음화**: 파열음 'ㄱ, ㄷ, ㅂ'이 비음 'ㄴ, ㅁ' 앞에서 비음 'ㅇ, ㄴ, ㅁ'으로 바뀌는 현상
  예 흙만[흥만], 입는[임는], 뜯는[뜬는]

- **유음화**: 'ㄴ'이 앞이나 뒤에 오는 유음 'ㄹ'의 영향으로 유음 'ㄹ'로 바뀌는 현상
  예 신라[실라], 물난리[물랄리], 뚫는[뚤는 → 뚤른]

- **된소리되기**: 예사소리였던 것이 된소리로 발음되는 현상
  예 국밥[국빱], 꽃병[꼳뼝], 값도[갑또], (신발을) 신고 → [신꼬], 할 것을 → [할꺼슬]

- **'ㅎ' 탈락**: 'ㅎ'으로 끝나는 어간이 모음으로 시작하는 어미나 접사와 결합할 때 'ㅎ'이 탈락하는 현상
  예 좋- + -아서 → [조:아서], 끓- + -이- + -고 → [끄리고]

▶ 04 ②

ⓒ에서 명사절 '책을 오래 읽기'는 뒤에 부사격 조사 '에'가 결합하여 문장에서 부사어의 기능을 하고 있다. 그러나 ⓛ에서 명사절 '수업이 시작되기'는 뒤에 오는 체언인 '전'을 꾸며 주고 있으므로, 문장에서 부사어가 아닌 관형어의 기능을 한다.

○ 명사절은 서술어의 어간에 명사형 어미 '-(으)ㅁ / -기'가 결합하여 만들어지는데, 이렇게 안긴문장으로 쓰일 때에는 결합하는 조사에 따라 다양한 문장 성분으로 쓰일 수 있어! 따라서 명사절 뒤에 어떤 격 조사가 결합했는지 잘 살펴보자! 참고로 문장에서 조사는 생략이 잘 되므로 문장에서의 다른 문장 성분들과의 관계도 잘 따져 봐야 해~!

① ㉠에는 체언 '수호'를 꾸며 주는 관형사절인 '귀가한'이, ㉡에는 체언 '전'을 꾸며 주는 명사절인 '수업이 시작되기'가, ㉢에는 체언 '전구'를 꾸며 주는 관형사절인 '빛의 밝기가 조절될'이, ㉣에는 체언 '도시'를 꾸며 주는 관형사절인 '내가 처음 방문한'이 안겨 있다.

③ ㉢의 명사절 '책을 오래 읽기'에는 '오래'라는 부사어가 있고, ㉣의 서술절 '인구가 정말 많았다.'에는 '정말'이라는 부사어가 있다.

④ ㉠의 안긴문장은 부사절인 '늦게', 관형사절인 '귀가한', 서술절인 '걱정이 아주 많았다.'로 총 3개이다. 이때 부사절의 원래 문장은 '귀가가 늦다'이고, 관형사절의 원래 문장은 '수호가 귀가하다.'이므로 부사절과 관형사절에서 모두 주어가 생략되어 있다. 또한 ㉣의 안긴문장은 관형사절 '내가 처음 방문한'과 서술절 '인구가 정말 많았다'인데, 이때 관형사절의 원래 문장은 '내가 도시를 처음 방문했다.'이므로, 목적어가 생략된 안긴문장에 해당한다.

⑤ ㉠에는 부사절인 '늦게'가 안은문장에서 부사어의 기능을 하고 있다. '늦게'는 주어가 생략된 형태로, 어간 '늦-'에 부사형 전성 어미 '-게'가 결합되어 부사절이 된 것이다. 또한 ㉢에는 관형사절 '빛의 밝기가 조절되는'이 체언 '전구'를 꾸며주고 있으므로, 안은문장에서 관형어로 기능하고 있음을 알 수 있다.

☞ 문법 개념 담기

- **서술절로 안긴문장**: 절 전체가 문장에서 서술어로 쓰이는 문장
  예 기린이 목이 길다.
  　 서울은 아파트가 많다.

- **명사절로 안긴문장**: 절 전체가 문장에서 명사처럼 쓰이는 문장
  예 보람이는 여행을 떠나기로 다짐했다.
  　 영지가 우리를 속였음이 밝혀졌다.

- **관형절로 안긴문장**: 절 전체가 문장에서 관형어의 기능을 하는 문장
  예 그녀가 쓴 책을 재미있게 읽었다. (관계 관형절)
  　 그녀가 책을 썼다는 사실을 밝혔다. (동격 관형절)

- **부사절로 안긴문장**: 절 전체가 문장에서 부사어의 기능을 하는 문장
  예 오늘은 하늘이 눈이 부시게 파랗다.
  　 손에 굳은살이 생기도록 필기를 했다.

- **인용절로 안긴문장**: 화자의 생각, 느낌, 다른 사람의 말 등을 옮긴 문장
  예 영수가 "교실이 너무 덥다."라고 말했다. (직접 인용)
  　 영수가 교실이 너무 덥다고 말했다. (간접 인용)

1 주차　2　3　4

▶ **05 ⑤**

'철수는 구두를 신고 있다.'는 구두를 신고 있는 동작의 진행으로 볼 수도 있고, 이미 구두를 신은 상태의 완료로 볼 수도 있다. 이는 '–고 있다'로 인해 중의성이 발생하는 것이므로 '구두를 신고 있는 사람은 철수이다.'로 바꾸어도 동작의 진행과 완료에 따른 중의성은 해소되지 않는다.

① '그는 어제 아름다운 영희의 동생을 보았다.'는 '아름다운'이 '영희'를 수식하느냐 '영희의 동생'을 수식하느냐에 따라 그 의미가 달라지는데, '그는 어제 영희의 아름다운 동생을 보았다.'로 고치면 '아름다운'이 동생을 수식하게 되어 중의성이 사라진다.

② '진수는 나보다 스마트폰 게임을 더 좋아한다.'는 비교 대상을 '나와 스마트폰 게임'으로 보느냐 '스마트폰 게임을 좋아하는 정도'로 보느냐에 따라 그 의미가 달라지는데, '진수는 나를 좋아하는 것보다 스마트폰 게임을 더 좋아한다.'로 고치면 비교 대상이 '나'와 '스마트폰 게임'이 되어 중의성이 사라진다.

③ '그녀는 동수와 민아를 영화관에서 만났다.'는 '동수와 민아'를 목적어로 보느냐 '민아'를 목적어로 보느냐에 따라 그 의미가 달라지는데, '그녀는 영화관에서 동수와 민아 두 사람을 만났다.'로 고치면 '동수와 민아' 두 사람이 목적어가 되어 중의성이 사라진다.

④ '우리 반 학생들이 수학여행을 다 가지 않았다.'는 가지 않은 범위 즉, 전체가 가지 않았는지, 일부가 가지 않았는지에 따라 그 의미가 달라지는데, 이때 부정의 범위를 한정하는 보조사 '는'을 활용하여 '우리 반 학생들이 수학여행을 다는 가지 않았다.'로 고치면 일부 학생들은 수학여행을 가지 않았다는 의미가 되어 중의성이 사라진다.

☞ 문법 개념 담기

- **중의문**: 하나의 문장이 둘 이상의 의미로 해석되는 문장
  - **어휘의 중의성으로 인한 중의문**
    - **예** 배가 정말 크다. ('배'의 의미: 사람의 배, 타는 배, 먹는 배 등)
  - **문장 구조 차이로 인한 중의문**
    - ① 주어의 범위
      - **예** 광수가 보고 싶은 친구가 많다 (주어: 광수 vs. 친구)
    - ② 수식하는 대상이 불분명
      - **예** 귀여운 승호의 동생이 놀러 왔다. (수식 대상: 승호 vs. 승호의 동생)
    - ③ 비교 대상이 불분명
      - **예** 준영이는 나보다 통닭을 더 좋아한다.
      - (비교 대상: 준영이와 나 vs. 나와 통닭)
    - ④ 접속 조사로 인한 경우
      - **예** 영수는 찬기와 창수를 불렀다.
      - (영수는 [찬기와 창수]를 불렀다. vs. [영수는 찬기와] 창수를 불렀다.)
    - ⑤ 부정 표현의 범위
      - **예** 학생들이 다 오지 않았다. (전체 부정 vs. 부분 부정)
  - **상황 맥락으로 인한 중의문**
    - **예** 그는 구두를 신고 있다. (진행 vs. 완료)

문항	개념 확인	알면 Check! ☑	나의 책 Check! PAGE	선지나 〈보기〉를 활용하여 문법을 다지자!
				▶ 선지나 〈보기〉의 핵심 내용을 활용하여, 내가 몰랐거나 정확히 알고 넘어가야 할 개념을 정리해 보세요.
01	자동사 타동사 품사 분류 기준	☐ ☐ ☐		
02	불변어 가변어 체언 수식언	☐ ☐ ☐ ☐		
03	자음군 단순화 비음화 유음화 된소리되기 'ㅎ' 탈락	☐ ☐ ☐ ☐ ☐		
04	서술절로 안긴문장 명사절로 안긴문장 관형절로 안긴문장 부사절로 안긴문장 인용절로 안긴문장	☐ ☐ ☐ ☐ ☐		
05	중의성 어휘적 중의성 문장의 구조적 중의성 상황 맥락에 의한 중의성	☐ ☐ ☐ ☐		

1 주차

2

3

4

01. (가)에 들어갈 내용으로 적절한 것은?

선생님: 서로 다른 두 개의 단어가 음운 변동을 겪어 동일하게 발음되는 경우가 있습니다. 예를 들어 '다쳤다'와 '닫혔다'는 아래와 같은 음운 변동을 겪어 [다쳗따]로 동일하게 발음됩니다.

ⓐ 받침소리로는 'ㄱ, ㄴ, ㄷ, ㄹ, ㅁ, ㅂ, ㅇ'의 7개 자음만 발음한다.
ⓑ 용언의 활용형에 나타나는 '져, 쪄, 쳐'는 [저, 쩌, 처]로 발음한다.
ⓒ 두 개의 음운이 결합하여 한 음운으로 축약되는 현상이 일어난다.
ⓓ 구개음화가 일어나 'ㄷ, ㅌ'이 'ㅈ, ㅊ'으로 교체되는 현상이 일어난다.
ⓔ 앞 음절의 종성에 따라 뒤 음절의 초성이 된소리로 바뀌는 현상이 일어난다.

학생: '다쳤다'와 '닫혔다'에 모두 적용되는 것은 ___(가)___ 이군요.

① ⓐ, ⓑ   ② ⓐ, ⓓ   ③ ⓒ, ⓔ
④ ⓐ, ⓑ, ⓔ   ⑤ ⓑ, ⓒ, ⓔ

02. 〈보기〉의 ⓐ~ⓓ에 대해 탐구한 내용으로 적절하지 않은 것은?

〈보기〉

ⓐ 동생이 밥은 먹었다. / 동생은 밥을 먹었다.
ⓑ 경수가 연필만 빌려갔니? / 경수가 연필 빌려갔니?
ⓒ 목표만을 위해 학교에서뿐만 아니라 집에서도 공부를 한다.
ⓓ 너도 알겠지마는 공부는 어려운 과정이다. / 나는 그에 대해 잘은 모른다.

① ⓐ을 보니 결합하는 앞말에 일정한 자격을 부여하여 특정한 문장 성분에만 쓰이는 격 조사와 달리 보조사는 여러 문장 성분에 쓰일 수 있군.

② ⓑ을 보니 보조사는 특수한 의미를 가지고 있기 때문에 보조사가 생략된 문장은 보조사가 쓰인 문장과 의미가 달라지는군.

③ ⓒ을 보니 보조사는 격 조사의 앞이나 뒤에 결합하거나 보조사끼리 연달아 결합하여 쓰일 수 있군.

④ ⓓ을 보니 보조사는 체언뿐만 아니라 용언의 어간이나 부사 뒤에도 결합하여 쓰일 수 있군.

⑤ ⓐ~ⓓ을 보니 보조사는 격 조사와 마찬가지로 반드시 다른 말과 결합하여 쓰이는군.

[03~04] 다음 글을 읽고 물음에 답하시오.

[A]

현대 국어의 일반적인 부정문은 '안'이나 '못'과 같은 부정 부사나 '-지 않다', '-지 못하다', '-지 마라'와 같은 보조 용언의 구성을 사용하여 부정의 의미를 나타낸다. '철수는 밥을 안 먹었다.', '그는 오늘 학교에 가지 못했다.', '무리하게 운동을 하지 마라.' 등과 같은 문장이 부정문에 해당한다. 이때 '안'과 '않다/아니하다'를 사용한 부정문을 '안' 부정문이라고 하고, '못'과 '못하다'를 사용한 부정문을 '못' 부정문이라고 하며, 주로 명령문과 청유문에서 '-지 마라'와 같은 보조 용언의 구성을 사용한 부정문을 '말다' 부정문이라고 한다. 그리고 부정 부사를 사용하여 만든 부정문은 짧은 부정문, 보조 용언의 구성을 사용하여 만든 부정문은 긴 부정문이라고 한다. 그런데 이와 같은 다양한 형태의 부정문은 서술어나 어미 또는 문장의 종류에 따라 허용되기도 하고, 허용되지 않기도 한다.

이러한 부정문은 중의성을 갖는 경우가 많다. 예를 들어 '영수가 오늘 영화를 보지 않았다.'라는 문장이 단독으로 주어지면 문장에서 무엇을 부정하는지에 대한 여러 가지 가능성을 내포하기 때문에 중의성이 나타난다. 부정의 대상이 주어 '영수가'인지, 부사어 '오늘'인지, 목적어 '영화를'인지, 서술어 '보다'인지 명확히 알 수 없다. 이러한 부정문의 중의성은 구체적인 상황 속에서 쓰이거나 보조사 '은/는'을 사용하면 사라지게 된다. 또한 부정문에 문장 전체를 꾸미는 문장 부사가 쓰일 경우, 그 부사어는 부정의 영역에 포함되지 않는다.

한편 중세 국어에서는 '아니, 몯'을 사용하여 짧은 부정문을 만들었고, '-디 아니ᄒᆞ다, -디 몯ᄒᆞ다' 등을 사용하여 긴 부정문을 만들었다. 이 시기에는 짧은 부정문이 긴 부정문보다 상대적으로 더 많이 사용되었는데, '아니'의 품사는 현대 국어와는 달리 명사로도 사용되었기 때문에 '生이며 生 아니롤'과 같이 격 조사가 결합한 형태로도 쓰였다.

03. [A]를 참고하여 〈보기〉를 설명한 내용으로 적절하지 <u>않은</u> 것은?

〈보기〉

(가) 그의 행동은 교육자답지 않다./못하다.

　　*그의 행동은 안/못 교육자답다.

(나) 철수는 그것을 깨닫지 못했다.

　　*철수는 그 사실을 깨닫지 않는다.

(다) 영희는 학교에 안 가려고 한다.

　　*영희는 학교에 못 가려고 한다.

(라) 우리 오늘은 도서관에 가지 말자.

　　*우리 오늘은 도서관에 가지 않자./못하자.

(마) 아직은 나의 음식 솜씨가 좋지 못하다.

　　*아직은 나의 음식 솜씨가 못 좋다.

*는 비문이라는 표시.

① (가): 서술어 '교육자답다'는 긴 부정문만 허용하고, 짧은 부정문은 허용하지 않는다.

② (나): 서술어 '깨닫다'는 '못' 부정문만 허용하고, '안' 부정문은 허용하지 않는다.

③ (다): 연결 어미 '-려고'는 '안' 부정문은 허용하고, '못' 부정문은 허용하지 않는다.

④ (라): 청유형 어미 '-자'는 '말다' 부정문만 허용하고, '안' 부정문과 '못' 부정문은 허용하지 않는다.

⑤ (마): 서술어 '좋다'는 '못' 부정문의 긴 부정문만 허용하고, '안' 부정문과 짧은 부정문은 허용하지 않는다.

04. 윗글을 바탕으로 추론한 내용 중 적절하지 <u>않은</u> 것은? [3점]

① '그는 오늘 학교에 가지 못했다.'에서 '못하다'는 보조 용언에 해당하겠군.

② '다행히 어제 비가 오지 않았다.'에서 '다행히'는 부정의 대상에 해당되지 않겠군.

③ '영수가 오늘 영화를 보지 않았다.'에서 목적격 조사 '를'을 보조사 '는'으로 바꾸면 부정문의 중의성이 사라지겠군.

④ 중세 국어의 '-디 몯ᄒ다'에서 '-디'는 현대 국어의 보조적 연결 어미 '-지'에 대응되겠군.

⑤ 중세 국어의 '부ᄅ매 아니 뮐씨(바람에 아니 흔들리므로)'에서 '아니'는 명사로 사용된 것이겠군.

05. 〈보기〉의 밑줄 친 부분에서 알 수 있는 중세 국어의 문법적 특징을 설명한 것으로 적절하지 <u>않은</u> 것은?

〈보기〉

(가) <u>됴ᄒ</u> 소리 듣고져 [좋은 소리 듣고자]

(나) <u>ᄇᆡ 탈길</u> 아디 몯ᄒ면서 [배 타기를 알지 못하면서]

(다) 目連(목련)이 그 말 <u>듣ᄌᆞᆸ고</u> [목련이 그 말씀을 듣고]

(라) <u>ᄒᆞ롯 아ᄎᆞ미</u> 命終(명종)호야 [하루아침에 목숨을 다하니]

(마) 부텻 使者(사자) 왯다 <u>드르시고</u> [부처의 사자가 곁에 와 있다 들으시고]

① (가): 체언을 꾸며 주기 위해 관형사형 어미 '-ㄴ'이 쓰였다.

② (나): 목적격 조사 'ㄹ'이 명사절에 결합하여 목적어로 쓰였다.

③ (다): 객체를 높이는 선어말 어미 '-ᄌᆞᆸ-'이 쓰였다.

④ (라): 높이지 않는 명사 뒤에 관형격 조사 '이'가 쓰였다.

⑤ (마): 주체를 높이는 선어말 어미 '-시-'가 쓰였다.

빠른 정답 찾기	01	02	03	04	05
	④	④	⑤	⑤	④

▶ 01 ④

정답풀이

'다쳤다'는 '다치- + -었- + -다'로 분석할 수 있는데, 음절의 끝소리 규칙(㉠)을 겪어 받침 'ㅆ'이 'ㄷ'이 된 후, 된소리되기(㉤)를 겪어 어미 '-다'가 '따'로 발음된다. 또한 '져, 쪄, 쳐'는 [저, 쩌, 처]로 발음한다(㉡)는 원칙이 적용되어 최종적으로 [다첟따]로 발음된다. 한편 '닫혔다'는 '닫- + -히- + -었- + -다'로 분석할 수 있는데, 이때 'ㄷ' 뒤에 접미사 '-히-'가 결합되어 '티'로 축약(㉢)된 후 구개음화 현상(㉣)이 적용되어 'ㅌ'이 'ㅊ'으로 바뀐다. 이렇게 바뀐 '쳤(치- + -었-)'은 음절의 끝소리 규칙(㉠)과 '져, 쪄, 쳐'는 [저, 쩌, 처]로 발음한다(㉡)는 원칙이 적용되어 '첟'으로 발음되며, 어미 '-다'는 앞 음절 종성 'ㄷ'의 영향으로 된소리되기(㉤)가 일어나 '따'로 발음된다. 따라서 '닫혔다'의 최종 발음은 [다첟따]가 된다. 즉 '다쳤다'는 '㉠, ㉡, ㉤'이, '닫혔다'는 '㉠, ㉡, ㉢, ㉣, ㉤'이 적용되므로, '다쳤다'와 '닫혔다'에 공통적으로 적용되는 것은 ㉠, ㉡, ㉤이다.

☞ 문법 개념 담기

- **음절의 끝소리 규칙:** 받침소리로 'ㄱ, ㄴ, ㄷ, ㄹ, ㅁ, ㅂ, ㅇ'이외의 자음이 이 일곱 자음 중 하나로 바뀌는 현상
- **[표준 발음법 제5항]** 'ㅑ, ㅐ, ㅕ, ㅖ, ㅘ, ㅙ, ㅛ, ㅝ, ㅞ, ㅠ, ㅢ'는 이중 모음으로 발음한다.
  다만 1. 용언의 활용형에 나타나는 '져, 쪄, 쳐'는 [저, 쩌, 처]로 발음한다.
  예 가지어 → 가져[가저], 찌어 → 쪄[쩌], 다치어 → 다쳐[다처]
  다만 2. '예, 례' 이외의 'ㅖ'는 [ㅔ]로도 발음한다.
  예 계집[계:집/게:집], 계시다[계:시다/게:시다], 시계[시계/시게], 연계[연계/연게]
  다만 3. 단어의 첫음절 이외의 '의'는 [ㅣ]로, 조사 '의'는 [ㅔ]로 발음함도 허용한다.
  예 주의[주의/주이], 우리의[우리의/우리에], 협의[혀븨/혀비]
- **구개음화:** 받침 'ㄷ, ㅌ(ㄾ)'인 형태소가 모음 'ㅣ'나 반모음 'ㅣ'로 시작되는 형식 형태소와 만나 'ㄷ, ㅌ'이 'ㅈ, ㅊ'으로 바뀌는 현상
- ❶ 'ㄷ' 뒤에 접미사 '-히-'가 결합되어도 구개음화로 인정돼!
  예 굳히다 → 구티다 → [구치다]

▶ 02 ④

정답풀이

㉣의 '너도', '공부는', '나는'을 통해 보조사가 체언 뒤에 결합하여 쓰일 수 있음을 알 수 있다. 또한 '잘은'을 통해 보조사는 부사 뒤에 결합하여 쓰일 수 있음을 알 수 있다. 그런데 '알지마는'을 통해서는 보조사가 용언의 어간이 아닌 어미 뒤에 결합하여 쓰일 수 있음을 알 수 있다. 즉 보조사 '마는'이 어간이 아닌 어미 '-지' 뒤에 결합한 것이다.

오답풀이

① ㉠의 보조사 '은'은 목적어에 결합하기도 하고, 주어에 결합하기도 함을 알 수 있다. 이는 특정 문장 성분에만 결합하는 격 조사와는 다른 보조사의 특징에 해당한다.

② ㉡에서 보조사 '만'은 다른 것으로부터 제한하여 어느 것을 한정함을 나타내는 의미를 지닌다. 따라서 보조사 '만'이 쓰인 앞 문장과 보조사가 생략된 뒤의 문장을 비교해 보면, 앞 문장은 '경수'가 다른 것은 빌려가지 않고 '연필'만 빌려간 것이냐고 묻는 내용으로, 보조사 '만'에 의해 한정의 의미가 나타난다. 반면 뒤의 문장은 보조사 '만'이 나타내는 한정의 의미가 나타난다. 따라서 보조사가 쓰인 문장과 보조사가 생략된 문장은 의미가 달라짐을 알 수 있다.

③ ㉢의 '목표만을'에서 보조사 '만'이 격 조사 '을' 앞에 쓰였음을 알 수 있고, '학교에서뿐만'과 '집에서도'에서 보조사 '뿐'과 '도'가 격 조사 '에서' 뒤에 쓰였음을 알 수 있으며, '학교에서뿐만'에서 보조사 '뿐'과 '만'이 연달아 결합하여 쓰였음을 확인할 수 있다.

⑤ ㉠~㉣에서 '이/가, 을/를, 에서, 이다'와 같은 격 조사와 '은/는, 만, 뿐, 도, 마는'과 같은 보조사는 모두 단독으로 쓰이지 못하고 앞말과 결합하여 쓰임을 확인할 수 있다.

☞ 문법 개념 담기

- **보조사:** 화자의 태도를 표시하거나 특별한 뜻을 더해 주는 조사
- **성분 보조사:** 은/는, 만, 도, 까지, (이)나, (이)나마, 대로, 마저 등
  예 성빈이는 운동은 잘하지만, 국어는 못한다. (대조)
  다빈이도 집에 갔니? (포함)
  너만 알고 있어라. (한정)
- **종결 보조사:** 마는, 그려, 그래
  예 사고 싶다마는. / 어느새 봄이 왔네그려.
- **통용 보조사:** 요
  예 제가요, 어제요, 학교에 가서요, 친구들이랑 내기를 했는데요.
- ❶ 격 조사는 앞에 오는 체언이 문장 안에서 일정한 기능을 하도록 해 주는 조사이고, 보조사는 어떤 특별한 의미를 더해 주는 조사야. 일반적으로 우리말에서 격 조사는 자주 생략되기도 하는데, 보조사는 특별한 의미를 더하기 때문에 보조사를 썼을 때와 생략했을 때 그 의미가 달라져! 그리고 보조사는 격 조사에 비해 다양한 위치에 쓰일 수 있고, 체언뿐만 아니라 부사나 어미, 다른 격 조사와도 결합할 수 있어!

▶ 03 ⑤

[A]에서 '다양한 형태의 부정문은 서술어나 어미 또는 문장의 종류에 따라 허용되기도 하고, 허용되지 않기도 한다.'라고 하였다. (마)에서 서술어 '좋다'는 '못' 부정문을 사용한 긴 부정문인 '좋지 못하다'는 가능하지만 '못' 부정문을 사용한 짧은 부정문인 '*못 좋다'는 가능하지 않다는 것을 알 수 있다. 하지만 '안' 부정문을 사용하면 '안 좋다, 좋지 않다'와 같이 긴 부정문과 짧은 부정문 모두 사용 가능하기에 서술어 '좋다'가 '안' 부정문과 짧은 부정문은 허용하지 않는다는 진술은 적절하지 않다.

① (가)에서 서술어 '교육자답다'가 쓰인 문장은 긴 부정문인 '교육자답지 않다'는 가능하지만 짧은 부정문인 '*안 교육자답다'는 가능하지 않다는 것을 알 수 있다.

② (나)에서 서술어 '깨닫다'는 '못' 부정문을 사용한 긴 부정문인 '깨닫지 못하다'는 가능하지만 '안' 부정문을 사용한 긴 부정문인 '*깨닫지 않다'는 가능하지 않다는 것을 알 수 있다.

③ (다)에서 의도를 나타내는 연결 어미 '-려고'는 '안' 부정문을 사용하여 '안 가려고 한다'와 같이 쓸 수 있지만, '못' 부정문을 사용하여 '못 가려고 한다'와 같이 쓸 수 없다는 것을 알 수 있다.

④ (라)에서 청유형 어미 '-자'는 '말다' 부정문을 사용한 긴 부정문인 '가지 말자'는 가능하지만 '안' 부정문이나 '못' 부정문을 사용한 '*안 가자'나 '*못 가자'는 가능하지 않다는 것을 알 수 있다.

☞ 문법 개념 담기

- **부정 표현:** 문장의 내용을 의미상으로 부정하는 표현
- **의지 부정:** 행동 주체의 의지가 작용할 수 있는 행위를 부정하는 것으로, 부정 부사 '안'과 부정 용언 '-지 않다/아니하다'가 사용됨
- **단순 부정(상태 부정):** 단순한 사실을 부정하는 것으로, 부정 부사 '안'과 부정 용언 '-지 않다/아니하다'가 사용됨
- **능력 부정:** 행동 주체의 능력이나 그 외의 다른 외부 원인 때문에 그 행위가 일어나지 못하는 것을 표현하는 것으로, 부정 부사 '못'과 부정 용언 '-지 못하다'가 사용됨
- **'말다' 부정문:** 주로 명령문과 청유문에서 '-지 마라', '-지 말자'처럼 쓰이는 부정문
- **부정문의 제약:** 서술어가 형용사인 경우, '못' 부정은 잘 성립되지 않으며, '기대나 기준에 이르지 못함'을 나타낼 때에만 '-지 못하다'를 활용하여 표현할 수 있음
  📵 방이 넓지 못하다.

▶ 04 ⑤

윗글에서 중세 국어 ''아니'의 품사는 현대 국어와는 달리 명사로도 사용되었기 때문에 '生이며 生 아니롤'과 같이 격 조사가 결합한 형태로도 쓰였다.'라고 하였다. 그런데 '부루매 아니 뮐씨(바람에 아니 흔들리므로)'에 사용된 '아니'는 서술어 '뮐씨(흔들리므로)'를 수식하고 격 조사도 결합하지 않았으므로, 명사가 아닌 부사로 사용되고 있음을 알 수 있다.

① 윗글에서 '보조 용언의 구성을 사용하여 만든 부정문은 긴 부정문이라고 한다.'라고 하였다. '그는 오늘 학교에 가지 못했다.'는 보조 용언 '못하다'를 사용한 긴 부정문에 해당한다.

② 윗글에서 '부정문에 문장 전체를 꾸미는 문장 부사가 쓰일 경우, 그 부사어는 부정의 영역에 포함되지 않는다.'라고 하였다. 따라서 '다행히 어제는 비가 오지 않았다.'에서 문장 전체를 수식하는 문장 부사인 '다행히'는 부정의 영역에 포함되지 않는다.

③ 윗글에서 '부정문의 중의성은 구체적인 상황 속에서 쓰이거나 보조사 '은/는'을 사용하면 사라지게 된다.'라고 하였다. 따라서 '영수가 오늘 영화를 보지 않았다.'에서 목적격 조사 '를'을 '는'으로 바꾸면 '영수가 오늘 영화는 보지 않았다.'가 되므로 부정하는 대상이 '영화는'으로 한정되어 부정문의 중의성이 해소된다.

④ 윗글에서 '중세 국어에서는 '아니, 몯'을 사용하여 짧은 부정문을 만들었고, '-디 아니ᄒ다, -디 몯ᄒ다' 등을 사용하여 긴 부정문을 만들었다.'라고 하였다. 이를 통해 '-디 몯ᄒ다'는 현대 국어의 '-지 못하다'와 대응되며, 중세 국어의 '-디'는 현대 국어의 보조적 연결 어미 '-지'에 대응될 것임을 알 수 있다.

정답풀이

(라)의 '호룻 아춤미'는 현대어 풀이를 참고하면 '하루아침에'라는 부사어임을 알 수 있다. 중세 국어에서 시간을 나타내는 일부 명사 뒤에서는 부사격 조사의 형태가 '이/의'로 실현되었으므로, 시간을 나타내는 명사인 '아춤'에 결합한 '이'는 관형격 조사가 아니라 부사격 조사로 쓰인 것이다. 따라서 높이지 않는 명사 뒤에 관형격 조사 '이'가 쓰였다는 설명은 적절하지 않다.

오답풀이

① 중세 국어의 '됴흔 소리'와 현대어 풀이 '좋은 소리'를 대응해 보면, '됴흔'은 용언의 어간 '둏-'에 관형사형 어미 '-온'이 결합하여 뒤에 오는 체언 '소리'를 꾸며 주는 관형어로 쓰이고 있음을 알 수 있다.

② 중세 국어의 목적격 조사는 자음으로 끝나는 체언 뒤에서는 '올/을'이, 모음으로 끝나는 체언 뒤에서는 '룰/를'이 모음 조화에 따라 결합하였다. 이때 모음으로 끝나는 체언 뒤에서는 수의적으로 'ㄹ'의 형태가 쓰이기도 하였다. (나)의 '비투길'은 현대어 풀이를 참고하면 '배 타기를'이므로 명사절 '비투기'에 목적격 조사로 'ㄹ'의 형태가 결합한 것임을 알 수 있다.

③ 중세 국어에서 객체를 높이는 선어말 어미로는 '-솝-/-줍-/-숩-'이 있는데, (다)의 '듣줍고'에서 객체를 **높**이는 선어말 어미 '-줍-'이 쓰인 것을 확인할 수 있다.

⑤ 중세 국어에서 주체를 높이는 선어말 어미로는 '-시-/-샤-'가 있는데, (마)의 '드르시고'에서 주체를 높이는 선어말 어미 '-시-'가 쓰인 것을 확인할 수 있다.

☞ 문법 개념 담기

- **중세 국어의 부사격 조사:** 선행 체언의 모음이 양성이면 '애', 음성이면 '에', 'ㅣ'이면 '예', 시간을 나타내는 일부 체언 뒤에서 '이/의'
- ▶ 중세 국어의 부사격 조사의 형태로 '이/의'가 있는 것을 미처 몰랐을 수도 있어! 그럴 때에는 현대어 풀이를 참고하여 문제를 풀어야 해. 현대어 풀이에서 '에'로 풀이된다면 관형격 조사가 아니라 부사격 조사가 쓰였다고 이해하면 돼! 참고로 중세 국어의 관형격 조사 '이/의'는 평칭의 유정 명사 뒤에 결합하였으므로, 무정 명사 뒤에 쓰인 '이/의'는 부사격 조사일 확률이 높아!
- **중세 국어의 목적격 조사:** 자음 뒤에서 '올/을', 모음 뒤에서 '룰/를/ㄹ'
- **객체 높임 선어말 어미:** 어간의 끝소리 'ㄱ, ㅂ, ㅅ, ㅎ' 뒤에서 '-솝-', 'ㄷ, ㅌ, ㅈ, ㅊ' 뒤에서 '-줍-', 유성음 뒤에서 '-숩-'
- **주체 높임 선어말 어미:** 자음 어미 앞에서 '-시-', 모음 어미 앞에서 '-샤-'

수능 국어 100점으로 다가가는 **문법 개념 PLUS**

문항	개념 확인	암면 Check! ☑	나의 책 Check! PAGE	선지나 〈보기〉를 활용하여 문법을 다지자! ▶ 선지나 〈보기〉의 핵심 내용을 활용하여, 내가 몰랐거나 정확히 알고 넘어가야 할 개념을 정리해 보세요.
01	음절의 끝소리 규칙 표준 발음법 제5항 축약 구개음화 된소리되기	☐☐☐☐☐		
02	보조사 보조사의 특징	☐ ☐		
03	부정 표현 긴 부정문 짧은 부정문 '안' 부정문 '못' 부정문 '말다' 부정문	☐☐☐☐☐☐		
04	보조 용언 부정문의 중의성 중세 국어의 부정 표현	☐☐☐		
05	중세 국어의 부사격 조사 중세 국어의 목적격 조사 객체 높임 선어말 어미 주체 높임 선어말 어미	☐☐☐☐		

[01~02] 다음 글을 읽고 물음에 답하시오.

단어의 변화는 형태와 의미 측면에서 나타난다. 먼저 형태의 변화는 다양한 양상을 보이는데, '머리 〉 멀리'와 같이 음운이 추가되거나, '붚 〉 북'과 같이 음운이 교체되어 형태의 변화가 나타나기도 하고, '울월- 〉 우러르-'와 같이 음절 수에 변화가 생겨 형태의 변화가 나타나기도 했다. 이러한 개별 단어의 형태 변화 이외에도 음운 현상이나 음운 체계의 변화로 인한 형태의 변화가 나타나기도 했다. 예를 들어 중세 국어의 '쉽디'는 현대 국어에서 '쉽지'로 나타나는데, 이는 근대 국어 시기에 구개음화 현상을 겪어 형태가 변화한 것으로, 이러한 변화는 동일한 음운 환경을 가진 단어들 전반에 적용되어 나타났다. 또한 'ㆍ'와 'ㅿ'과 같은 음운의 소실로 인한 형태의 변화가 나타나기도 했다.

단어의 형태 변화는 의미의 변화를 동반하기도 한다. 가령 중세 국어에서는 '힘에 겹고 고생스러움'과 '살림살이가 넉넉하지 못함'의 두 가지 의미를 지닌 단어의 형태가 '간난'과 '가난' 두 가지로 모두 사용되었는데, 시간이 흐름에 따라 '가난'의 형태로만 쓰이게 되었고, 그 의미도 후자의 의미로만 축소되었다. 단어의 의미는 다양한 문맥에서 쓰이면서 다의성을 가지게 되어 확장되기도 하고, 특정한 문맥에서만 쓰이면서 축소되기도 한다. 가령 '놈'은 일반적인 사람을 뜻하는 단어였으나, 현대 국어에서는 주로 남자를 낮잡아 이르는 말로 사용되므로, ㉠의미가 축소된 예이고, 중세 국어의 '감토'는 '모자'를 의미하는 단어였으나, 현대 국어에서는 '감투'로 형태가 바뀌었고, '모자'뿐만 아니라 '벼슬'이라는 의미로도 사용고 있으므로, ㉡의미가 확대된 예에 해당한다. 또한 중세 국어의 '싸다'는 '값이 있다.'를 의미하는 단어였으나 현대 국어에서는 '싸다'로 형태가 바뀌었고, '값이 싸다'라는 의미로 사용되고 있으므로, 이는 ㉢의미가 이동한 예에 해당한다.

'〉'은 시간에 따른 변화를 기호화한 것.

01. 윗글을 바탕으로 추론한 내용으로 적절하지 않은 것은?

① 중세 국어의 '무술'이 '마을'로 형태가 변화한 것은 음운이 소실되어 나타난 결과이겠군.

② 중세 국어의 '플'이 '풀'로 형태가 변화한 것은 음운이 교체되어 나타난 결과이겠군.

③ 중세 국어의 '녁'이 '녘'으로 형태가 변화한 것은 음운이 추가되어 나타난 결과이겠군.

④ 중세 국어의 '디하'가 '지하'로 형태가 변화한 것은 구개음화 현상으로 인해 나타난 결과이겠군.

⑤ 중세 국어의 '스ㄱ볼'이 '시골'로 형태가 변화한 것은 음운의 소실과 교체 및 음절 수의 변화로 인해 나타난 결과이겠군.

02. 윗글을 참고할 때, ㉠~㉢에 해당하는 예를 〈보기〉에서 각각 하나씩 찾아 그 순서대로 제시한 것은?

〈보기〉

중세 국어		현대 국어
어엿비 (불쌍하게)	〉	어여쁘
즁싱 (모든 살아 있는 무리)	〉	짐승
두리 (사람이나 동물의 다리)	〉	다리

	㉠	㉡	㉢
①	즁싱 〉 짐승	어엿비 〉 어여쁘	두리 〉 다리
②	즁싱 〉 짐승	두리 〉 다리	어엿비 〉 어여쁘
③	두리 〉 다리	어엿비 〉 어여쁘	즁싱 〉 짐승
④	두리 〉 다리	즁싱 〉 짐승	어엿비 〉 어여쁘
⑤	어엿비 〉 어여쁘	두리 〉 다리	즁싱 〉 짐승

03. 〈보기〉에 대한 이해로 적절한 것은? [3점]

〈보기〉

연음은 두 형태소가 결합할 때 앞 음절의 끝 자음이 뒤 음절의 초성으로 이어져 소리 나는 현상을 의미한다. 이러한 현상은 뒤에 오는 형태소가 모음으로 시작하는 조사, 어미, 접사 등과 같은 형식 형태소일 때 일어난다. 만약 뒤의 음절이 모음으로 시작하는 실질 형태소일 경우 앞 음절의 받침은 받침 규정에 따라 음운을 교체시킨 뒤에 연음이 이루어진다. 그런데 받침 'ㅎ'의 경우에는 모음으로 시작하는 어미나 접미사가 결합하면, 'ㅎ'이 탈락하여 발음되지 않는다. 만약 'ㅎ'과 인접한 음운이 자음일 경우에는 음운의 교체가 일어나거나 음운의 축약 현상이 일어난다.

① '옳지'는 받침 'ㅎ'이 어미 앞에서 탈락하여 [올치]로 발음되겠군.

② '놓고'는 받침 'ㅎ'이 조사 앞에서 음운의 교체가 일어나 [논코]로 발음되겠군.

③ '쌓이다'는 받침 'ㅎ'이 모음으로 시작하는 어미 앞에서 탈락하여 [싸이다]로 발음되겠군.

④ '않은'은 받침 'ㅎ'이 어미 앞에서 탈락된 후 남은 받침이 연음되어 [아는]으로 발음되겠군.

⑤ '괜찮은'은 받침 'ㅎ'이 모음으로 시작하는 조사 앞에서 연음되어 [괜차는]으로 발음되겠군.

04. 밑줄 친 말 중, 〈보기〉의 ㉠에 해당하지 않는 것은?

〈보기〉

접사가 어근과 결합하여 파생어를 만들 때, 어근의 앞에 붙는 접두사와 달리 ㉠어근의 뒤에 붙는 접미사는 어근의 품사를 바꾸는 경우도 있다.
ㅇ 명사로 파생된 단어: 예 울보, 딸꾹질, 달리기
ㅇ 형용사로 파생된 단어: 예 정답다, 가득하다, 사랑스럽다
ㅇ 동사로 파생된 단어: 예 잘하다, 이룩되다, 높이다
ㅇ 부사로 파생된 단어: 예 깨끗이, 조용히, 겹겹이

① 그는 혈압을 낮추기 위해 열심히 운동을 하였다.

② 만년필로 쓴 글씨라서 지우개로 지워지지 않았다.

③ 한 달이 지나도록 연락이 없어서 마음이 놓이지 않았다.

④ 전쟁으로 인해 평화롭던 마을에 큰 위기가 찾아왔다.

⑤ 그는 아들에게 진로 문제를 깊이 생각하여 결정하도록 했다.

05. 〈보기 1〉을 바탕으로 〈보기 2〉의 ㉠~㉤을 탐구한 내용으로 적절하지 않은 것은?

〈보기 1〉

피동 표현은 주어가 남에 의해 동작을 당하게 되는 것을 나타내는 표현이다. 피동은 피동 접미사 '-이-, -히-, -리-, -기-'가 결합된 단형 피동과 '-어지다'가 결합된 장형 피동이 있다. 피동이 사용된 문장을 피동문이라고 하는데, 능동문을 피동문으로 바꾸면 일반적으로 타동사가 자동사로 바뀌고, 능동문에서의 문장 성분이 피동문에서는 다른 문장 성분으로 바뀌게 된다. 또한 능동문에서 중의적으로 해석되는 문장이 피동문에서는 중의성을 가지지 않게 되기도 한다. 그리고 피동문 중에는 대응되는 능동문이 없는 경우도 있다.

〈보기 2〉

㉠ 사냥꾼이 범을 잡았다.
　→ 범이 사냥꾼에게 잡혔다.
㉡ 목수가 가구를 만들었다.
　→ 가구가 목수에 의해 만들어졌다.
㉢ 세희는 아름다운 저녁노을을 보았다.
　→ 아름다운 저녁노을이 세희에게 보였다.
㉣ 포수 세 명이 토끼 한 마리를 잡았다.
　→ 토끼 한 마리가 포수 세 명에게 잡혔다.
㉤ 포수가 방아쇠를 당겼다.
　→ 방아쇠가 당겨졌다.

① ㉠은 능동문이 피동문으로 바뀌면서 서술어가 타동사에서 자동사로 바뀌었다.

② ㉡의 능동문은 피동 접미사가 아닌 '-어지다'를 사용한 장형 피동으로 바뀌었다.

③ ㉢은 능동문이 피동문으로 바뀌면서 주어는 부사어로, 목적어는 주어로 각 문장 성분이 바뀌었다.

④ ㉣은 능동문이 중의적으로 해석되는데, 피동문으로 바뀌면서 중의성이 사라졌다.

⑤ ㉤은 대응되는 능동문이 없기 때문에 피동문으로만 쓰이는 경우로, 각각 피동 접미사 '-기-'와 '-어지다'가 결합한 피동문이다.

빠른 정답 찾기	01	02	03	04	05
	③	②	④	③	⑤

▶ 01 ③

정답풀이

윗글에서 음운이 추가되어 형태의 변화가 나타난 단어로 '머리'가 '멀리'로 변한 것을 들고 있다. 그런데 중세 국어 시기에는 '녁'으로 쓰이던 것이 '녘'으로 바뀐 것은 종성의 음운 'ㄱ'이 'ㅋ'으로 교체된 것이므로 음운이 추가되었다고 볼 수 없다.

오답풀이

① 윗글에서 "·'와 'ㅿ'과 같은 음운의 소실로 인한 형태의 변화가 나타나기도 했다.'라고 했으므로, '무술'이 '마을'로 변한 것 역시 '·'와 'ㅿ'의 소실로 인한 것이라고 볼 수 있다.

② 윗글에서 '붚'이 '북'으로 형태가 변한 것은 'ㅍ'이 'ㄱ'으로 교체되었기 때문이라고 보고 있으므로 '플'이 '풀'로 형태가 변한 것 역시 'ㅡ'가 'ㅜ'로 교체되어 나타난 것이라고 볼 수 있다.

④ 윗글에서 음운 현상에 의해서두 단어의 형태가 변한다고 하였고, '쉽디'가 구개음화 현상을 겪어 '쉽지'로 변화한 예를 들며, '이러한 변화는 동일한 음운 환경을 가진 단어들 전반에 적용되어 나타'났다고 했으므로, '디하'가 '지하'가 된 것은 근대 국어 시기의 구개음화로 인한 것이라고 볼 수 있다.

⑤ 윗글에서 '울월-'이 '우러르-'로 형태가 변한 것은 음절 수의 변화로 인한 것이라고 했고, "·'와 'ㅿ'과 같은 음운의 소실로 인한 형태의 변화가 나타나기도' 한다고 했다. 따라서 '스ᄀ올'이 '시골'로 형태가 변한 것은 음운 '·'의 소멸과 'ㅡ'가 'ㅣ'로 교체된 것 이외에도 음절 수가 축소되면서 생긴 형태 변화라고 할 수 있다.

☞ 문법 개념 담기

- **'ㅿ'의 소실:** 16세기부터 약화되기 시작하여 17세기 이후 근대 국어 시기에 소실됨
  - 예 무술 〉무울 〉마을
- **'·'의 소실:** 1단계 소실: 16세기, 2음절 이하에서 '·' → 'ㅡ'
  2단계 소실: 18세기, 1음절에서 '·' → 'ㅏ'
  - 예 ᄀᆞᄅᆞ치다 〉ᄀᆞ르치다 〉가르치다
- **현대 국어의 구개음화:** 받침 'ㄷ, ㅌ(ㄾ)'인 형태소가 모음 'ㅣ'나 반모음 'ㅣ'로 시작되는 형식 형태소와 만나 'ㄷ, ㅌ'이 'ㅈ, ㅊ'으로 바뀌는 현상
- ▶ 'ㄷ' 뒤에 접미사 '-히-'가 결합되어도 구개음화로 인정돼!
  - 예 굳히다 → 구티다 → [구치다]
- **근대 국어의 구개음화:** 현대 국어의 구개음화 + 한 형태소 내부에서도 'ㄷ, ㅌ'이 'ㅣ'나 반모음 'ㅣ' 앞에서 'ㅈ, ㅊ'으로 바뀜 (표기에도 적용)
  - 예 엇디 → 엇지, 모딘 → 모진

▶ 02 ②

정답풀이

중세 국어에서 '모든 살아 있는 무리'의 뜻으로 사용되던 '즁ᄉᆡᆼ'은 현대 국어에서는 '짐승'으로 사용되고 있으므로 이는 의미가 축소된 예(㉠)에 해당한다.

중세 국어에서 '사람이나 동물의 다리'의 뜻으로 사용되던 '드리'는 현대 국어에서 '책상 다리' 등 '물체의 아래쪽에 붙어서 그 물체를 받치거나 직접 땅에 닿지 않게 하거나 높이 있도록 버티어 놓은 부분'을 모두 이르는 말로 사용되고 있으므로 이는 의미가 확대된 예(㉡)에 해당한다.

중세 국어에서 '불쌍하게'의 뜻으로 사용되던 '어엿비'는 현대 국어에서 '예쁘다'라는 뜻으로 사용되고 있으므로 이는 의미가 이동한 예(㉢)에 해당한다.

☞ 문법 개념 담기

- **의미의 축소:** 단어의 본래 의미보다 그 의미 영역이 더 좁아지는 현상
  - 예 놈 – '사람'을 뜻하는 일반적인 단어 → 남자를 낮잡아 이르는 말
- **의미의 확대:** 단어의 본래 의미보다 그 의미 영역이 더 넓어지는 현상
  - 예 다리 – '사람이나 짐승의 다리' → '책상다리'나 '지겟다리'까지 가리키는 말
- **의미의 이동:** 단어의 본래 의미 영역의 변화 없이 의미가 옮겨가는 현상
  - 예 어엿브다 → 예쁘다 – '불쌍하다'는 뜻 → '아름답다'의 뜻

▸ 03 ④

'않은'은 받침 'ㅎ'이 모음으로 시작하는 어미 앞에서 탈락한 후, 남은 받침 'ㄴ'이 연음되어 [아는]으로 발음된다.

① '옳지'는 받침 'ㅎ'이 어미 앞에서 탈락한 것이 아니라 어미의 초성 'ㅈ'과 축약되어 [올치]로 발음된다.

② '놓고'는 받침 'ㅎ'이 조사가 아닌 어미의 초성 'ㄱ'과 축약되어 [노코]로 발음된다. '놓고'는 [논코]로 발음되지 않는다.

③ '쌓이다'는 받침 'ㅎ'이 어미가 아니라 접미사 앞에서 탈락하여 [싸이다]로 발음된다.

⑤ '괜찮은'은 받침 'ㅎ'이 조사가 아닌 어미 앞에서 탈락한 후 남은 받침인 'ㄴ'이 연음되어 [괜차는]으로 발음된다.

☞ 문법 개념 담기

- **'ㅎ' 탈락**: 'ㅎ'으로 끝나는 어간이 모음으로 시작하는 어미나 접사와 결합할 때 'ㅎ'이 탈락하는 현상.
  예 좋다: 좋아[조아], 좋으니[조으니] / 쌓다: 쌓아[싸아], 쌓으니[싸으니]

- **거센소리되기**: 예사소리 'ㄱ, ㄷ, ㅂ, ㅈ'이 'ㅎ'과 만나 거센소리 [ㅋ, ㅌ, ㅍ, ㅊ]으로 발음되는 현상
  예 않던[안턴], 놓지[노치], 옳지[올치], 닳다[달타]

▶ 'ㅎ' 탈락이나 거센소리되기는 표기에는 반영하지 않아! 'ㅎ' 탈락이나 거센소리되기는 같은 환경에서 예외 없이 나타나는 음운 변동 현상이기 때문이지!

▸ 04 ③

'놓이다'는 '놓-'이라는 어근에 피동 접미사 '-이-'가 결합하여 형성된 파생어이다. '놓다'의 품사와 '놓이다'의 품사가 모두 동사이므로, '놓이다'에 사용된 피동 접미사 '-이-'는 어근의 품사를 바꾸는 경우에 해당하지 않는다.

① '낮추다'는 형용사인 '낮다'에 사동 접미사 '-추-'가 결합하여 만들어진 동사이다.

② '지우개'는 동사인 '지우다'에 접미사 '-개'가 결합하여 만들어진 명사이다.

④ '평화롭다'는 명사인 '평화'에 접미사 '-롭다'가 결합하여 만들어진 형용사이다.

⑤ '깊이'는 형용사인 '깊다'에 접미사 '-이'가 결합하여 만들어진 부사이다.

☞ 문법 개념 담기

- **접미사**: 어근의 뒤에 붙어 새로운 말을 만들어 내는 접사로, 어근의 품사나 문장 구조를 바꾸기도 함
  예 잡다 – 잡히다, 물다 – 물리다, 안다 – 안기다 (피동 접미사)
  넓다 vs. 넓히다: 집이 넓다.(형용사) vs. 주인이 집을 넓히다.(사동사)

▶ 피동 접미사 '-이-/-히-/-리-/-기-'가 결합하면 피동사로 파생되고, 사동 접미사 '-이-/-히-/-리-/-기-/-우-/-구-/-추-'가 결합하면 사동사로 파생되지! 이때 사동 접미사는 형용사의 어근과 결합할 수도 있기 때문에 접미사가 단어의 품사를 바꾸는 역할을 할 수도 있다는 점을 꼭 기억해 놓자!

▶ **05 ⑤**

ⓜ의 '당겼다'는 동사의 어간 '당기-'에 어미 '-었-', '-다'가 결합된 것으로, '포수가 방아쇠를 당겼다.'는 피동문이 아닌 능동문이다. 따라서 '당겼다'에는 피동 접미사 '-기-'가 들어 있지 않다. 즉 ⓜ은 '포수가 방아쇠를 당겼다.'라는 능동문이 '-어지다'가 결합된 피동문 '방아쇠가 당겨졌다.'로 바뀐 것이다.

① 〈보기 1〉에서 '능동문을 피동문으로 바꾸면 일반적으로 타동사가 자동사로 바뀐다고 하였다. ㉠의 '잡았다'는 '범을'과 같은 목적어를 필요로 하는 타동사이며, 피동문의 '잡혔다'는 목적어를 필요로 하지 않는 자동사이다.

② ㉡의 '만들어졌다'는 '만들- + -어지- + -었- + -다'로 분석할 수 있다. 이는 '-어지다'를 사용하여 피동문을 만든 경우이므로 장형 피동에 해당한다.

③ ㉢의 능동문에서 주어 '세희는'과 목적어 '저녁노을을'이 피동문으로 바뀌면서 각각 부사어 '세희에게'와 주어 '저녁노을이'로 문장 성분이 바뀌었다.

④ ㉣의 능동문은 '포수 세 명이 모두 함께 토끼 한 마리만을 잡았다.'는 의미와, '포수 세 명이 각각 토끼 한 마리씩 잡았다.'라는 의미를 모두 가질 수 있으나, 피동문은 전자의 의미만을 지니고 있어 중의성이 사라졌다.

☞ 문법 개념 담기

- **능동문:** 주어가 동작을 스스로의 힘으로 하는 것을 표현한 문장
- **피동문:** 주어가 다른 주체에 의해서 동작을 당하게 되는 것을 나타내는 문장
- ▶ 능동문을 피동문으로 바꿀 때에는 몇 가지 특징이 있어! 첫째, 능동사가 피동사로 바뀔 때에는 일부 예외를 제외하고 일반적으로 타동사가 자동사로 바뀌어서 나타나. 둘째, 능동문의 목적어가 피동문에서 주어로 대응돼. 셋째, 능동문의 주어는 피동문에서 부사어로 대응돼. 넷째, 능동문의 서술어가 피동문에서는 피동 접미사 '-이-/-히-/-리-/-기-'가 결합한 피동사나 '-아/-어지다'가 결합한 피동 표현으로 바뀌어서 나타나지!

☑ 학습 Check 1회 ☐ 2회 ☐ 3회 ☐

문항	개념 확인	암면 Check! ☑	나의 책 Check! PAGE	선지나 〈보기〉를 활용하여 문법을 다지자!
				▶ 선지나 〈보기〉의 핵심 내용을 활용하여, 내가 몰랐거나 정확히 알고 넘어가야 할 개념을 정리해 보세요.
01	'ㅿ'의 소실 'ㆍ'의 소실 근대 국어의 구개음화	☐ ☐ ☐		
02	의미의 축소 의미의 확대 의미의 이동	☐ ☐ ☐		
03	'ㅎ' 탈락 거센소리되기 연음	☐ ☐ ☐		
04	파생어 피동 파생 접미사 사동 파생 접미사	☐ ☐ ☐		
05	피동문 능동문	☐ ☐		

1 주차

2
3
4

01. 다음은 문장의 종류에 대한 탐구 과정과 결론이다. ⓐ~ⓒ에 들어갈 말로 적절한 것은?

> 의문
>
> ㉠'철수는 군인이 아니다.'와 ㉡'국어는 문법이 어렵다.'는 모두 같은 구성 방식의 문장일까?
>
> 탐구 과정
>
> **1. 홑문장과 안은문장에 대해 조사하기**
>
> : 홑문장은 주어와 서술어의 관계가 한 번 맺어진 문장이고, 안은문장은 하나의 홑문장이 더 큰 문장에 안겨 특정 문장 성분의 역할을 하는 것이다.
>
> **2. ㉠, ㉡에서 주어 찾기**
>
> : 주어는 서술어가 의미하는 동작, 상태, 규정의 주체로서 '누가/무엇이'에 해당하는 말이다.
>
> 2-1. ㉠에서 '철수는', '군인이' 모두 주어로 가정해 보자.
>
> (1) 철수는 아니다. (2) 군인이 아니다.
>
> 2-2. ㉡에서도 '국어는', '문법이' 모두 주어로 가정해 보자.
>
> (3) 국어는 어렵다. (4) 문법이 어렵다.
>
> 결론
>
> 2-1의 가정에 따르면 (1)은 철수는 '무엇이' 아닌지, (2)는 군인이 '무엇이' 아닌지를 보충해 주어야 한다. 즉, ㉠은 주어 외에 보충하는 성분이 하나 더 필요한 [ⓐ]이다. 하지만 2-2의 (3)과 (4)는 보충하는 성분 없이 문장이 된다. (3)은 국어 자체가 어렵다는 것으로 ㉡과 의미가 [ⓑ]. 따라서 ㉡에서 '어렵다'의 주어는 '문법이'이고, '문법이 어렵다'가 '국어는'의 [ⓒ] 역할을 하므로 ㉡은 안은문장이라 할 수 있다.

	ⓐ	ⓑ	ⓒ
①	홑문장	같다	주어
②	홑문장	다르다	서술어
③	홑문장	다르다	주어
④	안은문장	같다	서술어
⑤	안은문장	다르다	서술어

02. 〈보기〉의 ⓐ~ⓔ에 대한 이해로 적절한 것은?

> 〈보기〉
>
> ⓐ 어머니, 혹시 선생님께 전화 드리셨어요?
> ⓑ 아버지, 할머니께서 이것을 전해주셨어요.
> ⓒ 타지에 고모가 살고 계십니다.
> ⓓ 먼저 선생님께 말씀 드리고 싶습니다.
> ⓔ 요즘 과장님은 이런저런 고민이 많으시다.

① ⓐ: 주어를 높이는 조사가 사용되었다.

② ⓑ: 객체를 높이는 어휘가 사용되었다.

③ ⓒ: 주체를 직접 높이는 어휘가 사용되었다.

④ ⓓ: 주체를 간접적으로 높이는 어휘가 사용되었다.

⑤ ⓔ: 주체를 직접 높이는 선어말 어미 '-시-'가 사용되었다.

03. 다음은 '사전 활용하기' 학습 활동을 위한 자료이다. 이를 탐구한 내용으로 적절하지 **않은** 것은?

> **감-기다**[1] 통 '감다[1]'의 피동사.
> ¶ 잠이 부족해서 눈꺼풀이 저절로 감겼다.
>
> **감-기다**[2] 통
> [1]【…에】
> ① '감다[3] [1] ①'의 피동사.
> ¶ 줄에 발이 감겨 넘어질 뻔했다.
> ② 음식 따위가 감칠맛이 있게 착착 달라붙다.
> [2] '감다[3] [2] ①'의 피동사.
> ¶ 비디오테이프는 완전히 감겨 있는 상태였다.
>
> **감-기다**[3] 통【…을】'감다[1]'의 사동사.
> ¶ 아이가 잔인한 장면을 보지 못하도록 눈을 감겼다.

① '감-기다[1]'과 '감-기다[3]'을 보니, '감다[1]'의 피동사와 사동사는 그 형태가 같군.

② '감-기다[1]'과 '감-기다[2] [1] ②'가 필수적으로 요구하는 문장 성분의 개수는 같겠군.

③ '감-기다[2]'의 의미를 고려할 때 '감다[3]'은 다의어로 볼 수 있겠군.

④ '감-기다[2] [1] ①'을 고려할 때, '감다[3] [1] ①'은 '어떤 물체를 다른 물체에 말거나 빙 두르다.'의 의미이겠군.

⑤ '감-기다[2] [1] ②'의 용례로 '어머니께서 보내 주신 김치가 입에 감겼다.'를 들 수 있겠군.

[04~05] 다음 글을 읽고 물음에 답하시오.

『훈민정음 해례본』에는 자음자와 모음자의 제자 원리와 운용 방법 등이 담겨 있다. 먼저 초성은 사람의 발음 기관을 본떠 만든 'ㄱ, ㄴ, ㅁ, ㅅ, ㅇ' 5개의 기본자가 있다. 'ㄱ'은 혀뿌리가 목구멍을 막는 모양을, 'ㄴ'은 혀가 윗잇몸에 닿는 모양을, 'ㅁ'은 입의 모양을, 'ㅅ'은 치아의 모양을, 'ㅇ'은 목구멍의 모양을 본뜬 것이다. 그리고 'ㄱ → ㅋ', 'ㄴ → ㄷ → ㅌ', 'ㅁ → ㅂ → ㅍ', 'ㅅ → ㅈ → ㅊ', 'ㅇ → ㆆ → ㅎ'과 같은 방식으로 기본자에 획을 더하여 다른 글자들을 만들었는데, 이때 획이 더해지는 것은 소리가 점점 세어지는 특성과 관련된다. 또한 같은 글자를 나란히 써서 'ㄲ, ㄸ, ㅃ, ㅆ, ㅉ, ㆅ'과 같은 글자를 만들기도 하였다.

[A]
중성은 천지인(天地人)의 모양을 본떠 만든 'ㆍ, ㅡ, ㅣ' 3개의 기본자가 있다. 'ㆍ'와 다른 기본자가 결합된 'ㅗ, ㅏ, ㅜ, ㅓ'를 초출자라고 하고, 초출자에 'ㆍ'를 더하여 만든 'ㅛ, ㅑ, ㅠ, ㅕ'를 재출자라고 한다. 기본자와 초출자는 단모음에 해당하고, 재출자는 반모음 'ㅣ'로 시작하는 이중 모음에 해당한다. 한편 중성에서 'ㆍ'가 'ㅡ'와 'ㅣ'의 각각 위쪽과 오른쪽에 위치한 모음은 양성 모음에 해당하고, 'ㆍ'가 'ㅡ'와 'ㅣ'의 각각 아래쪽과 왼쪽에 위치한 모음은 음성 모음에 해당하는데, 몇몇 예외를 제외하면 모음은 음양의 원리를 따르는 모음 조화에 따라 선택적으로 사용되었다. 당시에는 기본자, 초출자, 재출자에 해당하는 11자의 모음자만 하나의 글자로 보았는데, 이외에도 'ㅘ, ㅝ, ㅑ, ㅖ'와 같이 초출자나 재출자끼리 합쳐 쓰는 방식이나, 'ㅣ, ㅢ, ㅚ, ㅐ, ㅟ, ㅔ, ㅚ, ㅒ, ㆌ, ㅖ' 등과 같이 모음 'ㅣ'를 다른 모음자에 합쳐 쓰는 방식을 활용하여 만든 모음자가 더 있었다.

마지막으로 종성은 글자를 따로 만들지 않고, 초성을 가져다 쓰면서도, 받침으로는 'ㄱ, ㆁ, ㄷ, ㄴ, ㅂ, ㅁ, ㅅ, ㄹ'의 8개 자음만 표기하는 것을 원칙으로 하였다. 이때 'ㆁ'(옛이응)은 현대 국어 받침 'ㅇ'에 대응되며, 받침에서의 'ㄷ'과 'ㅅ'은 현대 국어와 달리 그 소리가 서로 구별되었다. 이는 현대 국어의 표준 발음법에서 받침소리로는 'ㄱ, ㄴ, ㄷ, ㄹ, ㅁ, ㅂ, ㅇ'의 7개 자음만 발음한다고 되어 있는 것과 비교할 만하다.

04. 윗글을 바탕으로 중세 국어의 자음자와 모음자에 대해 이해한 내용으로 적절하지 <u>않은</u> 것은? [3점]

① 초성자와 중성자의 기본자는 상형의 원리로 만들었다.

② 초성자에서 'ㅌ'은 'ㄷ'보다 소리가 더 세게 나는 글자이다.

③ 초성자에서 'ㄲ'과 'ㅆ'은 모두 기본자를 나란히 써서 만든 글자이다.

④ 중성자에서 두 글자를 합친 방식으로 만든 모음자는 모두 'ㅣ'가 포함되어 있다.

⑤ 종성에서 구별되어 쓰인 'ㄷ'과 'ㅅ'은 현대 국어의 받침 발음에서는 그 구별이 사라졌다.

05. [A]를 바탕으로 〈보기〉의 '자료'를 탐구한 내용으로 적절하지 <u>않은</u> 것은?

〈보기〉

[중세 국어의 모음]

	기본자	초출자	재출자
양성 모음	ㆍ	ㅗ, ㅏ	ㅛ, ㅑ
음성 모음	ㅡ	ㅜ, ㅓ	ㅠ, ㅕ
중성 모음	ㅣ		

[중세 국어의 예]
ⓐ누네 ⓑ됴ᄒᆞᆫ 빗 보고져 ⓒ귀예 됴ᄒᆞᆫ 소리 ⓓ듣고져 ⓔ고해 됴ᄒᆞᆫ 내 ⓕ맏고져 모매 됴ᄒᆞᆫ 옷 ⓖ닙고져

– 『석보상절』 –

[현대어 풀이]
눈에 좋은 빛 보고자, 귀에 좋은 소리 듣고자
코에 좋은 냄새 맡고자, 몸에 좋은 옷 입고자

① ⓐ와 ⓔ를 비교해 보면 모음 조화에 따라 형태를 달리하는 부사격 조사를 확인할 수 있군.

② ⓑ에서 어간의 모음은 이중 모음에, 어미의 모음은 단모음에 해당하겠군.

③ ⓒ에서 초출자끼리 합쳐 쓴 모음과 재출자끼리 합쳐 쓴 모음을 확인할 수 있군.

④ ⓖ의 어간의 모음에서 기본자를, 어미의 모음에서 초출자와 재출자를 확인할 수 있군.

⑤ ⓓ와 ⓕ를 비교해 보면 어미 '-고져'는 모음 조화에 따르지 않고 사용되었음을 확인할 수 있군.

빠른 정답 찾기	01	02	03	04	05
	②	③	②	④	③

▶ 01 ②

정답풀이

㉠은 서술어를 제외한 다른 문장 성분을 생략하면 문장이 성립되지 않는 데 비해, ㉡은 동일한 방식으로 문장을 나누면 본래와는 다른 뜻을 지닌 두 문장이 성립됨을 알 수 있다. 이를 통해 ㉠은 홑문장, ㉡은 안은문장이라고 판단할 수 있다. 그리고 ㉡에서 '주어 + 서술어'로 이루어진 안긴문장이 다른 주어의 서술어 역할을 하고 있으므로 정답은 ②번이 된다.

☞ 문법 개념 담기

- **홑문장:** 주어와 서술어의 관계가 한 번만 이루어진 문장
  예 밖에 누가 왔다.
- **겹문장:** 주어와 서술어의 관계가 두 번 이상 이루어진 문장
  예 그는 돈만 아는 구두쇠이다.(관형절을 안은문장)

▶ 02 ③

정답풀이

ⓒ에는 '계시다'라는 높임의 특수 어휘가 사용되었다. 이때 '계시다'는 문장의 주체인 '고모가'를 높이기 위한 어휘이므로 주체를 직접 높이는 어휘가 사용되었다는 설명은 적절하다.

오답풀이

① ⓐ에는 주어를 높이는 조사가 사용되지 않았다. 이 문장에 쓰인 높임 표현은 객체 높임의 부사격 조사 '께', 주체 높임의 선어말 어미 '-시-', 해요체의 종결 어미 '-어요'가 있다.

② ⓑ에는 객체를 높이는 특수 어휘가 사용되지 않았다. 이 문장에 쓰인 높임 표현은 주체 높임의 주격 조사 '께서', 주체 높임의 선어말 어미 '-시-', 해요체의 종결 어미 '-어요'가 있다.

④ ⓓ에는 주체를 간접적으로 높이는 특수 어휘가 사용되지 않았다. 이 문장에 쓰인 높임 표현은 부사격 조사 '께'와 객체 높임의 특수 어휘 '드리다', 하십시오체의 종결 어미 '-습니다'가 있다. 참고로 이때 '말씀'은 '자기의 말을 낮추어 이르는 말'로 사용된 것이다.

⑤ ⓔ에는 주체를 직접 높이는 선어말 어미가 사용되지 않았다. 이 문장에 쓰인 높임 표현은 높임의 뜻을 더하는 접미사 '-님', 주체 높임의 선어말 어미 '-시-'가 있다. 그런데 서술어 '많으시다.'와 호응하는 주어는 '고민이'이므로, '과장님'을 높이기 위해 '-시-'를 사용한 간접 높임이 쓰이고 있는 것이다.

☞ 문법 개념 담기

- **주체 높임:** 문장의 주체를 높이는 표현 방식으로, 선어말 어미 '-(으)시-', 주격 조사 '께서', 접사 '-님', 특수 어휘 '계시다, 주무시다' 등에 의해 실현됨
  예 요즘 어머니께서 서예를 배우신다.
- **직접 높임:** 문장의 주체를 직접 높이는 주체 높임법으로, 선어말 어미 '-(으)시-', 주격 조사 '께서', 접사 '-님', 특수 어휘 '계시다, 주무시다' 등에 의해 실현됨
- **간접 높임:** 주체와 관련된 대상(신체의 일부, 소유물, 가족 등)을 통해 간접적으로 높이는 주체 높임법
- **객체 높임:** 문장의 객체를 높이는 표현 방식으로, 부사격 조사 '께', 특수 어휘 '뵙다, 드리다, 여쭈다, 모시다' 등에 의해 실현됨
  예 언니가 할머니를 병원까지 모셔다 드렸다.

▶ 03 ②

'감-기다² □'에는 【…에】라는 표시가 있다. 이는 '감-기다² □'이 주어 이외에 【…에】라는 부사어를 필수적으로 요구함을 의미한다. 따라서 '감-기다² □'은 필수적으로 요구하는 문장 성분이 2개임을 알 수 있다. 그런데 '감-기다¹'에는 이러한 표시가 없으므로 '감-기다¹'은 필수적으로 요구하는 문장 성분이 주어 1개임을 알 수 있다.

① '감-기다¹'은 '감다¹'의 피동사이고, '감-기다³'은 '감다¹'의 사동사이므로 '감다¹'의 피동사와 사동사는 그 형태가 '감-기다'로 같다.

③ '감-기다²'에는 '감다³ □ ①'의 피동사라는 설명과 '감다³ ② ①'의 피동사라는 설명이 있다. 이로 미루어 볼 때 '감다³'은 두 가지 의미를 가진 다의어임을 알 수 있다.

④ '감-기다² □ ①'은 '감다³ □ ①'의 피동사이다. '감-기다² □ ①'의 용례인 '줄에 발이 감겨 넘어질 뻔했다.'를 참고하여 능동사인 '감다³ □ ①'의 의미를 짐작해 보면, '어떤 물체를 다른 물체에 말거나 빙 두르다.'라는 의미임을 알 수 있다.

⑤ '어머니께서 보내 주신 김치가 입에 감겼다.'에서 '감기다'와 호응하는 주어가 '김치가'인 것으로 보아, '음식 따위가 감칠맛이 있게 착착 달라붙다.'라는 의미인 '감-기다² □ ②'의 의미로 쓰였음을 알 수 있다.

👉 문법 개념 닦기

- **주동문:** 주어가 행동이나 동작을 스스로 하는 것을 표현한 문장
- **사동문:** 주어가 다른 대상에게 어떤 행위를 하게 하거나 어떤 상황에 놓이게 하는 것을 표현한 문장
- ❶ 사동문에는 주어가 직접 참여하여 다른 대상에게 어떤 행위를 하게 하는 것을 표현한 직접 사동문과 주어가 다른 대상에게 말 등을 통해 간접적으로 시켜 어떤 행위를 하게 하는 것을 표현한 간접 사동문이 있어! 일반적으로 사동 접미사가 결합한 사동사가 쓰인 사동문은 직접 사동과 간접 사동 두 가지 의미로 모두 해석되지만, '-게 하다'를 활용한 사동문은 간접 사동의 의미로만 해석돼.
- **능동문:** 주어가 동작을 스스로의 힘으로 하는 것을 표현한 문장
- **피동문:** 주어가 다른 주체에 의해서 동작을 당하게 되는 것을 나타내는 문장
- ❶ 능동문을 피동문으로 바꿀 때에는 몇 가지 특징이 있어! 첫째, 능동사가 피동사로 바뀔 때에는 일부 예외를 제외하고 일반적으로 타동사가 자동사로 바뀌어서 나타나. 둘째, 능동문의 목적어가 피동문에서 주어로 대응돼. 셋째, 능동문의 주어는 피동문에서 부사어로 대응돼. 넷째, 능동문의 서술어가 피동문에서는 피동 접미사 '-이-/-히-/-리-/-기-'가 결합한 피동사나 '-아/-어지다'가 결합한 피동 표현으로 바뀌어서 나타나지!

▶ 04 ④

윗글에서 '기본자, 초출자, 재출자에 해당하는 11자의 모음자만 하나의 글자로 보았는데, 이외에도 'ㅘ, ㅝ, ㆇ, ㆊ'와 같이 초출자나 재출자끼리 합쳐 쓰는 방식이나, 'ㅓ, ㅢ, ㅚ, ㅐ, ㅟ, ㅔ, ㅖ, ㅙ, ㅝ, ㅞ' 등과 같이 모음 'ㅣ'를 다른 모음자에 합쳐 쓰는 방식을 활용하여 만든 모음자가 더 있었다.'라고 했다. 따라서 두 글자를 합친 방식은 'ㅣ'와 다른 글자를 합쳐 쓴 방식 외에도 초출자나 재출자끼리 합쳐 쓴 방식이 있었으므로, 두 글자를 합친 방식으로 만든 모음자에 모두 'ㅣ'가 포함되어 있는 것은 아니다.

① 윗글에서 '초성은 사람의 발음 기관을 본떠 만든 'ㄱ, ㄴ, ㅁ, ㅅ, ㅇ' 5개의 기본자가 있다.'라고 하였고, '중성은 천지인(天地人)의 모양을 본떠 만든 'ㆍ, ㅡ, ㅣ' 3개의 기본자가 있다.'라고 하였다. 따라서 초성자와 중성자의 기본자는 상형(물체의 형상을 본떠서 글자를 만드는 방법)의 원리로 만들었다고 볼 수 있다.

② 윗글에서 기본자에 획을 더하여 만든 글자들에 대해 '획이 더해지는 것은 소리가 점점 세어지는 특성과 관련된다.'라고 하였다. 따라서 기본자 'ㄴ'에 획을 한 번 더하여 'ㄷ'을 만들면 소리가 세어지고, 여기에 다시 한 번 더 획을 더하여 'ㅌ'을 만들면 소리가 더 세어질 것임을 알 수 있다.

③ 윗글에서 '같은 글자를 나란히 써서 'ㄲ, ㄸ, ㅃ, ㅆ, ㅉ, ㆅ'과 같은 글자를 만들기도 하였다.'라고 하였다. 따라서 'ㄲ'과 'ㅆ'은 모두 기본자를 나란히 써서 만든 글자에 해당한다고 볼 수 있다.

⑤ 윗글에서 '받침에서의 'ㄷ'과 'ㅅ'은 현대 국어와 달리 그 소리가 서로 구별되었다.'라고 하였고, '현대 국어의 표준 발음법에서 받침소리로는 'ㄱ, ㄴ, ㄷ, ㄹ, ㅁ, ㅂ, ㅇ'의 7개 자음만 발음한다고 되어 있는 것과 비교할 만하다.'라고 하였다. 따라서 종성에서 구별되어 쓰인 'ㄷ'과 'ㅅ'은 현대 국어에서의 받침 발음에서는 그 구별이 사라져서 'ㄷ' 소리로만 발음될 것임을 알 수 있다.

1 주차

2
3
4

▶ **05 ③**

정답풀이

〈보기〉를 참고하여 ⓒ(귀예)의 모음을 살펴보면, 'ㅟ'는 초출자 'ㅜ'에 기본자 'ㅣ'가 합쳐져 만든 글자이고, 'ㅖ'는 재출자 'ㅕ'에 기본자 'ㅣ'가 합쳐져 만든 글자임을 알 수 있다. 또한 [A]에서 'ㅟ'와 'ㅖ'는 '모음 'ㅣ'를 다른 모음자에 합쳐 쓰는 방식을 활용하여 만든 모음자'라고 하고 있으므로, ⓒ에서 초출자나 재출자끼리 합쳐 쓴 모음은 확인할 수 없다.

오답풀이

① ⓐ(누네)의 체언 모음 'ㅜ'는 음성 모음이고, ⓔ(고해)의 체언 모음 'ㅗ'는 양성 모음임을 알 수 있다. 현대 국어를 참고하면 '누네'와 '고해'에 부사격 조사가 결합하였음을 알 수 있는데, 부사격 조사의 모습이 각각 다른 모음으로 나타나고 있다. 따라서 이는 모음 조화에 따라 형태를 달리하는 부사격 조사임을 알 수 있다.

② ⓑ(됴훈)의 어간 모음 'ㅛ'는 재출자이고, 어미 모음 'ㆍ'는 기본자이다. [A]에서 기본자와 초출자는 단모음에 해당하고, 재출자는 이중 모음에 해당한다고 했으므로, 어간 모음 'ㅛ'는 이중 모음에, 어미 모음 'ㆍ'는 단모음에 해당한다는 것을 알 수 있다.

④ ⓖ(닙고져)의 어간의 모음은 'ㅣ'이므로, 윗글과 〈보기〉를 참고하면 'ㅣ'는 기본자에 해당함을 알 수 있고, 어미의 모음 'ㅗ'와 'ㅕ'는 각각 초출자와 재출사에 해낭함을 알 수 있나.

⑤ ⓓ(듣고져)와 ⓕ(맏고져)에서 어간의 어미는 각각 음성 모음인 'ㅡ'와 양성 모음인 'ㅏ'이고, 현대어 풀이를 참고하면 '-고져'는 현대 국어의 '-고자'에 대응되는 어미임을 알 수 있다. 그런데 중세 국어의 '-고져'는 모음 조화에 따르지 않고 양성 모음과 음성 모음 모두에 어울려 쓰이고 있음을 확인할 수 있다.

문항	개념 확인	알면 Check! ☑	나의 책 Check! PAGE	선지나 〈보기〉를 활용하여 문법을 다지자! ▶ 선지나 〈보기〉의 핵심 내용을 활용하여, 내가 몰랐거나 정확히 알고 넘어가야 할 개념을 정리해 보세요.
01	홑문장 겹문장	☐ ☐		
02	주체 높임 직접 높임 간접 높임 객체 높임	☐ ☐ ☐ ☐		
03	피동사 사동사 다의어	☐ ☐ ☐		
04	훈민정음의 제자 원리 기본자 상형의 원리 중세 국어 받침 'ㄷ'과 'ㅅ'의 발음 구별	☐ ☐ ☐ ☐		
05	중세 국어의 부사격 조사 중세 국어의 단모음 모음 조화	☐ ☐ ☐		

1
주
차

2

3

4

[01~02] 다음 글을 읽고 물음에 답하시오.

국어의 자음은 조음 위치와 조음 방법에 따라 분류된다. 이때 파열음과 파찰음은 다시 예사소리, 된소리, 거센소리로 나뉜다. 아래는 국어의 자음 일부를 조음 방법과 조음 위치에 따라 분류한 표이다.

조음 위치 \ 조음 방법	양순음	치조음	경구개음	연구개음
파열음	ㅂ	ㄷ		ㄱ
파찰음			ㅈ	
비음	ㅁ	ㄴ		ㅇ

한편 어떤 음운이 주위에 있는 다른 음운의 영향을 받아 그것과 동일한 음운으로 바뀌거나, 조음 위치 또는 조음 방법이 그것과 같은 음운으로 바뀌는 현상을 동화라고 한다. 조음 방법과 관련된 동화 현상 중에는 '비음 동화'가 있다. 가령, '국민 → [궁민]'에서 파열음인 'ㄱ'은 비음인 'ㅁ' 앞에서 비음 'ㅇ'으로 바뀐다. 또한 비음 동화는 '읇는 → [음는]'과 같이 음절의 종성과 관련된 음운 변동을 겪은 후에 일어나기도 한다.

조음 위치와 조음 방법이 모두 바뀌는 동화 현상 중에는 구개음화가 있다. 구개음화는 앞 형태소의 받침 'ㄷ, ㅌ(ㄾ)'이 모음 'ㅣ'나 반모음 'ㅣ'로 시작하는 형식 형태소와 만나 'ㅈ, ㅊ'으로 소리 나는 현상을 말한다. 모음 'ㅣ'의 조음 위치는 경구개음과 가까운데, 구개음화는 치조음인 'ㄷ, ㅌ'이 모음 'ㅣ'의 조음 위치에 동화되어 경구개음인 'ㅈ, ㅊ'으로 바뀌는 것이다. 구개음화는 조음 위치의 변동과 함께 조음 방법도 파열음에서 파찰음으로 바뀐다. 가령, '밭이다'는 명사 '밭'의 받침 'ㅌ'이 조사 '이다'의 모음 'ㅣ' 앞에서 조음 위치와 조음 방법이 모두 바뀌어 '[바치다]'로 발음된다.

구개음화는 근대 국어 시기인 17~18세기에 광범위하게 일어났는데, 이때에는 ⓐ현대 국어의 구개음화처럼 두 형태소 사이에서 나타나기도 했지만, ⓑ한 형태소의 내부에서 구개음화가 일어나기도 했다. 가령, '떨어지다'를 의미하는 중세 국어의 '디다(落)'는 근대 국어 시기에 구개음화를 겪어 '지다'로 바뀌었다.

---

01. 윗글을 바탕으로 〈보기〉의 ⓐ~ⓔ를 설명한 것으로 적절하지 않은 것은?

〈보기〉

ⓐ 잡- + -는 → [잠는]
ⓑ 닫- + -니 → [단니]
ⓒ 속- + -는 → [송는]
ⓓ 값 + 만 → [감만]
ⓔ 굳- + -이 → [구지]

① ⓐ: '앞 + 만 → [암만]'에서처럼 조음 위치는 변하지 않고, 조음 방법만 바뀌는 음운 변동이 일어난다.

② ⓑ: '꽃 + 눈 → [꼰눈]'에서처럼 앞 음절의 종성이 인접하는 자음의 조음 위치로 바뀌는 음운 변동이 일어난다.

③ ⓒ: '깎- + -는 → [깡는]'에서처럼 비음의 영향으로 파열음이 비음으로 바뀌는 음운 변동이 일어난다.

④ ⓓ: '흙 + 냄새 → [흥냄새]'에서처럼 자음군 중 하나가 탈락하고 남은 자음의 조음 방법이 바뀌는 음운 변동이 일어난다.

⑤ ⓔ: '낱낱 + -이 → [난ː나치]'에서처럼 자음이 모음의 조음 위치에 동화되는 음운 변동이 일어난다.

---

02. 윗글의 ㉠, ㉡의 방식에 해당하는 예로 적절한 것은?

① ┌ ㉠: 홑이불
   └ ㉡: 쓴허디다 〉 쓴허지다

② ┌ ㉠: 해돋이
   └ ㉡: 견듸다 〉 견디다

③ ┌ ㉠: 꽂히다
   └ ㉡: 옮기다 〉 옮기지

④ ┌ ㉠: 미닫이
   └ ㉡: 티다(打) 〉 치다

⑤ ┌ ㉠: 햇볕이
   └ ㉡: 마듸 〉 마디

03. 밑줄 친 부분이 〈보기〉의 ⓐ, ⓑ에 해당하는 예로 적절한 것은?

〈보기〉

우연히 소리가 같을 뿐 의미가 다른 단어들을 동음이의어라고 한다. 이들 중에서 용언은 어간에 평서형 종결 어미 '-다'가 결합된 경우에는 그 형태가 동일하지만, 각 어간에 다양한 어미를 결합시켜 활용을 해 보면, ⓐ하나는 규칙 활용을 하고, ⓑ다른 하나는 불규칙 활용을 하는 경우가 있다.

① ┌ ⓐ: 불에 감자를 굽다.
   └ ⓑ: 팔이 안으로 굽다.

② ┌ ⓐ: 병이 씻은 듯이 낫다.
   └ ⓑ: 겨울보다는 여름이 낫다.

③ ┌ ⓐ: 방명록에 이름을 쓰다.
   └ ⓑ: 억울하게 누명을 쓰다.

④ ┌ ⓐ: 목적지에 이르다.
   └ ⓑ: 포기하기에는 이르다.

⑤ ┌ ⓐ: 옷에 잉크가 묻다.
   └ ⓑ: 관계자에게 책임을 묻다.

04. 〈보기〉의 ㉠~㉤에 대한 설명으로 옳은 것은? [3점]

〈보기〉

국어의 높임법은 듣는 이를 높이거나 낮추어 말하는 상대 높임법과 서술의 주체를 높이는 주체 높임법, 서술의 객체 즉, 목적어나 부사어를 높이는 객체 높임법이 있다. 높임법은 종결 어미, 선어말 어미, 조사, 특수 어휘 등을 통해 실현된다.

㉠ 집에만 계시던 할아버지께서 밖으로 나오셨다.
㉡ 불편한 점을 여쭈어 보며 정성껏 모시겠습니다.
㉢ 선생님께서 이 편지를 아버지께 드리라고 하셨어요.
㉣ 할머니께서는 피곤하신지 손님이 가자마자 주무신다.
㉤ 아버지는 다리를 다치신 할머니를 뵙고 눈물을 흘리셨다.

① ㉠의 '계시던'과 '나오셨다'에서 선어말 어미를 활용하여 주체 높임을 표현하였다.

② ㉡의 '여쭈어'와 '모시겠습니다'에서 특수 어휘를 활용하여 상대 높임을 표현하였다.

③ ㉢의 '선생님께서'와 '아버지께'에서 조사를 활용하여 객체 높임을 표현하였다.

④ ㉣의 '피곤하신지'와 '주무신다'에서 종결 어미를 활용하여 상대 높임을 표현하였다.

⑤ ㉤의 '다치신'과 '흘리셨다'에서 선어말 어미를 활용하여 주체 높임을 표현하였다.

05. 〈보기〉의 ㉠~㉤에서 알 수 있는 중세 국어의 특징으로 적절하지 않은 것은?

〈보기〉

㉠雙鵰(쌍조)ㅣ 훈 ㉡사래 ㉢뻬니 絶世(절세)ㄹ 英才(영재)룰 邊人(변인)이 ㉤拜伏(배복)ᄒᆞᆸ부니

[현대어 풀이]
두 마리 독수리가 한 살에 꿰이니, 절세의 영재를 변방의 사람들이 절하며 복종하니

– 「용비어천가(龍飛御天歌)」〈제23장〉 –

① ㉠이 '두 마리 독수리가'에 대응하는 것을 보니 현대 국어에는 사용되지 않는 주격 조사 'ㅣ'가 사용되었군.

② ㉡이 '살에'에 대응하는 것을 보니, 음절 단위로 각 형태소의 원형을 밝혀 적은 현대 국어와는 달리 이어적기를 하였군.

③ ㉢이 '꿰이니'에 대응하는 것을 보니, 현대 국어에서는 초성에 자음이 두 개까지만 쓰일 수 있는 것과 달리 초성에 세 개의 자음이 쓰였군.

④ ㉣이 '영재를'에 대응하는 것을 보니, 현대 국어에서는 모음 조화가 지켜지지 않은 것과 달리, 모음 조화가 지켜졌군.

⑤ ㉤이 '절하며 복종하니'에 대응하는 것을 보니, 현대 국어에서는 사용되지 않는 자음과 모음이 사용되었군.

1주차

2
3
4

빠른 정답 찾기	01	02	03	04	05
	②	④	⑤	⑤	③

문법 개념 담기

- **조음 위치에 따라**: 양순음(입술소리), 치조음(잇몸소리), 경구개음(센입천장소리), 연구개음(여린입천장소리), 후음(목청소리)
- **조음 방법에 따라**: 파열음, 마찰음, 파찰음, 비음, 유음
- **소리의 세기에 따라**: 예사소리, 된소리, 거센소리
- **음절의 끝소리 규칙**: 음절의 끝에서 'ㄱ, ㄴ, ㄷ, ㄹ, ㅁ, ㅂ, ㅇ'의 일곱 소리로만 발음되는 현상
  예 앞 → [압], 꽃 → [꼳], 깎다 → [깍따], 낱 → [낟:]
- **자음군 단순화**: 음절의 끝에서 겹받침의 자음 중 하나가 탈락하는 현상
  예 값 → [갑], 흙 → [흑]
- **비음 동화(비음화)**: 파열음 'ㄱ, ㄷ, ㅂ'이 비음 'ㄴ, ㅁ' 앞에서 각각 비음 'ㅇ, ㄴ, ㅁ'으로, 조음 방법이 바뀌는 현상

▶ 비음 동화는 동일한 조음 위치에서 파열음이 비음으로 바뀌는 거야! 물론, 비음 동화 외에 다른 음운 현상도 일어난다면, 조음 위치가 변했는지도 확인해 봐야겠지?

▶ **01 ②**

정답풀이

'꽃 + 눈 → [꼰눈]'에서 앞 음절의 종성 'ㅊ'은 음절의 끝소리 규칙에 의해 'ㄷ'으로 바뀐 후 인접하는 자음 'ㄴ'의 영향으로 비음 동화가 일어나 비음 'ㄴ'으로 바뀐다. 이때 'ㅊ'의 조음 위치는 경구개음이고 'ㄴ'의 조음 위치는 치조음이므로, '꽃 + 눈 → [꼰눈]'은 조음 방법뿐 아니라, 조음 위치도 바뀌는 음운 변동이 일어난 것이 맞다. 그러나 ⓑ의 '닫- + -니 → [단니]'에서 받침 'ㄷ'이 'ㄴ'으로 바뀌는 것은, 조음 위치는 치조음 그대로이고 조음 방법만 바뀌는 것이다.

▶ 〈보기〉의 예시와 선지의 예시를 연결하여 묻는 문제에서는 각각의 예시가 설명에 모두 부합하는지를 잘 따져 봐야 해!

오답풀이

① '앞 + 만 → [암만]'에서 'ㅍ'은 음절의 끝소리 규칙에 의해 'ㅂ'으로 바뀐 후, 비음 'ㅁ'의 영향으로 비음 동화를 겪어 'ㅁ'이 된다. 이때 'ㅍ'과 'ㅁ'의 조음 위치는 양순음으로 동일하고, 조음 방법만 파열음에서 비음으로 바뀐다. ⓐ의 '잡- + -는 → [잠는]'에서 'ㅂ'이 'ㅁ'으로 바뀐 것도 조음 위치는 변하지 않고, 조음 방법만 바뀐 것이다.

③ '깎- + -는 → [깡는]'에서 'ㄲ'은 음절의 끝소리 규칙에 의해 'ㄱ'으로 바뀐 후, 비음 'ㄴ'의 영향으로 비음 동화를 겪어 'ㅇ'이 된다. 지문에서 파열음은 예사소리, 된소리, 거센소리로 나뉜다고 했으므로, 'ㄲ'과 'ㄱ'은 모두 파열음임을 알 수 있다. 즉, 파열음 'ㄲ'이 다시 파열음 'ㄱ'으로 바뀐 후 비음 'ㄴ'의 영향으로 비음 'ㅇ'으로 바뀐 것이다. ⓒ의 '속- + -는 → [송는]'에서도 파열음 'ㄱ'이 비음 'ㄴ'의 영향으로 비음 'ㅇ'으로 바뀌었다.

④ '흙 + 냄새 → [흥냄새]'에서 받침 'ㄺ'은 자음군 단순화를 겪은 후 남은 자음 'ㄱ'이 비음 'ㄴ' 앞에서 조음 방법이 파열음에서 비음으로 바뀐다. ⓓ의 '값 + 만 → [감만]'에서 'ㅄ'도 먼저 자음군 단순화를 겪은 후 남은 자음 'ㅂ'이 비음 'ㅁ' 앞에서 조음 방법이 파열음에서 비음으로 바뀐다.

⑤ '낱낱 + -이 → [난:나치]'에서 접미사 '-이'는 형식 형태소이므로, 바로 앞의 받침 'ㅌ'은 구개음화를 겪어 'ㅊ'으로 바뀐다. 지문에서 구개음화는 치조음 'ㄷ, ㅌ'가 모음 'ㅣ'의 조음 위치에 동화되어 경구개음 'ㅈ, ㅊ'으로 바뀌는 것이라고 했으므로, 자음이 모음의 조음 위치에 동화되는 음운 변동이 일어난 것이라 할 수 있다. ⓔ의 '굳- + -이 → [구지]'에서도 받침 'ㄷ'이 형식 형태소 '-이' 앞에서 구개음화가 일어난다.

▶ 참고로 '낱낱 + -이 → [난:나치]'에서 첫 번째 '낱'의 받침 'ㅌ'은 음절의 끝소리 규칙에 의해 'ㄷ'으로 바뀐 후, 뒤에 오는 비음 'ㄴ'의 영향으로 비음 'ㄴ'으로 바뀐 거야!

▶ 02 ④

정답풀이

㉠은 받침 'ㄷ, ㅌ(ㄾ)'이 모음 'ㅣ'나 반모음 'ㅣ'로 시작하는 형식 형태소와 만나 'ㅈ, ㅊ'으로 소리 나는 현상을 의미하며, ㉡은 근대 국어 구개음화의 조건 중 형태소 내부에서 일어나는 구개음화에 대한 설명이다. '미닫이'는 [미다지]로 발음되는데, 이때 받침 'ㄷ'이 접미사 '-이'와 만나 'ㅈ'로 바뀐 것이므로 ㉠에 해당한다. 그리고 '티다(打)'가 '치다'로 바뀐 것으로 보아, 하나의 형태소 내부에서 'ㅌ'이 'ㅣ'와 만나 'ㅊ'로 바뀌었으므로, '티다(打) 〉 치다'는 ㉡에 해당한다.

오답풀이

① '홑이불'은 접사 '홑-'과 명사 '이불'이 결합한 것으로, 뒤에 오는 말이 'ㅣ'로 시작하더라도 형식 형태소가 아닌 실질 형태소일 경우에는 구개음화가 일어나지 않는다. '홑이불'은 음절의 끝소리 규칙과 'ㄴ' 첨가 이후 비음 동화를 거쳐 '홑이불 → 홑니불 → [혼니불]'로 나타나므로, ㉠에 해당하지 않는다. 한편 '슨허디다'가 '슨허지다'로 바뀐 것으로 보아, 하나의 형태소 내부에서 'ㄷ'이 'ㅣ'와 만나 'ㅈ'으로 바뀌었으므로, '슨허디다 〉 슨허지다'는 ㉡에 해당한다. (㉠: 홑이불 X / ㉡: 슨허디다 〉 슨허지다 O)

② '해돋이'는 [해도지]로 발음되는데, 이때 받침 'ㄷ'이 접미사 '-이'와 만나 'ㅈ'로 바뀐 것이므로 ㉠에 해당한다. 그러나 '견듸다 〉 견디다'에서 '듸'가 '디'로 바뀐 것은 'ㅢ'가 'ㅣ'로 바뀌었을 뿐 구개음화와 관련이 없으므로, ㉡에 해당하지 않는다. (㉠: 해돋이 O / ㉡: 견듸다 〉 견디다 X)

③ '꽂히다'는 [꼬치다]로 발음되는데, 이는 'ㅈ'과 'ㅎ'이 만나 거센소리 'ㅊ'으로 축약된 것으로, 예사소리 'ㄱ, ㄷ, ㅂ, ㅈ'이 'ㅎ'과 만나 거센소리 'ㅋ, ㅌ, ㅍ, ㅊ'으로 축약되는 자음 축약 현상에 해당한다. 따라서 '꽂히다'는 구개음화와 관련이 없으므로, ㉠에 해당하지 않는다. 한편 '옮기디'가 '옮기지'로 바뀐 것으로 보아, 하나의 형태소 내부에서 'ㄷ'이 'ㅣ'와 만나 'ㅈ'으로 바뀌었으므로, '옮기디 〉 옮기지'는 ㉡에 해당한다. (㉠: 꽂히다 X / ㉡: 옮기디 〉 옮기지 O)

⑤ '햇볕이'는 [해뼈치/핻뼈치]로 발음되는데, 이때 받침 'ㅌ'이 조사 '이'와 만나 'ㅊ'으로 바뀐 것이므로 ㉠에 해당한다. 그러나 '마듸 〉 마디'에서 '듸'가 '디'로 바뀐 것은 'ㅢ'가 'ㅣ'로 바뀌었을 뿐 구개음화와 관련이 없으므로, ㉡에 해당하지 않는다. (㉠: 햇볕이 O / ㉡: 마듸 〉 마디 X)

▶ '햇볕'은 명사 '해'와 명사 '볕'이 결합하여 '햇볕'이 된 거야. 이렇게 사이시옷이 들어간 경우 표준발음법에서는 받침 'ㅅ'의 발음을 빼고 하는 '[해뼏]'과 'ㄷ'으로 발음하는 '[핻뼏]' 모두 인정하고 있어. 참고만 해 두자!

☞ 문법 개념 담기

- **구개음화**: 받침 'ㄷ, ㅌ(ㄾ)'인 형태소가 모음 'ㅣ'나 반모음 'ㅣ'로 시작되는 형식 형태소와 만나 'ㄷ, ㅌ'이 'ㅈ, ㅊ'으로 바뀌는 현상
- ▶ 'ㄷ' 뒤에 접미사 '-히-'가 결합되어도 구개음화로 인정 돼!
  예 굳히다 → 구티다 → [구치다]
- **근대 국어 구개음화의 조건**: 받침 'ㄷ, ㅌ(ㄾ)'인 형태소가 모음 'ㅣ'나 반모음 'ㅣ'로 시작되는 형식 형태소와 만나거나, 한 형태소 안에서 'ㄷ, ㅌ'이 'ㅣ'나 반모음 'ㅣ'와 만날 때
- ▶ 근대 국어의 구개음화는 발음을 표기에도 적용했어!
  예 디다(落) → 지다

▶ 03 ⑤

정답풀이

'옷에 잉크가 묻다.'의 '묻다'는 '가루, 풀, 물 따위가 그보다 큰 다른 물체에 들러붙거나 흔적이 남게 되다.'의 의미로, '묻어, 묻어서, 묻으니' 등으로 활용하는 규칙 용언이므로 ⓐ의 예로 적절하다. '관계자에게 책임을 묻다.'의 '묻다'는 '어떠한 일에 대한 책임을 따지다.'의 의미로, '물어, 물어서, 물으니' 등으로 활용하는 'ㄷ' 불규칙 용언이므로 ⓑ의 예로 적절하다.

오답풀이

① '불에 감자를 굽다.'의 '굽다'는 '불에 익히다'의 의미로, '구워, 구워서, 구우니' 등으로 활용하는 'ㅂ' 불규칙 용언이므로 ⓑ에 해당한다. 한편, '팔이 안으로 굽다.'의 '굽다'는 '한쪽으로 휘다'의 의미로, '굽어, 굽어서, 굽으니' 등으로 활용하는 규칙 용언이므로 ⓐ에 해당한다.

▶ 〈보기〉에서 밑줄 친 부분이 두 개 이상일 경우, 선지의 내용이 밑줄 친 부분과 대응되는지 반드시 확인해 봐야 해. ①번의 예시는 하나는 불규칙 활용, 하나는 규칙 활용이지만, ⓐ, ⓑ의 순서가 바뀌었지? 실수하지 말자!

② '병이 씻은 듯이 낫다.'의 '낫다'는 '병이나 상처 따위가 고쳐져 본래대로 되다.'의 의미로, '나아, 나아서, 나으니' 등으로 활용하는 'ㅅ' 불규칙 용언이므로 ⓐ의 예로 적절하지 않다. '겨울보다는 여름이 낫다.'의 '낫다'는 '보다 더 좋거나 앞서 있다.'의 의미로 '나아, 나아서, 나으니' 등으로 활용하는 'ㅅ' 불규칙 용언이므로 ⓑ의 예로 적절하다.

③ '방명록에 이름을 쓰다.'의 '쓰다'는 '붓, 펜, 연필과 같이 선을 그을 수 있는 도구로 종이 따위에 획을 그어서 일정한 글자의 모양이 이루어지게 하다.'의 의미로, '써, 써서' 등으로 활용하는 'ㅡ' 탈락 규칙 용언이므로 ⓐ의 예로 적절하다. '억울하게 누명을 쓰다.'의 '쓰다'는 '사람이 죄나 누명 따위를 가지거나 입게 되다.'의 의미로, 이 역시 '써, 써서' 등으로 활용하는 'ㅡ' 탈락 규칙 용언이므로 ⓑ의 예로 적절하지 않다.

④ '목적지에 이르다.'의 '이르다'는 '어떤 장소나 시간에 닿다'의 의미로 '이르러, 이르러서, 이르니' 등으로 활용하는 '러' 불규칙 용언이므로 ⓐ의 예로 적절하지 않다. '포기하기에는 이르다.'의 '이르다'는 '대중이나 기준을 잡은 때보다 앞서거나 빠르다.'의 의미로, '일러, 일러서, 이르니' 등으로 활용하는 '르' 불규칙 용언이므로 ⓑ의 예로 적절하다.

▶ 제시된 예시가 ⓐ, ⓑ의 순서에 적합한지도 중요하지만, 불규칙 활용은 그 종류가 다양하기 때문에 두 가지 불규칙 활용이 나타났을 때, 순간 하나는 규칙 활용, 하나는 불규칙 활용이라고 착각할 수 있어! 정신을 집중하고 하나 하나 정확히 보자!

☞ 문법 개념 담기

- **'ㅅ' 불규칙 활용**: 모음 어미 앞에서 어간 끝 'ㅅ'이 탈락함
  예 젓- + -어 → 저어, 긋- + -어 → 그어
- **'ㅂ' 불규칙 활용**: 모음 어미 앞에서 어간 끝 'ㅂ'이 'ㅗ/ㅜ'로 바뀜
  예 돕- + -아 → 도와, 곱- + -아 → 고와
- **'ㄷ' 불규칙 활용**: 모음 어미 앞에서 어간 끝 'ㄷ'이 'ㄹ'로 바뀜
  예 듣- + -어 → 들어, 걷- + -어 → 걸어
- **'르' 불규칙 활용**: 모음 어미 앞에서 어간 '르'가 'ㄹㄹ'로 바뀜
  예 흐르- + -어 → 흘러, 오르- + -아 → 올라
- **'러' 불규칙 활용**: '르'로 끝나는 어간 뒤에서 어미 '-어'가 '-러'로 바뀜
  예 푸르- + -어 → 푸르러, 이르- + -어 → 이르러

① 주 차

②

③

④

정답풀이

국어의 주체 높임법은 문장에서 서술의 주체가 되는 대상을 높이는 표현으로, 주로 선어말 어미 '-시-'를 통해 실현된다. ⑩에서 '다치신'은 다리를 다친 주체가 '할머니'이므로 이를 높이기 위해 선어말 어미 '-시-'를 활용하여 표현한 것이다. 또한 '흘리셨다'에서는 서술어 '흘리다'의 주체가 되는 '아버지'를 높이기 위해 선어말 어미 '-시-'를 활용하여 주체 높임을 표현했으므로 적절한 설명이다.

○ '다치신'이 높이고 있는 대상은 목적어니까 객체 높임법이 쓰인 것이 아니냐고? 문장을 잘 보자! '다리를 다치신'은 안긴문장으로, 원래 문장은 '할머니가 다리를 다치셨다.'겠지? 이 문장이 더 큰 문장에 절로 안기면서 주어인 '할머니'는 꾸밈을 받는 대상과 동일해 생략된 거야. 그래서 '다치신'의 '-시-'는 주체를 높이는 것이지! 문장의 구조도 잘 확인하자!

오답풀이

① 국어의 주체 높임법은 서술의 주체가 되는 대상을 높이는 표현으로, 주로 선어말 어미 '-시-'를 통해 실현된다. ㉠에서 '계시던'과 '나오셨다'는 모두 서술의 주체인 '할아버지'를 높이기 위해 사용되었다. 그런데 '계시다'는 '계다'라는 단어가 존재하지 않으므로 선어말 어미 '-시-'를 따로 분석할 수 없는 특수 어휘에 해당한다. 따라서 '계시던'이 선어말 어미를 활용하여 주체 높임을 표현하였다는 설명은 적절하지 않다. '나오셨다'는 '나오다'의 어간 '나오-'에 주체 높임의 선어말 어미 '-시-'가 결합하여 주체를 높이고 있다.

② 국어의 상대 높임법은 듣는 이를 높이는 표현으로, 주로 종결 표현을 통해 실현된다. ㉡에서 '여쭈어'와 '모시겠습니다'에는 특수 어휘 '여쭈다'와 '모시다'가 사용되었는데, 이는 서술의 객체를 높이기 위한 객체 높임법이 사용된 것이므로 상대 높임을 표현하였다는 설명은 적절하지 않다. 상대 높임은 '모시겠습니다'에서 종결 어미 '-습니다'를 사용하여 표현되고 있다.

③ 국어의 객체 높임법은 서술의 객체인 목적어나 부사어를 높이는 표현으로, 주로 높임의 의미를 나타내는 조사나 특수 어휘를 통해 실현된다. ㉢에서 '선생님께서'와 '아버지께'는 모두 조사를 통해 높임을 표현하고 있는데, '선생님께서'는 높임의 주격 조사 '께서'를 활용하여 주체 높임을 표현하고 있고, '아버지께'는 높임의 부사격 조사 '께'를 활용하여 객체 높임을 표현하고 있다. 따라서 '선생님께서'와 '아버지께'가 조사를 활용하여 객체 높임을 표현하였다는 설명은 적절하지 않다.

④ 국어의 상대 높임법은 듣는 이를 높이는 표현으로, 주로 종결 표현을 통해 실현된다. ㉣에서 '피곤하신지'와 '주무신다'는 문장의 주체인 '할머니'를 높이는 표현으로, '피곤하신지'에서는 주체 높임의 선어말 어미 '-시-'를 통해 주체를 높이고 있고, '주무신다'에서는 '주무시다'라는 특수 어휘를 활용하여 주체를 높이고 있다. 따라서 '피곤하신지'와 '주무신다'를 활용하여 상대 높임을 표현하였다는 설명은 적절하지 않다.

☞ 문법 개념 담기

• **주체 높임**: 문장의 주체를 높이는 표현 방식으로, 선어말 어미 '-(으)사-', 주격 조사 '께서', 접사 '-님', 특수 어휘 '계시다, 주무시다' 등에 의해 실현됨
  예 요즘 어머니께서 서예를 배우신다.

• **객체 높임**: 문장의 객체를 높이는 표현 방식으로, 부사격 조사 '께', 특수 어휘 '뵙다, 드리다, 여쭈다, 모시다' 등에 의해 실현됨
  예 언니가 할머니를 병원까지 모셔다 드렸다.

• **상대 높임**: 듣는 이를 높이거나 낮추는 표현 방식으로, 종결 어미에 의해서 실현됨

정답풀이

현대 국어에서는 초성에 하나의 자음만 올 수 있다. '꿰이니'에서 'ㄲ'은 'ㄱ'의 된소리이므로 두 개의 자음이 아니라 하나의 자음이다. 반면 '삐니'에서는 초성에 자음군 'ㅽ'가 쓰이고 있으므로 중세 국어에서는 초성에 세 개의 자음이 올 수 있음을 알 수 있다.

○ 현대 국어에서 단어의 첫머리에는 하나의 자음만이 발음될 수 있어! 쌍자음은 하나의 자음이기 때문에 두 개의 자음이 나란히 쓰이는 겹자음과 그 개념을 혼동해서는 안 돼! 국어에서는 음절 끝에서도 하나의 자음만 발음될 수 있어! 참고로 음절 끝에서 발음되는 자음이 제한되어 있고, 음절 끝에 둘 이상의 자음이 오지 못하기 때문에 일어난 음운 변동으로 음절의 끝소리 규칙과 자음군 단순화가 있어! 꼭 기억해 두자!

오답풀이

① 현대 국어의 주격 조사는 '이/가'로, 자음으로 끝난 체언 뒤에서는 '이', 모음으로 끝난 체언 뒤에서는 '가'가 결합한다. 이와 달리 중세 국어의 주격 조사는 '이/ㅣ/∅'의 세 가지 형태가 있었는데, 앞 체언이 자음으로 끝난 경우에는 '이', 앞 체언이 모음 'ㅣ'나 반모음 'ㅣ̆'를 제외한 모음으로 끝난 경우 'ㅣ', 모음 'ㅣ'나 반모음 'ㅣ̆'로 끝난 경우에는 '∅(영형태)'의 주격 조사가 결합하였다. '雙鵰(쌍조)' 뒤에 결합한 주격 조사 'ㅣ'는 현대 국어에서는 쓰이지 않는다.

② 형태를 밝혀 적는 현대 국어와 달리 중세 국어에서는 일반적으로 소리 나는 대로 이어 적는 연철의 방식으로 표기하였다. '사래' 역시 '살 + 애'를 소리 나는 대로 이어 적은 것이며, 현대 국어는 '살 + 에'를 각각의 형태를 밝혀 적어 '살에'로 표기한다.

④ 현대 국어의 목적격 조사는 '을/를'로, 자음으로 끝난 체언 뒤에서는 '을'이, 모음으로 끝난 체언 뒤에서는 '를'이 결합한다. 이와 달리 중세 국어의 목적격 조사는 '올/을, 롤/를'의 형태가 존재하여 현대 국어와 달리 양성 모음은 양성 모음끼리, 음성 모음은 음성 모음끼리 어울리는 모음 조화가 비교적 규칙적으로 지켜졌다. 현대 국어에서는 '영재를'과 같이 모음 조화가 지켜지지 않고 있지만, 중세 국어의 '英才(영재)롤'에서는 양성 모음 'ㅐ' 뒤에서 양성 모음의 목적격 조사 '롤'이 결합하여 모음 조화를 지키고 있다.

⑤ '후ᄉ·ᄫ·니'에서는 현대 국어에서는 사용되지 않는 자음 'ㅿ, ㅸ'과 모음 'ㆍ'가 사용되고 있다.

☞ 문법 개념 담기

• **주격 조사**: 중세 국어에서는 '이/ㅣ/∅'가 쓰였으며, 현대 국어에서 쓰이는 주격 조사 '가'는 17세기 근대 국어 시기 이후에 나타남

• **목적격 조사**: 현대 국어와 마찬가지로 자음과 모음 뒤에서 쓰이는 형태가 달랐으나, 현대 국어와는 달리 모음 조화를 고려하여 '올/을, 롤/를'이 선택적으로 쓰임

○ 현대 국어에서 앞 체언이 모음으로 끝날 경우 '를' 대신 'ㄹ'이 체언의 받침으로 합쳐져서 쓰이는 경우가 있는데, 이와 마찬가지로, 중세 국어에서도 선행 체언이 모음으로 끝날 경우 'ㄹ'이 체언의 받침으로 합쳐져서 쓰이기도 했어!

• **어두 자음군**: 단어의 첫머리에 두 개 이상의 자음이 나란히 쓰이는 것으로, 'ㅺ, ㅼ, ㅳ, ㅽ' 등이 있음 예 빼 〉때, 뜯 〉뜻 〉뜻

• **ㅿ의 소실**: 16세기부터 약화되기 시작하여 17세기 이후 근대 국어 시기에 소실됨 예 ᄆᆞᅀᆞᆯ 〉ᄆᆞ울 〉마을

• **ㅸ의 소실**: 주로 고유어 표기에 쓰인 'ㅸ'은 15세기 중엽부터 소실되기 시작하여 반모음 'ㅗ̆ / ㅜ̆'로 변함 예 도ᄫᅡ 〉도와, 구ᄫᅥ 〉구워

• **ㆍ의 소실**: 1단계 소실(16세기, 2음절 이하에서 'ㆍ' → 'ㅡ'), 2단계 소실(18세기, 1음절에서 'ㆍ' → 'ㅏ') 예 ᄀᆞᄅᆞ치다 〉ᄀᆞ르치다 〉가르치다

문항	개념 확인	알면 Check! ☑	나의 책 Check! PAGE	선지나 〈보기〉를 활용하여 문법을 다지자! ▶ 선지나 〈보기〉의 핵심 내용을 활용하여, 내가 몰랐거나 정확히 알고 넘어가야 할 개념을 정리해 보세요.
01	조음 위치 조음 방법 음절의 끝소리 규칙 자음군 단순화 비음 동화(비음화)	☐ ☐ ☐ ☐ ☐		
02	현대 국어의 구개음화 근대 국어의 구개음화 'ㄴ' 첨가 축약(거센소리되기)	☐ ☐ ☐ ☐		
03	'ㅅ' 불규칙 활용 'ㅂ' 불규칙 활용 'ㄷ' 불규칙 활용 '르' 불규칙 활용 '러' 불규칙 활용	☐ ☐ ☐ ☐ ☐		
04	주체 높임 객체 높임 상대 높임	☐ ☐ ☐		
05	중세 국어의 주격 조사 중세 국어의 목적격 조사 이어적기 모음 조화 어두 자음군 'ㅿ'의 소실 'ㅸ'의 소실 'ㆍ'의 소실	☐ ☐ ☐ ☐ ☐ ☐ ☐ ☐		

수 능 국 어 문 법 모 의 고 사

문법백제
PLUS

WEEK

2

실전 대비 모의고사

[01~02] 다음 글을 읽고 물음에 답하시오.

　　단어는 짜임새에 따라 단일어, 파생어, 합성어로 나뉜다. 합성어와 파생어는 직접 구성 요소 분석을 통해 구별할 수 있는데, 단어 형성 과정에서 마지막으로 결합되는 구성 요소에 접사가 있으면 파생어로 본다. 파생어는 다양한 문법적 특징을 지닌다. 그 특징은 다음과 같다.

　　우선, 어근의 품사와 파생어의 품사가 다른 경우가 있다. 가령, 동사 '얼다'의 어근 '얼-'에 접미사 '-음'이 결합하여 파생어가 된 '얼음'은 명사가 된다. 또한 일부 파생어가 문장에서 서술어로 쓰일 때, 그 어근이 문장에서 서술어로 쓰일 때와는 달리 문장의 구조가 바뀌기도 한다. 예를 들어 '아기가 엄마에게 안기다.'에서 '안기다'는 '안다'의 어근 '안-'에 피동 접미사 '-기-'가 결합된 파생어인데, '안기다'가 서술어로 쓰인 문장의 구조는 '엄마가 아기를 안다.'에서처럼 '안다'가 서술어로 쓰인 문장 구조와 차이가 있다. 또한 파생어 형성 과정에서 나타나는 제약도 있다. 사동이나 피동 접미사와 달리 명사 파생 접미사 '-이'는 '놀이', '먹이' 등과 같이 어근이 자음으로 끝날 때에만 결합하며, 어근의 의미적 특성에 따라 결합이 허용되거나 결합에 제약이 따르기도 한다. 예를 들어, 척도를 나타내는 접미사 '-이'는 '길이, 높이'와 같은 파생어를 만들 수 있지만, 이와 대응되는 '*짧이, *낮이'는 만들 수 없다.

[A]　　한편, 명사를 만드는 접미사 중에서 '-(으)ㅁ'은 명사형 어미 '-(으)ㅁ'과 형태가 동일하다. 이때 종성이 'ㄹ'인 어간에 명사형 어미 '-(으)ㅁ'이 결합될 때에는 '만듦'과 같이 어간의 종성 'ㄹ' 옆에 '-ㅁ'의 형태로 쓰는 것이 일반적이다. 그러나 'ㄷ' 불규칙 활용에 해당하는 단어의 경우에는 어간의 다음 음절에 명사형 어미가 '-음'의 형태로 결합한다. 이는 어간의 받침 'ㄷ'이 모음으로 시작하는 어미 앞에서 'ㄹ'로 교체된 것이므로, 일반적인 경우와 차이가 있다.

*는 문법적으로 잘못된 것.

---

01. 윗글을 바탕으로 〈보기〉의 ⓐ~ⓔ를 분석한 것으로 옳지 <u>않은</u> 것은?

〈보기〉

ⓐ 헛웃음
ⓑ 정답다
ⓒ 가슴앓이
ⓓ 도둑이 잡히다.
ⓔ 바지의 길이를 재다.

① ⓐ: 파생어 '웃음'에 접두사 '헛-'이 결합하여 다시 파생어가 되었다는 점에서 '코웃음'과 차이가 있다.

② ⓑ: 명사인 어근이 접미사와 결합하여 형용사로 바뀌었다는 점에서 '가위질'과 차이가 있다.

③ ⓒ: 자음으로 끝난 어간에 명사 파생 접미사 '-이'가 결합되었다는 점에서 파생 명사 '구이'와 차이가 있다.

④ ⓓ: '잡히다'는 문장에서 쓰일 때 목적어를 필요로 하지 않는다는 점에서 '잡다'와 차이가 있다.

⑤ ⓔ: '길이'에 대응하는 '*짧이'를 만들 수 없다는 점에서 '길이 보전하다.'의 '길이'와 품사상 차이가 있다.

02. 〈보기〉는 [A]를 바탕으로 진행된 학습 활동이다. ㉠과 ㉡에 해당하는 예로 적절한 것은? [3점]

〈보기〉

선생님: '책을 만듦'에서 '만듦'은 ㉠ㄹ로 끝나는 어간에 명사형 어미 '-ㅁ'이 결합한 것이고, '빠르게 걸음'에서 '걸음'은 '걷다'가 ㉡ㄷ 불규칙 활용을 하여 어간 받침 'ㄷ'이 'ㄹ'로 바뀐 것으로, 명사형 어미 '-음'이 결합한 것입니다. 그런데 명사형 어미 '-(으)ㅁ'과 명사 파생 접미사 '-(으)ㅁ'은 형태가 동일하기 때문에 문장에서의 쓰임을 통해 구별해야 합니다. 일반적으로 명사는 관형어의 수식을 받고, 명사형 어미가 붙은 동사나 형용사는 부사어의 꾸밈을 받으며 서술의 기능을 유지합니다.

학　생: 이제 왜 '만듦'과 '걸음'에서 명사형 어미가 각기 다른 모습으로 결합했는지 알겠어요.

① ┌ ㉠: 만찬회를 <u>베풂</u>.
　└ ㉡: 가슴에 이름표를 <u>달음</u>.

② ┌ ㉠: 나의 행복한 <u>삶</u>.
　└ ㉡: 아기가 젖병을 <u>물음</u>.

③ ┌ ㉠: 머리를 <u>흔듦</u>.
　└ ㉡: 음악을 크게 <u>들음</u>.

④ ┌ ㉠: 얼음이 꽁꽁 <u>얾</u>.
　└ ㉡: 뻐꾸기가 슬피 <u>울음</u>.

⑤ ┌ ㉠: 수업 시간에 잠깐 <u>졺</u>.
　└ ㉡: 가슴 속에 비밀을 <u>묻음</u>.

03. 〈보기〉의 ㉠과 ㉡이 일어나는 예로 적절한 것은?

〈보기〉

국어의 음운 변동은 교체, 탈락, 첨가, 축약으로 구분된다. 이때 한 단어에 동일한 유형의 음운 변동이 한 번 또는 여러 번 일어나기도 하고, 두 개 이상의 각기 다른 유형의 음운 변동이 여러 번 일어나기도 한다. 예를 들어, ㉠'겉모습'을 발음할 때 나타나는 음운의 변동은 한 가지 유형의 음운 변동이 두 번 일어나지만, ㉡'물약'을 발음할 때 나타는 음운의 변동은 각기 다른 유형의 음운 변동이 두 번 일어난다.

	㉠	㉡
①	읽다[익따]	홑이불[혼니불]
②	깎는[깡는]	불여우[불려우]
③	엎다[업따]	값도[갑또]
④	물엿[물렫]	영업용[영엄농]
⑤	솟는[손는]	닳는[달른]

04. 〈보기〉의 ㉠~㉤에 대한 탐구로 적절하지 않은 것은?

〈보기〉

서술어의 자릿수란 서술어가 필수적으로 요구하는 문장 성분의 개수를 의미한다. 서술어는 문장에서 사용되는 의미에 따라 필수적으로 요구하는 문장 성분이 달라지기도 한다.

㉠ ┌ 고양이가 쥐를 잡다.
   └ 쥐가 고양이에게 잡히다.

㉡ ┌ 동생이 책을 읽다.
   └ 엄마가 동생에게 책을 읽히다.

㉢ ┌ 햇살이 눈부시게 밝다.
   └ 그는 세상 물정에 밝다.

㉣ ┌ 건강이 나빠져 일을 놓다.
   └ 책상 위에 책 한 권을 놓다.

㉤ ┌ 기계가 제대로 돌다.
   └ 그가 자전거로 모퉁이를 돌다.

① ㉠: '잡다'는 주어와 목적어를, '잡히다'는 주어와 부사어를 필수적으로 요구하는 두 자리 서술어이군.

② ㉡: '읽다'와 달리 '읽히다'는 주어와 목적어 외에도 부사어를 필수적으로 요구하는군.

③ ㉢: '밝다'는 주어만을 요구하는 한 자리 서술어와 주어와 부사어를 요구하는 두 자리 서술어로 쓰이는군.

④ ㉣: '놓다'는 주어와 목적어를 요구하는 두 자리 서술어와 주어와 목적어 외에도 부사어를 요구하는 세 자리 서술어로 쓰이는군.

⑤ ㉤: '돌다'는 주어와 부사어를 요구하는 두 자리 서술어와 주어와 부사어 외에도 목적어를 요구하는 세 자리 서술어로 쓰이는군.

05. 〈보기〉의 중세 국어 자료에서 나타난 특징을 탐구한 내용으로 적절하지 않은 것은?

〈보기〉

[중세 국어]
㉠나·라히 파망(破亡)ᄒ·니 :뫼·콰 ᄀ·ᄅᆞᆷ:ᄲᅮᆫ 잇·고
·잣 ·앉 ㉡보·ᄆᆡ ·플·와 나모:ᄲᅮᆫ 기·펫도·다
시절(時節)·을 감탄(感歎)·호니 고·지 ㉢눖·므를 ㉣쓰·리게
·ᄒᆞ여·희여 :슈믈 슬·ᄒᆞ니 :새 ㉤ᄆᆞᅀᆞᆷ ·놀·래ᄂᆞ·다
— 『두시언해』 중에서 —

[현대어 풀이]
나라가 망하니 산과 강만 있고
성 안의 봄에 풀과 나무만이 깊어 있도다.
시절을 감탄하니 꽃이 눈물을 뿌리게 하고
헤어져 있음을 슬퍼하니 새가 마음을 놀라게 한다.

① ㉠: 체언의 종성 'ㅎ'을 모음으로 시작하는 주격 조사에 이어 적었군.

② ㉡: 무정 명사에 결합되는 관형격 조사 'ᄋᆡ'가 쓰였군.

③ ㉢: 자음으로 끝나는 체언 뒤에서 목적격 조사 '을'이 사용되었군.

④ ㉣: 단어의 첫머리에 서로 다른 자음이 함께 사용되었군.

⑤ ㉤: 현대 국어 '마음을'에 대응하는 것을 보니 이어적기를 하였군.

빠른 정답 찾기	01	02	03	04	05
	③	③	②	⑤	②

▶ 02 ③

정답풀이

'머리를 흔듦'에서 '흔듦'은 동사의 어간 '흔들-'에 명사형 어미 '-ㅁ'이 결합한 것이므로, ㉠의 예에 해당하고, '음악을 크게 들음'에서 '들음'은 동사 '듣다'의 어간 '듣-'이 'ㄷ' 불규칙 활용을 하여 어간 받침 'ㄷ'이 'ㄹ'로 바뀌고 명사형 어미 '-음'이 결합한 것이므로 ㉡에 해당하는 예로 적절하다.

▶ 01 ③

정답풀이

㉢의 '가슴앓이'는 명사 파생 접미사 '-이'가 자음으로 끝난 어간에 결합한 것이다. 이와 마찬가지로 '구이'도 어간이 '굽-'이므로, 자음으로 끝난 어간 뒤에 '-이'가 결합한 것이다. 이때 '굽다'는 'ㅂ' 불규칙 용언에 해당되므로, 모음 '-이'가 결합될 때 '구이'로 나타난 것이다. 따라서 '가슴앓이'와 '구이' 모두 명사 파생 접미사 '-이'가 자음으로 끝난 어간 뒤에서 쓰인 것이다.

▶ 파생어나 합성어를 분석할 때에는 구성 요소를 분석할 수 있어야 해. '구이'를 분석해 보면, '구다'라는 말이 없으므로, '구이'는 '굽다'의 어근 '굽-'과 접미사 '-이'가 결합된 말이라는 것을 알 수 있겠지? 이렇게 <보기>나 선지에 나오는 예시들은 표면에 나타난 모습만 보고 함정에 빠지면 안 돼~

오답풀이

① ⓐ의 '헛웃음'은 먼저 동사 '웃다'의 어근 '웃-'에 명사 파생 접미사 '-음'이 결합하여 파생어 '웃음'이 만들어진 뒤, 여기에 접두사 '헛-'이 결합하여 다시 파생어가 된 것이다. 이에 반해 '코웃음'은 명사 '코'와 파생 명사 '웃음'이 결합한 합성어이므로, '헛웃음'과 차이가 있다.

▶ 단어를 형태소로 분석하였을 때 마지막 단계에서 결합하는 구성 요소 중 접사가 있다면 파생어에 해당돼. {헛- + [웃- + -음] }은 마지막 단계에 접두사가 결합되었으므로 파생어이지만, {코 + [웃- + -음] }은 마지막 단계에 접사가 아닌 어근이 결합되었으므로 합성어야.

② ⓑ의 '정답다'는 명사 '정'에 접미사 '-답-'이 결합하여 형용사가 되므로, 어근의 품사와 파생어의 품사가 동일하지 않다. 이와 달리 '가위질'은 명사 '가위'에 접미사 '-질'이 결합하여 그대로 명사가 되므로, 어근의 품사와 파생어의 품사가 동일하다.

④ ⓓ에서 피동 접미사 '-히-'가 결합한 '잡히다'는 문장에서 목적어를 필요로 하지 않지만, '잡다'는 '경찰이 도둑을 잡다.'와 같이 목적어를 필요로 하므로 '잡히다'가 쓰인 문장과 '잡다'가 쓰인 문장은 문장 구조에서 차이가 나타난다.

⑤ ⓔ의 '길이'는 그와 대응되는 파생어 '*짧이'가 존재하지 않는 것으로 보아, '길다'의 이근 '길-'에 척도를 나타내는 명사 파생 접미사 '-이'가 결합된 파생 명사임을 알 수 있다. 그런데 '길이 보전하다.'에서 '길이'는 부사이므로, 명사 '길이'와는 차이가 있다.

☞ 문법 개념 닦기

· **접미사**: 어근의 뒤에 붙어 새로운 말을 만들어 내는 접사로, 어근의 품사나 문장 구조를 바꾸기도 함

   예 살-(동사 어근) + -ㅁ(명사 파생 접미사) → 삶(명사)

   뚫다 vs. 뚫리다: 터널을 뚫다.(타동사) → 터널이 뚫리다.(자동사)

▶ 피동 접미사 '-이-/-히-/-리-/-기-'가 결합한 피동사는 목적어를 필요로 하지 않는 자동사가 되고, 사동 접미사 '-이-/-히-/-리-/-기-/-우-/-구-/-추-'가 결합한 사동사는 목적어를 필요로 하는 타동사가 돼. 이렇게 문장 구조에 변화를 주는 접미사가 있다는 것을 기억하자!

오답풀이

① '만찬회를 베풂'에서 '베풂'은 동사 어간 '베풀-'에 명사형 어미 '-ㅁ'이 결합한 명사형이므로 ㉠에 해당하는 예로 적절하지만, '가슴에 이름표를 달음'에서 '달음'의 어간 '달-'은 'ㄹ'로 끝나는 어간에 해당하여 '가슴에 이름표를 닮'으로 써야 하므로 ㉡에 해당하는 예로 적절하지 않다.

② '나의 행복한 삶'에서 '삶'은 어근 '살-'에 명사를 파생하는 접미사 '-ㅁ'이 결합한 파생 명사이므로 ㉠에 해당하는 예로 적절하지 않다. '아기가 젖병을 묾'에서 '묾'의 어간은 'ㄹ'로 끝나는 어간에 해당하여 '아기가 젖병을 묾'으로 써야 하므로 ㉡에 해당하는 예로 적절하지 않다.

▶ <보기>의 밑줄 친 ㉠과 ㉡ 외에 부가적인 설명도 주의 깊게 살펴봐야 해. '나의 행복한 삶'에서 '삶'은 관형어 '행복한'의 수식을 받고 있으므로, 명사에 해당돼. '삶'은 명사와 명사형이 같은 형태이기 때문에 <보기>에서 제시한 부가적인 설명을 통해 '나의 행복한 삶'의 '삶'이 명사형이 아닌 명사라는 것을 판단할 수 있어야 해!

④ '얼음이 꽁꽁 얾'에서 '얾'은 동사 어간 '얼-'에 명사형 어미 '-ㅁ'이 결합한 명사형이므로 ㉠에 해당하는 예로 적절하다. 그러나 '뻐꾸기가 슬피 울음'에서 '울음'의 어간은 'ㄹ'로 끝나는 어간에 해당하여 '뻐꾸기가 슬피 욺'으로 써야 하므로 ㉡에 해당하는 예로 적절하지 않다.

⑤ '수업 시간에 잠깐 졺'에서 '졺'은 동사 어간 '졸-'에 명사형 어미 '-ㅁ'이 결합한 명사형이므로 ㉠에 해당하는 예로 적절하다. 그러나 '가슴 속에 비밀을 묻음'에서 '묻음'은 'ㄹ'이 아닌 'ㄷ'으로 끝나는 어간 '묻-'에 명사형 어미 '-음'이 결합하여 규칙 활용을 하고 있으므로, ㉡에 해당하는 예로 적절하지 않다.

☞ 문법 개념 닦기

· **명사형 어미**: 용언의 어간에 결합하여 그 용언이 문장에서 명사처럼 쓰이도록 하는 어미. 용언의 품사를 바꾸지는 않음

   예 그는 글을 씀으로써 자신의 생각을 정리했다.

· **명사 파생 접미사**: 어근의 뒤에 결합하여 새로운 단어인 파생 명사를 만드는 접사

   예 그가 그린 그림은 비싼 값에 팔렸다.

· **'ㄷ' 불규칙 활용**: 모음 어미 앞에서 어간 끝 'ㄷ'이 'ㄹ'로 바뀜

   예 묻다(問): 물어, 물으니, 물어서 / 걷다(步): 걸어, 걸으니, 걸어서

▶ 'ㄷ'으로 끝난 어간의 받침이 모음 어미 앞에서 'ㄹ'로 변한 경우와 원래부터 어간의 받침이 'ㄹ'인 경우를 혼동해서는 안 돼! 헷갈린다면 기본형을 만드는 어미 '-다'를 결합해 봐.

▶ 03 ②

㉠에서 '겉모습'은 음절의 끝소리 규칙이 일어나 '걷모습'이 된 후 비음화가 일어나 [건모습]으로 발음된다. 이때 음절의 끝소리 규칙과 비음화는 모두 교체에 해당한다. '깎는'은 음절의 끝소리 규칙이 일어나 'ㄲ'이 'ㄱ'으로 바뀌어 '깍는'이 된 후, 비음화가 일어나 [깡는]으로 발음되므로 ㉠이 일어나는 예에 해당한다. ㉡에서 '물약'은 'ㄴ' 첨가가 일어나 '물냑'이 된 후 유음화가 일어나 [물략]으로 발음된다. 이때 'ㄴ' 첨가는 음운 변동의 유형 중 첨가에 해당하고, 유음화는 교체에 해당하므로 각기 다른 유형의 음운 변동이 일어난 것이다. '불여우'는 'ㄴ' 첨가가 일어나 '불녀우'가 된 후 유음화가 일어나 [불려우]로 발음되므로, ㉡이 일어나는 예에 해당한다.

① '읽다'는 탈락에 해당하는 자음군 단순화가 일어나 '익다'가 된 후 교체에 해당하는 된소리되기가 일어나 [익따]로 발음된다. '홑이불'은 교체에 해당하는 음절의 끝소리 규칙이 일어나 받침 'ㅌ'이 'ㄷ'으로 바뀌고, 첨가에 해당하는 'ㄴ' 첨가가 일어나 '홑니불'이 된 후, 교체에 해당하는 비음화가 일어나 [혼니불]로 발음된다.

③ '엎다'는 교체에 해당하는 음절의 끝소리 규칙이 일어나 '업다'가 되고, 교체에 해당하는 된소리되기가 일어나 [업따]로 발음된다. '값도'는 탈락에 해당하는 자음군 단순화가 일어나 '갑도'가 된 후 교체에 해당하는 된소리되기가 일어나 [갑또]로 발음된다.

④ '물엿'은 교체에 해당하는 음절의 끝소리 규칙이 일어나 받침 'ㅅ'이 'ㄷ'으로 바뀌고, 첨가에 해당하는 'ㄴ' 첨가가 일어나 '물녇'이 된 후, 교체에 해당하는 유음화가 일어나 [물렫]으로 발음된다. '영업용'은 첨가에 해당하는 'ㄴ' 첨가가 일어나 '영업뇽'이 된 후 교체에 해당하는 비음화가 일어나 [영엄뇽]으로 발음된다.

⑤ '솟는'은 교체에 해당하는 음절의 끝소리 규칙이 일어나 '솓는'이 된 후, 교체에 해당하는 비음화가 일어나 [손는]으로 발음된다. '닳는'은 탈락에 해당하는 자음군 단순화가 일어나 '달는'이 된 후, 교체에 해당하는 유음화가 일어나 [달른]으로 발음된다.

☞ 문법 개념 담기

- **교체**: 어떤 음운이 다른 음운으로 바뀌는 음운 변동으로, 음절의 끝소리 규칙, 비음화, 유음화, 된소리되기, 구개음화 등이 해당함
  예 늪[늡], 앞마당[암마당], 선릉[설릉], 줄넘기[줄럼끼], 끝이[끄치]

- **탈락**: 어떤 음운이 없어지는 음운 변동으로, 자음군 단순화, 'ㄹ' 탈락, 'ㅎ' 탈락, '一' 탈락, 'ㅏ / ㅓ' 탈락 등이 해당함

- 겹받침을 발음할 때 적용되는 규칙인 자음군 단순화와 음절의 끝소리 규칙은 다른 유형의 음운 변동이라는 것을 잊으면 안 돼! 하나의 자음이 다른 자음으로 바뀌는 것은 교체이고, 두 개의 자음 중 하나가 없어지는 것은 탈락에 해당돼!

- **첨가**: 새로운 음운이 생기는 음운 변동으로, 'ㄴ' 첨가, 반모음 첨가 등이 해당함
  예 물엿[물렫], 되어[되어/되여]

- **축약**: 두 음운이 하나의 음운으로 합쳐지는 음운 변동으로, 거센소리되기(자음 축약)가 대표적임
  예 낳고[나코]

▶ 04 ⑤

'기계가 제대로 돌다.'에서 '돌다'는 주어만을 필요로 하는 한 자리 서술어로 쓰였고, '그가 자전거로 모퉁이를 돌다.'에서 '돌다'는 주어와 목적어를 요구하는 두 자리 서술어로 쓰였다.

▶ 하나의 단어라고 하더라도 단어의 의미에 따라서 서술어의 자릿수가 다르게 쓰이기도 해! 여러 가지의 의미로 쓰이는 단어, 즉 다의어의 경우에는 각각의 의미에 따라서 서술어의 자릿수가 달라지기도 하니까, 각각의 문장 성분을 생략해도 문장이 성립하는지 꼼꼼히 따져볼 필요가 있어.

① 능동문 '고양이가 쥐를 잡다.'에서 '잡다'는 주어와 목적어를 요구하는 두 자리 서술어로 쓰였고, 피동문 '쥐가 고양이에게 잡히다.'에서 '잡히다'는 주어와 부사어를 요구하는 두 자리 서술어로 쓰였다.

② 주동문 '동생이 책을 읽다.'에서 '읽다'는 주어와 목적어를 요구하는 두 자리 서술어로 쓰였고, 사동문 '엄마가 동생에게 책을 읽히다.'에서 '읽히다'는 주어와 목적어 외에도 부사어를 요구하는 세 자리 서술어로 쓰였다.

③ '햇살이 눈부시게 밝다.'에서 '밝다'는 주어만을 요구하는 한 자리 서술어로 쓰였고, '그는 세상 물정에 밝다.'에서 '밝다'는 주어와 부사어를 요구하는 두 자리 서술어로 쓰였다.

④ '건강이 나빠져 일을 놓다.'에서 '놓다'는 주어와 목적어를 요구하는 두 자리 서술어로 쓰였고, '책상 위에 책 한 권을 놓다.'에서 '놓다'는 주어와 목적어 외에도 부사어를 요구하는 세 자리 서술어로 쓰였다.

☞ 문법 개념 담기

- **서술어의 자릿수**: 서술어에 따라 문장에서 필요로 하는 성분이 다른데, 이를 서술어의 자릿수라고 함. 서술어의 자릿수는 용언의 어휘적 특성에 따라 달라짐

- 서술어의 자릿수를 파악할 때는 문장에서 그 성분을 생략해도 문장이 어색하지 않은지 따져보면 돼! 일반적으로 부사어는 생략할 수 있는 부속 성분이지만, 서술어에 따라서는 부사어를 반드시 필요로 하는 경우도 있어. 이처럼 생략할 수 없는 부사어를 필수적 부사어라고 하는 것도 함께 기억해 두면 좋겠지?

▶ 05 ②

ⓒ의 '보 ·미'는 현대어 풀이를 참고하면 '봄에'이므로 이때 '이'는 관형격 조사가 아니라 부사격 조사임을 알 수 있다. 또한 중세 국어에서 무정명사에 결합되는 관형격 조사는 'ㅅ'이므로 적절하지 않은 설명이다.

① ㉠의 '나 ·라히'에서 '나라'는 모음으로 시작하는 조사와 결합할 때 종성에 'ㅎ'이 나타나는 'ㅎ' 종성 체언이다. 중세 국어의 표기법은 소리 나는 대로 이어 적는 연철의 방식이었으므로, 모음으로 시작하는 주격 조사 '이'의 초성에 앞 음절의 받침 'ㅎ'을 이어 적어 '나 ·라히'로 표기하였다.

③ ㉢의 ' ·눈 ·므를'은 ' ·눈 ·믈'에 목적격 조사 '을'이 결합하였는데, 이를 소리 나는 대로 이어 적어 ' ·눈 ·므를'로 표기하였다. 따라서 자음으로 끝나는 체언 뒤에서 목적격 조사로 '을'이 사용되었음을 알 수 있다.

④ ㉣의 '쓰 ·리게'에서 첫 음절의 어두에 서로 다른 자음이 함께 사용된 어두 자음군 'ㅳ'이 쓰이고 있다.

⑤ ㉤의 '무ᅀᅳ ·믈'은 현대어 풀이를 참고하면 '마음을'이므로 체언 '무ᅀᅳᆷ'에 목적격 조사 '올'이 결합된 것임을 알 수 있다. 이때 '무ᅀᅳᆷ'의 받침 'ㅁ'을 목적격 조사의 초성에 이어 적었다.

☞ 문법 개념 담기

- **'ㅎ' 종성 체언**: 체언 중에서 'ㅎ'을 끝소리로 가진 것으로, 모음이나 'ㄱ, ㄷ'으로 시작하는 조사와 결합할 때 'ㅎ'이 나타남
  예 하놀히(하놀ㅎ + 이), 싸콰(싸ㅎ + 과)
- ▶ 'ㅎ' 종성 체언은 모음으로 시작하는 조사 앞에서는 조사의 초성으로 이어 적고, 'ㄱ, ㄷ'으로 시작하는 조사와 결합하면 'ㅎ'과 'ㄱ, ㄷ'이 축약되어 'ㅋ, ㅌ'으로 나타나.
- **어두자음군**: 현대 국어와 달리 단어의 첫머리에 여러 개의 자음군이 쓰일 수 있었음. 'ㅅ'계 합용 병서, 'ㅂ'계 합용 병서, 'ㅄ'계 합용 병서가 단어의 첫머리에서도 쓰임
  예 ᄠᅳᆮ 〉 뜻, ᄡᅳ다 〉 쓰다, ᄢᅢ 〉 때
- **관형격 조사**: 중세 국어의 관형격 조사는 'ㅅ, 이/의'의 세 가지 형태로 쓰였는데, 무정 명사와 높임의 유정 명사 뒤에서는 'ㅅ'이, 평칭의 유정 명사 뒤에서는 모음 조화에 따라 '이/의'가 쓰였음. 현대 국어에서는 관형격 조사가 모두 '의'로 통일됨
- **목적격 조사**: 중세 국어의 목적격 조사는 '올/을, 롤/를'이 있었는데, 자음으로 끝난 체언 뒤에서는 모음 조화에 따라 '올/을'이, 모음으로 끝난 체언 뒤에서는 모음 조화에 따라 '롤/를'이 쓰임
- **이어적기**: 주로 음절 단위로 원형을 밝혀 적는 현대 국어와 달리 중세 국어는 소리 나는 대로 이어 적음

문항	개념 확인	알면 Check! ☑	나의 책 Check! PAGE	선지나 〈보기〉를 활용하여 문법을 다지자! ▶ 선지나 〈보기〉의 핵심 내용을 활용하여, 내가 몰랐거나 정확히 알고 넘어가야 할 개념을 정리해 보세요.
01	직접 구성 요소 분석 합성어 파생어 명사 파생 접미사 형용사 파생 접미사 피동 접미사 부사 파생 접미사	☐ ☐ ☐ ☐ ☐ ☐ ☐		
02	명사형 어미 명사 파생 접미사 'ㄷ' 불규칙 활용	☐ ☐ ☐		
03	교체 탈락 첨가 축약	☐ ☐ ☐ ☐		
04	서술어의 자릿수 필수적 부사어	☐ ☐		
05	'ㅎ' 종성 체언 무정 명사 / 유정 명사 중세 국어의 관형격 조사 중세 국어의 목적격 조사 어두 자음군 이어적기	☐ ☐ ☐ ☐ ☐ ☐		

[01~02] 다음 글을 읽고 물음에 답하시오.

국어에서는 합성어와 구(句)를 명확히 구별하기 어려운 경우가 있다. 합성어는 어근과 어근이 결합하여 새로운 단어가 만들어진 것으로 사전에 표제어로 오르며, 구성 요소들 사이에 다른 말이 들어갈 수 없고 반드시 붙여 쓴다. 합성어 중에는 구성 요소들이 지닌 본래의 의미와는 다른 의미가 된 경우도 있다. 반면 구는 둘 이상의 단어가 모여 절이나 문장의 일부분을 이루는 것으로, 구의 구성 전체가 사전에 표제어로 오르지 못하고, 구성 요소들 사이에 다른 말이 들어갈 수 있으며, 원칙적으로 띄어쓰기를 한다. 예를 들어, 아버지의 형을 이르는 말인 '큰아버지'는 합성어이다. 그러나 '키가 큰 아버지'에서 '큰 아버지'는 구이므로, 사전에 표제어로 올라 있지 않고, '키가 큰 우리 아버지'처럼 '큰'과 '아버지' 사이에 다른 말이 들어갈 수 있으며, 띄어쓰기를 한다.

특히 구성 요소 중 연결 어미 '-아/-어'를 포함하고 있는 합성어와 '본용언 + 본용언'으로 구성된 구를 구별하는 것은 쉽지 않다. 이 둘을 구별하는 대표적인 방법은 '-아/-어'를 '-아서/-어서'로 바꾸어 보는 것이다. '본용언 + 본용언'으로 구성된 구는 '-아/-어'를 '-아서/-어서'로 바꾸어 쓸 수 있지만, 합성어는 불가능하다. 가령, '말솜씨가 뛰어나다.'를 '*말솜씨가 뛰어서 나다.'로 바꾸면 문법적으로 잘못된 표현이 되므로, '뛰어나다'는 합성어에 해당한다. 반면, '참외를 깎아 먹다.'는 '참외를 깎아서 먹다.'로 자연스럽게 바꾸어 쓸 수 있으므로, '깎아 먹다'는 구에 해당한다.

그러나 '본용언 + 보조 용언'으로 구성된 구는 합성어와 구의 구별 기준을 적용한 판단에서 예외를 보인다. 보조 용언은 혼자서 쓰이지 못하고 반드시 다른 용언의 뒤에 쓰이며, 특수한 의미를 덧붙이는 기능을 한다. '본용언 + 보조 용언'의 구성에서는 연결 어미 '-아/-어'를 '-아서/-어서'로 바꾸어 쓸 수 없고, 사이에 다른 말이 들어갈 수 없다. 만약 그렇게 되면 문법적으로 잘못된 표현이 아니라고 하더라도 본래의 의미와 달라지기 때문이다. 예를 들어 '책을 다 읽어 가다.'에서 '가다'는 본용언 '읽다'에 진행의 의미를 더해주는 보조 용언인데, 이를 '책을 다 읽어서 가다.'나 '책을 다 읽어 집으로 가다.'라고 바꾸면 본래의 의미와는 다른 의미가 된다. 또한 ㉠'본용언 + 보조 용언'의 구성은 띄어 씀을 원칙으로 하되, 경우에 따라서는 붙여 씀도 허용한다.

01. 윗글을 바탕으로 합성어와 구에 대해 탐구한 내용으로 적절한 것은?

① '시험 삼아 일단 한번 도전해 보자.'에서 '한번'은 각 구성 요소들의 의미가 그대로 남아 있으므로 반드시 띄어 써야겠군.

② '집에 들어오다.'에서 '들어오다'는 둘 이상의 단어가 모여 문장의 일부분을 이루고 있으므로, 사전에 표제어로 오를 수 없겠군.

③ '사람답게 살아가다.'에서 '살아가다'는 '-아'를 '-아서'로 바꾸어 쓸 수 없으므로, 어근과 어근이 결합한 합성어로 볼 수 있겠군.

④ '밥을 다 먹어 버렸다.'에서 '먹어'를 '먹어서'로 바꾸어도 의미적인 변화가 없으므로, '먹어 버렸다'는 '본용언 + 본용언'으로 구성된 구에 해당하겠군.

⑤ '아이들에게 과자를 나누어 주다.'에서 '주다'는 본용언에 특수한 의미를 덧붙이는 기능을 하므로, '나누어 주다'는 '본용언 + 보조 용언'으로 구성된 구에 해당하겠군.

02. 〈보기〉는 ㉠에 대한 '한글 맞춤법'의 일부를 정리한 것이다. 이를 바탕으로 ⓐ~ⓔ를 탐구한 내용으로 적절하지 않은 것은? [3점]

〈보기〉

[제47항]
◦ 보조 용언은 띄어 씀을 원칙으로 하되, 붙여 씀도 허용한다. 이때 보조 용언은 '-아/-어' 뒤에 연결되는 보조 용언, 의존 명사에 '-하다'나 '-싶다'가 붙어서 된 보조 용언을 가리킨다.
◦ 다만, 본용언 뒤에 조사가 붙거나 본용언이 합성 동사일 경우 그 뒤에 오는 보조 용언은 띄어 쓴다.

> ⓐ 책을 읽고 있다.
> ⓑ 불이 꺼져 가다.
> ⓒ 비가 올 듯하다.
> ⓓ 창문을 열어만 놓다.
> ⓔ 편지가 강물에 띠네려가 비렸디.

① ⓐ의 '있다'는 어미 '-아/-어'가 아닌 '-고' 뒤에 연결된 보조 용언이므로, 반드시 '읽고 있다'와 같이 띄어 써야 한다.

② ⓑ의 '가다'는 어미 '-어' 뒤에 연결된 보조 용언이므로, 띄어 씀을 원칙으로 하되 '꺼져가다'와 같이 붙여 쓸 수 있다.

③ ⓒ의 '듯하다'는 의존 명사 '듯'에 '-하다'가 결합된 보조 용언이므로, 띄어 씀을 원칙으로 하되 '올듯하다'와 같이 붙여 쓸 수 있다.

④ ⓓ의 '놓다'는 보조사 '만'이 붙은 본용언의 뒤에 연결된 보조 용언이므로, 반드시 '열어만 놓다'와 같이 띄어 써야 한다.

⑤ ⓔ의 '버렸다'는 본용언이 합성 동사이고, 어미 '-아/-어' 뒤에 연결된 것이 아니므로, 반드시 '떠내려가 버렸다'와 같이 띄어 써야 한다.

03. 〈보기〉의 (가), (나), (다)에 해당하는 예로 적절한 것은?

> **〈보기〉**
>
> (가) 앞 음절이 자음으로 끝날 때, 뒤 음절이 모음으로 시작하는 형식 형태소이면, 앞 음절의 자음이 뒤 음절의 초성으로 이어져 소리 난다.
> (나) 앞 음절의 종성이 겹받침일 경우에는 겹받침 중 뒤의 것만을 모음으로 시작하는 형식 형태소의 첫소리로 옮겨 발음한다.
> (다) 앞 음절의 받침 뒤에 모음으로 시작하는 실질 형태소가 연결되는 경우에는 먼저 받침이 대표음으로 바뀐 후, 뒤 음절의 첫소리로 옮겨 발음된다.

	(가)	(나)	(다)
①	낳은	닭을	맨입
②	덮이다	깎아	젖어미
③	웃음	앉아	겉옷
④	꽃을	읊어	솜이불
⑤	낮이	않은	솥이다

04. 〈보기〉는 '사전 활용하기' 학습 활동을 위한 자료이다. 이에 대한 이해로 옳지 <u>않은</u> 것은?

> **〈보기〉**
>
> 피동문은 다른 주체에 의해 동작이 이루어지거나 영향을 받는 문장을 말하고, 사동문은 주어가 다른 대상을 동작하게 하거나 특정한 상태에 이르도록 하는 문장을 말한다.
>
> **안-기다¹** 동 '안다'①의 피동사.
> ¶ 동생이 어머니에게 안겼다.
>
> **안-기다²** 동 '안다'①의 사동사.
> ¶ 할머니가 어머니에게 아기를 안기다.

① '안-기다¹'이 쓰인 문장의 주어는 다른 주체에 의해 동작이 이루어지겠군.

② '안-기다¹'이 쓰인 문장의 부사어는 '안다'①'이 쓰인 문장에서 주어로 나타나겠군.

③ '안-기다²'가 쓰인 문장의 주어는 다른 대상에게 어떤 동작을 하도록 하겠군.

④ '안-기다²'가 쓰인 문장의 목적어는 '안다'①'에서 부사어로 나타나겠군.

⑤ '안-기다¹'과 '안-기다²'에 쓰인 접미사 '-기-'는 형태는 동일하지만 기능이 각기 다르겠군.

05. [가]에 들어갈 내용으로 적절하지 <u>않은</u> 것은?

학습자료	[중세 국어] ㉠부텻 ㉡말씀 ㉢듣ᄌᆞᆸ디 [현대 국어] 부처의 말씀을 듣되 [중세 국어] ㉣부톄 目連(목련)이드려 ㉤니루샤ᄃᆡ [현대 국어] 부처가 목련에게 이르시되
학습활동	㉠~㉤을 현대 국어와 비교한 후 공통점과 차이점을 정리해 보자. ([가])

① ㉠: 현대 국어의 '부처의'와 달리 무정 명사 뒤에 관형격 조사 'ㅅ'이 쓰였다.

② ㉡: 현대 국어의 '말씀'과 달리 모음 조화를 지켜 표기했다.

③ ㉢: 현대 국어의 '듣되'와 달리 객체를 높이는 선어말 어미가 쓰였다.

④ ㉣: 현대 국어의 '부처가'와 달리 모음으로 끝나는 체언에 주격 조사 'ㅣ'가 결합하였다.

⑤ ㉤: 현대 국어의 '이르시되'와 달리 단어의 첫머리에서 'ㄴ'이 'ㅣ' 앞에 그대로 쓰였다.

빠른 정답 찾기	01	02	03	04	05
	③	⑤	③	④	①

▶ 01 ③

정답풀이

'사람답게 살아가다.'에서 '살아가다'는 '목숨을 이어 가거나 생활을 해 나가다'의 의미로 사전에 표제어로 올라 있으며, '살아서 가다'로 바꿀 수 없으므로 합성어이다.

오답풀이

① '시험 삼아 일단 한번 도전해 보자.'에서 '한번'은 수량이 하나임을 나타 내는 '한'과 횟수를 의미하는 '번'의 의미가 그대로 남아 있는 것이 아니 라, '어떤 일을 시험 삼아 시도함을 나타내는 말'이므로, 구성 요소들이 지닌 본래의 의미와는 다른 의미가 된 합성어이다. 따라서 이때의 '한 번'은 반드시 붙여 써야 한다.

② '집에 들어오다.'에서 '들어오다'는 '일정한 지역이나 공간의 범위와 관련하여 그 밖에서 안으로 이동하다'의 의미로 사전에 표제어로 올라 있으며, '들어서 오다'로 바꿀 수 없으므로 합성어이다.

④ '밥을 다 먹어 버렸다.'에서 '먹어'를 '먹어서'로 바꾸면 '밥을 다 먹어서 버렸다.'가 되므로 의미적인 변화가 생긴다. 따라서 '먹어 버렸다.'는 '본 용언 + 보조 용언'의 구성인 구에 해당한다.

⑤ '아이들에게 과자를 나누어 주다.'에서 '나누어'를 '나누어서'로 바꾸어도 '아이들에게 과자를 나누어서 주다.'가 되므로 의미적인 변화가 없다. 따 라서 '나누어 주다'는 '본용언 + 본용언'의 구성인 구에 해당한다.

☞ 문법 개념 담기

- **합성어:** 둘 이상의 어근의 결합으로 이루어진 단어
  - 예 올라가다(오르- + -아 + 가- + -다)
- **구:** 둘 이상의 단어가 모여 절이나 문장의 일부분을 이루는 토막으로 어구라고도 함
  - 예 깎아서 주다(본용언 + 본용언) / 열어 놓다(본용언 + 보조 용언)
- **보조 용언:** 혼자서 쓰이지 못하고 반드시 다른 용언의 뒤에 붙어서 의미를 더해주는 용언
  - 예 늙어 가다(진행) / 기억해 두다(보유)

❶ 서술어로 두 개의 용언이 쓰였을 때에는 '본용언 + 본용언'의 결합인지, '본용언 + 보조 용언'의 결합인지 판단하는 것이 중요해! 뒤의 용언이 본래의 의미가 아닌 보조적인 의미로 쓰였을 때에는 '본용언 + 보조 용언'의 구성이야. 이 경우에는 뒤의 보조 용언을 생략해도 문장이 성립하고, 앞의 본용언을 생략하면 문장이 성립하지 않거나 의미가 달라져!

▶ 02 ⑤

정답풀이

〈보기〉에서 보조 용언을 붙여 쓰는 것도 허용하는 경우는 '-아/-어' 뒤에 연결되는 보조 용언이라고 하였고, '합성 동사일 경우 그 뒤에 오는 보조 용언은 띄어 쓴다.'고 하였다. 그런데 ⓔ의 '떠내려가 버렸다.'는 본용언이 '뜨다', '내리다', '가다'가 결합된 합성 동사이므로 보조 용언 '버렸다'와 띄어 써야 하지만, 보조 용언이 어미 '-아' 뒤에 연결되어 있으므로 적절 하지 않은 설명이다.

❶ 어간에 연결 어미 '-아/-어'가 결합할 때, 어간의 모음이 'ㅡ'나 'ㅏ/ㅓ'로 끝 나면 탈락 현상이 일어나기 때문에 '-아/-어'가 눈에 띄지 않을 수도 있어! '떠내려가 버렸다'에서 합성 동사인 본용언을 분석해 보면 '뜨- + -어 + 내리- + -어 + 가- + -아'로 '-아/-어'가 3개나 숨어 있지? 정확히 분석해서 찾아 낼 수 있어야 해!

오답풀이

① 〈보기〉에서 보조 용언을 붙여 쓰는 것도 허용하는 경우는 '-아/-어' 뒤 에 연결되는 보조 용언, 의존 명사에 '-하다'나 '-싶다'가 붙어서 된 보 조 용언이라고 하였다. ⓐ의 '읽고 있다'는 어미 '-고' 뒤에 연결된 보조 용언이므로 붙여 쓰는 것이 허용되는 경우에 해당하지 않는다. 따라서 '읽고 있다'는 반드시 띄어 써야 한다.

② 〈보기〉에서 보조 용언을 붙여 쓰는 것도 허용하는 경우는 '-아/-어' 뒤 에 연결되는 보조 용언, 의존 명사에 '-하다'나 '-싶다'가 붙어서 된 보 조 용언이라고 하였다. ⓑ에서 '꺼져 가다'는 '꺼지어 가다'가 축약된 것 이므로 '꺼져가다'로 붙여 쓸 수 있다.

③ 〈보기〉에서 보조 용언을 붙여 쓰는 것도 허용하는 경우는 '-아/-어' 뒤 에 연결되는 보조 용언, 의존 명사에 '-하다'나 '-싶다'가 붙어서 된 보 조 용언이라고 하였다. ⓒ에서 '듯하다'는 의존 명사 '듯' 뒤에 '-하다'가 붙어서 된 보조 용언이므로 '올듯하다'로 붙여 쓸 수 있다.

④ 〈보기〉에서 '다만, 본용언 뒤에 조사가 붙거나 본용언이 합성 동사인 경 우 그 뒤에 오는 보조 용언은 띄어 쓴다.'고 하였다. ⓓ에서 '열어만 놓 다'는 '열어 놓다'에서 본용언 뒤에 보조사 '만'이 결합한 것이므로 '열어 만 놓다'와 같이 반드시 띄어 써야 한다.

☞ 문법 개념 담기

- **보조 용언의 띄어쓰기 원칙:** 보조 용언은 본용언과 띄어 쓰는 것이 원칙
  - 예 불이 꺼져 간다.(원칙) / 어머니를 도와 드린다.(원칙)
- **보조 용언의 붙여 쓰기 허용:** 어미 '-아/-어'로 연결되었거나, 의존 명사에 '-하다'나 '-싶다'가 붙어서 된 보조 용언의 경우 붙여 쓰는 것도 허용함
  - 예 불이 꺼져간다.(허용) / 어머니를 도와드린다.(허용)
- **보조 용언의 붙여 쓰기 허용 예외:** 본용언 뒤에 조사가 붙거나 본용언이 합성 동사인 경우 그 뒤에 오는 보조 용언은 항상 띄어 씀
  - 예 창문을 열어만 놓다. (*열어만놓다.)
  - 그는 지갑을 주머니 안에 집어넣어 두었다. (*집어넣어두었다.)

❶ 보조 용언은 띄어 쓰는 것이 원칙이지만, 위에 언급한 경우에는 붙여 쓰는 것도 허용하고 있어! 다만 허용 규정에도 예외를 두어서 반드시 띄어 써야만 하는 경우를 정해놓고 있는데, 조사가 개입될 경우에는 본용언과 의존 명사 두 단어 사이의 의미적, 기능적 구분이 분명하게 드러나기 때문에 붙여 쓰지 않아! 또한 본용언이 합성어인 경우에는 서술어가 지나치게 길어지는 것을 피하기 위해 띄어 쓰도록 한 거야! 그리고 하나 더! 연결 어미 '-아/-어'로 연결된 보조 용언은 띄어 쓰는 것이 원칙이지만 붙여 쓰는 것도 허용하고 있는데, 피동 표현을 만드는 보조 용언인 '-어지다'는 '써지다'와 같이 붙여 쓰는 것이 원칙이야!

▶ 03 ③

(가)는 앞 음절이 자음으로 끝나고, 뒤 음절이 모음으로 시작하는 형식 형태소일 때에는 음절의 끝소리 규칙이 적용되지 않고 그대로 연음된다는 것을 설명하고 있다. '웃음'의 경우 [우슴]으로 발음하여 앞 음절의 끝소리인 'ㅅ'을 뒤 음절의 첫소리로 그대로 연음하여 발음한다.

(나)는 앞 음절이 겹받침으로 끝나고, 뒤 음절이 모음으로 시작하는 형식 형태소일 때 겹받침 중 뒤의 것만을 뒤 음절 첫소리로 옮겨 발음하는 겹받침의 연음에 대해서 설명하고 있다. '앉아'의 경우 [안자]로 발음하여 앞 음절의 끝소리인 'ㄵ' 중 뒤의 것만을 뒤 음절 첫소리로 옮겨 발음하고 있다.

(다)는 앞 음절의 받침 뒤에 모음으로 시작하는 실질 형태소가 결합할 때에는 먼저 음절의 끝소리 규칙이나 자음군 단순화가 적용된 후 연음된다는 것을 설명하고 있다. '겉옷'의 경우 [거돋]으로 발음하는데, 명사 '겉' 뒤에 모음으로 시작하는 실질 형태소 '옷'이 결합하였으므로 음절의 끝소리 규칙이 먼저 적용되어 '겉'의 받침 'ㅌ'이 'ㄷ'으로 바뀐 뒤 연음하여 발음한다.

① '낳은'은 'ㅎ' 탈락이 적용되어 [나은]으로 발음되므로 (가)에 해당하는 예로 적절하지 않다. '닭을'은 [달글]로 발음되므로 (나)에 해당하는 예로 적절하다. '맨입'의 경우 'ㄴ' 첨가가 일어나 [맨닙]으로 발음되므로 (다)에 해당하는 예로 적절하지 않다.

② '덮이다'는 앞 음절의 자음이 모음으로 시작하는 형식 형태소의 초성으로 연음되어 [더피다]로 발음되므로 (가)에 해당하는 예로 적절하다. '깎아'는 겹받침이 아니라 쌍받침이 쓰였으므로 쌍받침 자체가 연음되어 [까까]로 발음되므로 (나)에 해당하는 예로 적절하지 않다. '젖어미'는 모음으로 시작하는 실질 형태소 앞에서 음절의 끝소리 규칙이 먼저 적용된 뒤 연음되어 [저더미]로 발음되므로 (다)에 해당하는 예로 적절하다.

④ '꽃을'은 앞 음절의 자음이 모음으로 시작하는 형식 형태소의 초성으로 연음되어 [꼬츨]로 발음되므로 (가)에 해당하는 예로 적절하다. '읊어'는 앞 음절의 겹받침 중 뒤의 것만이 모음으로 시작하는 형식 형태소의 초성으로 연음되어 [을퍼]로 발음되므로 (나)에 해당하는 예로 적절하다. 그러나 '솜이불'의 경우 'ㄴ' 첨가가 일어나 [솜:니불]로 발음되므로 (다)에 해당하는 예로 적절하지 않다.

⑤ '낮이'는 앞 음절의 자음이 모음으로 시작하는 형식 형태소의 초성으로 연음되어 [나지]로 발음되므로 (가)에 해당하는 예로 적절하다. 그런데 '않은'은 모음 어미 앞에서 'ㅎ' 탈락이 일어나 [아는]으로 발음되므로 (나)에 해당하는 예로 적절하지 않다. '솥이다'의 경우에는 '이다'가 모음으로 시작하는 형식 형태소에 해당하지만, 구개음화가 일어나 '솥'의 'ㅌ'이 다음 음절로 연음되지 않고 'ㅊ'으로 발음되므로 (다)에 해당하는 예로 적절하지 않다.

☞ 문법 개념 담기

- **연음:** 앞 음절의 끝 자음이 모음으로 시작되는 뒤 음절의 초성으로 이어져 나는 소리
- **'ㅎ' 탈락:** 'ㅎ'으로 끝나는 어간이 모음으로 시작하는 어미나 접사와 결합할 때 'ㅎ'이 탈락하는 현상
- **'ㄴ' 첨가:** 합성어나 파생어에서 앞말이 자음으로 끝나고 뒷말이 모음 'ㅣ'나 반모음 'ㅣ'로 시작할 때 'ㄴ'이 새로 생기는 현상
- **자음군 단순화:** 음절의 끝에 두 개의 자음(겹받침)이 올 때, 이 중에서 한 자음이 탈락하는 현상
- **자음 축약(거센소리되기):** 예사소리 'ㄱ, ㄷ, ㅂ, ㅈ'이 'ㅎ'과 만나 거센소리 [ㅋ, ㅌ, ㅍ, ㅊ]으로 발음되는 현상

▶ 04 ④

서술어가 타동사인 주동문이 사동문으로 바뀌면, 주동문의 목적어는 사동문에서도 그대로 목적어로 나타난다. '안-기다²'가 쓰인 '할머니가 어머니에게 아기를 안기다.'를 '안다①'이 쓰인 문장으로 바꾸면 '어머니가 아기를 안다.'가 되므로 '안-기다²'가 쓰인 문장의 목적어는 '안다①'에서도 목적어로 나타난다는 것을 알 수 있다.

❍ 주동문을 사동문으로 바꿀 때에는 몇 가지 특징이 있어. 첫째, 사동문은 원칙적으로 모두 목적어가 있는 타동사 문장이야. 둘째, 주동문과 달리 사동문에서는 사동주가 주어로 새롭게 도입돼. 셋째, 주동문의 주어는 사동문에서 목적어나 부사어로 대응돼. 넷째, 주동문의 서술어가 사동문에서는 사동 접미사 '-이-/-히-/-리-/-기-/-우-/-구-/-추-' 또는 '-시키(다)'가 결합한 사동사나 '-게 하다'가 결합한 사동 표현으로 바뀌어서 나타나지!

① 피동사 '안-기다¹'이 사용된 문장은 피동문이다. 따라서 〈보기〉의 설명에 따라, '안-기다¹'이 쓰인 문장의 주어는 다른 주체에 의해 동작이 이루어질 것이다.

② '안-기다¹'이 쓰인 문장 '동생이 어머니에게 안겼다.'를 '안다①'이 쓰인 문장으로 바꾸면 '어머니가 동생을 안다.'가 되므로 '안-기다¹'이 쓰인 문장의 부사어 '어머니에게'는 '안다①'이 쓰인 문장에서 주어로 나타난다는 것을 알 수 있다.

③ 사동사 '안-기다²'가 사용된 문장은 사동문이다. 따라서 〈보기〉의 설명에 따라, '안-기다²'가 쓰인 문장의 주어는 다른 대상에게 어떤 동작을 하게 할 것이다.

⑤ '안-기다¹'은 '안다①'의 피동사이고, '안-기다²'는 '안다①'의 사동사이므로, '안-기다¹'에 쓰인 '-기-'는 피동사를 형성하는 접미사이고, '안-기다²'에 쓰인 '-기-'는 사동사를 형성하는 접미사라는 것을 알 수 있다.

☞ 문법 개념 담기

- **주동문:** 주어가 행동이나 동작을 스스로 하는 것을 표현한 문장
- **사동문:** 주어가 다른 대상에게 어떤 행위를 하게 하거나 어떤 상황에 놓이게 하는 것을 표현한 문장

❍ 사동문에는 주어가 직접 참여하여 다른 대상에게 어떤 행위를 하게 하는 것을 표현한 직접 사동문과 주어가 다른 대상에게 말 등을 통해 간접적으로 시켜 어떤 행위를 하게 하는 것을 표현한 간접 사동문이 있어! 일반적으로 사동 접미사가 결합된 사동사가 쓰인 사동문은 직접 사동과 간접 사동 두 가지 의미로 모두 해석되지만, '-게 하다'를 활용한 사동문은 간접 사동의 의미로만 해석돼.

- **능동문:** 주어가 동작을 스스로의 힘으로 하는 것을 표현한 문장
- **피동문:** 주어가 다른 주체에 의해서 동작을 당하게 되는 것을 나타내는 문장

❍ 능동문을 피동문으로 바꿀 때에는 몇 가지 특징이 있어! 첫째, 능동사가 피동사로 바뀔 때에는 일부 예외를 제외하고 일반적으로 타동사가 자동사로 바뀌어서 나타나. 둘째, 능동문의 목적어가 피동문에서 주어로 대응돼. 셋째, 능동문의 주어는 피동문에서 부사어로 대응돼. 넷째, 능동문의 서술어가 피동문에서는 피동 접미사 '-이-/-히-/-리-/-기-'가 결합한 피동사나 '-아/-어지다'가 결합한 피동 표현으로 바뀌어서 나타나지!

▶ 05 ①

중세 국어의 관형격 조사의 형태는 'ㅅ, 이/의'이다. 무정 명사나 존칭의 유정 명사 뒤에서는 'ㅅ'의 형태로 쓰였고, 평칭의 유정 명사 뒤에서는 모음 조화에 따라 '이/의'의 형태로 쓰였다. '부텨'는 존칭의 유정 명사이므로 관형격 조사로 'ㅅ'이 쓰인 것이다.

② 중세 국어는 현대 국어와 달리 모음 조화가 비교적 규칙적으로 지켜졌다. 현대 국어의 '말씀'은 모음 조화가 지켜지지 않았지만, 중세 국어의 '말씀'은 모음 조화를 지켜 쓰이고 있다.

③ 현대 국어는 객체를 높이는 객체 높임의 선어말 어미가 쓰이지 않고, 부사격 조사 '께'와 일부 특수 어휘를 통해 객체 높임이 실현된다. 이와 달리 중세 국어는 객체를 높이는 데 쓰이는 선어말 어미 '-ᅀᆞᆸ-/-ᄌᆞᆸ-/-ᅀᆞᆸ-' 등이 있었다. '듣ᄌᆞᆸ오ᄃᆡ'에서 '-ᄌᆞᆸ-'이 쓰인 것을 알 수 있다.

▶ 중세 국어의 객체 높임 선어말 어미는 '-ᅀᆞᆸ-/-ᄌᆞᆸ-/-ᅀᆞᆸ-'인데, 모음 어미 앞에서는 '-ᅀᆞᇦ-/-ᄌᆞᇦ-/-ᅀᆞᇦ-'과 같이 'ㅂ'이 'ᄫ'으로 바뀌어서 모음 어미의 초성으로 이어적기되었어! '듣ᄌᆞᆸ오ᄃᆡ'는 '듣- + -ᄌᆞᆸ-(-ᄌᆞᇦ-) + -오ᄃᆡ'로 분석할 수 있는데, 여기서 객체 높임 선어말 어미 '-ᄌᆞᆸ(ᇦ)-'의 형태를 확인할 수 있지!

④ 중세 국어의 주격 조사는 현대 국어에서 쓰이는 '가'가 쓰이지 않았고, 앞 체언의 음운 환경에 따라 '이/ㅣ/∅'의 세 가지 형태로 쓰였다. 앞 체언이 자음으로 끝나면 '이'가, 모음 'ㅣ'나 반모음 'ㅣ'를 제외한 모음으로 끝나면 'ㅣ'가, 모음 'ㅣ'나 반모음 'ㅣ'로 끝나면 '∅(영형태)'가 결합하였다. '부톄'는 모음 'ㅕ'로 끝나는 체언 뒤에서 주격 조사로 'ㅣ'가 결합했다.

⑤ 중세 국어는 두음법칙이 적용되지 않았기 때문에 '니르샤ᄃᆡ'와 같이 단어의 첫머리에서 'ㄴ'이 'ㅣ' 앞에 그대로 쓰였으나, 현대 국어에서는 'ㄴ'이 탈락하고 '이르시되'와 같이 쓰인다.

☞ 문법 개념 담기

- **관형격 조사:** 중세 국어의 관형격 조사는 현대 국어와 달리 무정 명사와 존칭의 유정 명사 뒤에서는 'ㅅ', 평칭의 유정 명사 뒤에서는 모음 조화에 따라 '이/의'로 쓰였음
- **객체 높임:** 현대 국어와 달리 중세 국어의 객체 높임법은 선어말 어미 '-ᅀᆞᆸ-/-ᄌᆞᆸ-/-ᅀᆞᆸ-'에 의해 실현됨
- **주격 조사:** 중세 국어의 주격 조사는 자음으로 끝나는 체언 뒤에서는 '이', 모음 'ㅣ'나 반모음 'ㅣ'가 아닌 모음 뒤에서는 'ㅣ', 모음 'ㅣ'나 반모음 'ㅣ' 뒤에서는 '∅(영형태)'로 실현됨

▶ 현대 국어에서 쓰이는 주격 조사 '가'는 17세기 근대 국어 시기 이후부터 사용되었어! 중세 국어 시기에는 주격 조사로 '이/ㅣ/∅'가 사용되었는데, 이어적기(연철)가 주된 표기 방법이었기 때문에 앞 체언의 받침이 '이'의 초성으로 연철되어 나타나거나, 모음 'ㅣ'가 앞 체언의 모음과 합쳐져 나타나기도 했으니 주격 조사의 형태가 눈에 띄지 않아도 주격 조사가 사용되었는지 유심히 살펴봐야 해!

☑ 학습 Check 1회 ☐ 2회 ☐ 3회 ☐

문항	개념 확인	암면 Check! ☑	나의 책 Check! PAGE	선지나 〈보기〉를 활용하여 문법을 다지자! ▶ 선지나 〈보기〉의 핵심 내용을 활용하여, 내가 올랐거나 정확히 알고 넘어가야 할 개념을 정리해 보세요.
01	합성어 구 본용언 보조 용언	☐ ☐ ☐ ☐		
02	보조 용언의 띄어쓰기 – 원칙 – 허용 – 예외	☐ ☐ ☐		
03	연음 형식 형태소 / 실질 형태소 'ㅎ' 탈락 'ㄴ' 첨가 구개음화	☐ ☐ ☐ ☐ ☐		
04	피동문 피동문의 특징 사동문 사동문의 특징	☐ ☐ ☐ ☐		
05	중세 국어의 관형격 조사 모음 조화 객체 높임 선어말 어미 중세 국어의 주격 조사 두음 법칙	☐ ☐ ☐ ☐ ☐		

[01~02] 다음 글을 읽고 물음에 답하시오.

대명사 중에서 사람을 가리키는 것을 인칭 대명사라고 한다. '나, 저, 우리, 저희'는 대표적인 1인칭 대명사이다. 이중 '우리'는 화자를 반드시 포함하면서, 눈에 보이는 청자 모두를 포함하기도 하고 청자 중 일부만을 포함하기도 하며, 눈에 보이지 않는 대상을 포함하기도 한다. 또한 '저'와 '저희'는 각각 '나'와 '우리'를 겸손하게 낮추어 표현한 것이다.

2인칭 대명사는 '너, 너희, 자네, 당신' 등이 있으며 높임법과 긴밀한 관련이 있다. 일반적으로 '너'는 청자가 친구이거나 아랫사람일 때 쓰이며, 청자가 복수일 때에는 '너희'를 쓴다. 그리고 '자네'는 청자가 친구나 아랫사람이지만 이를 조금 높여 부를 때 사용하는 표현이다. '당신'은 대화 상황이나 문맥에 따라 다양한 의미로 사용될 수 있다. 2인칭 대명사 '당신'은 상대방을 조금 높여 이를 때나 부부 사이에서 배우자를 가리킬 때, 또는 맞서 싸우는 상황에서 상대편을 낮잡아 이를 때 사용된다. 한편 국어에서 아주 높임의 2인칭 대명사는 거의 없기 때문에 친족명, 직함 등의 호칭으로 대용하는 경우가 많다.

3인칭 대명사의 대표적인 예는 '그'이다. 3인칭 대명사는 1인칭과 2인칭 대명사에 비해 그 종류가 많다. '이이/이분, 그이/그분, 저이/저분'은 근칭, 중칭, 원칭에 따라 구분한 것이며, '당신, 저희, 저, 자기' 등은 재귀 대명사에 해당한다. 또한 대상의 이름이나 신분을 모를 때 사용하는 미지칭과 특정 인물을 가리키지 않는 부정칭도 3인칭 대명사에 해당한다. 특히 '누구'는 미지칭인지 부정칭인지 그 형태만으로는 구별하기 어렵기 때문에 문장에서 쓰인 의미를 통해 파악해야 한다.

01. 윗글을 바탕으로 〈보기〉의 ⓐ~ⓔ를 이해한 내용으로 적절하지 않은 것은?

〈보기〉

ⓐ 우리 모두 공원에 놀러가자.
ⓑ 우리는 너희와 생각이 달라.
ⓒ 아들은 집에 오자마자 자기 방으로 들어갔다.
ⓓ 선생님께서는 당신의 일을 자랑스럽게 여기셨다.
ⓔ 이분은 택시를 잡고 있는 저분과 생김새가 닮았다.

① ⓐ에서 '우리'는 화자인 '나'를 포함하여 함께 있는 청자 모두를 가리키는 1인칭 대명사이다.

② ⓑ에서 '너희'는 화자를 포함한 '우리'가 지시하는 대상을 제외하고 남은 청자를 가리키는 2인칭 대명사이다.

③ ⓒ에서 '자기'는 앞에 나온 명사인 '아들'을 다시 한 번 가리키기 위해 사용한 재귀 대명사이다.

④ ⓓ에서 '당신'은 화자보다 높임의 대상인 '선생님'을 높여 부르기 위해 사용한 2인칭 대명사이다.

⑤ ⓔ에서 '이분'과 '저분'은 화자와 지칭하는 대상과의 거리에 따라 화자가 선택적으로 표현한 3인칭 대명사이다.

02. 윗글을 참고할 때, 밑줄 친 부분이 서로 다른 인칭의 대명사끼리 짝지어진 것으로 적절한 것은? [3점]

①
┌ 당신, 요즘 많이 힘드시죠?
└ 이 말을 한 사람이 당신이오?

②
┌ 저희들은 아직도 정답을 모릅니다.
└ 이모님, 언제쯤 도착하시나요?

③
┌ 이 이야기는 자네만 알고 있게.
└ 젊은이, 자네는 이름이 무엇인가?

④
┌ 누구나 가슴에 꿈을 간직하고 산다.
└ 누구의 얼굴이 가장 먼저 생각났니?

⑤
┌ 연락처를 저에게 말씀해 주세요.
└ 철수는 저 하고 싶은 대로만 한다.

03. 〈보기〉의 (가)~(라)에 들어갈 내용으로 적절한 것은?

〈보기〉

선생님: 지난 시간에 음운의 변동에 대해 배웠죠? 어간에 '-다'가 결합한 기본형일 경우, '낫다'는 음운의 __(가)__ 현상이 일어나고, '낳다'는 음운의 __(나)__ 현상이 일어납니다. 그럼 '낫다'와 '낳다'의 어간에 모음으로 시작하는 어미가 결합하여 활용할 때 공통적으로 일어나는 음운 변동은 무엇일까요?

학생: 둘 다 음운의 __(다)__ 현상이 일어납니다.

선생님: 맞아요. 그런데 '낫다'와 '낳다'가 활용할 때 하나는 규칙 활용을 하고, 다른 하나는 불규칙 활용을 합니다. 이 때 불규칙 활용의 경우에는 항상 음운 변동이 표기에 반영됩니다. '낫다'와 '낳다' 중에서 불규칙 활용을 하는 것을 선택하여 어떻게 활용하는지 적어보세요.

학생: __(라)__ 입니다.

	(가)	(나)	(다)	(라)
①	탈락	교체	교체	낫다-나아
②	교체	교체	축약	낫다-나아
③	교체	축약	탈락	낫다-나아
④	축약	탈락	축약	낳다-나아
⑤	교체	축약	탈락	낳다-나아

04. 〈보기〉를 바탕으로 ㉠~㉤의 밑줄 친 부분에 대해 탐구한 내용으로 적절하지 <u>않은</u> 것은?

〈보기〉

다른 문장 속으로 들어가 하나의 성분처럼 쓰이는 문장을 안긴문장이라고 하며, 안긴문장을 포함한 문장을 안은문장이라고 한다. 안긴문장은 하나의 '절'이 되는데, 이는 크게 명사절, 관형절, 부사절, 서술절, 인용절의 다섯 가지로 나뉜다.

㉠ 오늘은 <u>날씨가 정말 춥다.</u>
㉡ <u>다시 공부를 시작하기</u> 쉽지 않다.
㉢ 그는 <u>얼굴에 흐르는</u> 눈물을 닦았다.
㉣ <u>손님이 편히 지내도록</u> 방을 깨끗이 정리했다.
㉤ 영미는 <u>우리가 반드시 우승해야 한다고</u> 생각했다.

① ㉠: 앞의 주어를 고려할 때 안은문장의 서술어 역할을 하는 서술절이다.

② ㉡: 주격 조사가 생략된 채 안은문장에서 주어 역할을 하는 명사절이다.

③ ㉢: 목적어가 생략된 채 안은문장에서 관형어의 역할을 하는 관형절이다.

④ ㉣: 부사형 어미 '-도록'이 결합하여 안은문장의 부사어 역할을 하는 부사절이다.

⑤ ㉤: 인용의 부사격 조사 '고'가 결합하여 주체의 생각을 옮기는 인용절이다.

05. 〈보기〉를 바탕으로 중세 국어의 특징을 탐구한 내용으로 적절하지 <u>않은</u> 것은?

〈보기〉

聖神(성신)이 <u>니ᅀᅡ샤도</u> 敬天勤民(경천근민) ᄒᆞ샤ᅀᅡ 더욱 <u>구드시리이다</u>
<u>님금하</u> 아ᄅᆞ쇼셔 <u>洛水(낙수)예</u> 山行(산행)가 이셔 하나빌 <u>미드니잇가</u>

– 「용비어천가」〈제125장〉 –

[현대어 풀이]
성신(聖神)이 대를 이으시어도 하늘을 공경하고 백성을 부지런히 섬겨야 더욱 굳건할 것입니다.
임금이시여, 아소서. 낙수(洛水)에 사냥을 가 있으면서 할아버지를 믿으시겠습니까?

① '니ᅀᅡ샤도'에서는 현대 국어와 같이 주체를 높이기 위한 선어말 어미가 사용되었군.

② '구드시리이다'에서는 현대 국어와 달리 듣는 이를 높이기 위한 선어말 어미가 사용되었군.

③ '님금하'에서는 현대 국어에서는 사용하지 않는 호격 조사가 사용되었군.

④ '낙수예'에서는 현대 국어와 다른 형태의 부사격 조사가 사용되었군.

⑤ '미드니잇가'에서는 현대 국어와 달리 판정 의문문을 나타내는 '-아' 계열의 의문 보조사가 사용되었군.

▶ 01 ④

정답풀이

ⓐ에서 '당신'은 듣는 이를 가리키는 2인칭 대명사로 쓰인 것이 아니다. '선생님께서는 당신의 일을 자랑스럽게 여기셨다.'에서 '당신'은 '앞에서 이미 말하였거나 나온 바 있는 사람을 도로 가리키는 재귀 대명사를 아주 높여 이르는 말'로 사용되었다.

○ '당신'은 2인칭 대명사와 재귀 대명사의 형태가 같기 때문에 문맥을 통해 이를 구별할 줄 알아야 해! '당신'이 앞에서 언급된 적이 있는 사람을 다시 언급하기 위해 사용될 경우에는 재귀 대명사로 쓰인다는 것을 알아 두자!

오답풀이

① 윗글에서 '우리'는 화자를 반드시 포함하면서, 눈에 보이는 청자 모두를 포함하기도 한다고 하였으므로, ⓐ의 '우리 모두 공원에 놀러가자.'에서 '우리'는 부사 '모두'와 함께 쓰여, 화자를 포함하여 함께 있는 청자 모두를 가리키는 1인칭 대명사로 쓰이고 있다.

② 윗글에서 '우리'는 화자를 반드시 포함하면서, 청자 중 일부만을 포함하기도 한다고 하였으므로, ⓑ의 '우리는 너희와 생각이 달라.'에서 '너희'는 '우리'가 지칭하는 대상을 제외한 나머지 청자를 가리키는 2인칭 대명사로 쓰이고 있다.

③ ⓒ의 '아들은 집에 오자마자 자기 방으로 들어갔다.'에서 '자기'는 앞에 나온 명사 '아들'을 도로 가리키는 재귀 대명사로 쓰이고 있다.

⑤ ⓔ의 '이분은 택시를 잡고 있는 저분과 생김새가 닮았다.'에서 '이분'은 '이 사람'을 높여 이르는 3인칭 대명사이며, '저분'은 '저 사람'을 높여 이르는 3인칭 대명사이다. 윗글에서 '이이/이분, 그이/그분, 저이/저분은 근칭, 중칭, 원칭에 따라 구분'한 것이라고 하였으므로 화자와 거리가 가까운 대상에는 '이분'을, 거리가 먼 대상에는 '저분'을 쓰고 있다.

○ 대명사 '이/그/저'는 대상과 화자, 청자와의 거리에 따라 달리 선택되어 쓰여! 일반적으로 화자와 가까운 대상에는 '이' 계열의 대명사가, 화자에게는 멀지만 청자에게 가까운 대상에는 '그' 계열의 대명사가, 화자와 청자 모두에게 먼 대상에는 '저' 계열의 대명사가 사용되지.

☞ 문법 개념 담기

- **1인칭 대명사**: 나, 저, 우리, 저희
- **2인칭 대명사**: 너, 자네, 당신, 그대, 너희
- **3인칭 대명사**: 이이/이분, 그/그이/그분, 저이/저분, 누구, 아무
- **재귀 대명사**: 저, 저희, 자기, 당신

○ 재귀 대명사는 3인칭 대명사에 포함되는 대명사라서 재귀 대명사가 사용되려면 앞에서 언급한 대상이 3인칭이어야 한다는 특징도 있으니까 꼭 정리해 두자!

▶ 02 ⑤

정답풀이

'연락처를 저에게 말씀해 주세요.'에서 '저'는 '나'를 겸손하게 낮추어 표현한 1인칭 대명사이다. '철수는 저 하고 싶은 대로만 한다.'에서 '저'는 앞에서 이미 말하였거나 나온 바 있는 사람(철수)을 도로 가리키는 재귀 대명사로, 3인칭 대명사이다. 따라서 두 문장에 쓰인 '저'의 인칭은 1인칭과 3인칭으로 서로 다르다.

○ '저'는 1인칭 대명사와 재귀 대명사의 형태가 같은데, 재귀 대명사는 앞서 언급한 대상을 다시 언급할 때 사용되는 거니까 같은 문장에 3인칭의 대상이 먼저 언급된 경우에 사용한다는 것을 알아 두자!

오답풀이

① '당신, 요즘 많이 힘드시죠?'에서 '당신'은 상대방을 조금 높여 이를 때나 부부 사이에서 배우자를 가리킬 때 쓰이는 2인칭 대명사이다. '이 말을 한 사람이 당신이오?'에서 '당신'은 맞서 싸우는 상황에서 상대편을 낮잡아 이를 때 사용하는 2인칭 대명사라고 볼 수 있다. 맥락에 따라 사용된 의미는 차이가 있지만 두 문장에 쓰인 '당신'의 인칭은 2인칭으로 동일하다.

② '저희들은 아직도 정답을 모릅니다.'에서 '저희'는 '우리'를 겸손하게 낮추어 표현한 1인칭 대명사이다. '이모님, 언제쯤 도착하시나요?'에서 '이모님'은 대명사가 아닌 친족명을 활용한 호칭 표현이다. 이는 국어에서 아주 높임의 2인칭 대명사가 거의 없어 이를 대용하기 위한 것으로 인칭 대명사가 아니다.

③ '이 이야기는 자네만 알고 있게.'에서 '자네'는 청자가 친구나 아랫사람이지만 이를 조금 높여 부를 때 사용하는 2인칭 대명사이다. '젊은이, 자네는 이름이 뭔가?'에서 '자네' 역시 청자가 친구나 아랫사람이지만 이를 조금 높여 부를 때 사용하는 2인칭 대명사이다. 따라서 두 문장에서 쓰인 '자네'의 인칭은 2인칭으로 동일하다.

④ '누구나 가슴에 꿈을 간직하고 산다.'에서 '누구'는 특정한 사람이 아닌 막연한 사람을 가리키는 부정칭의 3인칭 대명사이다. '누구의 얼굴이 가장 먼저 생각났니?'에서 '누구'는 잘 모르는 사람을 가리키는 미지칭의 3인칭 대명사이다. 두 문장에 쓰인 '누구'는 부정칭과 미지칭으로 차이가 있지만, 모두 3인칭 대명사라는 점은 동일하다.

○ '당신은 누구십니까?'와 같은 문장에서 사용된 '누구'는 지시 대상에 대해 잘 모를 때 사용하는 미지칭의 인칭 대명사야. 그런데 '누구나, 누구라도, 누구든지'와 같이 '누구'에 '(이)나, 라도, 든지'와 같은 보조사가 결합하면 특정한 대상을 가리키지 않는 부정칭이 된다는 것을 기억하자!

▶ 03 ③

'낫다'는 'ㅅ' 불규칙 활용을 하는 용언으로, 어간에 '-다'가 결합한 기본형일 경우 음절의 끝소리 규칙과 된소리되기가 일어나 [낟ː따]로 발음한다. 음절의 끝소리 규칙과 된소리되기는 교체에 해당하는 음운 변동 현상이므로 (가)에는 '교체'가 들어갈 수 있다. '낳다'의 경우, 어간 끝 'ㅎ'이 어미의 첫소리 'ㄷ'과 축약되어서 [나타]로 발음한다. 'ㅎ'과 'ㄱ, ㄷ, ㅂ, ㅈ'이 축약되어 거센소리 [ㅋ, ㅌ, ㅍ, ㅊ]으로 발음되는 거센소리되기는 축약에 해당하는 음운 변동 현상이므로 (나)에는 '축약'이 들어갈 수 있다. 그런데 '낫다'와 '낳다'가 모음 어미와 결합할 경우 '나아[나아]', '낳아[나아]'가 되며, 공통적으로 음운의 탈락 현상이 일어나므로 (다)에는 '탈락'이 들어갈 수 있다. 이때 '낫다'의 경우에는 불규칙 활용을 하는 용언에 해당하므로 음운의 변동을 표기에 반영하여 '낫다-나아'로 활용하므로 (라)에는 '낫다-나아'가 들어갈 수 있다.

👉 문법 개념 담기

- **'ㅅ' 불규칙 활용:** 어간 끝의 'ㅅ'이 모음 어미 앞에서 탈락하는 불규칙 활용
  예 긋다: 그어, 그으니, 그어서 / 젓다: 저어, 저으니, 저어서
- **'ㅎ' 탈락:** 'ㅎ'으로 끝나는 어간이 모음으로 시작하는 어미나 접사와 결합할 때 'ㅎ'이 탈락하는 현상
  예 좋다: 좋아[조아], 좋으니[조으니]
  쌓다: 쌓아[싸아], 쌓으니[싸으니]
- **거센소리되기:** 예사소리 'ㄱ, ㄷ, ㅂ, ㅈ'이 'ㅎ'과 만나 거센소리 [ㅋ, ㅌ, ㅍ, ㅊ]으로 발음되는 현상
  예 않던[안턴], 놓지[노치], 옳지[올치], 닿다[다타]
- ❶ 'ㅅ' 불규칙 용언은 형태의 변화를 표기에도 반영하는데, 'ㅎ' 탈락이나 거센소리되기는 표기에는 반영하지 않아! 'ㅅ' 불규칙 활용의 경우에는 같은 환경에서 무조건 나타나는 변화가 아니기 때문에, 불규칙적인 형태를 표기에 반영하는 거야.

▶ 04 ③

안긴문장 '얼굴에 흐르는'의 원래 형태는 '얼굴에 눈물이 흐르는'이다. 여기서 주어인 '눈물이'가 생략되고 관형절을 만드는 어미 '-는'이 결합되어 '얼굴에 흐르는'이라는 안긴문장이 만들어진 것이다. 따라서 목적어가 생략된 것이 아니라, 안긴문장의 주어가 생략되어 관형어의 역할을 하는 것이며, 이때 생략되는 성분은 관형절이 수식하는 체언과 동일하다.

- ❶ '관형절 속에 관형절이 수식하는 체언과 동일한 성분이 생략되어 있는 관형절을 '관계 관형절'이라고 해! 따라서 관계 관형절 속에는 특정 문장 성분이 빠져 있어.

① '오늘은 날씨가 정말 춥다.'의 주어는 '오늘은'이므로 '날씨가 정말 춥다'는 주어 '오늘은'의 서술어 역할을 하는 서술절로 사용되고 있다.

② '다시 공부를 시작하기 쉽지 않다.'에서 '다시 공부를 시작하기'는 동사 '시작하다'에 명사형 어미 '-기'가 붙어 만들어진 명사절인데, 주격 조사가 생략된 채 안은문장의 주어로 쓰이고 있다.

④ '손님이 편히 지내도록 방을 깨끗이 정리했다.'에서 '손님이 편히 지내도록'은 '손님이 편히 지내다.'에서 부사형 어미 '-도록'이 결합한 부사절로, 안은문장에서 부사어로 쓰이고 있다.

⑤ 인용절은 화자의 생각, 느낌, 다른 사람의 말 등을 옮긴 문장이다. '영미는 우리가 반드시 우승해야 한다고 생각했다.'와 같이 말하는 사람의 표현으로 바꾸어서 인용하는 간접 인용절은 인용의 부사격 조사 '고'를 붙여 표현한다.

👉 문법 개념 담기

- **서술절로 안긴문장:** 절 전체가 문장에서 서술어로 쓰이는 문장
  예 기린이 목이 길다.
  서울은 아파트가 많다.
- ❶ 서술절로 안긴문장은 다른 안긴문장들과 달리 절을 나타내는 표지가 따로 없어서 마치 주어가 두 개인 문장인 것처럼 보이지. 그래서 절 전체가 문장에서 서술어의 기능을 한다면 서술절로 안긴문장이라는 생각을 해야 해! 그런데 이때 문장의 서술어가 '되다/아니다'와 같이 보어를 필수적으로 요구하는 서술어라면, 조사 '이/가'가 사용되어 마치 주어가 두 개인 것처럼 보이더라도 '되다/아니다' 앞의 성분은 보어이니까 혼동해서는 안 돼!
- **명사절로 안긴문장:** 절 전체가 문장에서 명사처럼 쓰이는 문장
  예 보람이는 여행을 떠나기로 다짐했다.
  영지가 우리를 속였음이 밝혀졌다.
- ❶ 명사형 어미 '-(으)ㅁ, -기'가 결합하여 형성되는 명사절은 문장에서 여러 격 조사의 도움을 받아 다양한 문장 성분으로 사용될 수 있어. 그렇기 때문에 명사절 뒤에 어떤 격 조사가 결합하여 어떤 문장 성분으로 사용되고 있는지 꼼꼼하게 따져봐야 해!
- **관형절로 안긴문장:** 절 전체가 문장에서 관형어의 기능을 하는 문장
  예 그녀가 쓴 책을 재미있게 읽었다. (관계 관형절)
  그녀가 책을 썼다는 사실을 밝혔다. (동격 관형절)
- **부사절로 안긴문장:** 절 전체가 문장에서 부사어의 기능을 하는 문장
  예 오늘은 하늘이 눈이 부시게 파랗다.
  손에 굳은살이 생기도록 필기를 했다.
- **인용절로 안긴문장:** 화자의 생각, 느낌, 다른 사람의 말 등을 옮긴 문장
  예 영수가 "교실이 너무 덥다."라고 말했다. (직접 인용)
  영수가 교실이 너무 덥다고 말했다. (간접 인용)

▶ **05** ⑤

중세 국어의 의문문은 의문사의 여부에 따라 다르게 실현되었다. 의문사가 쓰이지 않은 판정 의문문에는 '-아' 계열의 의문형 어미인 '-잇가'나 의문 보조사 '가'가 사용되었고, 의문사가 쓰인 설명 의문문에서는 '-오' 계열의 의문형 어미인 '-잇고'나 의문 보조사 '고'가 사용되었다. 그런데 '미드니잇가'에 쓰인 '-잇가'는 의문사가 쓰이지 않은 판정 의문문에 사용된 의문형 어미이므로 의문 보조사라고 설명한 것은 적절하지 않다.

① '니ᄉ샤도'의 현대어 풀이를 참고하면 '이으시어도'이므로 주체 높임이 사용된 것을 추측할 수 있다. 중세 국어에서 주체 높임은 선어말 어미 '-시-/-샤-'를 통해 실현되었다. '니ᄉ샤도'에서 이를 확인할 수 있다.

② '구드시리이다'의 현대어 풀이를 참고하면 '굳건할 것입니다'이므로 상대 높임이 사용된 것을 추측할 수 있다. 중세 국어에서 상대 높임은 선어말 어미 '-이-/-잇-'을 통해 실현되었는데, '구드시리이다'에서 선어말 어미 '-이-'를 확인할 수 있다.

③ '님금하'는 현대어 '임금이시여'에 해당하는데, 이를 통해 부르는 대상을 높이기 위한 조사로 '하'가 사용되었음을 확인할 수 있다. 중세 국어에서 조사 '하'는 존칭의 호격 조사로 쓰였다.

④ '洛水(낙수)예'의 현대어 풀이를 참고하면 '낙수에'이므로 장소를 나타내기 위한 부사격 조사로 '예'가 사용되고 있음을 확인할 수 있다.

☞ 문법 개념 **담기**

- **주체 높임 선어말 어미**: 문장의 주체(주어)를 높이기 위한 선어말 어미로 '-시-/-샤-'의 형태가 있음
- **상대 높임 선어말 어미**: 청자(상대)를 높이기 위한 선어말 어미로 '-이-/-잇-'의 형태가 있음
- ▶ 일반적으로 현대 국어에서 상대 높임은 종결 표현으로 실현되는 것과 달리, 중세 국어에서는 선어말 어미로 실현되었어! 평서문에서는 '-이-'가 사용되었고, 의문문에서는 '-잇-'이 사용되어 주로 '-잇고/-잇가'의 형태로 나타났어!
- **판정 의문문**: 의문사 없이 가부(可否)를 묻는 의문문으로, '-아' 계열의 의문형 어미, 의문 보조사 '가'가 사용됨
- ▶ 의문형 어미와 의문 보조사의 차이가 무엇이냐고? 국어 문법 단위의 기본적인 것을 다시 생각해봐! 어미는 용언의 어간 뒤에 결합하는 것이고, 의문 보조사는 조사니까 체언 뒤에 바로 결합하겠지?
- **설명 의문문**: 의문사가 있어서 설명을 요구하는 의문문으로, '-오' 계열의 의문형 어미, 의문 보조사 '고'가 사용됨
- ▶ 의문사의 여부에 따라 의문형 어미나 의문 보조사가 달라지는 것은 주어가 1인칭이거나 3인칭일 때 적용되고, 주어가 2인칭일 때는 의문사의 여부와 관계없이 '-ㄴ다'와 같은 어미를 사용해서 의문문을 표현했어!

☑ 학습 Check 1회 ☐ 2회 ☐ 3회 ☐

문항	개념 확인	암면 Check! ☑	나의 책 Check! PAGE	선지나 〈보기〉를 활용하여 문법을 다지자! ▶ 선지나 〈보기〉의 핵심 내용을 활용하여, 내가 올랐거나 정확히 알고 넘어가야 할 개념을 정리해 보세요.
01	1인칭 대명사 2인칭 대명사 3인칭 대명사 재귀 대명사	☐ ☐ ☐ ☐		
02	같은 형태의 다른 인칭 대명사 미지칭 / 부정칭	☐ ☐		
03	교체 축약 탈락 'ㅅ' 불규칙 활용	☐ ☐ ☐ ☐		
04	명사절 관형절 부사절 서술절 인용절 문장 성분	☐ ☐ ☐ ☐ ☐ ☐		
05	중세 국어의 주체 높임 중세 국어의 객체 높임 중세 국어의 호격 조사 중세 국어의 부사격 조사 중세 국어의 의문문	☐ ☐ ☐ ☐ ☐		

[01~02] 다음 글을 읽고 물음에 답하시오.

〈수업〉

선생님: 하나의 문장이 관형절로 다른 문장에 안길 때 관형사형 어미 '-(으)ㄴ', '-는', '-(으)ㄹ', '-던'을 사용합니다. 그리고 관형절은 크게 두 가지로 나눌 수 있어요. 아래의 밑줄 그은 두 관형절의 차이를 알아볼까요?

> (가) 민호는 <u>내가 읽을</u> 책을 읽고 있었다.
> (나) 민호는 <u>내가 대학에 합격한</u> 사실을 모른다.

학생 1: (가)는 (나)와 달리 관형절 안에 문장 성분이 생략되어 있는 것 아닌가요?

선생님: 네, 맞아요. (가)에서 '내가 읽을'의 꾸밈을 받는 '책'은 관형절의 원래 문장에서는 목적어의 역할을 하는데, 안긴문장이 되면서 중복되는 요소가 생략된 거예요. 그러나 (나)에서 '내가 대학에 합격한'의 꾸밈을 받는 체언인 '사실'은 관형절 안에서 어떠한 문장 성분으로도 쓰이지 않아요. 또 다른 차이점을 발견한 학생이 있나요?

학생 2: (가)는 관형절이 없어도 자연스럽지만, (나)는 관형절이 없으면 어색한 문장이 되는 것 같아요.

선생님: 그렇죠? (가)는 관형절 없이 '민호는 책을 읽고 있었다.'처럼 쓰이더라도 자연스러운 반면, (나)는 관형절 없이 '민호는 사실을 모른다.'라고 하면 어색한 문장처럼 느껴지네요. 그 이유는 '사실'의 내용이 무엇인지 분명하지 않기 때문입니다. 그럼 (나)에서 '사실'의 내용은 무엇인가요?

학생 2: '내가 대학에 합격한'이 '사실'의 내용 아닌가요?

선생님: 맞아요. '내가 대학에 합격한'이라는 관형절의 내용이 '사실'의 내용입니다. 즉, 관형절의 꾸밈을 받는 체언이 의미하는 것과 관형절의 내용이 동일하기 때문에 문장에서 관형절이 사라지면 어색한 문장이 되는 것입니다.

〈대화〉

학생 1: 수업 시간에 배운 두 가지 유형의 관형절을 정리해 보자. 첫째, 관형절의 꾸밈을 받는 체언이 관형절에서 하나의 문장 성분으로 기능할 때, 그 체언은 관형절에서 생략된다. 둘째, 관형절 속에 어떠한 문장 성분도 생략되지 않을 경우, ㉠관형절의 내용 자체가 관형절의 꾸밈을 받는 체언과 동일한 의미를 갖는다. 이렇게 정리할 수 있겠지?

학생 2: 맞아. 그럼 결국 관형절 속에 생략된 문장 성분이 있느냐의 여부에 따라 관형절을 크게 두 가지로 나눌 수 있는 거겠네! 그런데 관형절을 만드는 관형사형 어미를 보니 관형절도 시제를 나타낼 수 있나봐.

학생 1: 그 내용은 지난 수업 시간에 배웠던 게 기억나! 수업 자료 (가)의 '내가 읽을'에서 '-(으)ㄹ'은 미래 시제를 나타내고, (나)의 '내가 대학에 합격한'에서 '-(으)ㄴ'은 '-던'과 함께 과거 시제를 나타내. 그리고 선생님께서 관형절이

현재 시제를 나타낼 때 어간이 동사이면 '-는'을 쓰지만, 어간이 형용사이거나, 체언에 서술격 조사가 결합한 경우 '-(으)ㄴ'을 쓴다고 하셨어.

---

01. 윗글을 바탕으로 〈보기〉의 ⓐ~ⓔ를 탐구한 내용으로 적절한 것은?

〈보기〉

> ⓐ 동생은 <u>내가 입던</u> 옷을 입는다.
> ⓑ 그는 <u>큰</u> 책상에서 공부를 한다.
> ⓒ 나는 <u>대학생이 될</u> 형에게 선물을 주었다.
> ⓓ <u>아침부터 찾아오는</u> 손님들로 가게가 붐볐다.
> ⓔ 나는 이제야 <u>그의 말이 옳았다는</u> 생각이 들었다.

① ⓐ와 ⓑ에서 관형절을 안은문장의 시제는 현재이지만, 관형절의 시제는 모두 과거이군.

② ⓐ와 ⓓ에서 관형절의 꾸밈을 받는 체언은 관형절의 원래 문장에서는 목적어의 기능을 하겠군.

③ ⓑ와 ⓒ에서 관형절의 꾸밈을 받는 체언은 관형절의 원래 문장에서는 각각 주어와 부사어로 기능을 하겠군.

④ ⓑ와 ⓓ에서 두 관형절의 시제는 동일하지만, 어간의 품사가 달라서 서로 다른 형태의 어미가 사용되었군.

⑤ ⓓ와 ⓔ에서 관형절 속에 특정 문장 성분이 생략되었으므로, 관형절을 삭제해도 자연스러운 문장이 되겠군.

---

02. 윗글의 ㉠에 해당하는 예로 적절하지 <u>않은</u> 것은?

① 그는 미국으로 떠날 계획을 세웠다.

② 비가 올 경우에는 경기를 연기한다.

③ 나는 그와 결혼할 이유를 생각했다.

④ 광호는 수지와 만났던 기억이 떠올랐다.

⑤ 우리 반에 퍼진 소문은 어느새 사라졌다.

03. 〈보기〉의 ㉠~㉤에 대한 이해로 적절한 것은? [3점]

〈보기〉

받침 'ㅎ' 뒤에 모음으로 시작하는 어미나 접미사가 결합하면, 'ㅎ'이 탈락하여 발음되지 않는다. 만약 'ㅎ'과 인접한 음운이 자음일 경우에는 음운의 교체가 일어나거나 음운의 축약 현상이 일어난다. 이때 겹받침 중 뒤의 자음이 'ㅎ'일 경우에도 위와 같은 현상이 나타난다.

㉠ 이제야 마음이 놓이다.
㉡ 책을 학교에 놓고 왔다.
㉢ 옷이 닳지 않아서 다행이다.
㉣ 아이가 잘 먹지 않아서 걱정이다.
㉤ 이제는 하찮은 일에 마음 쓰지 말자.

① ㉠: '놓이다'는 받침 'ㅎ'이 모음으로 시작하는 어미 앞에서 탈락하여 [노이다]로 발음되겠군.

② ㉡: '놓고'는 받침 'ㅎ'이 자음으로 시작하는 조사 앞에서 축약이 일어나 [노코]로 발음되겠군.

③ ㉢: '닳지'는 겹받침 중 'ㅎ'이 자음으로 시작하는 어미 앞에서 탈락되어 [달치]로 발음되겠군.

④ ㉣: '않아서'는 겹받침 중 'ㅎ'이 모음으로 시작하는 어미 앞에서 탈락되어 [아나서]로 발음되겠군.

⑤ ㉤: '하찮은'은 겹받침 중 'ㅎ'이 모음으로 시작하는 조사 앞에서 탈락되어 [하차는]으로 발음되겠군.

04. 〈보기〉를 참고할 때, 밑줄 친 '은'의 의미가 같은 것끼리 묶인 것은?

〈보기〉

◦ 은 【보조사】
① 보조사
 ① (받침 있는 말 뒤에 붙어) 어떤 대상이 다른 것과 대조됨을 나타내는 보조사.
 ② (받침 있는 체언 뒤에 붙어) 문장 속에서 어떤 대상이 화제임을 나타내는 보조사.
② 어미
 ('ㄹ'을 제외한 받침 있는 동사 어간 뒤에 붙어) 앞말이 관형어 구실을 하게 하고 동작이 과거에 이루어졌음을 나타내는 어미.

A: ㉠오늘은 5년 전 ㉡심은 나무에 드디어 열매가 열린 특별한 날입니다.
B: 축하드려요! 그동안 ㉢노력은 했는데, 결과는 보이지 않아 걱정하셨잖아요. 축하의 의미로 이 선물을 드릴게요!
A: 감사합니다. 그런데 이게 뭔가요?
B: ○○ 연극 티켓이에요. 지난번에 ㉣받은 선물에 대한 보답이에요.
A: 왜 다른 건 몰라도 이 ㉤연극은 꼭 보고 싶었는데, 정말 감사해요.

① ㉠, ㉡   ② ㉠, ㉢   ③ ㉡, ㉢
④ ㉢, ㉣   ⑤ ㉣, ㉤

05. 〈보기 1〉을 참고하여 〈보기 2〉의 ⓐ, ⓑ, ⓒ에 알맞은 것을 고른 것은?

〈보기 1〉

중세 국어에서 장소를 나타내는 부사격 조사에는 '애, 에, 예, 이, 의' 등이 있다. 이 중 '이/의'는 주로 시간을 나타내는 '아춤(아침), 낮, 밤' 등과 같은 특정 체언과 결합하였다.

이러한 부사격 조사 '애, 에, 예, 이, 의'는 결합하는 체언의 특징에 따라 다음과 같이 구분되어 사용되었다.

체언의 특성		부사격 조사
끝 음절의 모음이 양성 모음	+	애, 이
끝 음절의 모음이 음성 모음	+	에, 의
끝 음절의 모음이 'ㅣ'나 반모음 'ㅣ̆'	+	예

〈보기 2〉

[중세 국어] 五欲(오욕)은 눈 + ⓐ 됴흔빗 보고져
[현대어 풀이] 오욕은 눈에 좋은 빛 보고자

[중세 국어] 몸 + ⓑ 됴흔옷 닙고져
[현대어 풀이] 몸에 좋은 옷 입고자

[중세 국어] 호룻 아춤 + ⓒ 命終호야
[현대어 풀이] 하루아침에 목숨이 다하여

	ⓐ	ⓑ	ⓒ
①	에	예	이
②	예	에	의
③	에	애	이
④	에	예	의
⑤	예	애	이

▶ 01 ④

정답풀이

윗글에서 '관형절이 현재 시제를 나타낼 때 어간이 동사이면 '-는'을 쓰지만, 어간이 형용사이거나, 체언에 서술격 조사가 결합한 경우 '-(으)ㄴ'을 쓴다'고 하였다. ⓑ에는 형용사 어간 '크-'에 관형사형 어미 '-(으)ㄴ'이 결합하여 현재 시제를 나타내는 관형절로 '큰'이 사용되었고, ⓓ에는 동사 어간 '찾아오-'에 관형사형 어미 '-는'이 결합하여 현재 시제를 나타내는 관형절로 '아침부터 찾아오는'이 사용되었다. 이를 통해 두 관형절의 시제는 동일하지만 어간의 품사가 달라서 서로 다른 형태의 어미가 사용되었음을 알 수 있다.

오답풀이

① ⓐ와 ⓑ의 관형절을 안은문장의 시제는 현재 시제로 동일하다. 하지만 ⓐ의 관형절은 '-던'이 사용되었으므로 과거 시제를 나타내지만, ⓑ의 관형절은 형용사 어간에 '-(으)ㄴ'이 결합하여 현재 시제를 나타내고 있으므로 관형절의 시제는 모두 과거라는 설명은 적절하지 않다.

② ⓐ에서 관형절의 꾸밈을 받는 체언은 '옷'으로, 관형절에서는 '내가 옷을 입던'과 같이 목적어의 기능을 하고 있다. 그러나 ⓓ에서 관형절의 꾸밈을 받는 체언은 '손님들'로, 관형절에서는 '손님들이 아침부터 찾아오는'과 같이 주어의 기능을 하고 있으므로 관형절의 원래 문장에서 목적어의 기능을 한다는 설명은 적절하지 않다.

③ ⓑ에서 관형절의 꾸밈을 받는 체언은 '책상'으로, 관형절에서는 '책상이 큰'과 같이 주어로 기능을 하고 있다. ⓒ에서 관형절의 꾸밈을 받는 체언은 '형'으로 관형절에서는 '형이 대학생이 될'과 같이 주어의 기능을 하고 있으므로 각각 주어와 부사어로 기능을 한다는 설명은 적절하지 않다.

⑤ ⓓ의 관형절 '아침부터 찾아오는'은 '손님들이 아침부터 찾아오는'으로 볼 수 있으므로 관형절 속에 주어가 생략되어 있다. 그러나 ⓔ의 관형절 '그의 말이 옳았다는'에는 생략된 문장 성분이 없으며, 관형절이 꾸밈을 받는 체언인 '생각'의 내용에 해당하므로 관형절을 생략하면 어색한 문장이 된다. 따라서 관형절 속에 특정 문장 성분이 생략되었으므로 관형절을 삭제해도 자연스러운 문장이 된다는 설명은 적절하지 않다.

문법 개념 담기

• **관형사형 어미와 관형절의 시제**
  '-(으)ㄴ': 동사의 경우 과거, 형용사의 경우 현재
  예 그 섬에는 <u>농사를 지은</u> 사람이 없다. (동사)
     그는 <u>푸른</u> 바다를 바라보고 있다. (형용사)
  '-는': 현재
  예 그 섬에는 <u>농사를 짓는</u> 사람이 없다.
  '-(으)ㄹ': 미래
  예 그 섬에는 <u>농사를 지을</u> 사람이 없다.
  '-던': 회상
  예 그 섬에는 <u>농사를 짓던</u> 사람이 없다.

▶ 02 ⑤

정답풀이

㉠은 관형절의 내용이 관형절의 꾸밈을 받는 체언이 의미하는 것과 동일한 관형절인 동격 관형절을 안은문장을 의미한다. 그런데 '우리 반에 퍼진 소문은 어느새 사라졌다.'에서 '우리 반에 퍼진'이라는 관형절은 '우리 반에 소문이 퍼지다.'라는 문장이 관형절로 안긴 것이므로, 관형절의 꾸밈을 받는 체언 '소문'이 관형절에서 주어로 기능을 하고 있다. 즉 관형절의 꾸밈을 받는 체언이 관형절 속에서 하나의 문장 성분으로 기능하며, 이 문장 성분이 생략된 채 관형절로 안겨 있다. 이를 관계 관형절이라고 한다. 따라서 '우리 반에 퍼진 소문은 어느새 사라졌다.'는 ㉠에 해당하는 예로 적절하지 않다.

▶ 겹문장을 분석할 때에는 두 문장으로 나누어 생략된 문장 성분도 모두 적어 봐야 해. '우리 반에 퍼진 소문은 어느새 사라졌다.'를 두 문장으로 나누면 '우리 반에 소문이 퍼졌다.'와 '소문은 어느새 사라졌다.'로 나눌 수 있겠지? 이때 '소문'은 동일한 요소이기 때문에 관형절에서 생략된 채 나타나.

오답풀이

① '그는 미국으로 떠날 계획을 세웠다.'에서 관형절은 '그는 미국으로 떠날'이다. 이는 관형절의 꾸밈을 받는 체언 '계획'과 동일한 의미를 가지며, 관형절 속에 생략된 문장 성분이 없으므로, ㉠에 해당하는 예로 적절하다.

② '비가 올 경우에는 경기를 연기한다.'에서 관형절은 '비가 올'이다. 이는 관형절의 꾸밈을 받는 체언 '경우'와 동일한 의미를 가지며, 관형절 속에 생략된 문장 성분이 없으므로, ㉠에 해당하는 예로 적절하다.

③ '나는 그와 결혼할 이유를 생각했다.'에서 관형절은 '나는 그와 결혼할'이다. 이는 관형절의 꾸밈을 받는 체언 '이유'와 동일한 의미를 가지며, 관형절 속에 생략된 문장 성분이 없으므로, ㉠에 해당하는 예로 적절하다.

④ '광호는 수지와 만났던 기억이 떠올랐다.'에서 관형절은 '광호는 수지와 만났던'이다. 이는 관형절의 꾸밈을 받는 체언 '기억'과 동일한 의미를 가지며, 관형절 속에 생략된 문장 성분이 없으므로, ㉠에 해당하는 예로 적절하다.

문법 개념 담기

• **동격 관형절**: 관형절과 관형절이 수식하는 체언이 동일한 의미를 가지는 관형절
  예 철수가 어제 영미를 만난 사실을 아는 사람은 없었다.
• **관계 관형절**: 관형절의 문장 성분 중 주절에 있는 동일 요소가 생략되는 관형절
  예 영미를 만났던 철수는 너무 늦어 버렸다.

▶ 03 ④

'않아서'는 겹받침 중 뒤의 것인 'ㅎ'이 모음으로 시작하는 어미 '-아서' 앞에서 탈락된 후 남은 자음 'ㄴ'이 연음되어 [아나서]로 발음되므로 적절한 설명이다.

> ◑ 음운의 변동 결과인 발음을 물어보는 문제처럼 보이지만, '조사, 어미, 접사'를 정확하게 파악할 수 있는지 묻는 문제야! 이미 알고 있는 개념이라고 하더라도 문제에서 초점을 달리해서 물어보면 헷갈릴 수 있으니 주의하자!

① '놓이다'는 받침 'ㅎ'이 모음으로 시작하는 접미사 '-이-' 앞에서 탈락하여 [노이다]로 발음된다. 이때 '-이-'는 어미가 아닌 접미사이므로, 받침 'ㅎ'이 모음으로 시작하는 어미 앞에서 탈락했다는 설명은 적절하지 않다.

② '놓고'는 받침 'ㅎ'이 어미의 첫소리 'ㄱ'과 축약되어서 [노코]로 발음된다. 이는 '축약'에 해당하는 음운 변동 현상인 거센소리되기가 일어난 것이다. 그러나 '놓고'에서 '-고'는 조사가 아니라 어미에 해당하므로, 받침 'ㅎ'이 자음으로 시작하는 조사 앞에서 축약되었다는 설명은 적절하지 않다.

③ '닳지'는 겹받침 중 뒤의 것인 'ㅎ'이 어미의 첫소리 'ㅈ'과 축약되어서 [달치]로 발음된다. 따라서 겹받침 중 'ㅎ'이 자음으로 시작하는 어미 앞에서 탈락되었다는 설명은 적절하지 않다.

⑤ '하찮은'은 겹받침 중 뒤의 것인 'ㅎ'이 모음으로 시작하는 어미 '-은' 앞에서 탈락된 후 남은 자음이 연음되어 [하차는]으로 발음된다. '하찮은'의 '-은'은 조사가 아니라 어미에 해당하므로, 겹받침 중 'ㅎ'이 모음으로 시작하는 조사 앞에서 탈락했다는 설명은 적절하지 않다.

👉 문법 개념 담기

- **'ㅎ' 탈락**: 어간의 끝소리 'ㅎ'이 모음으로 시작하는 형식 형태소와 결합하여 탈락하는 현상
  예 놓이다[노이다], 쌓이다[싸이다]
- **음절의 끝소리 규칙**: 음절 끝에는 'ㅎ'이 올 수 없으므로, 'ㄷ'으로 교체됨
  예 놓는[녿는 → 논는]: 'ㅎ'이 음절의 끝소리 규칙에 의해 'ㄷ'으로 바뀐 후 비음 동화가 일어남
- **거센소리되기**: 'ㅎ'과 'ㅂ, ㄷ, ㄱ, ㅈ'이 결합하여 [ㅍ, ㅌ, ㅋ, ㅊ]으로 바뀌는 현상
  예 닳지[달치], 꽂히다[꼬치다]

▶ 04 ⑤

ⓒ

'노력은'의 '은'은 체언 '노력'에 결합하여, '노력'이 뒤의 '결과'와 대조됨을 나타내는 보조사이다. 즉, ⓒ의 '은'은 '1 보조사 ①'의 의미에 해당한다.

ⓜ

'연극은'의 '은'은 체언 '연극' 뒤에 결합하여 '연극' 앞의 '다른 건 몰라도'에서 '다른 것'과 대조됨을 나타내는 보조사이다. 즉, ⓜ의 '은'은 '1 보조사 ①'의 의미에 해당한다.

㉠

'오늘은'의 '은'은 체언 '오늘'과 결합하여 문장 속에서 '오늘'이 화제임을 나타내는 보조사이므로, '1 보조사 ②'의 의미에 해당한다.

㉡

'심은'의 '-은'은 동사 어간 '심-' 뒤에 붙어 뒤의 체언 '나무'를 수식하는 관형어의 구실을 하게 하는 관형사형 어미이므로, '2 어미'의 의미에 해당한다.

㉣

'받은'의 '-은'은 동사 어간 '받-' 뒤에 붙어 동작이 과거에 이루어졌음을 나타내는 관형사형 어미이므로, '2 어미'의 의미에 해당한다.

▶ **05** ③

ⓐ
'눈'은 음성 모음으로 끝난 체언이며, 시간을 나타내는 체언이 아니므로
부사격 조사의 형태로 '에'가 결합할 것임을 알 수 있다.
ⓑ
'몸'은 양성 모음으로 끝난 체언이며, 시간을 나타내는 체언이 아니므로
부사격 조사의 형태로 '애'가 결합할 것임을 알 수 있다.
ⓒ
'아춤'은 양성 모음으로 끝난 체언이며, 시간을 나타내는 체언에 해당하므
로 부사격 조사의 형태로 '익'가 결합할 것임을 알 수 있다.

따라서 ⓐ는 '에', ⓑ는 '애', ⓒ는 '익'가 와야 한다.

☞ **문법 개념 담기**

- **중세 국어의 부사격 조사:** '애/에, 예, 익/의, 와/과' 등
- **중세 국어의 관형격 조사:** 'ㅅ' (높임의 유정 체언, 무정 체언 뒤)
  '익/의' (평칭의 유정 체언 뒤)
- ◐ 중세 국어에서 '익/의'는 관형격 조사와 부사격 조사에 모두 사용되었지만,
  걱정할 것 없어! '익/의'가 평칭의 유정 체언 뒤에 나오면 관형격 조사이고,
  무정 체언 뒤에 나오면 부사격 조사야.

문항	개념 확인	알면 Check! ☑	나의 책 Check! PAGE	선지나 〈보기〉를 활용하여 문법을 다지자! ▶ 선지나 〈보기〉의 핵심 내용을 활용하여, 내가 몰랐거나 정확히 알고 넘어가야 할 개념을 정리해 보세요.
01	관형절 문장 성분 관형절의 시제	☐ ☐ ☐		
02	동격 관형절 관계 관형절	☐ ☐		
03	'ㅎ' 탈락 음절의 끝소리 규칙 축약(거센소리되기)	☐ ☐ ☐		
04	은/는 (보조사) −은 (관형사형 어미)	☐ ☐		
05	중세 국어의 부사격 조사 양성 모음 / 음성 모음 중세 국어의 관형격 조사	☐ ☐ ☐		

1

2
주
차

3

4

[01~02] 다음 글을 읽고 물음에 답하시오.

문장은 홑문장과 겹문장으로 나눌 수 있다. 홑문장은 주어와 서술어가 한 번만 나타나는 문장이다. 일반적으로 홑문장은 서술어의 성격에 따라 다양한 구조로 이루어진다.

홑문장은 서술어가 필수적으로 요구하는 문장 성분으로 이루어진 기본 구조에 관형어나 부사어가 덧붙어 다시 홑문장이 되기도 한다. 가령, '철수는 학생이다.'라는 홑문장에 관형어와 부사어를 넣어 '이제 철수는 우리 학교 학생이다.'라고 쓸 수 있는데, 이때에도 여전히 주어와 서술어가 한 번만 나타나는 홑문장에 해당한다.

한편 겹문장은 주어와 서술어가 두 번 이상 나타나는 문장을 말한다. 겹문장은 이어진문장과 안은문장으로 나뉘는데, 이 중 이어진문장의 특성을 구체적으로 살펴보자. 이어진문장은 대등적으로 이어진문장과 종속적으로 이어진문장으로 나뉜다. 일반적으로 대등적으로 이어진문장은 나열, 대조, 선택 등의 의미를 지니며, 앞 절과 뒤 절의 위치를 서로 바꾸어도 의미 차이가 크게 발생하지 않는다. 그런데 대등적 연결 어미를 사용한 문장 중에서도 앞 절과 뒤 절의 위치를 바꾸면 의미 차이가 나타나는 경우가 있다. 예를 들어, '기차는 떠났으나, 나는 달렸다.'라는 문장에서 '나'는 기차가 먼저 떠난 후에도 달렸다는 의미를 나타내지만, '나는 달렸으나, 기차는 떠났다.'라고 바꾸면 '나'는 기차가 떠난 후에도 달렸는지 알 수 없다. 위의 문장에서는 대등적 연결 어미 '-으나'를 사용했지만, 앞 절과 뒤 절의 시간적 선후 관계가 명확하여 앞 뒤 절의 위치를 바꾸면 의미 차이가 발생한다.

종속적으로 이어진문장은 일반적으로 앞 절이 뒤 절에 대하여 원인이나 조건, 의도 등의 의미를 지니는데, 앞 절과 뒤 절의 위치를 바꾸면 문법적으로 정확하지 못한 문장이 되거나, 원래 문장의 의미와 완전히 달라진다. 예를 들어 '비가 와서, 땅이 질다.'를 '땅이 질어서, 비가 온다.'와 같이 쓰면 의미적으로 자연스럽지 못한 문장이 되고, '노력하지 않으면, 성공이 없다.'를 '성공이 없으면, 노력하지 않는다.'와 같이 쓰면 원래 문장의 의미와 크게 달라진다.

01. 윗글을 바탕으로 다음 문장에 대해 탐구하고자 할 때, 〈보기〉의 ⊙~⑩을 이해한 내용으로 적절하지 **않은** 것은?

〈보기〉

⊙ 수지는 **참 얌전하게** 생겼다.
ⓒ 명수는 **벌써 대학생이** 되었다.
ⓒ **어제 정부에서** 조례를 발표했다.
ⓒ **오늘 꽃밭에 드디어** 꽃이 피었다.
⑩ 그녀는 **동수를 첫째** 사위로 삼았다.

① ⊙: '얌전하게'는 서술어가 필수적으로 요구하는 부사어이므로 문장에서 생략될 수 없지만, 부사어 '참'은 생략될 수 있다.

② ⓒ: '대학생이'는 서술어가 필수적으로 요구하는 보어이므로 문장에서 생략될 수 없지만, 부사어 '벌써'는 생략될 수 있다.

③ ⓒ: '정부에서'는 홑문장의 기본 구조를 이루는 문장 성분 중 하나인 주어이고, '어제'는 홑문장의 기본 구조에 덧붙은 부사어이다.

④ ⓒ: '꽃밭에'는 홑문장의 기본 구조를 이루는 문장 성분 중 하나인 필수적 부사어이고, '드디어'는 생략 가능한 부사어이다.

⑤ ⑩: '동수를'은 홑문장의 기본 구조를 이루는 문장 성분 중 하나인 목적어이고, '첫째'는 홑문장의 기본 구조에 덧붙은 관형어이다.

02. 〈보기〉는 문장의 짜임을 이해하기 위한 탐구 과정이다. 윗글과 〈보기〉를 참고하여 (가), (나)에 들어갈 내용으로 적절한 것은?

〈보기〉

홑문장은 다양한 방법으로 확대된다. 홑문장의 기본 구조에 관형어나 부사어가 덧붙어 문장의 길이가 긴 홑문장이 되거나, 홑문장에 다른 문장이 이어지거나 안겨 겹문장이 된다.

[문장의 짜임 탐구하기]

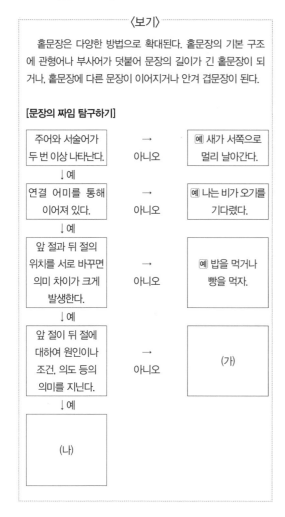

①
- (가): 안내는 쓰나 열매는 달다.
- (나): 눈은 오지만 바람은 불지 않는다.

②
- (가): 그는 서울로 가고 나는 부산으로 갔다.
- (나): 어제는 눈이 왔지만 오늘은 해가 떴다.

③
- (가): 비가 그치면 비행기가 출발한다.
- (나): 엄마가 왔고 아기가 울음을 그쳤다.

④
- (가): 제비가 날아왔고 예쁜 꽃이 피었다.
- (나): 영미는 집을 마련하려고 저축을 한다.

⑤
- (가): 그는 밥을 먹고 운동장으로 나갔다.
- (나): 차가 고장 나면 연락해 주십시오.

03. 〈보기〉의 [A]에 들어갈 내용으로 적절하지 <u>않은</u> 것은?

〈보기〉

선생님: 음운 현상 중 첨가는 없던 음운이 덧붙는 현상으로, 'ㄴ' 첨가와 반모음 첨가가 있습니다. 'ㄴ' 첨가는 파생어나 합성어, 또는 한 번에 이어서 발음하는 두 단어 사이에서 앞말이 자음으로 끝나고 뒷말이 모음 'ㅣ'나 반모음 'ㅣ'로 시작할 때 'ㄴ'이 그 사이에 첨가되는 현상입니다. 'ㄴ' 첨가는 동일한 환경을 갖추어도 일어나지 않는 경우도 있기 때문에 항상 일어나야 하는 필수적 현상은 아닙니다. 한편 반모음 첨가는 일반적으로 모음으로 끝나는 형태소 뒤에 '-아/-어'로 시작하는 형태소가 올 때 반모음 'ㅣ'가 덧붙는 현상입니다. 이는 두 단모음을 연속적으로 이어서 발음하는 것이 부자연스러워 생긴 현상으로, '되어'와 같은 용언의 어미는 [어]로 발음하는 것을 원칙으로 하되, 반모음이 첨가된 [여]로 발음하는 것도 허용됩니다. 자, 그럼 주어진 예를 발음해 보고 여기에서 나타나는 음운 현상에 대해 말해볼까요?

㉠ 눈약	㉡ 한 일	㉢ 솔잎
㉣ 보아서	㉤ 피어	

학생: _____ [A] _____

① ㉠은 앞말이 자음으로 끝나고 뒷말의 첫음절이 반모음 'ㅣ'로 시작하는 합성어이므로, 'ㄴ' 첨가 현상이 일어나겠군요.

② ㉡은 앞말이 자음으로 끝나고 뒷말의 첫음절이 'ㅣ'로 시작하는 두 단어이므로, 한 번에 이어서 발음하면 'ㄴ' 첨가 현상이 일어나겠군요.

③ ㉢은 앞말이 자음으로 끝나고 뒷말의 첫음절이 'ㅣ'로 시작하는 합성어이므로, 'ㄴ' 첨가 현상이 일어나겠군요.

④ ㉣은 모음으로 끝나는 어간에 '-아'로 시작하는 어미가 결합하므로, 반모음 첨가 현상이 일어날 수 있겠군요.

⑤ ㉤은 두 개의 단모음을 연속적으로 이어서 발음하는 것을 피하기 위해서 반모음 첨가 현상이 일어날 수 있겠군요.

1
2
주
차

3

4

04. 〈보기〉의 밑줄 친 부분의 품사에 대한 설명으로 적절한 것은?

〈보기〉

㉠ 저 새 집이 너희 집이니?
㉡ 다섯 건물을 한국 회사가 만들었다.
㉢ 젊은 사람 대여섯이 이 자리에 모였다.
㉣ 온 식구가 다른 곳으로 이사 가기를 원했다.

① ㉠의 '너희'와 ㉡의 '한국'은 체언을 꾸며 주고 있다는 점에서 관형사에 해당한다.

② ㉠의 '저'와 ㉢의 '이'는 뒤에 오는 체언을 가리킨다는 점에서 지시 대명사에 해당한다.

③ ㉠의 '새'와 ㉣의 '온'은 체언의 성질이나 상태를 한정해 준다는 점에서 관형사에 해당한다.

④ ㉡의 '다섯'과 ㉢의 '대여섯'은 체언의 수량을 제한해 준다는 점에서 수 관형사에 해당한다.

⑤ ㉢의 '젊은'과 ㉣의 '다른'은 체언의 성질이나 상태를 나타내며 형태 변화가 가능하다는 점에서 형용사에 해당한다.

05. 〈보기〉를 바탕으로 (가)~(라)를 탐구한 내용으로 적절하지 않은 것은? [3점]

〈보기〉

중세 국어의 특정 체언들은 결합하는 환경에 따라 형태가 변화하여 나타났다. 그 예로는 '나모, 무르, 아ᅀᆞ, 노ᄅᆞ' 등이 있다. 또한 중세 국어에서는 일반적으로 형태소와 형태소 사이의 경계를 구분하지 않고, 소리나는 대로 이어 적는 특징이 있다.

	단독형	주격 조사 (이)	목적격 조사 (ᄋᆞᆯ)	부사격 조사 (와)	보조사 (도)
(가)	나모 (木)	남기	남ᄀᆞᆯ	나모와	나모도
(나)	무르 (棟)	물리	물ᄅᆞᆯ	무르와	무르도
(다)	아ᅀᆞ (弟)	앗이	앗ᄋᆞᆯ	아ᅀᆞ와	아ᅀᆞ도
(라)	노ᄅᆞ (獐)	놀이	놀ᄋᆞᆯ	노ᄅᆞ와	노ᄅᆞ도

① (가): '나모'가 조사 '이'나 'ᄋᆞᆯ'과 결합할 경우, '낡'으로 나타나는군.

② (나): '무르'가 조사 '이'나 'ᄋᆞᆯ'과 결합할 경우, '물ㄹ'로 나타나는군.

③ (다), (라): '아ᅀᆞ, 노ᄅᆞ'가 조사 '이'나 'ᄋᆞᆯ'과 결합할 경우, 각각 '앗, 놀'로 나타나는군.

④ (가)~(라): '나모, 무르, 아ᅀᆞ, 노ᄅᆞ'가 조사 '와'와 자음으로 시작하는 조사 앞에서는 단독형과 같은 형태로 나타나는군.

⑤ (가)~(라): '나모, 무르, 아ᅀᆞ, 노ᄅᆞ'가 조사 '와' 이외의 모음으로 시작하는 조사와 결합할 경우, 체언의 형태 변화가 나타나는군.

MEMO

▶ 01 ④

정답풀이

@의 '오늘 꽃밭에 드디어 꽃이 피었다.'에서 부사어 '오늘', '꽃밭에', '드디어'를 모두 생략해도 '꽃이 피었다.'와 같이 홑문장이 성립한다. '피다'는 주어만을 필수적으로 요구하기 때문에, 문장의 기본 구조는 '주어+서술어'가 된다. 따라서 체언에 부사격 조사가 결합한 '꽃밭에'와 부사 '드디어'는 모두 홑문장의 기본 구조에 덧붙은 부사어로 생략이 가능하다. 따라서 '꽃밭에'가 홑문장의 기본 구조를 이루는 문장 성분 중 하나인 필수적 부사어라는 설명은 적절하지 않다.

오답풀이

① ㉠의 '수지는 참 얌전하게 생겼다.'에서 부사어는 '참', '얌전하게'인데, 이때 '참'은 생략해도 '수지는 얌전하게 생겼다.'로 문장이 성립하지만, '얌전하게'를 생략하면 *수지는 참 생겼다.'로 문장이 성립하지 않는다. '생기다'가 사용된 문장의 기본 구조는 '주어+부사어+서술어'인데, 이때 '얌전하게'는 서술어가 필수적으로 요구하는 문장 성분 중 하나인 필수적 부사어이므로 생략될 수 없다.

② ㉡의 '명수는 벌써 대학생이 되었다.'의 서술어 '되다'는 보어를 필수적으로 요구하므로, 문장의 기본 구조는 '주어+보어+서술어'가 된다. 따라서 '대학생이'는 서술어가 필수적으로 요구하는 보어에 해당하여 생략할 수 없다. 그러나 부사어 '벌써'는 홑문장의 기본 구조에 덧붙은 부사어에 해당하므로 생략될 수 있다.

③ ㉢의 '어제 정부에서 조례를 발표했다.'의 서술어 '발표하다'는 주어와 목적어를 필수적으로 요구하므로, 문장의 기본 구조는 '주어+목적어+서술어'가 된다. 이때 '정부에서'의 '에서'는 단체를 나타내는 명사 뒤에 붙어 앞말이 주어임을 나타내는 주격 조사이므로, '정부에서'가 주어임을 알 수 있다. 또한 부사어 '어제'는 홑문장의 기본 구조에 덧붙은 부사어에 해당한다.

⑤ @의 '그녀는 동수를 첫째 사위로 삼았다.'의 서술어 '삼다'는 주어, 목적어, 부사어를 필수적으로 요구하므로, 문장의 기본 구조는 '주어+목적어+부사어+서술어'가 된다. '동수를'은 홑문장의 기본 구조를 이루는 목적어에 해당하지만 '첫째'는 홑문장의 기본 구조에 덧붙어 체언인 '사위'를 수식하는 관형어에 해당한다.

☞ 문법 개념 담기

- **서술어의 자릿수**: 서술어가 필수적으로 요구하는 문장 성분의 개수
  한 자리 서술어: 주어만을 필요로 함
  예 개나리가 피었다.
  두 자리 서술어: 주어 이외에 목적어 or 보어 or 부사어 중 하나를 필요로 함
  예 나는 무지개를 보았다. / 영미는 선수가 되었다.
  세 자리 서술어: 주어 이외에 목적어와 부사어를 필요로 함
  예 아버지가 광호를 사위로 삼았다.

▶ 02 ⑤

정답풀이

〈보기〉의 탐구 결과, (가)에는 앞 절과 뒤 절의 위치를 서로 바꾸면 의미 차이가 크게 발생하면서도 '원인이나 조건, 의도'를 나타내는 종속적으로 이어진문장이 아닌 것이 들어갈 수 있다. 윗글에서 대등적 연결 어미를 사용한 문장 중에서 앞 절과 뒤 절의 위치를 바꾸면 의미 차이가 나타나는 경우가 있다고 했으므로, (가)에는 이와 같은 문장이 들어갈 수 있다. 그리고 (나)에는 앞 절이 뒤 절에 대해 원인, 조건, 의도 등의 의미를 지닌 종속적으로 이어진문장이 들어갈 수 있다. ⑤의 '그는 밥을 먹고, 운동장으로 나갔다.'는 앞 절이 뒤 절에 대하여 원인, 조건, 의도의 의미가 아니고, 앞 절과 뒤 절의 시간적 선후 관계가 나타나기 때문에 앞뒤 절의 순서를 바꾸어 '운동장으로 나가고, 그는 밥을 먹었다.'라고 하면 의미 차이가 발생하므로, (가)에 들어갈 수 있다. 그리고 '차가 고장 나면, 연락해 주십시오.'는 앞 절과 뒤 절의 위치를 바꾸면 의미 차이가 나타날 뿐 아니라, 앞 절이 조건의 의미를 나타내고 있으므로 (나)에 들어갈 수 있다.

오답풀이

① '인내는 쓰나 열매는 달다.'는 '열매는 다나 인내는 쓰다.'와 같이 앞 절과 뒤 절의 위치를 서로 바꾸어도 의미 차이가 크게 발생하지 않으므로 (가)에 들어갈 내용으로 적절하지 않다. 또한 '눈은 오지만 바람은 불지 않는다.'는 '바람은 불지 않지만, 눈은 온다.'로 바꾸어도 의미 차이가 크게 발생하지 않고, 앞절이 원인이나 조건, 의도 등의 의미를 지닌 종속적으로 이어진문장도 아니므로 (나)에 들어갈 내용으로 적절하지 않다.

② '그는 서울로 가고 나는 부산으로 갔다.'는 '나는 부산으로 가고, 그는 서울로 갔다.'와 같이 앞 절과 뒤 절의 위치를 서로 바꾸어도 의미 차이가 크게 발생하지 않으므로 (가)에 들어갈 내용으로 적절하지 않다. 또한 '어제는 눈이 왔지만 오늘은 해가 떴다.'도 '오늘은 해가 떴지만 어제는 눈이 왔다.'와 같이 앞 절과 뒤 절의 위치를 서로 바꾸어도 의미 차이가 크게 발생하지 않으므로 (나)에 들어갈 내용으로 적절하지 않다.

③ '비가 그치면 비행기가 출발한다.'는 '비행기가 출발하면 비가 그친다.'와 같이 앞 절과 뒤 절의 위치를 서로 바꾸면 의미 차이가 크게 발생하지만, 앞 절이 뒤 절에 대하여 조건의 의미를 지니므로 (가)에 들어갈 내용으로 적절하지 않다. '엄마가 왔고 아기가 울음을 그쳤다.'는 '아기가 울음을 그쳤고 엄마가 왔다.'와 같이 앞 절과 뒤 절의 위치를 서로 바꾸면 의미 차이가 발생한다. 이는 윗글에 따르면 대등적 연결 어미 '−고'가 쓰인 이어진문장이면서도 앞 절과 뒤 절의 시간적 선후 관계가 명확하여 앞 뒤 절의 위치를 바꾸면 의미 차이가 발생하는 경우에 해당하므로 (나)에 들어갈 내용으로 적절하지 않다.

④ '제비가 날아왔고 예쁜 꽃이 피었다.'는 '예쁜 꽃이 피었고 제비가 날아왔다.'와 같이 앞 절과 뒤 절의 위치를 서로 바꾸어도 의미 차이가 크게 발생하지 않으므로 (가)에 들어갈 내용으로 적절하지 않다. 반면 '영미는 집을 마련하려고 저축을 한다.'는 '저축을 하려고 영미는 집을 마련한다.'와 같이 앞 뒤 절의 위치를 바꾸면 의미 차이가 크게 발생할 뿐만 아니라, 앞 절이 의도(목적)의 의미를 나타내고 있으므로 (나)에 들어갈 수 있다.

☞ 문법 개념 담기

- **이어진문장**: 두 개 이상의 절들이 대등하게 이어지거나 종속적으로 이어진 문장
  대등적으로 이어진문장: '−고, −(으)며, −(으)나, −지만, −거나, −든지' 등의 대등적 연결 어미에 의해 실현된 문장
  종속적으로 이어진문장: '−(아)서, −(으)니, −(으)면, −(으)려, −(으)려고, −고자, −더라도' 등의 종속적 연결 어미에 의해 실현된 문장

▶ 03 ④

㉣의 '보아서'는 모음으로 끝나는 어간 뒤에 모음 '-아'로 시작하는 어미가 결합하는 것은 맞지만, 반모음 첨가가 일어난 [보야서]와 같이 발음되지 않는다. 반모음 첨가는 반드시 일어나는 음운 변동 현상이 아니므로 발음을 할 때 주의해야 한다.

> ◗ '보아서'는 단모음 'ㅗ'가 반모음으로 바뀌면서 음절의 수가 줄어들어 '봐:서[봐:서]로 발음될 수 있어!

① ㉠은 '어근+어근'으로 구성된 합성어로, 앞말이 자음으로 끝나고 뒷말이 반모음 'ㅣ'로 시작할 때 'ㄴ'이 첨가되어 [눈녁]으로 발음되므로 'ㄴ' 첨가 현상이 일어난 예에 해당한다.

② ㉡은 관형어가 명사를 수식하는 구성으로 볼 수 있으며, 두 단어지만 한 마디로 이어서 발음하면 [한닐]로 발음되므로 'ㄴ' 첨가 현상이 일어난 예에 해당한다.

③ ㉢은 '어근+어근'으로 구성된 합성어로, 앞말이 자음으로 끝나고 뒷말이 모음 'ㅣ'로 시작할 때 'ㄴ'이 첨가된 후 유음화가 일어나 [솔립]으로 발음된다. 참고로 받침 'ㅍ'이 'ㅂ'으로 바뀐 것은 음절의 끝소리 규칙이 적용되었기 때문이다. 따라서 '솔잎'은 'ㄴ' 첨가, 유음화, 음절의 끝소리 규칙이 일어나 [솔립]으로 발음되므로 'ㄴ' 첨가 현상이 일어난 예에 해당한다.

⑤ ㉤은 모음으로 끝난 어간에 모음으로 시작된 어미가 결합했기 때문에 두 단모음을 연속적으로 이어서 발음하는 것이 부자연스러울 수 있다. 따라서 이를 피하기 위하여 반모음을 첨가한 발음인 [피여]로 발음할 수 있다.

☞ 문법 개념 담기

- **'ㄴ' 첨가**: 합성어나 파생어에서 앞말이 자음으로 끝나고 뒷말이 모음 'ㅣ'나 반모음 'ㅣ'로 시작할 때 'ㄴ'이 새로 생기는 현상

  예 맨입 → [맨닙], 색연필 → [생년필]

  물-약[물략], 불-여우[불려우]: 'ㄴ' 첨가 이후에 유음화가 일어남

- **반모음 첨가**: 모음으로 끝나는 용언의 어간 뒤에 '-아/-어'로 시작되는 어미가 결합될 때 반모음 'ㅣ'가 첨가되는 현상

  예 가-+-어 → [기여], 살파-+-어서 → [살피여서]

- **반모음화**: 모음 'ㅣ'나 'ㅗ/ㅜ'가 어미 첫 모음 'ㅏ/ㅓ'와 만날 때 반모음으로 바뀌면서 음절 수가 줄어드는 현상

  예 파-+-어 → [펴:], 보-+-아라 → [봐:라]

> ◗ 이중 모음을 하나의 음운으로 볼 것인지 반모음을 하나의 음운으로 볼 것인지에 따라 이 현상을 보는 의견에는 차이가 있어! 단모음이 반모음으로 바뀌었다는 점을 들어 '교체'로 보는 견해도 있고, 두 개의 음절이 한 음절로 줄었다는 점을 들어 '축약'으로 보는 견해도 있어. 따라서 이 현상이 어떤 음운 변동의 유형인지 묻는다면, 〈보기〉로 방향을 제시해 줄 거야!

▶ 04 ③

㉠의 '새'는 뒤의 명사 '집'의 성질이나 상태를 한정해주는 관형사에 해당하고, ㉣의 '온' 역시 뒤의 명사 '식구'의 성질이나 상태를 한정해 주는 관형사에 해당하므로 적절한 설명이다.

① ㉠의 '너희'와 ㉡의 '한국'은 각각 명사 '집'과 '회사' 앞에서 명사를 수식하는 관형어의 기능을 하고 있다. 하지만 '너희'의 품사는 대명사이고, '한국'의 품사는 명사이다.

> ◗ 문장에서 체언이 체언을 꾸며줄 때 관형어로 기능할 수 있다는 것을 기억하자! 품사와 문장 성분을 절대 혼동하면 안 돼!

② ㉠의 '저'는 체언 '집'을 ㉢의 '이'는 체언 '자리'를 수식하고 있으므로, 지시 대명사가 아니라 지시 관형사에 해당한다.

> ◗ 지시 대명사와 지시 관형사는 많이 헷갈릴 거야~. 대명사에는 조사가 결합할 수 있고, 관형사에는 조사가 결합할 수 없기 때문에 지시 대명사인지 지시 관형사인지 헷갈린다면, 조사가 결합할 수 있는지를 따져 봐.

④ ㉡의 '다섯'은 뒤의 명사 '건물'의 수량을 제한해 준다는 점에서 수 관형사에 해당한다. 하지만 ㉢의 '대여섯'은 주격 조사 '이'와 결합하여 문장의 주어로 쓰이고 있으므로 수사에 해당한다.

⑤ ㉢의 '젊은'은 체언의 성질이나 상태를 나타내며, '젊고, 젊으니, 젊어서' 등과 같이 형태 변화가 가능하다는 점에서 형용사에 해당한다. 하지만 ㉣의 '다른'은 '당장 문제되거나 해당되는 것 이외의'의 의미로 쓰이는 관형사이다.

> ◗ 형용사 '다르다'의 활용형 '다른'과 관형사 '다른'은 형태가 동일해서 구분하기 어렵지? 이때 관형사 '다른'은 ' 해당되는 것 이외의'라는 의미니까 '딴'으로 바꾸어도 의미가 통하지만, 형용사의 활용형인 '다른'은 '딴'으로 바꾸어 쓸 수 없으니까 너무 헷갈린다면 이 방법을 활용해 봐~!

▶ 05 ③

〈보기〉에서 중세 국어에서는 형태소와 형태소 사이의 경계를 구분하지 않고 소리 나는 대로 이어 적는 특징이 있다고 하였다. 따라서 (다), (라)에서 주격 조사 '이'나 목적격 조사 '올'과 결합할 때, '앗이, 앗올, 놀이, 놀올'로 나타난 것은 '앗'과 '놀'로 나타난 것이 아니라 '앗ㅇ, 놀ㅇ'로 나타난 것임을 알 수 있다. 만약, '앗'과 '놀'로 나타났다면, 연철되어 '아싀, 아술, 노리, 노롤'과 같이 나타나야 하는데, '앗이, 앗올, 놀이, 놀올'로 나타난 것으로 보아 이때의 'ㅇ'은 음가가 있는 자음이었을 것으로 추정된다.

❍ 중세 국어에서 초성에 쓰인 'ㅇ'은 음가가 있는 자음과 음가가 없는 형식적인 것 두 가지로 쓰였어. 참고로 현대 국어에서 초성에 쓰인 'ㅇ'은 음가가 없는 형식적인 'ㅇ'만 쓰이고 있어!

① (가)의 단독형 '나모'가 주격 조사 '이'나 목적격 조사 '올'과 결합할 때 소리 나는 대로 이어 적어 '남기'와 '남굴'로 나타나고 있다. 따라서 '나모'가 조사 '이'나 '올'과 결합할 경우, '낡'의 형태로 나타난다고 볼 수 있다.

② (나)의 단독형 '무르'가 주격 조사 '이'나 목적격 조사 '올'과 결합할 때 소리 나는 대로 이어 적어 '몰리'와 '몰룰'로 실현되고 있다. 따라서 '무르'가 조사 '이'나 '올'과 결합할 경우, '몰ㄹ'의 형태로 나타난다고 볼 수 있다.

④ (가)~(라)에서 부사격 조사 '와'와 자음으로 시작하는 조사 '도' 앞에서는 '나모와, 나모도', '무르와, 무르도', '아수와, 아수도', '노루와, 노루도'의 형태로 실현되므로 단독형과 같은 형태로 나타난다고 볼 수 있다.

⑤ (가)~(라)에서 '와' 이외의 모음으로 시작하는 조사인 주격 조사 '이'나 목적격 조사 '올'과 결합한 경우에는 '남기, 남굴', '몰리, 몰룰', '앗이, 앗올', '놀이, 놀올'의 형태로 실현되고 있으므로 체언의 형태 변화가 나타난다고 볼 수 있다.

문항	개념 확인	알면 Check! ☑	나의 책 Check! PAGE	선지나 〈보기〉를 활용하여 문법을 다지자! ▶ 선지나 〈보기〉의 핵심 내용을 활용하여, 내가 몰랐거나 정확히 알고 넘어가야 할 개념을 정리해 보세요.
01	홑문장 서술어의 자릿수 필수적 부사어 문장 성분	☐ ☐ ☐ ☐		
02	겹문장 대등적으로 이어진문장 종속적으로 이어진문장	☐ ☐ ☐		
03	'ㄴ' 첨가 반모음 첨가 반모음화	☐ ☐ ☐		
04	품사 관형사 지시 대명사 / 지시 관형사 수사 / 수 관형사 문장 성분	☐ ☐ ☐ ☐ ☐		
05	중세 국어의 체언의 형태 변화 이어적기	☐ ☐		

[01~02] 다음 글을 읽고 물음에 답하시오.

국어에서 동사는 사람이나 사물 등의 동작이나 작용을, 형용사는 사람이나 사물 등의 성질이나 상태를 나타낸다. 이러한 동사와 형용사는 활용의 방식에서 차이를 보인다. 일반적으로 동사와 형용사를 구분하는 방법은 동사와 형용사의 어간에 특정 어미들을 결합해 보는 것이다. 이를 구체적으로 살펴보면 다음과 같다.

첫째, 현재 시제 선어말 어미 '–는-/-ㄴ–'은 동사의 어간에는 결합할 수 있지만, 형용사의 어간에는 결합할 수 없다. 예를 들어, 동사 '먹다'는 '먹는다'로 쓸 수 있지만, 형용사 '아름답다'는 '*아름답는다'로 쓸 수 없다. 둘째, 현재 시제를 나타내는 관형사형 전성 어미 '–는'은 동사의 어간에는 결합할 수 있지만, 형용사의 어간에는 결합할 수 없다. 동사 '먹다'의 어간에 관형사형 전성 어미 '–는'이 결합하여 '빵을 먹는 철수가 보였다.'와 같이 쓸 수 있다. 하지만 형용사 '아름답다'는 '*아름답는 꽃이 보였다.'라고 쓸 수 없다. 셋째, 의도나 목적의 의미를 나타내는 연결 어미 '–려고'나 '–러'는 동사의 어간에는 결합할 수 있지만, 형용사의 어간에는 결합할 수 없다. 동사 '읽다'는 '책을 읽으러, 도서관에 갔다.'라고 쓸 수 있지만, 형용사 '작다'는 '*목소리가 작으러, 병원에 갔다.'처럼 쓸 수 없다. 마지막으로 청유형 어미 '–자'와 명령형 어미 '–아라/-어라'는 동사의 어간에는 결합할 수 있지만, 형용사의 어간에는 결합할 수 없다. 예를 들어, 동사 '읽다'는 '책을 읽자.', '책을 읽어라.'처럼 쓸 수 있지만, 형용사 '작다'는 '*목소리가 작자.', '*목소리가 작아라.'와 같이 명령문이나 청유문을 만들 수 없다.

그런데 '있다'와 '없다'는 예외적인 모습을 보인다. '있다'는 동사와 형용사 두 가지 용법으로 쓰여, 쓰임에 따라 동사나 형용사와 같은 활용을 하지만, '없다'는 형용사에 가까운 활용을 한다. 그런데 '있다'와 '없다'가 관형사형 전성 어미와 결합할 때에는 품사와 관계없이 모두 동사와 같은 활용을 한다.

*는 문법적으로 잘못된 것.

01. 윗글을 바탕으로 할 때, 〈보기〉의 ㉠에 해당하는 예로 적절한 것은?

〈보기〉

학 생: 선생님, 명령문과 청유문은 서술어가 동사인 경우에만 가능하다고 했는데, 형용사 '예쁘다'에 '–어지다'가 결합된 '예뻐지다'는 '건강한 음식을 먹고 예뻐져라./예뻐지자.' 처럼 쓸 수 있지 않나요?

선생님: 네 맞아요. '예뻐지다'는 '–어지다'가 결합된 피동 표현인데, ㉠형용사의 어간에 '–어지다'가 결합되면, 동사의 특성을 갖게 되기 때문에 동사와 같이 활용하게 됩니다.

① 진심을 다해 노력하면 꿈은 이루어진다.

② 책상이 만들어지는 과정을 생생하게 보여준다.

③ 오늘 공부 모임 약속 시간이 한 시간 늦춰졌다.

④ 영화관에서 보니 영화의 감동이 잘 느껴졌다.

⑤ 아침에 10분 일찍 일어나는 습관을 들여 부지런해지자.

02. 윗글의 관점을 바탕으로 〈보기〉에 제시된 국어사전의 정보를 완성한다고 할 때, ㉠~㉣에 대한 설명으로 적절하지 **않은** 것은? [3점]

〈보기〉

있다

① [㉠]【…에】

① 사람이나 동물이 어느 곳에서 떠나거나 벗어나지 아니하고 머물다.

¶ 오늘은 그냥 집에 있자. / [㉡]

② 사람이나 동물이 어떤 상태를 계속 유지하다.

¶ 가만히 있어라.

② [㉢]

어떤 사실이나 현상이 현실로 존재하는 상태이다.

¶ 확실한 증거가 있다. / [㉣]

없다

① 형용사

어떤 사실이나 현상이 현실로 존재하지 않는 상태이다.

¶ 이제 그런 기회는 없다. / [㉤]

② 형용사【…에】

사람이나 동물이 어느 곳에 머무르거나 살지 않는 상태이다.

¶ 그는 지금 서울에 없다.

① ㉠에는 용례가 청유문인 것으로 보아 '동사'가 들어가야 한다.

② ㉡에는 '내가 갈 때까지, 너는 학교에 있어라.'를 넣을 수 있다.

③ ㉢에는 '상태이다'로 끝나는 뜻풀이로 보아 '형용사'가 들어가야 한다.

④ ㉣에는 '철수는 수업 시간에 깨어 있으려고 노력했다.'를 넣을 수 있다.

⑤ ㉤에는 '잘못한 것이 없는 시민들은 떳떳하게 행동했다.'를 넣을 수 있다.

03. 〈보기〉의 ⓐ~ⓔ를 탐구한 내용으로 적절하지 <u>않은</u> 것은?

〈보기〉

ⓐ 작년 겨울에는 정말 춥더라.
ⓑ 나는 예전에 그 집에 살았었다.
ⓒ 너는 이제 집에 돌아오면 혼났다.
ⓓ 작년에 읽은 책이 제법 여러 권이다.
ⓔ 토지 개발로 아름답던 자연이 훼손되었다.

① ⓐ: '-더-'는 화자가 직접 경험한 과거 어느 때의 일을 회상할 때 사용할 수 있겠군.

② ⓑ: '-았었-'은 과거와 현재의 상황 변화를 함축하며 과거 시제를 나타낼 때 사용할 수 있겠군.

③ ⓒ: '-았-'은 과거 시제가 아니라 앞으로의 일을 확정적인 사실로 표현할 때 사용할 수 있겠군.

④ ⓓ: '-(으)ㄴ'은 동사의 어간에 결합할 때에만 관형절의 시제가 과거임을 나타낼 수 있겠군.

⑤ ⓔ: '-던'은 형용사의 어간에 결합할 때에만 관형절의 시제가 과거임을 나타낼 수 있겠군.

04. 〈보기〉의 ⓐ~ⓔ에 대한 설명으로 적절하지 <u>않은</u> 것은?

〈보기〉

사동문은 문장의 주어(사동주)가 다른 참여자(피사동주)에게 어떤 행위를 하게 하거나 일으키도록 하는 것을 나타낸 문장이다. 이와 달리 주동문은 문장의 주체가 스스로 행동함을 나타내는 문장인데, 사동문 중에는 대응되는 주동문이 존재하지 않는 경우도 있다.

ⓐ 주민들이 도로를 넓혔다.
ⓑ 아기의 재롱이 웃음꽃을 피웠다.
ⓒ 선생님이 학생들에게 책을 읽혔다.
ⓓ 그의 시시껄렁한 농담이 나를 웃겼다.
ⓔ 그 무례한 행동이 나의 화를 돋우었다.

① ⓐ: 형용사 '넓다'의 어근에 사동 접미사가 결합하여 동사로 바뀌었다.

② ⓑ: 주동문으로 바뀌면 사동문의 타동사 '피웠다'는 자동사로 바뀐다.

③ ⓒ: 주동문으로 바뀌더라도 사동문의 목적어는 그대로 목적어가 된다.

④ ⓓ: 사동문의 주어가 무정 명사이므로, 이에 대응하는 주동문은 존재하지 않는다.

⑤ ⓔ: 동사의 어근 '돋-'에 사동 접미사 '-우-'가 결합하여 사동사로 바뀌었다.

05. 〈보기 1〉을 바탕으로 〈보기 2〉의 ㉠~㉢을 이해한 것으로 적절하지 <u>않은</u> 것은?

〈보기 1〉

담화 상황에서 화자는 표면적으로 발화 의도와 문장 종결 어미의 기능을 일치시키지 않고 표현하기도 한다.

〈보기 2〉

선생님: (수업 시간에 졸고 있는 학생에게) ㉠잠은 집에서 자는 게 좋지 않을까?
학생 1: (창문 옆에 있는 친구에게 작은 소리로) ㉡너무 졸려서 그러는데 창문 좀 열자!
선생님: 자, 오늘 수업은 여기까지 하겠습니다. (교실 문 앞에 있는 학생에게) 얘야! ㉢선생님이 좀 지나갈 수 있을까?
학생 2: (창문 옆에 있는 친구에게 다급하게) 야! 밖에 비 많이 온다! ㉣비가 다 들어오겠어!
학생 3: (창문을 재빨리 닫으며) 하마터면 물바다가 될 뻔했네! (반 친구들에게) ㉤우리 모두 우산을 챙겨야겠군.

① ㉠: 의문형 어미를 사용했지만, 학생에게 일어나라는 명령의 의미이군.

② ㉡: 청유형 어미를 사용했지만, 창문을 열어달라는 명령의 의미이군.

③ ㉢: 의문형 어미를 사용했지만, 지나갈 수 있도록 길을 비켜달라는 명령의 의미이군.

④ ㉣: 평서형 어미를 사용했지만, 비가 오는 장면을 본 느낌을 표현하는 감탄의 의미이군.

⑤ ㉤: 감탄형 어미를 사용했지만, 우산을 챙기는 행위를 하자는 청유의 의미이군.

1
2 주차
3
4

빠른 정답 찾기	01	02	03	04	05
	⑤	④	⑤	④	④

▶ 01 ⑤

'아침에 10분 일찍 일어나는 습관을 들여 부지런해지자.'에서 '부지런하다' 는 현재 시제 선어말 어미 '-는-/-ㄴ-'이 결합하여 '*부지런한다'와 같이 쓰일 수 없고, '*부지런하려고/*부지런하러'와 같이 의도나 목적의 의미를 나타내는 연결 어미와 결합할 수 없으므로 형용사이다. 그런데 형용사의 어간 '부지런하-'에 피동 표현 '-어지다'가 결합하면 '부지런해지자'와 같이 청유형 어미와 결합할 수 있으므로 ㉠에 해당하는 예로 적절하다.

① '진심을 다해 노력하면 꿈은 이루어진다.'의 '이루다'는 현재 시제 선어 말 어미 '-는-/-ㄴ-'이 결합하여 '이룬다'와 같이 쓰일 수 있고, '이루 려고/이루러'와 같이 의도나 목적의 의미를 나타내는 연결 어미와 결합할 수 있으므로 동사이다. 동사 어간 '이루-'에 피동 표현 '-어지다'가 결합 하였으므로 ㉠에 해당하는 예로 적절하지 않다.

② '책상이 만들어지는 과정을 생생하게 보여준다.'의 '만들다'는 현재 시제 선어말 어미 '-는-/-ㄴ-'이 결합하여 '만든다'와 같이 쓰일 수 있고, '만들려고/만들러'와 같이 의도나 목적의 의미를 나타내는 연결 어미와 결합할 수 있으므로 동사이다. 동사 어간 '만들-'에 피동 표현 '-어지다' 가 결합하였으므로 ㉠에 해당하는 예로 적절하지 않다.

③ '오늘 공부 모임 약속 시간이 한 시간 늦춰졌다.'의 '늦춰졌다'는 '늦- + -추- + -어자 + -었- + -다'로 분석할 수 있는데, 이는 형용사의 어 간 '늦-'에 사동사를 형성하는 접미사 '-추-'가 결합하여 사동사 '늦추다' 가 된 후 다시 피동 표현을 형성하는 '-어지다'가 결합한 것이다. 따라 서 ㉠에 해당하는 예로 적절하지 않다.

❶ **피동 파생 접미사와 사동 파생 접미사의 형태가 같은 경우도 있으니까 형태소 분석을 할 때 주의해야 돼!**

④ '영화관에서 보니 영화의 감동이 잘 느껴졌다.'의 '느끼다'는 현재 시제 선어말 어미 '-는-/-ㄴ-'이 결합하여 '느낀다'와 같이 쓰일 수 있고, '느끼려고/느끼러'와 같이 의도나 목적의 의미를 나타내는 연결 어미와 결합할 수 있으므로 동사이다. 동사 어간 '느끼-'에 피동 표현 '-어지다' 가 결합하였으므로 ㉠에 해당하는 예로 적절하지 않다.

▶ 02 ④

'철수는 수업 시간에 깨어 있으려고 노력했다.'에서 '있다'는 의도나 목적 의 의미를 나타내는 연결 어미 '-려고'와 결합했다. 윗글에서 형용사는 '-려고'와 결합할 수 없다고 하였으므로 '있으려고'는 동사로 쓰인 예에 해당한다는 것을 알 수 있다. ㉣에는 형용사로 쓰인 문장이 들어가야 하 므로, '철수는 수업시간에 깨어 있으려고 노력했다.'가 들어가는 것은 적절 하지 않다.

① 윗글에서 형용사는 명령문이나 청유문을 만들 수 없다고 하였으므로, '오늘은 그냥 집에 있자.'와 같이 청유문을 만들 수 있는 '있다'의 품사는 동사이다.

② '오늘은 그냥 집에 있자.'와 같이 청유문을 만들 수 있는 품사는 동사이 다. 윗글에서 청유형 어미와 명령형 어미는 동사의 어간에 결합할 수 있 다고 하였으므로, '내가 갈 때까지, 너는 학교에 있어라.'와 같은 명령문 도 만들 수 있다.

③ 윗글에서 '형용사는 사람이나 사물 등의 성질이나 상태를 나타낸다.'라 고 하였으므로, '상태이다'로 끝나는 뜻풀이는 형용사에 해당하는 뜻풀 이임을 알 수 있다.

⑤ '잘못한 것이 없다.'는 현재 시제 선어말 어미 '-는-/-ㄴ-'과 결합하여 '*잘못한 것이 없는다.'와 같이 쓰일 수 없고, '*잘못한 것이 없으려고/ *잘못한 것이 없으러'와 같이 의도나 목적을 나타내는 연결 어미와 결 합할 수 없는 형용사이다. 이때 관형사형 어미로 '-는'이 결합하였는데, 윗글에서 '있다'와 '없다'가 관형사형 어미와 결합할 때에는 품사와 관계 없이 모두 동사와 같은 활용을 한다고 하였으므로 '없다'는 형용사로 쓰 였을 때에도 관형사형 어미로 '-는'이 결합할 수 있다.

🖝 문법 개념 담기

• **동사와 형용사의 구분**: 일반적으로 현재 시제 선어말 어미 '-는-/-ㄴ-', 현재 시제 관형사형 어미 '-는', 명령형이나 청유형 어미, 의도나 목적을 나타내는 어미 '-(으)려고', '-(으)러', '-고자'는 형용사의 어간에는 결합할 수 없고, 동사의 어간에만 결합할 수 있음
예 먹는다, 먹는, 먹어라, 먹자, 먹으려고, 먹고자

▶ 03 ⑤

관형사형 어미 '–던'은 동사 어간과 형용사 어간에 모두 결합할 수 있는데, 동사에 결합하든 형용사에 결합하든 공통적으로 관형절의 시제가 '과거/회상'임을 나타낸다. 따라서 '–던'이 형용사의 어간에 결합할 때에만 관형절의 시제가 과거임을 나타낸다는 설명은 적절하지 않다.

① '–더–'는 화자가 직접 경험한 과거의 일에 대한 회상을 나타내는 선어말 어미이다. '작년 겨울에는 정말 춥더라.'에서는 형용사 어간 '춥–' 뒤에 회상을 나타내는 선어말 어미 '–더–'가 결합하여 화자가 직접 경험한 과거의 일에 대한 회상을 나타낸다.

② 과거 시제를 나타내는 선어말 어미 '–았–/–었–'이 중복되어 '–았었–'과 같은 형태로 쓰이는 경우에는 현재와의 강한 단절을 의미한다. '나는 예전에 그 집에 살았었다.'는 '예전에 그 집에 살았다.'는 과거에 대해 '지금은 그 집에 살지 않는다.'는 현재의 상황 변화를 함축하며 과거 시제를 나타내고 있다.

③ 과거 시제 선어말 어미 '–았–/–었–'은 미래의 일을 확정적인 사실로 받아들임을 나타내는 표현으로도 쓰일 수 있다. '너는 이제 집에 돌아오면 혼났다.'에서 '–았–'은 과거 시제가 아니라 미래의 일을 확정적인 사실로 받아들임을 나타내고 있다.

④ 관형사형 어미 '–(으)ㄴ'은 동사 어간과 형용사 어간에 모두 결합할 수 있는데, 동사 어간에 결합할 경우에는 과거 시제를 나타내고, 형용사 어간에 결합할 경우에는 현재 시제를 나타낸다. '작년에 읽은 책이 제법 여러 권이다.'에서는 동사 어간 '읽–'과 결합하여 과거 시제를 나타내고 있다.

☞ 문법 개념 담기

- **'–았–/–었–'**: 과거 시제 선어말 어미
  예 영미는 어제 영화를 보았다.
- **'–았었–/–었었–'**: 현재와의 강한 단절
  예 나는 미국에 살았었다.
- **'–더–'**: 과거 회상 선어말 어미
  예 철수는 어제도 도서관에서 공부하더라.
- **'–(으)ㄴ'**: 동사의 어간에 결합하는 과거 시제 관형사형 어미
- **'–던'**: 형용사의 어간이나 서술격 조사에 결합하는 과거 시제 관형사형 어미
  예 아름답던 그녀를 처음 만난 것은 작년이었다.
- ▶ '–았–/–었–'이 항상 과거 시제로만 쓰이는 것은 아니야. '사과가 잘 익었다.'처럼 완료된 상태에서 지속되고 있음을 표현하거나, '비가 와서 소풍은 다 갔다.'처럼 미래의 일을 확정적 사실로 받아들임을 표현하기 위해서 사용되기도 해!

▶ 04 ④

ⓓ에서 사동문의 주어인 '시시껄렁한 농담'은 무정 명사이다. 그러나 이와 관계없이, ⓓ는 '그의 시시껄렁한 농담에 내가 웃었다.'처럼 주동문으로 바뀔 수 있다. 따라서 사동문의 주어가 무정 명사이기 때문에 대응하는 주동문이 존재하지 않는다는 설명은 적절하지 않다.

① ⓐ의 '넓혔다'는 형용사 '넓다'의 어근에 사동사를 파생하는 접미사 '–히–'가 결합하여 사동사가 되었으므로, 품사가 형용사에서 동사로 바뀌었다.

② ⓑ의 서술어 '피웠다'는 목적어가 있는 타동사이다. 그러나 이때 사동문인 ⓑ가 주동문으로 바뀌게 되면 '아기의 재롱에 웃음꽃이 피다.'가 되므로, '피다'는 목적어가 없는 자동사가 된다. 주의할 점은 자동사와 타동사는 모두 동사이므로 품사의 변화는 나타나지 않는다는 것이다.

③ ⓒ를 주동문으로 바꾸면 '학생들이 책을 읽었다.'가 되므로, 사동문의 목적어 '책을'은 주동문에서도 그대로 목적어가 된다.

⑤ ⓔ의 '돋우었다'는 동사 '돋다'의 어근에 사동 접미사 '–우–'가 결합하여 사동사가 된 것이다.

☞ 문법 개념 담기

- **주동문**: 주어가 행동이나 동작을 스스로 하는 것을 표현한 문장
- **사동문**: 주어가 다른 대상에게 어떤 행위를 하게 하거나 어떤 상황에 놓이게 하는 것을 표현한 문장
- ▶ 사동문에는 주어가 직접 참여하여 다른 대상에게 어떤 행위를 하게 하는 것을 표현한 직접 사동문과 주어가 다른 대상에게 말 등을 통해 간접적으로 시켜 어떤 행위를 하게 하는 것을 표현한 간접 사동문이 있어!
- **능동문**: 주어가 동작을 스스로의 힘으로 하는 것을 표현한 문장
- **피동문**: 주어가 다른 주체에 의해서 동작을 당하게 되는 것을 나타내는 문장
- ▶ 능동문을 피동문으로 바꿀 때에는 몇 가지 특징이 있어! 첫째, 능동사가 피동사로 바뀔 때에는 일부 예외를 제외하고 일반적으로 타동사가 자동사로 바뀌어서 나타나. 둘째, 능동문의 목적어가 피동문에서 주어로 대응돼. 셋째, 능동문의 주어는 피동문에서 부사어로 대응돼. 넷째, 능동문의 서술어가 피동문에서는 피동 파생 접미사 '–이–/–히–/–리–/–기–'가 결합한 피동사나 '–아/–어지다'가 결합한 피동 표현으로 바뀌어서 나타나지!

ⓔ은 평서형 어미 '-어'를 사용하여 창문으로 비가 들어오는 상황에서 창문을 닫으라는 명령을 표현하고 있다. 따라서 비가 오는 장면을 본 느낌을 표현하는 감탄의 의미라는 설명은 적절하지 않다.

① ㉠은 '-(으)ㄹ까'라는 의문형 어미를 사용하였으나 수업 시간에 졸고 있는 학생에게 일어나라는 명령을 표현하고 있으므로 적절한 설명이다.

② ㉡은 '-자'라는 청유형 어미를 사용하였으나 창문 옆에 있는 친구에게 창문을 열어달라는 명령을 표현하고 있으므로 적절한 설명이다.

③ ㉢은 '-(으)ㄹ까'라는 의문형 어미를 사용하였으나 교실 문 앞에 있는 학생에게 지나갈 수 있도록 길을 비켜 달라는 명령을 표현하고 있으므로 적절한 설명이다.

⑤ ㉤은 '-군'이라는 감탄형 어미를 사용하였으나 반 친구들을 향해 우산을 챙기는 행위를 하자는 청유의 의미를 표현하고 있으므로 적절한 설명이다.

☞ 문법 개념 담기

- **직접 발화:** 문장 유형과 발화 의도가 일치하는 발화로, 화자의 의도가 직접적으로 전달됨
  예 (갑자기 비가 오는 상황에서) 마당에 널어놓은 빨래 좀 걷어라!
- **간접 발화:** 문장 유형과 발화 의도가 일치하지 않는 발화로, 화자의 의도가 간접적으로 전달되며 상황 맥락을 통해 발화의 의도를 파악해야 함
  예 (갑자기 비가 오는 상황에서) 어머, 빨래가 다 젖겠네!
- ❏ 문장의 유형과 화자의 발화 의도가 일치하지 않는 간접 발화에서는 주어진 상황 맥락을 통해서 발화 의도를 파악하는 것이 중요해! 간접 발화는 보통 명령문을 직접적으로 표현하지 않고 의문문이나 감탄문을 사용해서 간접적으로 표현하는 데 많이 쓰이는데, 이는 간접 발화가 청자를 고려한 말하기라는 것을 보여준다고 할 수 있어!

문항	개념 확인	알면 Check! ☑	나의 책 Check! PAGE	선지나 〈보기〉를 활용하여 문법을 다지자!
				▶ 선지나 〈보기〉의 핵심 내용을 활용하여, 내가 몰랐거나 정확히 알고 넘어가야 할 개념을 정리해 보세요.
01	동사 형용사 피동 표현 '–어지다' 동사와 형용사를 구분 하는 방법	☐ ☐ ☐ ☐		
02	'있다'의 품사 '없다'의 품사	☐ ☐		
03	시제 선어말 어미 '–더–' '–았었–' '–았–' '–(으)ㄴ' '–던'	☐ ☐ ☐ ☐ ☐ ☐		
04	주동문 사동문 사동 접미사	☐ ☐ ☐		
05	문장의 유형 발화의 의도 직접 발화 간접 발화	☐ ☐ ☐ ☐		

1
2 주차
3
4

수능 국어 문법 모의고사

문법백제
PLUS

고난도 함정 모의고사

[01~02] 다음 글을 읽고 물음에 답하시오.

국어의 된소리되기는 예사소리가 된소리로 바뀌는 음운 현상으로 다양한 환경에서 나타난다. 이러한 된소리되기는 환경에 따라 아래와 같이 분류할 수 있다.

첫째, 'ㅂ, ㄷ, ㄱ' 뒤에서 예사소리가 된소리로 바뀌는 경우이다. 이 된소리되기는 예외 없이 일어나는 필수적인 현상이다. 이때 'ㅂ, ㄷ, ㄱ'은 발음을 의미하므로, 음운 변동을 겪은 후에 나타나는 'ㅂ, ㄷ, ㄱ' 뒤에서도 된소리되기가 일어난다. 예를 들어, 'ㅂ, ㄷ, ㄱ'이 아닌 자음이 어말이나 자음 앞에서 'ㅂ, ㄷ, ㄱ' 중 하나로 바뀌거나, 겹받침에서 한 자음이 탈락하고 남은 자음이 'ㅂ, ㄷ, ㄱ' 중 하나일 경우에도 그 뒤에 예사소리가 오면 된소리되기가 일어난다. 또한 겹받침 중 뒤의 자음이 'ㅂ, ㄷ, ㄱ' 중 하나일 때에는 이것에 의해 먼저 된소리되기가 일어난 후, 탈락 현상이 나타나기도 한다. 둘째, 'ㅁ, ㄴ'으로 끝나는 용언의 어간 뒤에서 예사소리가 된소리로 바뀌는 경우이다. 가령 '감다→[감ː따]', '안다→[안ː따]'에서 나타나는 된소리되기가 그것이다. 이 된소리되기는 '용언의 어간 뒤에 어미가 결합할 때'라는 형태소와 관련된 조건이 덧붙으므로 주의해야 한다. 예를 들어, 접미사 '-기-'가 결합한 '감기다→[감기다]'는 된소리되기가 일어나지 않는다. 셋째, 한자어에서 'ㄹ'로 끝나는 말 뒤에서 'ㄷ, ㅅ, ㅈ'이 된소리로 바뀌는 경우이다. '물질(物質)→[물찔]', 일생(一生)→[일쌩]' 등이 그 예에 해당한다. 넷째, 관형사형 어미 '-(으)ㄹ' 뒤에서 예사소리가 된소리로 바뀌는 경우이다. 이 된소리되기는 체언의 첫소리에 적용되는 것으로, 쉬지 않고 이어서 발음할 때 나타난다. 예를 들어 '만날 사람'을 한 번에 발음하면 '[만날싸람]'이 된다. 마지막으로 두 개의 형태소 또는 단어가 합쳐져 합성어가 될 때, 예사소리가 된소리로 바뀌는 경우이다. 이 된소리되기는 사잇소리 현상에서 일어나는 된소리되기로, 주어진 환경이 동일하더라도 된소리되기가 일어나는 경우도 있고 그렇지 않은 경우도 있다. 가령 '산길→[산낄]'은 된소리되기가 일어나지만, '손발→[손발]'은 된소리되기가 일어나지 않는다.

01. 윗글의 관점에서 〈보기〉의 (가)~(마)를 이해한 내용으로 적절하지 않은 것은?

〈보기〉

(가) 국수[국쑤], 덮개[덥깨], 있던[읻떤], 닭도[닥또]
(나) ㄱ. 밥을 담다[담ː따], 신발을 신고[신ː꼬]
　　 ㄴ. 이 반지는 금도[금도] 은도[은도] 아니다.
　　　　신발을 신기다[신기다].
(다) ㄱ. 할 것[할껃], 갈 길[갈낄]
　　 ㄴ. 널 사랑해[널사랑해]
(라) ㄱ. 갈등(葛藤)[갈뚱], 일시(一時)[일씨], 열정(熱情)[열쩡]
　　 ㄴ. 물건(物件)[물건], 출발(出發)[출발]
(마) 넓게[널께], 읽고[일꼬]

① (가): 한 단어, 어간과 어미의 결합, 체언과 조사의 결합 등에서 된소리되기가 일어나는 것으로 보아, 'ㅂ, ㄷ, ㄱ' 뒤에서 예사소리는 예외 없이 된소리로 바뀌는군.

② (나): 용언의 어간과 어미의 결합이 아닌, 체언과 조사의 결합, 어근과 접사의 결합에서는 앞말이 'ㅁ, ㄴ'으로 끝나더라도 뒤의 예사소리가 된소리로 바뀌지 않는군.

③ (다): 쉬지 않고 이어서 발음할 경우에도 관형사형 어미 '-(으)ㄹ'이 결합한 말이 문장에서 목적어로 쓰일 때에는 뒤에 오는 예사소리는 된소리로 바뀌지 않는군.

④ (라): 한자어에서 'ㄹ'로 끝나는 말 뒤에 예사소리 'ㄱ, ㅂ'이 올 때에는 된소리되기가 일어나지 않는군.

⑤ (마): 겹받침 중 'ㅂ, ㄷ, ㄱ'에 해당하는 자음이 뒤에 오는 예사소리를 된소리로 바꾼 후 탈락하는 현상이 일어나는군.

02. 윗글과 〈보기〉의 표준 발음법을 참고하여 ⓐ〜ⓒ에 해당하는 예시를 바르게 짝지은 것은? [3점]

〈보기〉

선생님: 오늘은 사잇소리 현상에서 나타나는 된소리되기와 관련된 표준 발음법에 대해 알아보도록 합시다.

┌───┐
표준 발음법 조항

제28항 표기상으로는 사이시옷이 없더라도, 관형격 기능을 지니는 사이시옷이 있어야 할 합성어의 경우에는, 뒤 단어의 첫소리 'ㄱ, ㄷ, ㅂ, ㅅ, ㅈ'을 된소리로 발음한다.

제30항 'ㄱ, ㄷ, ㅂ, ㅅ, ㅈ'으로 시작하는 단어 앞에 사이시옷이 올 때는 이들 자음만을 된소리로 발음하는 것을 원칙으로 하되, 사이시옷을 [ㄷ]으로 발음하는 것도 허용한다.
└───┘

학 생: 선생님, 그럼 [ⓐ]은/는 제28항에, [ⓑ]은/는 제30항에 해당하는군요. 그런데 제28항과 동일한 환경인데도 [ⓒ]은/는 된소리되기가 일어나지 않네요.

선생님: 맞아요. 사잇소리 현상에서 나타나는 된소리되기의 예시와 예외까지 아주 잘 이해했네요. 사잇소리 현상은 같은 환경에서도 된소리되기가 일어나지 않는 경우가 많아 뚜렷한 규칙성을 정하기 어려운 현상이에요.

	ⓐ	ⓑ	ⓒ
①	손재주	헛기침	산새
②	눈동자	옷걸이	쌀밥
③	문고리	빨랫돌	반달
④	메밀국수	냇가	봄가을
⑤	손금	덧신	그믐달

03. 〈보기〉의 ㉠〜㉤을 탐구한 것으로 적절하지 **않은** 것은?

〈보기〉

○ 그 사람은 ㉠덮밥을 좋아한다.
○ 계획대로 한 걸음씩 ㉡나아갔다.
○ 밤하늘 아래 바다는 ㉢검푸르렀다.
○ 양념을 ㉣뒤섞어 나물을 버무렸다.
○ ㉤젊은이가 노인에게 자리를 양보했다.

① ㉠: '용언 어간 + 명사'로 이루어진 합성 명사로 비통사적 합성어이다.

② ㉡: '용언의 연결형 + 용언 어간'으로 이루어진 합성 동사로 통사적 합성어이다.

③ ㉢: '용언 어간 + 용언'으로 이루어진 합성 형용사로 비통사적 합성어이다.

④ ㉣: '명사 + 용언'으로 이루어진 합성 동사로 통사적 합성어이다.

⑤ ㉤: '용언의 관형사형 + 명사'로 이루어진 합성 명사로 통사적 합성어이다.

04. 〈보기〉의 ⓐ∼ⓔ에 해당하는 예시의 띄어쓰기가 올바르지 <u>않은</u> 것은?

─〈보기〉─

데 [의존 명사]
　ⓐ '곳'이나 '장소'의 뜻을 나타내는 말.
　ⓑ '일'이나 '것'의 뜻을 나타내는 말.

−데 [어미]
　ⓒ 과거 어느 때에 직접 경험하여 알게 된 사실을 현재의 말하는 장면에 그대로 옮겨 와서 말함을 나타내는 종결 어미.

−ㄴ데/−는데 [어미]
　ⓓ 뒤 절에서 어떤 일을 설명하거나 묻거나 시키거나 제안하기 위하여 그 대상과 상관되는 상황을 미리 말할 때에 쓰는 연결 어미.
　ⓔ 일정한 대답을 요구하며 물어보는 뜻을 나타내는 종결 어미.

① ⓐ: 그는 여전히 의지할 데 없는 사람처럼 보였다.
② ⓑ: 선생님 강의를 듣는 데 하루에 2시간씩 걸렸다.
③ ⓒ: 어릴 적 살던 그 동네는 하나도 변하지 않았데.
④ ⓓ: 이 어려운 과학 책을 다 읽는데 한 달이나 걸렸다.
⑤ ⓔ: 너 아침부터 지금까지 말투가 도대체 왜 그러는데?

05. [가]에 들어갈 내용으로 적절하지 <u>않은</u> 것은?

학습 자료	[중세 국어] ㉠하ᄂᆞᆯ히 聖子ᄅᆞᆯ 내㉡시니㉢이다
	[현대 국어] 하늘이 聖子(성자)를 내셨습니다.
	[중세 국어] 世솅尊존ㅅ 安한否불 ㉣묻ᄌᆞᆸ고
	[현대 국어] 世尊(세존)의 安否(안부)를 여쭙고
	[중세 국어] ㉤진지 오ᄅᆞᆯ 제 반ᄃᆞ시
	[현대 국어] 진지 올릴 때 반드시
학습 활동	㉠∼㉤을 현대 국어와 비교하여 정리해 보자. (　　　　[가]　　　　)

① ㉠: 한 단어 내부에서도 모음 조화가 지켜졌다는 점에서 현대 국어와 같다.
② ㉡: 선어말 어미 '−시−'를 사용해 주체를 높이고 있다는 점에서 현대 국어와 같다.
③ ㉢: 상대를 높이는 선어말 어미 '−이−'가 사용되고 있다는 점에서 현대 국어와 차이가 있다.
④ ㉣: 객체를 높이는 선어말 어미 '−ᄌᆞᆸ−'이 사용되고 있다는 점에서 현대 국어와 차이가 있다.
⑤ ㉤: '밥'을 높여서 이르는 말을 사용하고 있다는 점에서 현대 국어와 같다.

MEMO

빠른 정답 찾기	01	02	03	04	05
	③	③	④	④	①

▶ 01 ③

정답풀이

윗글에서 관형사형 어미 '-(으)ㄹ'과 뒤 체언을 이어서 발음할 때 된소리되기가 일어난다고 하였다. 그런데 '널 사랑해'에 쓰인 'ㄹ'은 관형사형 어미가 아니라 받침 없는 체언 뒤에 결합하여 쓰이는 목적격 조사이다. 따라서 관형사형 어미 뒤에서 된소리되기가 일어나는 조건이 아니라 된소리되기가 일어나지 않은 것이므로, 관형사형 어미 '-(으)ㄹ'이 결합한 말이 문장에서 목적어로 쓰이기 때문에 된소리되기가 적용되지 않았다는 설명은 적절하지 않다.

오답풀이

① 윗글에서 'ㅂ, ㄷ, ㄱ' 뒤에서 예사소리가 된소리로 바뀌는 경우는 예외 없이 일어나는 필수적인 유형이라고 하였다. 이에 따르면 (가)에서 한 단어 '국수[국쑤]', 어근과 접사가 결합한 한 단어 '덮개[덥깨]', 어간과 어미가 결합한 '있던[읻떤]', 체언과 조사가 결합한 '닭도[닥또]'에서 일어나는 된소리되기는 예외 없이 일어나는 현상이다.

② 윗글에서 'ㅁ, ㄴ'으로 끝나는 용언의 어간 뒤에서 어미의 첫소리가 된소리로 바뀐다고 하였다. 이는 어간과 어미의 결합이라는 조건이 충족되어야 발생하는 된소리되기이므로 '금도[금도], 은도[은도]'와 같이 체언과 조사의 결합에서는 된소리되기가 일어나지 않는다.

④ 윗글에서 한자어에서 'ㄹ'로 끝나는 말 뒤에서 예사소리 'ㄷ, ㅅ, ㅈ'이 된소리로 바뀐다고 하였다. (라)에서 '갈등[갈뜽], 일시[일씨], 열정[열쩡]'과 달리 'ㄹ'로 끝나는 말 뒤에 'ㄱ, ㅂ'이 올 경우에는 '물건[물건], 출발[출발]'과 같이 된소리되기가 일어나지 않는다.

⑤ 윗글에서 겹받침 중 뒤에 위치한 자음이 'ㅂ, ㄷ, ㄱ' 중 하나일 때, 이것에 의해 먼저 된소리되기가 일어난 후 'ㅂ, ㄷ, ㄱ'이 탈락하는 경우도 있다고 하였다. (마)에서 '넓게'는 겹받침 'ㄼ' 중 뒤에 위치한 'ㅂ'에 의해 된소리되기가 일어나 '넓께'가 된 뒤 자음군 단순화가 적용되어서 [널께]로 발음된다. '읽고'는 겹받침 'ㄺ' 중 뒤에 위치한 'ㄱ'에 의해 '읽꼬'가 된 뒤 자음군 단순화가 적용되어서 [일꼬]로 발음된다.

➲ 자음군 단순화가 먼저 적용된 뒤 어간 끝 'ㄹ' 뒤에서 된소리되기가 적용되었다고 보는 관점도 있으나, 문제에서 '윗글의 관점에서'라고 하였으므로 지문의 관점에 따라 푸는 것이 중요해~

☞ 문법 개념 담기

- **된소리되기가 나타나는 조건**
  - ㅂ, ㄷ, ㄱ 뒤
  - 어간의 끝 자음 'ㄴ, ㅁ' 뒤
  - ➲ '어간의 끝 자음 'ㄴ, ㅁ' 뒤'에서 된소리되기가 일어나는 것과 달리 체언의 끝 자음 'ㄴ, ㅁ' 뒤에서는 된소리되기가 일어나지 않아~ 그리고 피동, 사동 접미사 '-기-'의 첫 자음은 된소리되기의 적용을 받지 않는다는 것도 기억해 두자!
  - 관형사형 어미 '-(으)ㄹ' 뒤
  - 한자어에서 'ㄹ' 받침 뒤의 'ㄷ, ㅅ, ㅈ'

▶ 02 ③

정답풀이

'문고리'는 표기상으로는 사이시옷이 없지만, '문'과 '고리'가 합쳐질 때 관형격 기능을 지니는 사이시옷이 있어야 할 합성어에 해당한다. 따라서 [문꼬리]로 발음하므로 ⓐ에 해당하는 예시로 적절하다. '빨랫돌'은 '빨래 + 돌'의 합성 과정에서 'ㄷ'으로 시작하는 단어 앞에 사이시옷이 온 경우에 해당한다. 이때 'ㄷ'만을 된소리로 발음하여 [빨래똘]이라고 하거나, 사이시옷을 'ㄷ'으로 발음하여 [빨랟똘]이라고 할 수 있으므로 ⓑ에 해당하는 예시로 적절하다. '반달'은 '반'과 '달'이 합쳐질 때 관형격 기능을 지니는 사이시옷이 있어야 할 합성어에 해당한다. 그런데 사잇소리 현상이 적용되지 않고 [반달]로 발음하므로 ⓒ에 해당하는 예시로 적절하다.

오답풀이

① '손재주'는 표기상 사이시옷이 없지만, [손째주]로 발음하므로 ⓐ에 해당하는 예시로 적절하다. '헛기침'은 사이시옷이 표기된 형태가 아니라 어근 '기침'에 접두사 '헛-'이 결합한 파생어이므로 ⓑ에 해당하는 예시로 적절하지 않다. '산새'는 표기상 사이시옷이 없지만, [산쌔]로 발음한다. 따라서 사잇소리 현상이 일어난 단어이므로 ⓒ에 해당하는 예시로 적절하지 않다.

② '눈동자'는 표기상 사이시옷이 없지만 [눈똥자]로 발음하므로 ⓐ에 해당하는 예시로 적절하다. '옷걸이'는 '옷 + 걸이'로 볼 수 있는데 이때 'ㅅ'은 사이시옷이 아니다. 따라서 ⓑ에 해당하는 예시로 적절하지 않다. '쌀밥'은 [쌀밥]으로 발음하므로 사잇소리 현상이 적용되지 않아 ⓒ에 해당하는 예시로 적절하다.

④ '메밀국수'는 '메밀'과 '국수'가 합쳐질 때 사잇소리 현상이 적용되지 않아 [메밀국쑤]라고 발음하므로 ⓐ에 해당하는 예시로 적절하지 않다. '냇가'는 [내:까]로 발음하는 것이 원칙이고 [낻:까]로 발음하는 것도 허용하므로 ⓑ에 해당하는 예시로 적절하다. '봄가을'은 제28항과 동일한 환경이라고 볼 수 없으므로 ⓒ에 해당하는 예시로 적절하지 않다.

⑤ '손금'은 표기상 사이시옷이 없지만, [손끔]으로 발음하므로 ⓐ에 해당하는 예시로 적절하다. '덧신'은 접두사 '덧-'과 '신'이 결합한 파생어이므로 ⓑ에 해당하는 예시로 적절하지 않다. '그믐달'은 [그믐딸]로 발음한다. 따라서 사잇소리 현상이 일어나는 단어이므로 ⓒ에 해당하는 예시로 적절하지 않다.

☞ 문법 개념 담기

- **사잇소리 현상**: 두 형태소 또는 단어가 결합하여 합성 명사를 이룰 때, 그 사이에 음운이 첨가되는 현상
- ➲ 음운 환경이 같아도 사잇소리 현상이 나타나기도 하고 그렇지 않기도 하기 때문에 사잇소리 현상은 항상 규칙적으로 일어나는 현상은 아니야~ 그리고 사잇소리 현상이 일어날 때 앞말이 모음으로 끝난 경우에는 사이시옷을 적는데, 한자어끼리 결합한 합성어에는 사이시옷을 적지 않아! 다만 '곳간, 셋방, 숫자, 찻간, 툇간, 횟수'의 여섯 가지 경우에 한해서 사이시옷을 적고 있으니까 여섯 가지 한자어에 대해서는 가급적 암기해 두는 게 좋아~

▶ 03 ④

ⓔ의 '뒤섞어'는 '몹시, 마구, 온통'의 뜻을 더하는 접두사 '뒤-'와 동사 '섞다'가 결합한 파생어이므로 '명사 + 용언'으로 이루어진 합성 동사로 통사적 합성어라는 설명은 적절하지 않다.

① ㉠의 '덮밥'은 '덮- + 밥'으로 분석할 수 있는 합성 명사인데, 용언 어간 '덮-'과 명사 '밥'이 관형사형 어미 없이 결합하였으므로 비통사적 합성어이다.

② ㉡의 '나아갔다'는 '나- + -아 + 가 + + -았- + -다'로 분석할 수 있는데, 용언의 연결형 '나아-'에 용언 '가다'가 합성된 합성 동사이므로 통사적 합성어이다.

③ ㉢의 '검푸르렀다'는 '검- + 푸르- + -었- + -다'로 분석할 수 있는 합성 형용사인데, 용언 어간 '검-'과 용언 '푸르다'가 연결 어미 없이 결합하였으므로 비통사적 합성어이다.

▶ '푸르다'는 '러' 불규칙 용언이므로 '검푸르렀다'와 같은 형태로 활용해~

⑤ ㉤의 '젊은이'는 '젊- + -은 + 이'로 분석할 수 있는 합성 명사인데, 용언 어간 '젊-'과 관형사형 어미 '-은'이 결합한 용언의 관형사형과 명사가 결합하였으므로 통사적 합성어이다.

☞ 문법 개념 담기

- **통사적 합성어:** 우리말의 일반적인 단어 배열에 따른 합성어
- ▶ '우리말의 일반적인 단어 배열'이라고 하니까 막연하게 느껴지기도 하지? 쉽게 말해서 우리말의 문장 구성 순서와 일치하는 배열 방식이라고 생각하면 돼~ 즉 '체언 + 체언', '관형사 + 체언', '용언의 관형사형 + 체언'과 같이 체언의 앞에는 관형어의 역할을 하는 단어가 올 수 있지. 그리고 '용언의 연결형 + 용언'과 같이 연결 어미에 의해서 두 개의 용언 어간이 연결되는 경우 역시 국어의 일반적인 문장 구성 순서와 일치해. 마지막으로 '체언 + 용언'의 경우에는 우리말에서 조사의 생략은 일반적으로 일어나기 때문에 통사적 합성어라고 볼 수 있어! 꼼꼼하게 체크하고 넘어가자~

- **비통사적 합성어:** 우리말의 일반적인 단어 배열 방식에서 벗어난 합성어
- ▶ 비통사적 합성어는 우리말의 문장 구성 순서에 어긋난 배열 방식으로 형성된 합성어를 말해. '용언의 어간 + 체언', '용언의 어간 + 용언'과 같이 어간이 어미와 결합하지 않은 채 합성어를 형성하면 비통사적 합성어라고 봐. 또 '부사 + 체언'의 경우에는 일반적으로 부사는 체언을 수식하지 못하는 품사이기 때문에 비통사적 합성어라고 보는 거야.

▶ 04 ④

'이 어려운 과학 책을 다 읽는데 한 달이나 걸렸다.'에는 뒤 절에서 어떤 일을 설명하거나 묻거나 시키거나 제안하기 위해 그 대상과 상관되는 상황을 미리 말할 때 쓰는 연결 어미 '-ㄴ데'가 사용되지 않았다. 이때 '데'는 의존 명사로 '일'이나 '것'의 뜻을 나타내는 말인 ⓑ에 해당하므로 '이 과학 책을 다 읽는 데 한 달이나 걸렸다.'가 올바른 표현이다. 참고로 ⓐ에 해당하는 예시로는 '비가 그쳤는데 우산을 두고 가도 될까?'와 같은 문장을 들 수 있다.

① '그는 여전히 의지할 데 없는 사람처럼 보였다.'의 '데'는 ⓐ의 '곳'으로 바꾸어 '그는 여전히 의지할 곳 없는 사람처럼 보였다.'로 써도 의미 차이가 없으므로 ⓐ에 해당하는 예시로 적절하다.

② '선생님 강의를 듣는 데 하루에 2시간씩 걸렸다.'의 '데'는 ⓑ의 '일'로 바꾸어 '선생님 강의를 듣는 일에 하루에 2시간씩 걸렸다.'로 써도 의미 차이가 없으므로 ⓑ에 해당하는 예시로 적절하다.

③ '어릴 적 살던 그 동네는 하나도 변하지 않았데.'의 종결 어미 '-데'는 과거 어느 때에 직접 경험하여 알게 된 사실을 현재 시점에 말할 때 쓰이고 있으므로 ⓒ에 해당하는 예시로 적절하다.

⑤ '너 아침부터 지금까지 말투가 도대체 왜 그러는데?'에서 '-는데'는 일정한 대답을 요구하며 물어보는 뜻을 나타내는 종결 어미로 쓰이고 있으므로 ⓔ에 해당하는 예시로 적절하다.

▸ 05 ①

정답풀이

중세 국어 '하ᄂᆞᆯ'은 한 단어 내부에서 양성 모음끼리 어울려 쓰여 모음 조화가 지켜졌으나, 현대 국어의 '하늘'은 모음 조화가 지켜지지 않는다.

오답풀이

② '내시니이다'의 현대 국어를 참고하면 '내셨습니다'이므로 주체 높임 표현이 사용된 것을 알 수 있다. 주로 선어말 어미 '–시–'를 통해 주체 높임을 실현하는 현대 국어와 마찬가지로 중세 국어에서도 선어말 어미 '–시–'를 사용하여 주체 높임을 나타냈다.

③ '내시니이다'의 현대 국어를 참고하면 '내셨습니다'이므로 상대 높임 표현이 사용된 것을 알 수 있다. 주로 종결 표현을 통해 상대 높임을 실현하는 현대 국어와 달리 중세 국어에서는 선어말 어미 '–이–'를 사용하여 상대 높임을 나타냈다.

④ '묻ᄌᆞᆸ고'에서 '–ᄌᆞᆸ–'은 문장의 객체인 '세존의 안부'를 높이는 객체 높임의 선어말 어미이다. 중세 국어에서는 선어말 어미 '–ᄉᆞᆸ–/–ᄌᆞᆸ–/–ᅀᆞᆸ–' 등을 사용하여 객체 높임을 실현한 것과 달리, 현대 국어에서는 높임의 뜻을 가진 특수 어휘인 '여쭙다/여쭈다'를 통해 실현된다.

⑤ '진지'는 '밥'을 높여서 이르는 말인데, 중세 국어와 마찬가지로 현대 국어에서도 '밥'을 높여서 이르는 말로 쓰이고 있다.

☞ 문법 개념 담기

- **상대 높임:** 현대 국어와 달리 중세 국어의 상대 높임법은 선어말 어미 '–이–/–잇–'에 의해 실현되었는데, 의문문에서는 '–잇–'의 형태로 쓰였음
- **객체 높임:** 현대 국어와 달리 중세 국어의 객체 높임법은 선어말 어미 '–ᄉᆞᆸ–/–ᄌᆞᆸ–/–ᅀᆞᆸ–/–ᄉᆞᇦ–/–ᄌᆞᇦ–/–ᅀᆞᇦ–'에 의해 실현됨

문항	개념 확인	알면 Check! ☑	나의 책 Check! PAGE	선지나 〈보기〉를 활용하여 문법을 다지자! ▶ 선지나 〈보기〉의 핵심 내용을 활용하여, 내가 몰랐거나 정확히 알고 넘어가야 할 개념을 정리해 보세요.
01	된소리되기	☐		
02	사잇소리 현상 사이시옷을 적는 경우 사이시옷을 적지 않는 경우	☐ ☐ ☐		
03	통사적 합성어 통사적 합성어의 유형 비통사적 합성어 비통사적 합성어의 유형	☐ ☐ ☐ ☐		
04	의존 명사 '데' 어미 '–데' 어미 '–ㄴ데/–는데'	☐ ☐ ☐		
05	중세 국어의 상대 높임법 중세 국어의 객체 높임법	☐ ☐		

1
2
3 주차
4

[01~02] 다음 글을 읽고 물음에 답하시오.

국어의 조사 중에는 체언과 같은 자립성이 있는 말 뒤에 결합하여 그 말이 문장에서 일정한 자격을 가지도록 하는 격 조사와 앞말에 특별한 뜻을 더해주는 보조사가 있다.

격 조사는 앞말에 결합하여 일정한 문장 성분을 나타내는 역할을 한다. 가령 '영희가 학교에서 철수의 책을 읽었다.'에서 주격 조사 '가'는 주어, 부사격 조사 '에서'는 부사어, 관형격 조사 '의'는 관형어, 목적격 조사 '을'은 목적어의 자리에 쓰인다.

격 조사와 달리 보조사는 체언뿐만 아니라, 부사, 어미, 다른 조사 등 다양한 말 뒤에 결합할 수 있다. 또한 보조사는 특별한 뜻을 더해줄 뿐, 앞말의 격을 표시하지 않기 때문에 여러 문장 성분의 자리에 쓰일 수 있다. 가령 '철수는 국어만 좋아하지는 않고, 수학도 좋아한다.'에서 '는, 만, 도'와 같은 보조사는 체언뿐만 아니라 용언의 어미 뒤에 결합하기도 하며, 주어, 목적어, 서술어 등 다양한 자리에 쓰이고 있다. 이는 동일한 보조사 '는'이 주어 자리에도 쓰이고, 서술어 자리에도 쓰이는 것을 통해 확인할 수 있다. 이 밖에도 국어의 조사에는 두 단어나 구, 절 등을 동등한 자격으로 이어주는 기능을 하는 접속 조사도 있다. 가령, '민호는 참외와 수박을 좋아한다.'에서 '참외'와 '수박'은 접속 조사 '와'를 통해 동등한 자격으로 이어진다.

[A] 학교 문법에서는 조사를 단어로 인정하고 있는데, 일반적인 단어와 달리 조사는 홀로 쓰일 수 없고, 문맥에 따라 생략이 가능하여 앞말과 분리되기 쉽다는 특성이 있다. 그런데 조사의 생략은 격 조사 중에서도 주격, 목적격, 관형격 조사에서 주로 일어나며, 어휘적 의미가 강한 부사격 조사의 경우에는 상대적으로 생략이 어렵다. 또한 보조사는 앞 체언에 특별한 뜻을 더하는 역할을 하기 때문에 보조사를 사용했을 때와 생략했을 때 문장의 의미가 크게 달라진다. 한편 조사 중에는 동일한 형태의 조사가 각기 다른 기능으로 쓰이는 경우도 있다. 예를 들어, '눈이 온다.'에 쓰인 '이'와 '비가 눈이 되었다.'에 쓰인 '이'는 각각 주격 조사와 보격 조사에 해당한다.

---

01. 〈보기〉는 윗글을 바탕으로 진행된 학습 활동이다. ⓐ~ⓔ에 대한 이해로 적절하지 **않은** 것은? [3점]

〈보기〉

학 생: 보조사는 다양한 말 뒤에 결합할 수 있고, 여러 문장 성분의 자리에 쓰이면서 특별한 뜻을 더해 준다고 했는데, 어떤 뜻을 더해주는 건가요?

선생님: 보조사는 대조나 주제(화제), 제한이나 한정, 포함이나 더함, 선택, 범위의 시작과 끝 등 각각의 보조사가 가진 고유한 의미를 앞말에 더해 주는 기능을 합니다. 예를 들어 '도서관은 책을 읽는 장소이다.'에서 보조사 '은'은 주어의 자리에서 문장의 화제가 '도서관'이라는 것을 나타내기 위해 사용된 것입니다. 그럼 아래 문장에서 밑줄 친 부분의 보조사들도 자세히 살펴볼까요?

　ⓐ 인생<u>은</u> 짧고, 예술은 길다.
　ⓑ 나는 함께<u>든지</u> 혼자<u>든지</u> 잘 논다.
　ⓒ 세계 여행할 때 한국<u>에도</u> 꼭 놀러 와.
　ⓓ 운동을 열심히 하<u>고부터</u> 몸이 좋아졌다.
　ⓔ 하루 종일 잠<u>만</u> 잤더니 머리가 아팠다.

① ⓐ의 보조사 '은'은 체언 뒤에 결합하여 대조의 의미를 나타내면서 주어 자리에 쓰였군.

② ⓑ의 보조사 '든지'는 부사 뒤에 결합하여 선택의 의미를 나타내면서 부사어 자리에 쓰였군.

③ ⓒ의 보조사 '도'는 격 조사의 뒤에 결합하여 이미 어떤 것을 포함하고 그것에 더함의 의미를 나타내면서 부사어 자리에 쓰였군.

④ ⓓ의 보조사 '부터'는 연결 어미 뒤에 결합하여 어떤 일과 관련된 범위의 시작을 나타내면서 부사어 자리에 쓰였군.

⑤ ⓔ의 보조사 '만'은 체언에 결합하여 다른 것으로부터 제한하여 앞말의 의미로만 한정한다는 의미를 나타내면서 목적어 자리에 쓰였군.

02. [A]의 관점을 바탕으로 〈보기〉의 '자료'를 탐구한 내용으로 적절하지 <u>않은</u> 것은?

〈보기〉

[탐구 목표]

국어 조사의 특징에 대해 이해한다.

[자료]

와/과 「조사」

① 다른 것과 비교하거나 기준으로 삼는 대상임을 나타내는 격 조사.

② 둘 이상의 사물을 같은 자격으로 이어 주는 접속 조사.

에서 「조사」

①

① 앞말이 행동으로 이루어지고 있는 처소의 부사어임을 나타내는 격 조사.

② 앞말이 출발점의 뜻을 갖는 부사어임을 나타내는 격조사.

② (단체를 나타내는 명사 뒤에 붙어) 앞말이 주어임을 나타내는 격 조사.

(가) 너 어제 식당에서 밥 먹었니?

(나) 나는 나의 길을 걸어갈 뿐이다.

(다) 수지도 국어 공부만 좋아한다.

(라) 첫째와 둘째는 아빠와 닮았다.

(마) 시청에서 개최한 마라톤 대회가 광장에서 열린다.

[탐구 내용]

[탐구 결과]

조사는 일반적인 단어와 달리 앞말과 붙여 쓰고, 문맥에 따라 비교적 쉽게 생략될 수 있으나, 조사가 지닌 고유한 의미를 나타내기 위해서는 생략이 불가능하다. 또한 동일한 형태의 조사라도 그 기능이 달리 사용되기도 한다.

① (가): 어휘적 의미가 강한 부사격 조사 '에서'와 달리, 주격 조사와 목적격 조사는 생략되었다.

② (나): 체언 '나', '길', '뿐'이 앞말과 띄어 쓴 것과 달리, 조사 '는', '의', '을', '이다'는 앞 체언에 붙여 썼다.

③ (다): 보조사 '도'와 '만'은 각각이 지니고 있는 고유한 의미를 나타내기 때문에, 생략되면 문장의 의미가 달라진다.

④ (라): '첫째와'와 '아빠와'의 '와'는 모두 비교하는 대상을 의미하는 체언에 결합하였으므로, 부사격 조사에 해당한다.

⑤ (마): '시청에서'와 '광장에서'의 '에서'는 형태는 동일하지만, 각각 주격 조사와 부사격 조사로 그 기능이 달리 사용되었다.

03. 〈보기〉의 ㉠, ㉡에 해당하는 예로 적절한 것은?

〈보기〉

학 생: 선생님, '젓가락'은 'ㅅ' 받침을 쓰는데, '숟가락'은 왜 'ㄷ' 받침을 쓰나요?

선생님: '젓가락'과 '숟가락'은 비슷한 합성어처럼 보이지만, 그 구성을 살펴보면 다른 점이 있어. 먼저, '젓가락'은 '저'와 '가락'이 결합된 말로, ㉠합성어를 이룰 때 앞말이 모음으로 끝나고 뒷말의 첫소리가 된소리로 나기 때문에 사이시옷을 붙인 것이지. 그런데 '숟가락'은 '수'와 '가락'이 결합된 것이 아니라, '술'과 '가락'이 결합한 합성어야. 한글맞춤법에서는 이처럼 ㉡끝소리가 'ㄹ'인 말이 다른 말과 합성어를 이룰 때 'ㄹ' 소리가 'ㄷ' 소리로 나는 것은 'ㄷ'으로 적는 것을 원칙으로 하고 있어.

	㉠	㉡
①	첫째	섣달
②	고깃배	미닫이
③	뒷산	이튿날
④	콧바람	홑이불
⑤	샛노랗다	맏며느리

04. 〈보기〉의 ㉠～㉣에 대한 설명으로 적절하지 <u>않은</u> 것은?

〈보기〉

높임법은 문장과 발화 상황에 등장하는 인물 사이의 나이나 지위 등의 높고 낮은 정도에 의해 결정된다. 이러한 높임법은 같은 청자라도 격식적인 상황과 비격식적인 상황에 따라 다르게 표현하는 것이 일반적이며, 선어말 어미나 종결 어미, 조사, 높임의 특수 어휘 등을 통해 표현된다.

㉠ 엄마, 아버지께서 할아버지께 이 편지를 갖다 드리라고 하셨어요.

㉡ 철수야, 광호가 지수에게 이 편지를 주라고 했어.

㉢ (학급 회의에서) 다음은 철수 학생이 의견을 말씀해 주십시오.

㉣ (쉬는 시간에) 철수야, 선생님께 너의 의견을 말씀드려 봐.

① ㉠은 청자가 화자보다 높지만, ㉡은 청자가 화자보다 높지 않다.

② ㉠은 부사어가 주어보다 높지만, ㉡은 부사어가 주어보다 높지 않다.

③ ㉠과 ㉢은 부사어를 높이는 특수 어휘를 사용하여 높임을 나타냈다.

④ ㉠과 ㉣은 부사어가 화자보다 높으며, 조사를 사용하여 객체 높임을 나타냈다.

⑤ ㉢과 ㉣은 격식적인 상황과 비격식적인 상황에 따라 종결 어미를 다르게 사용하였다.

05. 〈보기〉를 바탕으로 중세 국어의 특징을 탐구한 내용으로 적절하지 <u>않은</u> 것은?

> ─〈보기〉─
>
> 중세 국어에서는 어미와 보조사를 활용해 판정 의문문과 설명 의문문을 구별했다. 판정 의문문에는 어미 '−가', '−녀' 등과 보조사 '가'를 사용했고, 설명 의문문에는 '누(누가), 무슴(무엇)' 등과 같은 의문사와 함께 어미 '−고', '−뇨' 등과 보조사 '고'를 사용했다. 또한 주어가 2인칭인 경우에는 '−ㄴ다'와 같은 특수한 의문형 어미를 사용했다.
>
> (가) 이 ᄯᆞ리 너희 **죵가**
>   (현대어 풀이: 이 딸이 너희들의 종이냐?)
> (나) 功德(공덕)이 **져그녀**
>   (현대어 풀이: 공덕이 적으냐?)
> (다) 이제 **엇더ᄒᆞ고**
>   (현대어 풀이: 이제 어떠하냐?)
> (라) 네 **모ᄅᆞ던다**
>   (현대어 풀이: 너는 모르느냐?)
> (마) 네 엇뎨 **안다**
>   (현대어 풀이: 너는 어떻게 아느냐?)

① (가): '이' 대신 의문사 '엇던'이 쓰이면, '죵가'를 '죵고'로 바꿔야겠군.

② (나): 청자에게 판정을 요구하고 있으므로, 의문형 어미로 '−녀'가 쓰였군.

③ (다): 청자에게 설명을 요구하고 있으므로, 의문형 어미로 '−고'가 쓰였군.

④ (라): 주어를 3인칭으로 바꾸면 의문형 어미를 '모ᄅᆞ던다'에서 '모ᄅᆞ던고'로 바꿔야겠군.

⑤ (마): 설명 의문문이지만 주어가 2인칭이므로 판정 의문문과 구별 없이 '−ㄴ다'가 쓰였군.

MEMO

빠른 정답 찾기	01	02	03	04	05
	④	④	③	③	④

▶ 01 ④

ⓓ의 '하고부터'에 쓰인 보조사 '부터'는 연결 어미 '–고' 뒤에 결합하여 어떤 일과 관련된 범위의 시작을 나타내고 있다. 그러나 '운동을 열심히 하고'의 서술어 '하고' 뒤에 결합하여 서술어 자리에 쓰이고 있으므로 부사어 자리에 쓰였다는 설명은 적절하지 않다.

① ⓐ에서 '인생은'과 '예술은'에 쓰인 보조사 '은'은 체언 '인생'과 '예술' 뒤에 결합하여 대조의 의미를 나타내고 있다. 그리고 이때 '인생이 짧고, 예술이 길다.'와 같이 주격 조사가 쓰일 수 있는 자리에 보조사가 결합하였으므로 주어 자리에 쓰였다는 설명은 적절하다.

② ⓑ에서 '함께든지'와 '혼자든지'에 쓰인 보조사 '든지'는 부사 '함께'와 '혼자' 뒤에 결합하여 선택의 의미를 나타내고 있다. 그리고 이때 부사 뒤에 결합하였으므로 부사어 자리에 쓰였다는 설명은 적절하다.

🔵 '혼자'가 명사로 쓰인 게 아니냐고? 문장 구조를 잘 보자~ '혼자'는 '혼자 논다'와 같이 서술어를 수식하고 있으니까 부사라는 것을 알 수 있어! 그리고 앞서 보조사 '든지'와 결합한 '함께'가 부사이기 때문에 같이 연결된 '혼자'의 품사 역시 부사라는 것을 알 수 있지~

③ ⓒ에서 '한국에도'에 쓰인 보조사 '도'는 부사격 조사 '에' 뒤에 결합하여 이미 어떤 것을 포함하고 그것에 더함의 의미를 나타내고 있다. 그리고 이때 부사격 조사 뒤에서 부사어 자리에 쓰인 것이므로 부사어 자리에 쓰였다는 설명은 적절하다.

⑤ ⓔ의 '잠만'에 쓰인 보조사 '만'은 체언 '잠' 뒤에 결합하여 앞말의 의미로만 한정한다는 의미를 나타내고 있다. 그리고 '하루 종일 잠을 잤더니'와 같이 목적격 조사가 쓰일 수 있는 자리에 보조사가 결합하였으므로 목적어 자리에 쓰였다는 설명은 적절하다.

☞ 문법 개념 담기

- **보조사:** 화자의 태도를 표시하거나 특별한 뜻을 더해 주는 조사
- **성분 보조사:** 은/는, 만, 도, 까지, (이)나, (이)나마, 대로, 마저 등
  예 성빈이는 운동은 잘하지만, 국어는 못한다. (대조)
  　다빈이도 집에 갔니? (포함)
  　너만 알고 있어라. (한정)
- **종결 보조사:** 마는, 그려, 그래
  예 사고 싶다마는. / 어느새 봄이 왔네그려.
- **통용 보조사:** 요
  예 제가요, 어제요, 학교에 가서요, 친구들이랑 내기를 했는데요.

🔵 격 조사는 앞에 오는 체언이 문장 안에서 일정한 기능을 하도록 해 주는 조사이고, 보조사는 어떤 특별한 의미를 더해 주는 조사야. 일반적으로 우리말에서 격 조사는 자주 생략되기도 하는데, 보조사는 특별한 의미를 더하기 때문에 보조사를 썼을 때와 생략했을 때 그 의미가 달라져서 생략하기가 어려워! 그리고 격 조사에 비해 다양한 위치에 쓰일 수 있고, 체언뿐만 아니라 부사나 어미, 다른 격 조사와도 결합할 수 있어!

▶ 02 ④

[A]에서 '조사 중에는 동일한 형태의 조사가 각기 다른 기능으로 쓰이는 경우도 있다.'라고 하였는데, 〈보기〉에서 '와/과'는 격 조사와 접속 조사의 두 가지 기능으로 쓰인다는 것을 알 수 있다. (라)에서 체언 '첫째'와 '둘째'를 같은 자격으로 이어 주는 '와'는 접속 조사이고, 서술어 '닮다'는 부사어를 필수적으로 요구하는 두 자리 서술어이므로 '아빠와'의 '와'는 비교하는 대상을 의미하는 체언에 결합한 부사격 조사이다. 따라서 '첫째와'와 '아빠와'의 '와'는 모두 부사격 조사에 해당한다는 설명은 적절하지 않다.

🔵 접속 조사 '와/과'는 부사격 조사 '와/과'와 형태가 같아서 많이 헷갈려! 그런데 접속 조사가 말 그대로 이어 주는 기능을 한다는 것을 생각해 보면, '첫째와 둘째는 아빠와 닮았다.'는 '첫째는 아빠와 닮았다.'와 '둘째는 아빠와 닮았다.'라는 두 문장을 이어서 한 문장으로 쓴 것이니까 '첫째와'에 결합한 '와'는 접속 조사인 거지! 이와 달리 서술어 '닮다'는 닮은 대상을 필수적으로 요구하는 서술어이기 때문에 '아빠와'에 사용된 '와'는 비교하는 대상을 의미하는 체언에 결합하는 부사격 조사로 쓰인 거야. 그리고 이때 '아빠와'는 필수적 부사어라는 것도 꼭 기억해 두자!

① [A]에서 '조사의 생략은 격 조사 중에서도 주격, 목적격, 관형격 조사에서 주로 일어나며, 어휘적 의미가 강한 부사격 조사의 경우에는 상대적으로 생략이 어렵다.'라고 하였다. (가)에서는 주격 조사 '가'와 목적격 조사 '을'이 생략되었으나 부사격 조사인 '에서'는 생략되지 않았으므로 적절한 설명이다.

② 〈보기〉의 [탐구 결과]에서 '조사는 일반적인 단어와 달리 앞말과 붙여' 쓴다고 하였다. (나)에서 체언 '나, 길, 뿐'은 앞말과 띄어 썼지만 체언과 결합한 조사 '는, 의, 을, 이다'는 앞 체언에 붙여 쓰고 있으므로 적절한 설명이다.

③ [A]에서 '보조사는 앞 체언에 특별한 뜻을 더하는 역할을 하기 때문에 보조사를 사용했을 때와 생략했을 때 문장의 의미가 크게 달라진다.'라고 하였다. (다)에서 '수지도'의 '도'와 '공부만'의 '만'을 생략할 경우 '수지가 국어 공부를 좋아한다.'가 되어 문장의 의미가 달라지므로 적절한 설명이다.

⑤ [A]에서 '조사 중에는 동일한 형태의 조사가 각기 다른 기능으로 쓰이는 경우도 있다.'라고 하였다. (마)에서 '시청에서'의 '에서'는 단체를 나타내는 명사 뒤에 붙어 앞말이 주어임을 나타내는 주격 조사로 쓰였다. 반면 '광장에서'의 '에서'는 앞말이 행동으로 이루어지고 있는 처소의 부사어임을 나타내는 부사격 조사로 쓰이고 있으므로 적절한 설명이다.

☞ 문법 개념 담기

- **조사:** 앞에 오는 체언이 문장 안에서 일정한 자격을 하도록 해 주는 격 조사, 두 단어 이상을 같은 자격으로 이어 주는 접속 조사, 화자의 태도를 표시하거나 특별한 뜻을 더해 주는 보조사가 있음

🔵 국어의 조사는 앞 체언에 붙여 써야 하는 의존 형태소지만 단어의 자격을 갖는다는 특징이 있어! 참고로 한글 맞춤법 규정에서 단어는 띄어 써야 한다고 규정해놓고 있지만, 예외적으로 조사는 '단어'에 속하지만 앞말과 붙여 쓴다고 단서를 달고 있다는 것을 알아 두자~

▶ 03 ③

정답풀이

'뒷산'은 '뒤'와 '산'이 합성될 때 앞말이 모음으로 끝나고 뒷말의 첫소리가 된소리로 발음되어 [뒤싼/뒫싼]으로 발음하므로 사이시옷을 붙여 '뒷산'으로 적는다. 따라서 ㉠에 해당하는 예로 적절하다. '이튿날'은 '이틀'과 '날'이 합성될 때 앞말의 끝소리 'ㄹ'이 'ㄷ'으로 발음되어 '이튿날'이 된 후 비음화가 일어나 [이튼날]로 발음한다. 따라서 ㉡에 해당하는 예로 적절하다.

오답풀이

① '첫째'는 '맨 처음의'라는 뜻을 더하는 관형사 '첫'과 '차례'의 뜻을 더하는 접미사인 '-째'가 결합한 파생어이다. 따라서 ㉠에 해당하는 예로 적절하지 않다. '섣달'은 '설날'을 의미하는 '설'과 '달'이 합성될 때, 앞말의 끝소리 'ㄹ'이 'ㄷ'으로 발음되어 [섣ː딸]로 발음하므로 표기도 '섣달'로 적는다. 따라서 ㉡에 해당하는 예로 적절하다.

② '고깃배'는 '고기'와 '배'가 합성될 때 앞말이 모음으로 끝나고 뒷말의 첫소리가 된소리로 발음되어 [고기빼/고긷빼]로 발음하므로 사이시옷을 붙여 '고깃배'로 적는다. 따라서 ㉠에 해당하는 예로 적절하다. '미닫이'는 용언 어근 '미닫-'에 명사를 파생하는 접미사 '-이'가 결합한 파생어이다. 따라서 ㉡에 해당하는 예로 적절하지 않다.

④ '콧바람'은 '코'와 '바람'이 합성될 때 앞말이 모음으로 끝나고 뒷말의 첫소리가 된소리로 발음되어 [코빠람/콛빠람]으로 발음하므로 사이시옷을 붙여 '콧바람'으로 적는다. 따라서 ㉠에 해당하는 예로 적절하다. '홑이불'은 '한 겹으로 된'의 뜻을 더하는 접두사 '홑-'과 '이불'이 결합한 파생어이므로 ㉡에 해당하는 예로 적절하지 않다.

⑤ '샛노랗다'는 '매우 짙고 선명하게'의 뜻을 더하는 접두사 '샛-'과 '노랗다'가 결합한 파생어이므로 ㉠에 해당하는 예로 적절하지 않다. '맏며느리'는 '맏이'의 뜻을 더하는 접두사 '맏-'과 '며느리'가 결합한 파생어이므로 ㉡에 해당하는 예로 적절하지 않다.

☞ 문법 개념 담기

- **사잇소리 현상**: 두 형태소 또는 단어가 결합하여 합성 명사를 이룰 때, 그 사이에 음운이 첨가되는 현상
- ▶ 사잇소리 현상이 나타나 사이시옷을 표기할 경우, 뒤 음절의 첫소리만을 된소리로 발음하는 것이 표준 발음이지만, 사이시옷을 [ㄷ]으로 발음하고, 뒤 음절의 첫소리를 된소리로 발음하는 것도 표준 발음으로 허용하고 있으니 참고로 알아 두자!
- **한글 맞춤법 제29항**: 끝소리가 'ㄹ'인 말과 딴 말이 어울릴 적에 'ㄹ' 소리가 'ㄷ' 소리로 나는 것은 'ㄷ'으로 적는다.
  - 📕 반짇고리, 이튿날, 사흗날, 나흗날, 숟가락, 섣달

▶ 04 ③

정답풀이

㉠은 부사어 '할아버지'를 높이기 위해 객체 높임의 특수 어휘 '드리다'와 높임의 부사격 조사 '께'가 사용되고 있다. 그러나 ㉢의 '말씀'은 부사어가 아닌 주어의 말을 높이는 것이므로, 부사어를 높이는 특수 어휘에 해당하지 않는다. 따라서 ㉠과 ㉢에 부사어를 높이는 특수 어휘를 사용하여 높임을 나타내고 있다는 설명은 적절하지 않다.

오답풀이

① ㉠은 '해요체'의 평서형 종결 어미 '-어요'를 사용하고 있으므로 청자인 '엄마'가 화자보다 높다는 것을 알 수 있다. 반면 ㉡은 호격 조사 '야'와 '해체'의 평서형 종결 어미 '-어'를 사용하고 있으므로 청자인 '철수'가 화자보다 높지 않고, 비슷하거나 낮음을 추측할 수 있다.

② ㉠은 주어인 '아버지'가 부사어인 '할아버지'에게 '드리-'라고 한 것으로 보아 부사어인 '할아버지'가 주어인 '아버지'보다 높음을 알 수 있다. 반면 ㉡은 주어인 '광호'가 부사어인 '지수'에게 높임의 어휘를 사용하지 않고 '주-'라고 했으므로, 부사어인 '지수'는 주어인 '광호'보다 높지 않고, 비슷하거나 낮음을 추측할 수 있다.

④ ㉠과 ㉣은 각각 부사어 '할아버지'와 '선생님'이 화자보다 높으므로, 부사격 조사 '께'를 사용하여 높임을 표현하고 있다.

⑤ ㉢과 ㉣은 같은 대상에게 격식적인 상황과 비격식적인 상황에 따라 종결 어미를 달리 하여 높임을 표현하고 있다. ㉢은 격식적인 상황이므로 '하십시오'체의 명령형 종결 어미 '-십시오'를 사용하고 있고, ㉣은 비격식적인 상황이므로 '해체'의 명령형 종결 어미 '-아'를 사용하고 있다.

☞ 문법 개념 담기

- **주체 높임법**: 문장의 주체인 주어를 높이는 표현 방식으로, 선어말 어미 '-(으)시-', 주격 조사 '께서', 접사 '-님', 특수 어휘 '계시다, 주무시다' 등에 의해 실현됨
- **객체 높임법**: 문장의 객체인 목적어나 부사어를 높이는 표현 방식으로, 부사격 조사 '께', 특수 어휘 '뵙다, 드리다, 여쭈다, 모시다' 등에 의해 실현됨
- **상대 높임법**: 듣는 이(청자)를 높이는 표현 방식으로, 청자에 대한 높임이나 낮춤의 정도가 종결 어미에 의해 실현됨
- ▶ 다른 높임 표현과 달리 상대 높임법은 청자에 대한 '낮춤'을 나타내기도 해! 국어는 상대 높임법의 등급이 여섯 등급으로, 매우 세분화되어 있는 언어에 속해.

▶ **05 ④**

(라)에서 2인칭인 주어 '너'를 3인칭으로 바꾸면, (라)는 의문사가 없는 판정 의문문이 된다. 〈보기〉에서 판정 의문문에는 어미 '-가', '-녀' 등과 보조사 '가'를 사용했다고 하였으므로 의문형 어미를 '모루던가'로 바꾸어야 한다. 따라서 의문형 어미를 '모루던고'로 바꾸어야 한다는 설명은 적절하지 않다.

① '엇던'이 쓰이면 의문사가 존재하는 설명 의문문이 된다. 〈보기〉에서 설명 의문문에는 어미 '-고', '-뇨' 등과 보조사 '고'를 사용했다고 하였으므로, (가)에서 '이' 대신 의문사 '엇던'이 쓰이면 '죵고'로 바꾸어야 한다는 것은 적절한 설명이다.

② (나)는 의문사가 존재하지 않고, 의문형 어미로 '-녀'가 사용되었으므로 판정 의문문에 해당한다. 따라서 청자에게 판정을 요구하고 있으므로 의문형 어미로 '-녀'가 쓰였다는 것은 적절한 설명이다.

③ (다)에는 의문사 '엇더혼'이 사용되었고, 의문형 어미로 '-고'가 사용되었으므로 설명 의문문에 해당한다. 따라서 청자에게 설명을 요구하고 있으므로 의문형 어미로 '-고'가 쓰였다는 것은 적절한 설명이다.

⑤ 〈보기〉에서 '주어가 2인칭인 경우에는 '-ㄴ다'와 같은 특수한 의문형 어미를 사용했다.'고 하였다. (마)에는 의문사 '엇데'가 사용되었지만 2인칭 주어 '너'가 사용되고 있으므로, 설명 의문문이지만 판정 의문문과 구별 없이 '-ㄴ다'가 쓰였다는 것은 적절한 설명이다.

👉 문법 개념 담기

- **판정 의문문:** 옳고 그름 또는 긍정이나 부정의 대답을 요구하는 의문문으로, 의문사가 없고 '-아' 계열의 의문형 어미나 의문 보조사 '가'가 쓰임

- **설명 의문문:** 구체적인 설명을 요구하는 의문문으로, 의문사가 있고 '-오' 계열의 의문형 어미나 의문 보조사 '고'가 쓰임

▶ 중세 국어의 문장에서는 의문사의 유무에 따라 의문형 어미나 의문 보조사의 형태가 달라진다는 것은 기억하고 있지? 그런데 이렇게 의문사의 유무에 따라 구분되는 문장들의 특징은 주어가 1인칭(나)이거나 3인칭이라는 사실도 함께 기억해 두자!

- **주어가 2인칭일 때의 의문문:** 주어가 1인칭이나 3인칭인 경우와 달리 의문형 어미 '-ㄴ다'가 쓰임

▶ 주어가 2인칭, 즉 '너, 네, 너희, 당신' 등일 경우에는 의문사의 사용과 상관없이 '-ㄴ다'를 사용하여 의문문을 나타냈어!

문항	개념 확인	알면 Check! ☑	나의 책 Check! PAGE	선지나 〈보기〉를 활용하여 문법을 다지자! ▶ 선지나 〈보기〉의 핵심 내용을 활용하여, 내가 올랐거나 정확히 알고 넘어가야 할 개념을 정리해 보세요.
01	보조사 성분 보조사 종결 보조사 통용 보조사	☐ ☐ ☐ ☐		
02	격 조사 접속 조사 보조사	☐ ☐ ☐		
03	사잇소리 현상 사이시옷의 발음 한글 맞춤법 제29항	☐ ☐ ☐		
04	주체 높임법 객체 높임법 상대 높임법	☐ ☐ ☐		
05	중세 국어의 판정 의문문 중세 국어의 설명 의문문 중세 국어의 2인칭 의문문	☐ ☐ ☐		

[01~02] 다음 글을 읽고 물음에 답하시오.

15세기 국어에서 모음 조화는 비교적 잘 지켜졌다. 'ㅏ, ㅗ, ㆍ' 등의 양성 모음은 양성 모음끼리, 'ㅓ, ㅜ, ㅡ' 등의 음성 모음은 음성 모음끼리 어울렸고, 중성 모음 'ㅣ'는 양성 모음과 음성 모음 모두에 어울리어 쓰였다. 모음 조화는 한 단어 내부, 체언과 조사의 결합, 용언의 어간과 어미의 결합에서도 잘 나타났다. 예를 들어, 목적격 조사는 앞 체언의 모음에 따라 '올/을, 롤/를' 중 하나가 선택되었고, '-온/-은', '-옴/-움', '-아/-어'와 같은 어미들도 선행하는 어간의 모음에 따라 그와 같은 종류의 모음이 선택되었다. 그러나 조사 '도', '와/과'나 어미 '-고', '-더-' 등은 모음 조화가 적용되지 않기도 했다. 이처럼 15세기 국어의 모음 조화는 몇몇 예외가 존재하기는 했지만 비교적 엄격하게 지켜졌다.

이러한 모음 조화는 16세기부터 약화되기 시작하였다. 이는 'ㆍ'의 음가가 소실된 것과 관계가 있다. 16세기에는 둘째 음절 이하에서의 'ㆍ'가 주로 음성 모음인 'ㅡ'로 바뀌었는데, 첫째 음절에서의 'ㆍ'는 여전히 양성 모음이었다. 이러한 변화로 체언에 연결되는 '온/은', '올/을', '의/의' 등의 조사는 점차 '은', '을', '의' 등으로 통일되었고, 모음 조화를 지키던 '사슴'과 같은 단어들은 '사슴'과 같이 모음 조화에서 벗어난 형태로 변화했다. 이후 18세기에는 첫째 음절에서의 'ㆍ'가 'ㅏ'로 바뀌었다.

현대 국어에서 모음 조화는 더욱 약화되어 지켜지지 않는 경우가 많다. 그러나 '촐랑촐랑', '출렁출렁'과 같은 음성 상징어나 일부 용언의 어간에 '-아/-어' 계열의 어미가 결합할 때에는 여전히 모음 조화가 지켜지고 있다.

01. 〈보기〉는 윗글을 바탕으로 진행된 학습 활동이다. ⓐ~ⓔ에 대한 이해로 적절하지 <u>않은</u> 것은?

〈보기〉

학 생: 15세기 국어의 모음 조화는 몇몇 예외를 제외하면 비교적 잘 지켜졌기 때문에 현대 국어에 비해 조사나 어미의 형태가 더욱 다양했군요.

선생님: 15세기 국어의 모음 조화에 대해 잘 이해했구나. 그런데 모음 조화는 시간이 지남에 따라 점차 약화되었다고 했지? 그럼 각 시기를 고려하여 아래의 15세기 국어의 예시를 탐구해 보자.

ⓐ 번게 (현대 국어: 번개)
ⓑ 무수물 (현대 국어: 마음을)
ⓒ 무수미 (현대 국어: 마음이)
ⓓ 노미 (현대 국어: 남의)
ⓔ 거부븨 (현대 국어: 거북의)

① ⓐ를 현대 국어와 비교해 보니 15세기 국어에서는 한 단어 내부에서도 모음 조화가 지켜졌군요.

② ⓑ를 보니 15세기에는 목적격 조사가 앞 체언의 모음과 같은 성질의 모음으로 쓰여 모음 조화가 지켜졌군요.

③ ⓒ를 보니 조사 'ㅣ'는 양성 모음과 어울려 쓰였지만, 16세기에는 둘째 음절의 'ㆍ'가 변화하면서 'ㅣ'도 음성 모음으로 바뀌겠군요.

④ ⓓ를 보니 15세기에는 모음 조화가 지켜졌으나, 18세기에는 현대 국어와 같은 형태로 바뀌고 모음 조화가 지켜지지 않겠군요.

⑤ ⓔ를 보니 15세기에는 모음 조화가 지켜졌으나, 같은 시기에서도 '거붑'에 보조사 '도'가 결합하면 모음 조화가 지켜지지 않겠군요.

02. 〈보기 1〉은 윗글을 바탕으로 '모음 조화'에 대해 정리한 내용이다. (가)~(마)에 해당하는 예시를 〈보기 2〉에서 골라 설명한 것으로 적절한 것은? [3점]

〈보기 1〉

(가) 15세기에도 모음 조화가 지켜지지 않는 경우가 존재했다.
(나) 모음 'ㅣ'는 양성 모음에 어울리기도 하고 음성 모음에 어울리기도 하였다.
(다) 16세기에는 둘째 음절 이하에 놓인 모음 'ㆍ'가 'ㅡ'로 변화하였다.
(라) 18세기에는 첫째 음절에 놓인 모음 'ㆍ'가 'ㅏ'로 변화하였다.
(마) 현대 국어에서는 일부 용언의 어간 뒤에 어미가 결합할 때 모음 조화가 나타나기도 한다.

〈보기 2〉

[15세기 자료]
겨스레 소옴 둔 오솔 닙디 아니 ᄒᆞ고 녀르메 서늘ᄒᆞᆫ ᄃᆡ 가디 아니 ᄒᆞ며 ᄒᆞ른 ᄡᆞᆯ 두 호부로 뻐 쥭을 밍골오 소곰과 ᄂᆞ믈홀 먹디 아니 ᄒᆞ더라
[현대어 풀이]
겨울에 솜 든 옷을 입지 아니하고 여름에 서늘한 데 가지 아니하며 하루 쌀 두 홉으로써 죽을 만들고 소금과 나물을 먹지 아니하더라.

① (가): 'ᄒᆞ고'와 'ᄒᆞ더라'는 15세기에 모음 조화가 적용되지 않는 경우에 해당한다.
② (나): '아니'와 '가디'에서 알 수 있듯이 모음 'ㅣ'는 양성 모음과 음성 모음 모두에 어울려 쓰인다.
③ (다): '오솔'은 16세기에 둘째 음절의 모음이 변화를 겪어 목적격 조사가 양성 모음에서 음성 모음으로 바뀔 것이다.
④ (라): 'ᄂᆞ믈'은 18세기에 첫째 음절의 모음이 변화를 겪어 음성 모음에서 양성 모음으로 바뀔 것이다.
⑤ (마): '겨울에'와 '여름에'는 현대 국어에서도 어간과 어미가 결합할 때 모음 조화가 지켜진 경우에 해당한다.

03. 〈보기〉의 ㉠~㉢에 해당하는 문장으로 적절한 것은?

〈보기〉

부정문은 크게 '안' 부정문과 '못' 부정문으로 나뉜다. '안' 부정문은 '안, 아니하다' 등을 사용하여 ㉠행동 주체의 의지가 작용할 수 있는 행위를 부정하거나, ㉡단순히 어떤 사실이나 상태를 부정할 때 쓰인다. 한편 '못' 부정문은 '못, 못하다' 등을 사용하여 ㉢행동 주체의 능력이나 외부의 원인으로 그 행위가 일어나지 못함을 나타낸다. 또한 형용사의 어간에 '-지 못하다'가 결합하면 말하는 이의 기대에 이르지 못함을 나타낸다.

	㉠	㉡	㉢
①	다시는 늦지 않으리라 다짐했다.	오늘은 하늘이 어둡지 않다.	지호는 학교에 가지 못했다.
②	비는 여전히 오지 않았다.	철수는 키가 작지 않다.	나는 밥을 못 먹었다.
③	광호는 입맛이 없어 식사를 안 했다.	슬퍼하지 않으려고 눈물을 참았다.	나는 커피를 마셔서 잠을 자지 못했다.
④	정화는 키가 크지 않다.	화가 나서 아무것도 먹지 않았다.	아직 목표를 달성하지 못했다.
⑤	나는 커피를 마시며 잠을 자지 않았다.	오늘은 비가 안 온다.	수나는 똑똑하지 못하다.

04. 〈보기〉의 ⓐ와 ⓑ에 대해 탐구한 내용으로 적절하지 **않은** 것은?

〈보기〉

형태소는 의미를 가지고 있으면서 더 이상 나눌 수 없는 말의 단위이다. 형태소는 자립성의 유무에 따라 자립 형태소와 의존 형태소로, 의미의 성격에 따라 실질 형태소와 형식 형태소로 나뉜다. 예를 들어 단일어인 체언은 자립 형태소이자 실질 형태소에 해당하고, 단일어인 용언의 어간은 의존 형태소이자 실질 형태소에 해당하며, 여기에 결합하는 어미나 접사는 의존 형태소이자 형식 형태소에 해당한다. 이때 단어가 합성어나 파생어일 경우에는 각각의 구성 요소를 분석한 후 형태소를 분류해야 한다.

ⓐ 나는 건물의 맨 위로 올라갔다.
ⓑ 그저 당신을 만나러 왔을 따름입니다.

① ⓐ에서 체언 '나', '건물', '위'는 자립 형태소에 해당한다.
② ⓐ에서 합성어 '올라갔다'를 구성하는 5개의 형태소 중 실질 형태소는 2개이다.
③ ⓑ에서 '만나러'의 '만나-'는 실질 형태소에, '-러'는 형식 형태소에 해당한다.
④ ⓑ에서 '당신을'의 '을'과 '왔을'의 '을'은 모두 형식 형태소이지만 문법적 의미는 다르다.
⑤ ⓐ에서 관형사 '맨'과 ⓑ에서 의존 명사 '따름'은 모두 의존 형태소에 해당한다.

05. 〈보기〉를 바탕으로 부사어의 특성을 탐구한 내용으로 적절하지 <u>않은</u> 것은?

〈MEMO〉

> ──────〈보기〉──────
> ㉠ 우리 동네에 <u>아주</u> 큰 도서관이 생겼다.
> ㉡ 동수는 <u>매우</u> 빨리 뛰어서 집으로 갔다.
> ㉢ <u>항상</u> 수지에게 선물을 받기만 한다.
> ㉣ <u>설마</u> 그 사람을 여기에서 마주치겠어?
> ㉤ <u>그에게는</u> 그 사건이 중요한 문제였다.
> 그 사건이 <u>그에게는</u> 중요한 문제였다.

① ㉠을 보니 부사어는 서술어를 꾸며 주기도 하고, 관형어를 꾸며 주기도 하는군.

② ㉡을 보니 부사어는 부사어를 꾸며 주기도 하고, 서술어를 꾸며 주기도 하는군.

③ ㉢을 보니 부사어는 필수 성분을 꾸며 주는 부속 성분에 해당하므로 생략이 가능하군.

④ ㉣을 보니 부사어는 문장 전체를 꾸미기도 하고, 특정 문장 성분을 꾸미기도 하는군.

⑤ ㉤을 보니 부사어는 관형어에 비해 위치를 비교적 자유롭게 이동할 수 있군.

MEMO

빠른 정답 찾기	01	02	03	04	05
	③	③	①	⑤	③

▶ 01 ③

정답풀이

윗글에서 '중성 모음 'ㅣ'는 양성 모음과 음성 모음 모두에 어울리어 쓰였다.'라고 했다. ⓒ의 '무슈미'에서는 양성 모음으로 끝난 체언 '무숨'에 주격 조사 '이'가 결합했는데, 16세기에 둘째 음절의 'ㆍ'가 'ㅡ'로 변하면 음성 모음으로 끝난 체언 뒤에 '이'가 결합한 것이 된다. 그러나 이때에도 'ㅣ'는 중성 모음이므로 'ㅣ'가 음성 모음으로 바뀌겠다는 설명은 적절하지 않다.

오답풀이

① 윗글에서 15세기 국어의 모음 조화는 한 단어 내부에서도 잘 지켜졌다고 하였다. ⓐ의 '번게'는 한 단어 내부에서 음성 모음 'ㅓ'와 'ㅔ'가 어울리며 모음 조화를 지키고 있다. 그러나 현대 국어 '번개'의 경우 음성 모음 'ㅓ'와 양성 모음 'ㅐ'가 사용되어 모음 조화를 지키고 있지 않다. 따라서 15세기 국어에서는 한 단어 내부에서도 모음 조화가 지켜졌다는 설명은 적절하다.

② 윗글에서 15세기 국어의 모음 조화는 체언과 조사의 결합에서 잘 나타났다고 하였다. ⓑ의 '무숨물'은 양성 모음으로 끝난 체언 '무숨'에 양성 모음의 목적격 조사 '올'이 결합한 형태를 소리 나는 대로 이어 적은 것이다. 따라서 15세기에는 목적격 조사가 앞 체언의 모음과 같은 성질의 모음으로 쓰여 모음 조화가 지켜졌다는 설명은 적절하다.

④ 윗글에서 모음 조화는 'ㆍ'의 음가 소실과 더불어 16세기부터 약화되기 시작하였고, 현대 국어에서는 지켜지지 않는 경우가 많다고 하였다. ⓓ의 '놉이'는 15세기에는 양성 모음끼리 결합하여 모음 조화가 지켜지고 있다. 그러나 16세기에 둘째 음절에서 'ㆍ'가 'ㅡ'로 변하여 '이'의'가 되면서 모음 조화가 지켜지지 않았을 것이며, 18세기에 '높'님'이 되면서 현대 국어와 같은 형태로 바뀌고 모음 조화가 지켜지지 않을 알 수 있다.

⑤ 윗글에서 15세기 국어의 모음 조화의 예외로 조사 '도, 와/과'나 어미 '-고, -더-' 등을 언급하였다. 따라서 ⓔ의 '거부븨'가 모음 조화를 지켜 결합한 것과 달리 '도'가 결합할 경우 '거붑도'가 되므로 모음 조화가 지켜지지 않을 것임을 알 수 있다.

👉 문법 개념 담기

- **모음 조화:** 양성 모음은 양성 모음끼리, 음성 모음은 음성 모음끼리 어울려 쓰이는 것
- ▶ 모음 조화는 15세기 중세 국어 시기에는 비교적 규칙적으로 지켜졌지만, 18세기 이후 아래아(ㆍ)가 소실되며 혼란을 겪었어! 현대 국어에서는 용언 어간과 어미의 결합이나 음성 상징어 등에서만 지켜지고 있지.
- **'ㆍ'의 변천:** 'ㆍ'가 소실되며 주로 16세기에 둘째 음절 이하에서 'ㅡ'로, 18세기에 첫째 음절에서 'ㅏ'로 변함

▶ 02 ③

정답풀이

〈보기 1〉의 (다)에 의하면 16세기에 둘째 음절 이하의 'ㆍ'가 'ㅡ'로 변화하였을 것임을 알 수 있다. 이를 〈보기 2〉의 '오슬'에 적용해 보면, 둘째 음절에 있는 'ㆍ'가 'ㅡ'로 바뀌어 '오슬'이 될 것임을 알 수 있다. 이때 '오슬'은 명사 '옷'과 목적격 조사 '올'이 결합할 때 소리 나는 대로 이어 적은 것이므로 목적격 조사가 양성 모음에서 음성 모음으로 바뀔 것이라는 설명은 적절하다.

오답풀이

① 〈보기 1〉의 (가)에 의하면 15세기에도 모음 조화가 적용되지 않는 경우가 존재했을 것임을 알 수 있다. 〈보기 2〉에서 '후더라'는 양성 모음의 어간 '후-' 뒤에 음성 모음의 선어말 어미 '-더-'가 결합하였으므로 모음 조화가 적용되지 않는 경우에 해당한다. 그러나 '후고'는 양성 모음의 어간 '후-' 뒤에 양성 모음의 어미 '-고'가 결합하였으므로 모음 조화가 적용된 경우에 해당한다.

② 〈보기 1〉의 (나)에 의하면 모음 'ㅣ'는 양성 모음과 음성 모음 모두에 어울릴 수 있다. 〈보기 2〉에서 '아니'와 '가디'는 모두 모음 'ㅣ'가 양성 모음과 어울려 쓰인 경우에 해당하므로 '아니'와 '가디'를 통해서는 모음 'ㅣ'가 음성 모음에도 어울릴 수 있는지 알 수 없다.

④ 〈보기 1〉의 (라)에 의하면 18세기에 첫째 음절에서 'ㆍ'가 'ㅏ'로 변화하였음을 알 수 있다. 〈보기 2〉에서 '누뭃'은 16세기에 '누믈'로 변한 뒤 18세기에 첫째 음절에서 변화를 겪어 '나물'로 변했을 것임을 추측할 수 있는데, 이때 원래 양성 모음이었던 'ㆍ'가 양성 모음인 'ㅏ'로 변할 것이므로 음성 모음에서 양성 모음으로 바뀔 것이라는 설명은 적절하지 않다.

⑤ 〈보기 1〉의 (마)에 의하면 현대 국어에서는 용언의 어간과 어미의 결합에서 모음 조화가 나타나기도 한다. 〈보기 2〉에서 '겨울에'와 '여름에'는 모두 음성 모음을 가진 '체언'과 음성 모음을 가진 '조사'가 결합하여 모음 조화가 적용되었음을 보여준다. 따라서 어간과 어미가 결합할 때 모음 조화가 지켜진 경우라는 설명은 적절하지 않다.

▶ **03 ①**

'다시는 늦지 않으리라 다짐했다.'는 주체의 의지가 작용할 수 있는 행위인 늦는 것에 대한 부정을 나타내고 있으므로 ㉠에 해당하는 문장으로 적절하다. '오늘은 하늘이 어둡지 않다.'는 하늘이 어둡지 않다는 단순한 사실이나 상태에 대한 부정을 나타내고 있으므로 ㉡에 해당하는 문장으로 적절하다. '지호는 학교에 가지 못했다.'는 행동 주체가 능력이나 외부의 원인에 의해 학교에 가는 행위를 하지 못했음을 나타내고 있으므로 ㉢에 해당하는 문장으로 적절하다.

② '비는 여전히 오지 않았다.'는 단순한 사실이나 상태에 대한 부정을 나타내고 있으므로 ㉠이 아니라 ㉡에 해당하는 문장이다. '철수는 키가 작지 않다.'는 '철수의 키'라는 단순한 사실이나 상태에 대한 부정을 나타내고 있으므로 ㉡에 해당하는 문장으로 적절하다. '나는 밥을 못 먹었다.'는 행동 주체인 '나'가 능력이나 외부의 원인에 의해 밥을 먹는 행위를 하지 못했음을 나타내고 있으므로 ㉢에 해당하는 문장으로 적절하다.

③ '광호는 입맛이 없어 식사를 안 했다.'는 주체의 의지가 작용할 수 있는 행위인 식사를 하는 것에 대한 부정을 나타내고 있으므로 ㉠에 해당하는 문장으로 적절하다. '슬퍼하지 않으려고 눈물을 참았다.'는 의도를 나타내는 어미 '-려고'가 사용되어서 눈물을 참는 행위에 주체의 의지가 작용되어 있음을 나타내고 있으므로 ㉡이 아니라 ㉠에 해당하는 문장으로 적절하다. '나는 커피를 마셔서 잠을 자지 못했다.'는 잠을 자지 못한 행위에 대한 원인이 종속적 연결 어미 '-어서'를 통해 커피를 많이 마셨기 때문이라고 드러나 있으므로 ㉢에 해당하는 문장으로 적절하다.

④ '정화는 키가 크지 않다.'는 '정화의 키'라는 단순한 사실이나 상태에 대한 부정을 나타내고 있으므로 ㉠이 아니라 ㉡에 해당하는 문장으로 적절하다. '화가 나서 아무것도 먹지 않았다.'는 아무것도 먹지 않은 행위에 대한 원인이 종속적 연결 어미 '-아서'를 통해 화가 났기 때문이라고 드러나 있으므로 ㉡이 아니라 ㉠에 해당하는 문장으로 적절하다. '아직 목표를 달성하지 못했다.'는 행동 주체가 능력이나 외부의 원인으로 인해 목표 달성이라는 행위를 하지 못했음을 나타내고 있으므로 ㉢에 해당하는 문장으로 적절하다.

⑤ '나는 커피를 마시며 잠을 자지 않았다.'는 주체의 의지가 작용할 수 있는 잠을 자는 행위에 대한 부정을 나타내고 있으므로 ㉠에 해당하는 문장으로 적절하다. '오늘은 비가 안 온다.'는 단순한 사실이나 상태에 대한 부정을 나타내고 있으므로 ㉡에 해당하는 문장으로 적절하다. '수나는 똑똑하지 못하다.'의 경우 형용사 '똑똑하다'의 어간에 '-지 못하다'가 결합하여 말하는 이의 기대에 이르지 못함을 나타내고 있으므로 ㉢에 해당하는 문장으로 적절하지 않다.

👉 **문법 개념 담기**

- **'안' 부정문**: 부정 부사 '안', 부정 용언 '아니하다/않다'로 만들어지는 부정문으로 주로 의지 부정이나 단순 부정을 나타냄
- **'못' 부정문**: 부정 부사 '못', 부정 용언 '못하다'로 만들어지는 부정문으로 주로 능력 부정을 나타냄
- **짧은 부정문**: 부정 부사 '안/아니', '못'이 쓰인 형식이 짧은 부정문
- **긴 부정문**: '-지 아니하다/않다', '-지 못하다', '-지 마라', '-지 말자'가 쓰인 형식이 긴 부정문
- ❍ 명령문과 청유문에는 '말다'를 사용해서 '-지 마라', '-지 말자'와 같은 형식으로 부정문을 표현해.

▶ **04 ⑤**

〈보기〉에서 형태소는 자립성의 유무에 따라 자립 형태소와 의존 형태소로 나뉜다고 하였다. ⓐ의 관형사 '맨'과 ⓑ의 의존 명사 '따름'은 모두 뒤에 다른 형태소가 직접 연결되지 않아도 문장에서 쓰일 수 있는 자립 형태소에 해당하므로 의존 형태소라는 설명은 적절하지 않다. 또한 〈보기〉에서 '단일어인 체언은 자립 형태소이자 실질 형태소에 해당'된다고 하였다.

❍ 형태소의 '자립성'이라는 것은 홀로 단어를 이룰 수 있는지의 여부와 관계되는 것이므로 문장 내에서 홀로 쓰일 수 있는지의 여부보다 더 작은 개념이야! 즉 앞이나 뒤에 반드시 다른 형태소가 결합하여 '단어'를 이루어야만 문장에서 쓰일 수 있는 형태소는 의존 형태소에 해당하지만, 체언 앞에서 체언을 수식하는 말로 쓰이는 관형사나 관형어의 수식을 반드시 받아야 하는 의존 명사의 경우에는 그 자체로는 이미 단어이기 때문에 자립 형태소라고 보는 거야!

① ⓐ의 '나', '건물', '위'는 모두 체언이므로 앞이나 뒤에 다른 형태소가 직접 연결되지 않아도 혼자 쓰일 수 있는 자립 형태소이다.

② ⓐ에서 '올라갔다'는 '오르- + -아 + 가 + -았- + -다'로 분석할 수 있으므로 5개의 형태소로 이루어져 있다. 이때 실질적 의미를 가진 형태소는 '오르-'와 '가-'로 2개이고, 연결 어미 '-아'와 과거 시제 선어말 어미 '-았-', 종결 어미 '-다'는 모두 형식 형태소이다.

③ ⓑ에서 '만나려'의 '만나-'는 실질적인 의미를 지니는 실질 형태소이고, 어미 '-려'는 목적이라는 문법적 의미를 더해 주는 형식 형태소이다.

④ ⓑ에서 '당신을'의 '을'과 '왔을'의 '-을'은 모두 형식 형태소이다. 그런데 '당신을'의 '을'은 앞의 체언 '당신'을 목적어로 만들어 주는 목적격 조사이며, '왔을'의 '-을'은 용언 어간 뒤에 결합된 관형사형 어미 '-(으)ㄹ'이다. 이때 관형사형 어미는 용언이 뒤의 명사 '따름'을 수식하는 관형어로 쓰이도록 하는 기능을 하므로, '당신을'의 '을'과 '왔을'의 '-을'의 문법적 의미는 다르다는 것을 알 수 있다.

👉 **문법 개념 담기**

- **형태소**: 일정한 뜻을 가진 가장 작은 말의 단위
- **자립 형태소**: 다른 말에 의존하지 않고 혼자 쓸 수 있는 형태소
- **의존 형태소**: 다른 말에 의존하여 쓰이는 형태소
- ❍ 의존 명사는 의존 형태소가 아니라 자립 형태소에 속해. 의존 명사는 문장에서 반드시 관형어의 수식을 받아야만 쓰일 수 있다는 의미에서 관형어 없이도 문장에 쓰일 수 있는 자립 명사에 대응하는 개념이야. 문장보다 더 작은 개념인 의존 형태소와는 다른 층위의 개념이라고 생각하면 돼!
- **실질 형태소**: 대상이나 동작, 상태의 실질적인 의미를 표시하는 형태소
- **형식 형태소**: 실질 형태소에 붙어 주로 말과 말 사이의 관계를 표시하는 형태소

▶ **05 ③**

©에서 '항상'은 문장 전체를 수식하는 부사어로, '수지에게 선물을 받기만 한다.'라는 문장 전체를 수식하고, '수지에게'는 하나의 문장 성분을 수식하는 부사어로, '받기만 한다'라는 서술어를 수식한다. 이때 '항상'은 생략되어도 문장에 문법적으로 문제가 없지만, '수지에게'는 서술어 '받다'가 반드시 필요로 하는 필수적 부사어이기 때문에 생략이 불가능하다.

① ㉠에서 '동네에'는 '생겼다'라는 서술어를, '아주'는 '큰'이라는 관형어를 꾸며 주고 있으므로 적절한 설명이다.

② ㉡에서 부사어 '매우'는 '빨리'라는 부사어를, 부사어 '빨리'는 '뛰어서'라는 서술어(용언)를 꾸며 주고 있으므로 적절한 설명이다.

④ ㉣에서 부사어 '설마'는 문장 부사어로 사용되어서 문장 전체를 꾸며 주고 있다. 또한 부사어 '여기에서는'은 '마주치겠어'라는 서술어를 꾸며 주고 있다.

⑤ ㉤에서 부사어 '그에게는'은 문장 맨 앞에 오든, 관형어 '중요한' 앞에 오든 의미 차이가 크게 발생하지 않으므로 문장 내에서의 위치가 비교적 자유롭다는 것을 알 수 있다. 그러나 '그 사건이'에서 사용된 관형어 '그'나 '문제'를 수식하는 관형어 '중요한'의 경우 문장 내에서 위치가 바뀌면 의미가 달라지거나 비문법적인 문장이 된다.

☞ 문법 개념 담기

- **부사어**: 주로 서술어를 '어떻게'의 방식으로 꾸며주며, 다른 부사어나 관형어, 문장 등을 꾸미는 문장 성분
- **성분 부사어**: 문장 속의 특정한 성분을 꾸미는 부사어
- **문장 부사어**: 문장 전체를 꾸미는 부사어
- ▶ 성분 부사어는 주로 꾸며주는 말 바로 앞에 오는 경우가 많고, 문장 부사어는 문장의 맨 앞에 오는 경우가 많아! 문장이나 체언을 이어주는 접속 부사도 문장 부사어에 속한다는 점을 기억하자!
- **필수적 부사어**: 서술어에 따라 문장에서 반드시 부사어를 필요로 하는 경우가 있는데, 이런 서술어가 반드시 필요로 하는 부사어는 생략할 수 없는 필수적 부사어가 됨
- ▶ 부사어를 반드시 필요로 하는 서술어들은 매우 많기 때문에 이를 모두 암기할 필요는 없어! 문장에서 부사어를 생략해도 문제가 되지 않는다면 일반적인 부사어이고, 부사어를 생략해서 문제가 된다면 필수적 부사어로 판단하면 돼!

112 문법백제 PLUS · 고난도 함정 모의고사

☑ 학습 Check   1회 ☐   2회 ☐   3회 ☐

문항	개념 확인	알면 Check! ☑	나의 책 Check! PAGE	선지나 〈보기〉를 활용하여 문법을 다지자! ▶ 선지나 〈보기〉의 핵심 내용을 활용하여, 내가 몰랐거나 정확히 알고 넘어가야 할 개념을 정리해 보세요.
01	모음 조화 ' · '의 변천	☐ ☐		
02	양성 모음 음성 모음	☐ ☐		
03	'안' 부정문 '못' 부정문 짧은 부정문 긴 부정문	☐ ☐ ☐ ☐		
04	형태소 자립 형태소 의존 형태소 실질 형태소 형식 형태소	☐ ☐ ☐ ☐ ☐		
05	부사어 성분 부사어 문장 부사어 필수적 부사어	☐ ☐ ☐ ☐		

❶
❷
❸
주
차

❹

[01~02] 다음 글을 읽고 물음에 답하시오.

국어의 높임법은 화자가 높이거나 낮추려는 대상이 누구인지에 따라 주체 높임법, 객체 높임법, 상대 높임법으로 나누어진다.

주체 높임법은 화자가 문장의 주어인 서술의 주체에 대하여 높임의 태도를 나타내는 방법이다. 현대 국어에서는 선어말 어미 '-시-'를 통해 높임이 실현되는 것이 가장 일반적인 형태이지만, '주무시다'와 같은 특수한 어휘나 조사 '께서'에 의해 주체 높임법이 실현되기도 한다. 이때 주체 높임에는 서술의 주체를 직접 높이는 직접 높임과, 높여야 할 대상의 신체 부분, 개인적 소유물 등을 높임으로써 해당 인물을 높이는 간접 높임이 있다. 중세 국어에서도 주체 높임법에 선어말 어미 '-시-'가 사용되었는데, 이때 '-시-'는 모음 어미 앞에서 '-샤-'로 교체되고 일반적으로 '-샤-' 뒤의 모음 어미는 탈락한다.

객체 높임법은 화자가 문장의 목적어나 부사어가 나타내는 대상인 서술의 객체에 대하여 높임의 태도를 나타내는 방법이다. 현대 국어에서는 '드리다'와 같은 특수한 어휘나 조사 '께' 등을 통해 실현된다. 중세 국어에는 객체 높임법이 객체 높임을 나타내는 특수한 어휘들을 통해 실현되기도 했지만, 객체 높임 선어말 어미에 의해 나타나기도 했다. 이때 객체 높임 선어말 어미는 앞뒤의 음운 환경에 따라 '-숩-, -숩-, -숩-, -숩-, -숩-, -숩-'으로 나타났다.

상대 높임법은 화자가 청자인 상대방에 대하여 높이거나 낮추어 말하는 것을 일컫는다. 현대 국어에서 상대 높임법은 종결 표현에 의해 나타나며, 중세 국어에서는 종결 표현과 함께 상대 높임 선어말 어미 '-이-, -잇-' 등을 통해 실현되었다.

한편 중세 국어에서는 현대 국어에서는 사라진 특수한 어휘나 조사, 어미 등을 활용하여 높임을 나타냈다.

01. 윗글을 바탕으로 〈보기〉의 ⓐ~ⓔ를 이해한 내용으로 적절하지 않은 것은?

〈보기〉

ⓐ 大師(대사) 그루샤디 뉘 혼 거시잇고
[현대어 풀이] 대사 말씀하시되 "누가 한 것입니까?"

ⓑ 世尊하 내 堂中에 이셔 몬저 如來 보숩고
[현대어 풀이] 세존이시여, 내가 집 안에서 먼저 여래 뵙고

ⓒ 몃 間(간)ᄃ 지븨 사루시리잇고
[현대어 풀이] 몇 칸 집에 사시겠습니까?

ⓓ 大王ㅅ 말쑤미사 올커신마른
[현대어 풀이] 대왕의 말씀이야 옳으시겠지마는

ⓔ 聖宗(성종)올 뫼셔 九泉(구천)에 가려 하시니
[현대어 풀이] 성스러운 어른을 모시고 저승에 가려 하시니

① ⓐ: '거시잇고'에서 주체를 높이는 선어말 어미 '-시-'가 모음 어미 앞에서는 '그루샤디'와 같이 '-샤-'로 나타났군.

② ⓑ: '世尊하'에서는 앞의 체언을 높이기 위해 호격 조사 '하'가, '보숩고'에서는 목적어를 높이기 위해 선어말 어미 '-숩-'이 쓰였군.

③ ⓒ: '사루시리잇고'를 보니 주체를 높이는 선어말 어미 '-시-'와 상대를 높이는 선어말 어미 '-잇-'을 사용했군.

④ ⓓ: '大王ㅅ'를 보니 높임의 대상인 체언 뒤에 관형격 조사 'ㅅ'을 사용하여 높임을 표현했군.

⑤ ⓔ: '뫼셔'를 보니 중세 국어에도 현대 국어와 마찬가지로 서술의 객체를 높이기 위하여 특수한 어휘를 사용했군.

02. 〈보기〉는 윗글을 바탕으로 진행된 학습 활동이다. [A]에 들어갈 예시로 적절한 것은? [3점]

〈보기〉

학 생: 선생님 '있다'의 주체 높임 표현은 '있으시다'와 '계시다'가 있는데, 각각 어떻게 사용해야 하나요?

선생님: 주체를 직접 높일 때에는 특수 어휘인 '계시다'를 사용하고, 주체의 신체 일부분이나 소유물, 가족 등을 간접적으로 높일 때에는 선어말 어미 '−시−'를 결합한 '있으시다'를 사용합니다. '없다'도 직접 높임에서는 '안 계시다'를, 간접 높임에서는 '없으시다'를 사용하지요. 그럼 '있다'나 '없다'의 높임 표현 1개를 사용하여 아래의 조건에 맞는 문장을 만들어 볼까요?

〈조건〉
∘ 간접 높임을 포함할 것.
∘ 주체를 높이는 특수 어휘를 포함할 것.

학 생: '_____[A]_____' 입니다.

① 이번 방학 때 외국에 계신 고모를 뵙고 왔다.
② 비가 많이 오는데, 선생님 혹시 우산 있으세요?
③ 손이 크신 선생님께서는 귀여운 아드님이 있으시다.
④ TV 앞에만 계신 할머니께서는 아직도 귀가 밝으시다.
⑤ 돈이 많으신 우리 할아버지께서는 신용 카드가 없으세요.

03. 〈보기〉의 (가), (나)를 중심으로 음운 변동을 이해한 내용으로 적절하지 **않은** 것은?

〈보기〉

국어의 음운 변동 중에는 'ㄹ'과 관련된 다양한 음운 변동 현상이 있다.

(가) ┌ 먼저, 'ㄹ'의 앞이나 뒤에서 'ㄴ'은 [ㄹ]로 바뀌어 나타나기도 하는데, 이때 'ㄹ'을 포함한 겹받침 뒤에 위치한 └ 'ㄴ'도 [ㄹ]로 교체되기도 한다.

(나) ┌ 그러나 위와 같은 동일한 환경에서도 'ㄹ'이 [ㄴ]으로 교체되기도 하고, 어간 끝 자음 'ㄹ'과 어미 첫 자음 'ㄴ'이 └ 연결될 때 'ㄹ'이 탈락되기도 한다.

① '발 + 냄새 → [발램새]'에는 (가)에 해당하는 음운 변동이 있다.
② '뚫− + −는 → [뚤른]'에는 (가)에 해당하는 음운 변동이 있다.
③ '생산 + 량 → [생산냥]'에는 (나)에 해당하는 음운 변동이 있다.
④ '알− + −느냐 → [아:느냐]'에는 (나)에 해당하는 음운 변동이 있다.
⑤ '삶− + −는 → [삼:는]'에는 (가), (나) 모두에 해당하는 음운 변동이 있다.

04. 〈보기 1〉의 ⓐ~ⓒ에 해당하는 예를 〈보기 2〉에서 찾아 바르게 짝지은 것은?

〈보기 1〉

동사와 형용사가 활용을 할 때 어간과 어미의 형태가 바뀌지 않거나 바뀌더라도 그 변화가 규칙적이면 규칙 활용이라 하고, 어간과 어미의 형태 변화가 규칙적이지 않으면 불규칙 활용이라 한다. 이때 불규칙 활용은 ⓐ어간이 바뀌는 경우, ⓑ어미가 바뀌는 경우, ⓒ어간과 어미가 모두 바뀌는 경우 등으로 나눌 수 있다.

〈보기 2〉

ㄱ. 바닷물이 정말 **파래서** 좋다.
ㄴ. 봄이 되어 숲이 계속 **푸르러** 갔다.
ㄷ. 상희는 눈물이 흘러 앞을 볼 수 없었다.
ㄹ. 영수는 열심히 **노력하여** 대학에 합격했다.
ㅁ. 그는 길거리에 떨어진 밤을 **주워** 주머니에 넣었다.

	ⓐ	ⓑ	ⓒ
①	ㄱ	ㄴ, ㄷ	ㄹ, ㅁ
②	ㄴ, ㅁ	ㄷ, ㄹ	ㄱ
③	ㄴ, ㄷ	ㄹ, ㅁ	ㄱ
④	ㄷ, ㅁ	ㄹ	ㄱ, ㄴ
⑤	ㄷ, ㅁ	ㄴ, ㄹ	ㄱ

05. 〈보기〉의 ㉠~㉤을 이해한 내용으로 적절하지 **않은** 것은?

〈보기〉

민호: 내일 부산 할머니 댁에 가는데, 부산은 처음이라 걱정돼.
수지: 부산? 아 맞다! ㉠거기에 광호가 살고 있잖아.
민호: 그렇구나. 그럼 광호한테 한번 연락해 봐야겠다. (잠시 멈추어 편의점을 가리키며) ㉡그런데 ㉢저 가게 새로 생겼나봐.
수지: 어머! 너 ㉣저기 아직 안 가봤니? 어제 내가 마셨던 음료수도 저기에서 산거야.
민호: 아, 나도 ㉤그거 예전에 먹어본 적 있는데.

① ㉠, ㉣, ㉤은 지시 대명사, ㉢은 지시 관형사에 해당한다.
② ㉠과 ㉣은 상대방이 앞서 언급한 특정 대상을 가리키는 표현이다.
③ ㉡은 화제를 전환시키면서 다른 방향으로 내용을 이끄는 접속 부사에 해당한다.
④ ㉣은 화자와 가리키는 대상 간의 거리에 따라 그 형태가 달리 선택될 수 있다.
⑤ ㉤은 앞에서 말한 대상과 종류만 같을 뿐 동일한 것을 의미하는 것은 아니다.

빠른 정답 찾기	01	02	03	04	05
	①	④	⑤	⑤	②

▶ 01 ①

정답풀이

(가)의 '거시잇고'는 현대어 '것입니까?'에 대응하는 표현으로, '것 + 이 + -잇고'로 분석할 수 있는 것을 소리 나는 대로 이어 적은 것이다. 따라서 이때 '시'는 의존 명사 '것'에 서술격 조사 '이'가 결합할 때 이어적기가 된 형태이므로 주체 높임의 선어말 어미 '-시-'가 쓰인 것이라고 볼 수 없다. 윗글에서 '-시-'가 모음 어미 앞에서는 '-샤-'로 나타난다고 하였는데, 'ᄀᆞ루샤ᄃᆡ'는 'ᄀᆞ루- + -시- + -오ᄃᆡ'로 분석할 수 있다. 이때 뒤의 모음 어미 '-오ᄃᆡ'의 영향으로 '-시-'가 '-샤-'의 형태로 나타난 후, 뒤의 모음을 탈락시켜 'ᄀᆞ루샤ᄃᆡ'와 같은 형태로 결합한 것이다.

◐ 윗글에서 중세 국어의 주체 높임 선어말 어미 '-시-'는 모음 어미 앞에 올 경우에는 '-샤-'의 형태로 바뀐 뒤, '-샤-' 뒤의 모음 어미는 탈락된다고 했지? 그렇기 때문에 형태소를 분석 할 때 '-샤-'가 나타났다면, 뒤에 생략된 모음 어미가 있다는 것을 추측할 수 있어야 해~ 지문의 내용을 꼼꼼하게 읽고 예시에 적용시키자!

오답풀이

② (나)의 '世尊하'는 '세존이시여'로 풀이되고 있으므로 이때 사용된 호격 조사 '하'는 높임의 대상이 되는 체언 뒤에 결합하던 호격 조사인 것을 알 수 있다. '보습고'에서는 목적어인 '如來'를 높이기 위해 객체 높임의 선어말 어미 '-습-'이 사용되었으므로 적절한 설명이다.

③ (다)의 '사루시리잇고'는 현대어 풀이를 참고하면 '사시겠습니까?'이므로 주체 높임 표현과 상대 높임 표현이 모두 사용되고 있음을 알 수 있다. 이때 문장의 주체를 높이기 위한 주체 높임의 선어말 어미 '-시-'와 청자를 높이기 위한 상대 높임의 선어말 어미 '-잇-'이 사용되고 있으므로 적절한 설명이다.

④ (라)의 '大王ㅅ'에는 관형격 조사로 'ㅅ'이 사용되고 있다. 중세 국어의 관형격 조사는 'ㅅ, 이/의'로, 무정 명사나 높임의 대상인 유정 명사 뒤에서는 'ㅅ'이 사용되었고, 높임의 대상이 아닌 유정 명사 뒤에서는 모음 조화에 따라 '이/의'가 사용되었다. 따라서 관형격 조사 'ㅅ'을 사용하여 높임을 표현했다는 설명은 적절하다.

⑤ (마)의 '뫼셔'는 '뫼시- + -어'로 볼 수 있다. 이때 어간의 '시'는 주체 높임의 선어말 어미가 아니므로 모음 어미 앞에서 '-샤-'로 쓰이지 않은 것이다. 따라서 '뫼셔'는 목적어인 '聖宗(성종)을'을 높이기 위해 사용된 특수 어휘로 볼 수 있는데, 이는 현대 국어에서도 객체를 높이기 위한 특수 어휘 '모시다'로 쓰이고 있으므로 적절한 설명이다.

☞ 문법 개념 담기

- **주체 높임의 선어말 어미:** 중세 국어의 주체 높임은 선어말 어미 '-시-/-샤-'를 통해 실현됨

◐ 선어말 어미니까 반드시 뒤에 어말 어미가 결합하겠지? 이때 자음 어미 앞에서는 '-시-'의 형태가 나타났고, 모음 어미 앞에서는 '-샤-'의 형태로 나타났어! 선어말 어미 '-샤-' 뒤에는 탈락된 모음 어미가 있다는 걸 다시 한 번 기억하자!

- **높임의 호격 조사:** 현대 국어와 달리 높임의 대상과 결합하는 호격 조사의 형태로 '하'가 쓰임

◐ 참고로, 중세 국어에는 모음으로 시작하는 조사와 결합할 때 'ㅎ'이 나타나는 'ㅎ' 종성 체언이 있어. 높임의 대상이 아닌 'ㅎ' 종성 체언이 일반적인 호격 조사와 결합할 때 '하'의 형태가 나타나기도 하는데, 이것을 높임의 호격 조사 '하'가 쓰인 것으로 혼동해서는 안 돼! 예를 들어, 'ㅎ' 종성 체언인 '돓ㅎ'에 호격 조사 '아'가 결합할 때 'ㅎ'이 나타나고, 연음되어서 '돌하'로 나타나는데, 이때 '돌'은 높임의 대상이 아니니까 '하'를 높임의 호격 조사라고 보면 안 돼~

- **객체 높임의 선어말 어미:** 중세 국어의 객체 높임은 선어말 어미 '-ᅌᅥᆸ-, -ᅌᅮᆸ-, -ᄌᆞᆸ-, -ᅀᆞᆸ-, -ᅀᆞᇦ-, -ᄌᆞᇦ-'을 통해 실현됨

◐ 객체 높임의 선어말 어미도 주체 높임의 선어말 어미와 마찬가지로 뒤에 자음으로 시작하는 어미가 결합하는지, 모음으로 시작하는 어미와 결합하는지에 따라 형태가 달라졌어~ 모음으로 시작하는 어미가 결합될 경우에는 '-ᅀᆞᇦ-, -ᅀᆞᇦ-, -ᄌᆞᇦ-'의 형태로 나타났는데, 이때 받침의 'ㅸ'은 모음의 첫소리로 이어적기되어 쓰였다는 것도 알아 두자!

- **상대 높임의 선어말 어미:** 중세 국어의 상대 높임은 선어말 어미 '-이-, -잇-'을 통해 실현됨

◐ 상대 높임의 선어말 어미는 평서형이나 감탄형 등과 같은 문장에서는 '-이-'로 나타났고, 의문문에서는 '-잇-'으로 나타났어.

- **관형격 조사:** 중세 국어의 관형격 조사는 'ㅅ, 이/의'로, 무정 명사나 높임의 대상인 유정 명사 뒤에서는 'ㅅ'이, 높임의 대상이 아닌 유정 명사 뒤에서는 모음 조화에 따라 '이/의'가 사용됨

▶ 02 ④

'TV 앞에만 계신 할머니께서는 아직도 귀가 밝으시다.'에서 '귀가 밝으시다.'는 '청력이 좋다.'는 의미인 '귀가 밝다.'를 높인 것이다. 즉 '할머니'의 신체 일부인 '귀'를 높임으로써 간접적으로 '할머니'를 높인 간접 높임이다. 또한 문장의 주체인 '할머니'를 높이기 위해서 높임의 주격 조사 '께서'와 높임의 특수 어휘 '계시다'를 사용하고 있다. 〈보기〉에서 '있다'나 '없다'의 높임 표현 1개를 사용하라고 했으므로, '있다'의 직접 높임의 특수 어휘 '계시다'를 사용했고, '밝으시다'를 통해 간접 높임도 포함했으므로, 'TV 앞에만 계신 할머니께서는 아직도 귀가 밝으시다.'는 [A]에 들어갈 예시로 적절하다.

① '이번 방학 때 외국에 계신 고모를 뵙고 왔다.'에서는 높임의 특수 어휘 '계신'과 '뵙고'가 사용되었다. 그런데 '계시다'를 통해 '있다'의 높임 표현 1개와 주체를 높이는 특수 어휘를 사용한 것은 맞지만, '뵙고'는 간접 높임이 아니며 객체인 '고모'를 높이고 있으므로 [A]에 들어갈 예시로 적절하지 않다.

② '비가 많이 오는데, 선생님 혹시 우산 있으세요?'의 '있으세요'에서는 주체 높임의 선어말 어미 '-시-'와 '해요체'의 의문형 종결 어미 '-어요'를 사용하여 높임을 표현하고 있다. '있으세요'를 통해 '있다'의 간접 높임 표현을 나타내고 있으나, 주체를 높이는 특수 어휘가 사용되지 않았으므로 [A]에 들어갈 예시로 적절하지 않다.

③ '손이 크신 선생님께서는 귀여운 아드님이 있으시다.'에서는 '선생님'의 신체 일부인 '손'을 높임으로써 간접적으로 '선생님'을 높이기 위해 '크신'이 사용되었다. 또한 '선생님'의 가족인 '아드님'을 높임으로써 간접적으로 '선생님'을 높이기 위해 '있으시다'를 사용하였다. 따라서 '있으시다'를 통해 '있다'의 간접 높임이 사용되기는 했지만 주체를 높이는 특수 어휘가 사용되지 않았으므로 [A]에 들어갈 예시로 적절하지 않다.

▶ '아드님'은 명사 '아들'과 접미사 '-님'이 결합한 파생어로, '남의 아들을 높여 이르는 말'로 쓰였어! 이때 어근의 끝소리 'ㄹ'이 접미사의 'ㄴ' 앞에서 탈락하여서 '아드님'과 같은 형태로 결합한 거야.

⑤ '돈이 많으신 우리 할아버지께서는 신용 카드가 없으세요.'에서는 '할아버지'를 간접적으로 높이기 위해 '할아버지'의 소유물인 '돈'과 '신용 카드'를 '많으신'과 '없으세요'를 통해 높이고 있다. 또한 이 문장에서는 주체인 '할아버지'를 높이기 위해 높임의 주격 조사 '께서'와 청자를 높이기 위해 '해요체'의 평서형 종결 어미 '-어요'를 사용하고 있다. 이때 '없다'의 간접 높임 표현인 '없으세요'가 사용되었으나, 주체를 높이는 특수 어휘가 사용되지 않았으므로, '돈이 많으신 우리 할아버지께서는 신용 카드가 없으세요.'는 [A]에 들어갈 예시로 적절하지 않다.

☞ 문법 개념 담기

- **직접 높임**: 문장의 주체를 직접 높이는 주체 높임법으로, 선어말 어미 '-(으)시-', 주격 조사 '께서', 접사 '-님', 특수 어휘 '계시다, 주무시다' 등에 의해 실현됨
- **간접 높임**: 주체와 관련된 대상(신체의 일부, 소유물, 가족 등)을 통해 간접적으로 높이는 주체 높임법

▶ 〈보기〉의 설명에도 나와 있지만, 주체를 간접적으로 높일 때에는 높임의 특수 어휘 '계시다'를 사용할 수 없어! 예를 들어 '*어머니께서는 아침에 산책하는 습관이 계시다.'라고 하면 문법적으로 틀린 문장이 되고, '어머니께서는 아침에 산책하는 습관이 있으시다.'라고 해야 올바른 문장이 되는 거지. 참고로 일상 생활에서 사용되는 '*주문하신 커피 나오셨습니다.'나 '*손님이 찾으시는 사이즈는 없으세요.'와 같이 '커피'와 '사이즈'를 높이는 간접 높임 표현인 '나오셨습니다, 없으세요'는 모두 과한 높임 표현을 사용한 틀린 문장이라는 것도 알아 두자~

- **객체 높임법**: 서술의 객체인 목적어나 부사어를 높이는 표현 방식으로, 부사격 조사 '께', 특수 어휘 '뵙다', '드리다', '여쭈다', '모시다' 등에 의해 실현됨
- **상대 높임법**: 듣는 이, 곧 청자를 높이거나 낮추는 표현 방식으로 종결 어미에 의해 실현됨

▶ 다른 높임 표현들과 달리 상대 높임법은 청자를 낮추는 표현 방식도 존재해. 국어는 상대 높임법이 발달한 언어로, 여섯 개의 상대 높임 등급이 있어. 격식체로 아주 높임의 '하십시오체', 보통 높임의 '하오체', 보통 낮춤의 '하게체', 아주 낮춤의 '해라체'가 있고, 비격식체로는 두루 높임의 '해요체', 두루 낮춤의 '해체'가 있어.

'삶– + –는'은 어간 '삶–'의 겹받침 'ㄻ'이 자음으로 시작하는 어미 '–는'
과 결합할 때 자음군 단순화에 의해 'ㄹ'이 탈락하여 [삼:는]으로 발음한
다. 따라서 (가)의 설명처럼 'ㄹ'의 앞이나 뒤에서 'ㄴ'이 [ㄹ]로 바뀌는 유
음화에 해당하는 음운 변동이 없다. 또한 (나)의 설명처럼 'ㄹ'이 [ㄴ]으로
교체되는 'ㄹ'의 비음화나, 어간 끝 'ㄹ'이 'ㄴ'으로 시작하는 어미 앞에서
탈락하는 'ㄹ' 탈락에 해당하는 음운 변동 역시 나타나지 않는다.

① (가)에서 'ㄹ'의 앞이나 뒤에서 'ㄴ'은 [ㄹ]로 바뀌어 나타난다고 하였으
므로, '발 + 냄새'도 앞의 'ㄹ'의 영향으로 뒤의 'ㄴ'이 [ㄹ]로 바뀌어 [발
램새]로 발음된다. 따라서 (가)에 해당하는 음운 변동이 있다.

② (가)에서 'ㄹ'을 포함한 겹받침 뒤에 위치한 'ㄴ'도 [ㄹ]로 교체되기도 한
다고 하였다. '뚫– + –는'은 자음군 단순화가 적용되어 [뚤는]으로 바뀌
고, 앞의 'ㄹ'의 영향으로 뒤의 'ㄴ'이 [ㄹ]로 바뀌어 [뚤른]으로 발음된
다. 따라서 (가)에 해당하는 음운 변동이 있다.

▶ '뚫는'이 '뚤는'으로 변할 때 자음군 단순화가 적용되는지, 아니면 'ㅎ' 탈락이
적용되는지 헷갈릴 수 있어! 하지만 'ㅎ' 탈락은 받침 'ㅎ(ㄶ, ㅀ)' 뒤에 모음으로
시작된 어미나 접미사가 결합되는 경우에 'ㅎ'이 탈락되는 음운 변동 현상이야.
예를 들어 '뚫어[뚜러]'에 적용되는 음운 변동 현상인 것이지! 따라서 자음 어미가
결합한 '뚫는'에는 'ㅎ' 탈락이 아니라 자음군 단순화가 적용되었다고 봐야 해.

③ (나)에서 위와 같은 동일한 환경에서도 'ㄹ'이 [ㄴ]으로 교체되기도 한다
고 하였다. '생산 + 량'은 'ㄹ'의 앞에 'ㄴ'이 있는데, (가)에서 설명하는
조건을 충족하지만, [생살량]이 아닌 [생산냥]으로 발음하고 있으므로
'ㄹ'이 [ㄴ]으로 교체되었다고 볼 수 있다. 따라서 (나)에 해당하는 음운
변동이 있다.

④ (나)에서 어간 끝 자음 'ㄹ'과 어미 첫 자음 'ㄴ'이 연결될 때에는 'ㄹ'이
탈락되기도 한다고 하였다. '알– + –느냐'는 어간 '알–'의 끝 자음 'ㄹ'이
어미 '–느냐'의 첫 자음 'ㄴ'의 앞에서 탈락하여 '아느냐[아:느냐]'로 발음
된다. 따라서 (나)에 해당하는 음운 변동이 있다.

문법 개념 담기

- **유음화**: 'ㄴ'이 앞이나 뒤에 오는 'ㄹ'의 영향으로 유음 'ㄹ'로 바뀌는
  현상
- ▶ 유음화는 발음의 편의를 위해 나타나는 음운 변동 현상이야! 겹받침 'ㄾ, ㅀ'
  뒤에 'ㄴ'이 연결되는 경우에도 '훑는[훌른], 뚫네[뚤레]'와 같이 유음화가
  발생해.
- **자음군 단순화**: 음절의 끝에 두 개의 자음(겹받침)이 올 때, 이 중에서
  한 자음이 탈락하는 현상
- ▶ 자음군 단순화는 우리말에서 음절 끝에 하나의 자음만 올 수 있기 때문에
  발생하는 음운 변동 현상이야. 그런데 겹받침이 모음으로 시작하는 형식
  형태소와 결합할 때에는 겹받침의 두 자음 중 뒤의 자음이 모음으로 시작하는
  형식 형태소의 초성으로 연음되어서 결국 두 자음이 모두 발음되지! 이때
  쌍자음 'ㄲ, ㅆ'은 겹받침이 아니기 때문에 자음군 단순화가 아니라 음절의
  끝소리 규칙이 적용된다는 것도 알아 두자!
- **'ㅎ' 탈락**: 'ㅎ(ㄶ, ㅀ)'으로 끝나는 어간이 모음으로 시작하는 어미나
  접사와 결합할 때 'ㅎ'이 탈락하는 현상
  - 예 낳아[나아], 쌓인[싸인], 싫어도[시러도], 않으니[아느니]
- **'ㄹ' 탈락**: 'ㄹ'로 끝나는 용언이 몇몇 어미와 결합할 때 'ㄹ'이 탈락
  하거나, 합성이나 파생의 과정에서 앞말의 끝소리 'ㄹ'이 'ㄴ, ㄷ, ㅅ, ㅈ'
  앞에서 탈락하는 현상
  - 예 살– + –느냐 → 사느냐[사:느냐], 갈– + –는 → 가는[가는]
    솔 + 나무 → 소나무, 활 + 살 → 화살

▶ 04 ⑤

'ㄱ'의 '파래서'는 '파랗– + –아서 → 파래서'로 활용하였다. 'ㅎ'으로 끝나는 어간 뒤에 '–아/ –어'로 시작하는 어미가 오면, 어간의 일부인 'ㅎ'이 없어지고 어미도 변하는 'ㅎ' 불규칙 활용으로 ⓒ에 해당한다.

'ㄴ'의 '푸르러'는 '푸르– + –어 → 푸르러'로 활용하였다. 어간이 '르'로 끝나는 일부 용언 뒤에서, 어미 '–어'가 '러'로 변하는 '러' 불규칙 활용으로 ⓑ에 해당한다.

'ㄷ'의 '흘러'는 '흐르– + –어 → 흘러'로 활용하였다. 어간의 '르'가 모음 어미 앞에서 'ㄹㄹ' 형태로 변하는 '르' 불규칙 활용으로 ⓐ에 해당한다.

'ㄹ'의 '노력하여'는 '노력하– + –아/–어 → 노력하여'로 활용하였다. 어간의 '하–' 뒤에서 어미 '–아/–어'가 '–여'로 바뀌는 '여' 불규칙 활용으로 ⓑ에 해당한다.

'ㅁ'의 '주워'는 '줍– + –어 → 주워'로 활용하였다. 어간의 'ㅂ'이 모음 어미 앞에서 '오/우'로 바뀌는 'ㅂ' 불규칙 활용으로 ⓐ에 해당한다.

따라서 ⓐ에 해당하는 예는 ㄷ, ㅁ이고, ⓑ에 해당하는 예는 ㄴ, ㄹ이며, ⓒ에 해당하는 예는 ㄱ이다.

☞ 문법 개념 담기

- **'ㅎ' 불규칙 활용**: 'ㅎ'으로 끝나는 어간에 어미 '–아/–어'가 오면 어간 끝 'ㅎ'이 없어지고 어미도 변하는 불규칙 활용
  예 파랗–+–아 → 파래, 빨갛–+–아요 → 빨개요

  규칙 활용: 낳–+–아 → 낳아, 쌓–+–아요 → 쌓아요

- **'러' 불규칙 활용**: '르'로 끝나는 어간 뒤에서 어미 '–어'가 '–러'로 바뀌는 불규칙 활용
  예 푸르–+–어 → 푸르러, 이르–+–어 → 이르러(到)

  규칙 활용: 치르–+–어 → 치러, 담그–+–아 → 담가

- **'르' 불규칙 활용**: 모음 어미 앞에서 어간 끝 '르'가 'ㄹㄹ'로 바뀌는 불규칙 활용
  예 빠르–+–아서 → 빨라서, 이르–+–어 → 일러(謂)

  규칙 활용: 따르–+–아 → 따라

- **'여' 불규칙 활용**: 어간 '–하' 뒤에서 어미 '–아/–어'가 '–여'로 바뀌는 불규칙 활용
  예 합격하–+–아/–어 → 합격하여

  규칙 활용: 가–+–아서 → 가서

- **'ㅂ' 불규칙 활용**: 모음 어미 앞에서 어간 끝 'ㅂ'이 'ㅗ/ㅜ'로 바뀌는 불규칙 활용
  예 굽–+–어 → 구워, 아름답–+–어 → 아름다워

  규칙 활용: 잡–+–아라 → 잡아라

- ▶ 용언의 불규칙 활용의 종류에 대해서는 미리 암기를 해 두는 게 좋아. 물론 〈보기〉를 통해서도 충분히 문제를 풀 수는 있겠지만, 문법에서 시간 단축을 위해서는 기본적인 개념에 대해 미리 암기를 해 놓으면 문제를 빠르고 정확하게 풀 수 있어!

▶ 05 ②

㉠은 앞에서 이야기한 특정 장소인 '부산'을 가리키는 표현으로 사용된 것이 맞지만, ㉢은 '(잠시 멈추어 편의점을 가리키며)'에서 알 수 있듯이 화자와 청자로부터 멀리 있는 장소인 '가게'를 가리키는 표현으로 사용된 것이다. 〈보기〉에 제시된 대화의 앞에서 '가게(편의점)'라는 특정 장소에 대해서 언급한 적이 없으므로 ㉠과 ㉢이 상대방이 앞서 언급한 특정 대상을 가리키는 표현이라는 설명은 적절하지 않다.

① ㉠, ㉣, ㉤은 각각 앞에서 언급한 대상인 '부산', '가게', '음료수'를 가리키는 지시 대명사이고, ㉢은 화자와 청자로부터 멀리 있는 장소인 '가게'를 가리키는 지시 관형사이므로 적절한 설명이다.

③ ㉡의 '그런데'는 화제를 앞의 내용과 관련시키면서 다른 방향으로 이끌어 나갈 때 사용하는 접속 부사로, '부산'에 사는 광호에 대해 이야기를 하다가 화제를 다른 방향으로 이끌어 나가기 위하여 사용하였으므로 적절한 설명이다.

④ ㉣의 '저기'는 화자와 청자, 대상 간의 거리에 따라 다른 형태로 사용된다. 화자에게 가까운 곳을 가리킬 때는 '여기'가 사용되고, 화자에게 멀고 청자에게 가까운 곳을 가리킬 때는 '거기'가 사용되며 화자나 청자로부터 멀리 있는 곳을 가리킬 때는 '저기'가 사용된다. 따라서 화자와 가리키는 대상 간의 거리에 따라 그 형태가 달리 선택될 수 있다는 설명은 적절하다.

⑤ ㉤의 '그거'는 앞에서 가리키는 대상인 '어제 내가 마셨던 음료수'와 완전히 동일한 것을 의미하는 표현이 아니라 앞에서 언급한 '음료수'와 종류는 동일하지만 다른 대상을 의미하는 표현이므로 적절한 설명이다.

☞ 문법 개념 담기

- **지시 대명사**: 사물 및 장소를 가리키는 대명사
  예 이/그/저, 이것/그것/저것, 여기/거기/저기, 이곳/그곳/저곳

- ▶ 지시 대명사나 지시 관형사를 지시 표현이라고 하는데, 이러한 지시 표현은 대화의 장면에서 듣는 이가 그 대상을 눈으로 확인하여 찾게 하는 기능을 해. 또 앞에서 언급되었거나 뒤에서 언급할 내용에서 그 대상을 찾게 하기도 하고, 대화 장면에서는 찾을 수 없지만 화자와 청자가 공유하는 경험이나 지식을 바탕으로 그 대상을 찾게 하기도 하지.

- **지시 관형사**: 어떤 대상을 가리키는 관형사
  예 이, 그, 저, 다른(他), 웬

- ▶ '이/그/저'의 경우에는 지시 대명사로도 사용되고, 지시 관형사로도 사용되어서 구분하기가 쉽지 않아. 하지만 문장에서 어떤 기능을 하는지를 고려하면 지시 대명사와 지시 관형사를 구분할 수 있어~ 지시 대명사는 체언이니까 문장에서 주로 주어, 목적어, 보어 등의 자리에 쓰이면서 격 조사와의 결합이 가능하고, 지시 관형사는 문장에서 관형어로 쓰이니까 뒤에 오는 체언을 수식하는 기능을 하면서 조사와 결합이 불가능해!

- **접속 부사**: 단어와 단어, 문장과 문장을 이어 주면서 뒤의 말을 수식하는 부사
  예 그러나, 그러니까, 그런데, 하지만, 더욱이, 게다가, 곧, 또

문항	개념 확인	알면 Check! ☑	나의 책 Check! PAGE	선지나 〈보기〉를 활용하여 문법을 다지자! ▶ 선지나 〈보기〉의 핵심 내용을 활용하여, 내가 몰랐거나 정확히 알고 넘어가야 할 개념을 정리해 보세요.
01	중세 국어의 주체 높임 중세 국어의 객체 높임 중세 국어의 상대 높임 중세 국어의 호격 조사 중세 국어의 관형격 조사	☐ ☐ ☐ ☐ ☐		
02	주체 높임 직접 높임 간접 높임 객체 높임 상대 높임	☐ ☐ ☐ ☐ ☐		
03	유음화 'ㄹ' 탈락 자음군 단순화 'ㅎ' 탈락 'ㄹ'의 비음화	☐ ☐ ☐ ☐ ☐		
04	'ㅎ' 불규칙 활용 '러' 불규칙 활용 '르' 불규칙 활용 '여' 불규칙 활용 'ㅂ' 불규칙 활용	☐ ☐ ☐ ☐ ☐		
05	지시 대명사 지시 관형사 지시 표현의 기능 접속 부사	☐ ☐ ☐ ☐		

[01~02] 다음 글을 읽고 물음에 답하시오.

국어의 품사는 단어의 형태, 기능, 의미를 기준으로 분류한다.

첫째, 단어는 형태가 변하지 않는 것과 형태가 변하는 것으로 나뉜다. 둘째, 단어는 문장 속에서 해당 단어가 수행하는 기능에 따라 문장에서 조사의 도움을 받아 다양한 문장 성분으로 쓰일 수 있는 체언, 서술하는 기능을 하는 용언, 다른 말을 꾸며 주는 수식언, 문장에 쓰인 단어들 사이의 관계를 나타내는 기능을 하는 관계언, 다른 성분에 얽매이지 않고 독립적으로 쓰이는 독립언으로 나뉜다. 셋째, 단어는 의미에 따라 체언에 해당하는 명사, 대명사, 수사, 용언에 해당하는 동사, 형용사, 수식언에 해당하는 관형사, 부사, 관계언에 해당하는 조사, 독립언에 해당하는 감탄사의 9개의 품사로 나뉜다.

[A] 한편 문장에 쓰인 단어들의 형태가 같더라도 품사 분류의 기준을 적용해 보면, 각 단어의 품사가 다른 경우가 있다. 예를 들어 '다른'을 살펴보자. '결과가 이렇게 다른 이유는 집중력 차이 때문이다.'에서 '다른'은 '다르고, 다르니, 달라' 등과 같이 형태 변화가 가능하고, 기능상으로는 주어에 대한 서술성을 지녔으며, 의미상으로는 '비교가 되는 두 대상이 서로 같지 아니하다.'라는 성질이나 상태를 의미하므로, 품사는 형용사에 해당한다. 그런데 '수호는 다른 일에 신경 쓸 여유가 없다.'에서 '다른'은 형태 변화를 할 수 없고, 기능상 체언인 '일'을 꾸며주며, 의미상으로는 수식하는 체언의 성질이나 상태가 '해당되는 것 이외의'라는 의미이므로, 품사는 관형사에 해당한다. 용언인 동사와 형용사는 품사 분류 기준 중 형태와 기능 면에서는 같지만, 의미 면에서 차이를 보이고, 수식언인 관형사와 부사는 기본적으로 형태 변화에는 차이가 없지만, 부사는 보조사와 결합이 가능하다는 점에서 관형사와 차이가 있다.

01. 윗글과 〈보기〉를 바탕으로 @~@에 대해 설명한 것으로 적절하지 **않은** 것은?

〈보기〉

품사는 공통된 성질을 가진 단어들끼리 갈래 지어 놓은 것을 의미한다. 이렇게 특정한 품사에 해당하는 단어가 문장에 쓰이면 일정한 문장 성분으로 기능하게 된다.

@어른 ⓑ다섯이 ⓒ갖은 수단을 동원하여 언덕 @아래로 @굴러가는 바위를 멈춰 세웠다.

① @의 품사는 체언에 해당하는 명사로, 문장에서는 뒤에 위치한 체언을 꾸며 주는 관형어로 기능하고 있다.

② ⓑ의 품사는 대상의 수량을 의미하는 수사로, 문장에서는 주격 조사의 도움을 받아 주어로 기능하고 있다.

③ ⓒ의 품사는 형태 변화가 가능한 형용사로, 문장에서는 관형사형 어미의 도움을 받아 관형어로 기능하고 있다.

④ @의 품사는 사람, 사물, 장소 등의 이름을 나타내는 명사로, 문장에서는 부사격 조사의 도움을 받아 부사어로 기능하고 있다.

⑤ @의 품사는 사람이나 사물 등의 움직임이나 작용을 나타내는 동사로, 문장에서는 관형사형 어미의 도움을 받아 관형어로 기능하고 있다.

02. 〈보기〉는 [A]를 바탕으로 진행된 학습 활동이다. 밑줄 친 부분이 @와 ⓑ에 해당하는 예로 적절하지 **않은** 것은? **[3점]**

〈보기〉

학 생: 선생님, 문장에 쓰인 형용사 '다른'과 관형사 '다른'은 품사의 분류 기준인 형태, 기능, 의미 면에서 모두 차이가 있군요.

선생님: 네. 맞아요. 형용사 '다른'은 '다르–'에 관형사형 어미 '–ㄴ'이 결합된 것으로, @형태 변화가 가능하고, 부사어의 꾸밈을 받을 수 있으며, 서술하는 기능을 유지하고 있습니다. 이에 반해, 관형사 '다른'은 ⓑ조사나 어미 등이 결합될 수 없고, 형태 변화가 불가능하며, 문장에서 체언을 수식하는 기능을 합니다.

① @: 행동이 저러니 아무도 좋아하지 않지.

② @: 아버지는 고향에서 온 편지를 받았다.

③ ⓑ: 철수는 바른 생각을 지닌 멋진 청년이다.

④ ⓑ: 어떤 사람이라도 그 일에 화를 낼 것이다.

⑤ ⓑ: 그는 모든 노력을 다해 그 일을 성사시켰다.

03. 〈보기〉의 ㉠~㉣에 들어갈 음운 변동의 사례를 바르게 짝지은 것은?

〈보기〉

국어의 음운 변동은 교체, 탈락, 첨가, 축약으로 구분된다. 이때 교체 중에서는 하나의 음운이 인접한 음운과 만날 때 그것과 같거나 비슷한 음운으로 바뀌는 동화 현상이 일어나기도 한다.

다음 단어들을 발음해 보고, 음운 변동의 유형을 분류해 보자.

한여름, 끓고, 부엌, 잡는다

음운 변동의 결과
음운의 수적 변화가 있는가?

예 ↙ ↘ 아니요

음운의 수적 변화가 어떻게 나타나는가?	동화 현상이 일어나는가?

줄어든다 ↙ ↘ 늘어난다 　 예 ↙ ↘ 아니요

| ㉠ | ㉡ | ㉢ | ㉣ |

	㉠	㉡	㉢	㉣
①	끓고	한여름	잡는다	부엌
②	끓고	잡는다	한여름	부엌
③	끓고	한여름	부엌	잡는다
④	한여름	끓고	잡는다	부엌
⑤	한여름	끓고	부엌	잡는다

04. 다음은 '사전 활용하기' 학습 활동을 위한 자료이다. 이에 대한 이해로 적절하지 <u>않은</u> 것은?

〈보기〉

보-이다¹ 「동사」
㉠ '보다¹㉠'의 피동사
　¶ 벽에 걸려 있는 시계가 보였다.
㉡ '보다¹㉡'의 피동사 【…으로】【-게】
　¶ 그는 단순한 남자 후배로만 보였다.

보-이다² 「동사」【…에게 …을】
㉠ '보다¹㉠'의 사동사
　¶ 그는 나에게 사진첩을 보였다.
㉡ '보다¹㉡'의 사동사
　¶ 친구에게 영화를 보이다.

① '보-이다¹'과 '보-이다²'가 별개의 표제어로 기술된 것을 보니 동음이의어이겠군.

② '보-이다¹'과 '보-이다²'는 '보다¹'의 어근에 각기 다른 기능을 하는 접미사가 결합된 파생어이겠군.

③ '보-이다¹㉠'과 달리 '보-이다¹㉡'은 '…으로'나 '-게' 등의 부사어가 필수적으로 요구되는 타동사이겠군.

④ '보-이다²㉡'의 용례를 고려할 때, '보다¹㉡'은 '눈으로 대상을 즐기거나 감상하다.'의 의미이겠군.

⑤ '보-이다¹㉠'과 '보-이다²㉠'을 고려할 때, '보다¹㉠'의 용례로 '오늘 수상한 사람을 보았다.'가 가능하겠군.

05. 〈보기 1〉을 참고할 때 〈보기 2〉의 ㉠~㉢에 들어갈 말로 적절한 것은?

〈보기 1〉

중세 국어의 주격 조사는 현대 국어의 주격 조사인 '가'가 쓰이지 않았고, 음운 환경에 따라 다음과 같이 다양하게 나타난다.

앞 체언	주격 조사의 실현 양상
자음으로 끝나는 체언	주격 조사가 '이'로 나타나며, 앞 체언이 한자가 아닌 한글일 경우 앞 체언의 받침이 주격 조사 '이'의 초성으로 연철된다. 예: 시미 기픈 므른 (샘이 깊은 물은)
모음 'ㅣ'나 반모음 'ㅣ' 이외의 모음으로 끝나는 체언	주격 조사가 'ㅣ'로 나타나며, 앞 체언이 한자가 아닌 한글일 경우 주격 조사가 앞 체언에 결합되어 표기된다. 예: 부톄 날 爲ᄒᆞ야 (부처가 나를 위하여)
모음 'ㅣ'나 반모음 'ㅣ'로 끝나는 체언	주격 조사가 'Ø(영형태)'로 나타난다. 예: 불휘 깊은 남ᄀᆞᆫ (뿌리가 깊은 나무는) * 중세 국어에서 'ㅟ'는 단모음이 아닌, 반모음 'ㅣ'로 끝나는 이중 모음이었음.

〈보기 2〉

중세 국어	현대 국어
㉠ (누 + 주격 조사) 請ᄒᆞ니	**누가** 청하였는가?
㉡ (머리 + 주격 조사) 기러	**머리가** 길어
㉢ (별 + 주격 조사) 눈 ᄀᆞ디니이다	**별이** 눈과 같이 떨어집니다.

	㉠	㉡	㉢
①	뉘	머리	별이
②	누이	머리ㅣ	벼리
③	뉘	머리ㅣ	별이
④	뉘	머리	벼리
⑤	누ㅣ	머리	별

17_{회차} 정답과 해설

빠른 정답 찾기	01	02	03	04	05
	③	③	①	③	④

▶ 01 ③

정답풀이

윗글에서 문장에 쓰인 단어들의 형태가 같더라도 품사 분류의 기준을 적용했을 때 품사가 다른 경우가 있다고 하였다. ⓒ의 '갖은'은 형태 변화를 할 수 없고, 기능상 체언인 '수단'을 꾸며주며, 의미상으로는 수식하는 체언의 성질이나 상태가 '골고루 다 갖춘' 또는 '여러 가지의'라는 의미의 관형사이다. 따라서 ⓒ의 품사는 형용사로, 관형사형 어미의 도움을 받아 관형어로 기능하고 있다는 설명은 적절하지 않다.

오답풀이

① 〈보기〉에서 '특정한 품사에 해당하는 단어가 문장에 쓰이면 일정한 문장 성분으로 기능하게 된다.'고 하였다. ⓐ의 '어른'은 체언에 해당하는 명사인데, 체언 '다섯' 앞에 놓여 체언을 수식하는 기능을 하는 관형어로 쓰이고 있다.

② ⓑ의 '다섯'은 앞의 관형어 '어른'의 수식을 받고 있고, 주격 조사 '이'와 결합하여 문장의 주어 역할을 하고 있으므로 품사는 수사이고, 주격 조사의 도움을 받아 주어로 기능하고 있다.

❶ 수사와 수 관형사는 형태가 같은 경우가 있어서 품사 구분이 어려운 경우가 있어! 그렇지만 수사는 격 조사와의 결합이 가능하고 관형어의 수식을 받을 수 있는 체언이고, 수 관형사는 격 조사와의 결합이 불가능하고 뒤의 체언을 수식한다는 점에서 차이가 있으니까 꼭 기억해 두자!

④ ⓓ의 '아래'의 품사는 체언에 해당하는 명사인데, 윗글에서 체언은 문장에서 조사의 도움을 받아 다양한 문장 성분으로 쓰일 수 있다고 하였다. '아래'는 부사격 조사 '로'와 결합하여 문장에서 부사어로 기능하고 있다.

⑤ ⓔ의 '굴러가는'은 '굴러가- + -는'으로 분석할 수 있으며, 관형사형 어미로 '-는'이 결합한 것으로 보아 사람이나 사물 등의 움직임이나 작용을 나타내는 동사이다. 동사의 어간이 관형사형 어미의 도움을 받아 문장에서 관형어로 기능하고 있다.

☞ 문법 개념 닮기

- **관형어:** 체언으로 실현되는 주어, 목적어, 보어 등을 '어떤'의 방식으로 꾸미는 문장 성분
- ❶ 문장에서 관형사는 그대로 관형어로 쓰일 수 있고, 체언도 뒤에 오는 체언을 꾸며 주면 관형어로 쓰일 수 있어. 그리고 체언에 관형격 조사 '의'가 결합하거나 용언의 어간에 관형사형 어미가 결합한 경우, 또는 서술격 조사에 관형사형 어미가 결합한 경우에도 관형어로 쓰일 수 있어~
- **부사어:** 주로 서술어를 '어떻게'의 방식으로 꾸며주며, 다른 부사어나 관형어, 문장 등을 꾸미는 문장 성분

▶ 02 ③

정답풀이

〈보기〉에서 ⓐ는 '형태 변화가 가능하고, 부사어의 꾸밈을 받을 수 있으며, 서술하는 기능을 유지'하고 있는 품사인 동사나 형용사를 의미한다. 그리고 ⓑ는 '조사나 어미 등이 결합될 수 없고, 형태 변화가 불가능'한 품사인 관형사를 의미한다. '철수는 바른 생각을 지닌 멋진 청년이다.'에서 '바른'은 '생각이 바르다'가 관형절로 안긴 것으로, 이때 '바른'은 '바르고, 바르니, 바르며' 등으로 형태 변화가 가능하고 서술하는 기능이 유지되고 있으므로, 품사는 형용사에 해당한다. 따라서 ⓑ가 아닌 ⓐ의 예에 해당한다.

오답풀이

① '행동이 저러니 아무도 좋아하지 않지.'에서는 '행동이 저렇다'가 연결 어미 '-(으)니'에 의해 다른 문장에 이어진 것으로, '저렇다'의 어간에 모음으로 시작하는 어미인 '-(으)니'가 결합하여 'ㅎ'이 탈락하고 '저러니'가 된 것이다. 이때 '저러니'는 '저래서, 저렇게, 저러면' 등으로 형태 변화가 가능하고, 서술하는 기능이 유지되고 있으며, 상태를 의미하므로, 품사는 형용사에 해당하여 ⓐ에 해당하는 예로 적절하다.

② '아버지는 고향에서 온 편지를 받았다.'에서는 '편지가 왔다'가 관형절로 안긴 것으로, 이때 '온'은 '오고, 오며' 등으로 형태 변화가 가능하고, 서술하는 기능이 유지되고 있으며, 움직임의 의미가 있으므로, 품사는 동사에 해당하여 ⓐ에 해당하는 예로 적절하다.

④ '어떤 사람이라도 그 일에 화를 낼 것이다.'에서 '어떤'은 조사나 어미 등이 결합할 수 없고, 형태 변화가 불가능하다는 점에서 관형사에 해당한다. 또한 '어떤'은 뒤에 오는 체언인 '사람'을 꾸며 주고 있으므로, 문장에서 관형어의 역할을 한다. 따라서 관형사인 '어떤'은 ⓑ에 해당하는 예로 적절하다.

⑤ '그는 모든 노력을 다해 그 일을 성사시켰다.'에서 '모든'은 조사나 어미 등이 결합할 수 없고, 형태 변화가 불가능하다는 점에서 관형사에 해당한다. 또한 '모든'은 뒤에 오는 체언인 '노력'을 꾸며 주고 있으므로, 문장에서 관형어의 역할을 한다. 따라서 관형사인 '모든'은 ⓑ에 해당하는 예로 적절하다.

☞ 문법 개념 닮기

- **관형사:** 체언 앞에 놓여서 그 체언의 뜻을 꾸며 주는 말
  예 새, 헌, 온갖, 이, 그, 저, 다른, 한, 두, 세, 첫째, 둘째, 셋째
- ❶ 관형사는 형태가 변하지 않는 불변어로, 조사나 어미가 결합할 수 없다는 특징이 있어. 또 문장 전체나 다양한 문장 성분을 꾸며주기도 하는 부사와 달리 관형사는 뒤에 오는 체언만을 꾸며 주지. 그렇기 때문에 문장 안에서 위치 이동이 자유롭지 못해~

▶ 03 ①

음운의 변동 중에서 음운의 수가 늘어나는 것은 첨가이고, 줄어드는 것은 탈락과 축약이다. 또한 교체는 동화가 일어난 것과 일어나지 않은 것으로 구분할 수 있다.

㉠: '끓고 → [끌코]'에서는 'ㅎ'과 'ㄱ'이 하나의 음운으로 합쳐져 'ㅋ'으로 축약되는 거센소리되기가 일어났다. 따라서 음운의 수가 6개에서 5개로 줄어들었다.

▶ 음운의 개수를 셀 때 'ㄲ, ㄸ, ㅃ, ㅉ, ㅆ' 등과 같은 자음은 음운이 두 개가 모인 것이 아니라, 그 자체가 하나야! 따라서 '끓고'에서 'ㄲ'도 하나로 세서 음운의 개수는 총 6개가 되는 거야!

㉡: '한여름 → [한녀름]'에는 합성어나 파생어에서, 앞말이 자음으로 끝나고 뒷말이 'ㅣ'나 반모음 'ㅣ'로 시작할 때 'ㄴ'이 덧붙는 'ㄴ' 첨가 현상이 일어났다. 따라서 음운의 수가 7개에서 8개로 늘어났다.

▶ 음운의 개수를 셀 때 초성의 'ㅇ'은 모음으로만 구성된 음절의 초성을 형식적으로만 채워주는 역할을 하는 것이므로 음운의 개수에 포함되지 않아! 다만 종성에 쓰인 'ㅇ'은 음가가 있는 자음이기 때문에 이때에는 음운의 개수에 포함해야 해!

㉢: '잡는다 → [잠는다]'는 음운의 변동 전과 후의 음운의 수가 8개로 동일하고, 'ㅂ'이 뒤에 오는 비음 'ㄴ'의 영향으로 'ㅁ'으로 바뀌는 비음 동화가 일어났는데, 비음 동화는 동화에 해당되는 음운 변동이다.

㉣: '부엌 → [부억]'은 음운의 변동 전과 후의 음운의 수가 4개로 동일하고, 'ㅋ'이 'ㄱ'으로 바뀌는 교체 현상이 일어나지만, 이는 동화 현상이 아닌 음절의 끝소리 규칙이 적용된 것이다.

☞ 문법 개념 답기

- **음절의 끝소리 규칙**: 받침소리로 'ㄱ, ㄴ, ㄷ, ㄹ, ㅁ, ㅂ, ㅇ' 이외의 자음이 이 일곱 자음 중 하나로 바뀌는 현상
  예 부엌[부억], 낫, 낟, 낮, 낱, 낯 → [낟]

▶ 음절의 끝소리 규칙은 어말 또는 자음 앞에서 적용되는 음운 변동 현상이야! 만약 모음으로 시작하는 형태소와 결합할 때에는 모음으로 시작하는 형태소가 실질 형태소인지, 형식 형태소인지에 따라 음절의 끝소리 규칙이 적용되지 않기도 해! 모음으로 시작하는 실질 형태소 앞에서는 음절의 끝소리 규칙이 적용된 뒤 연음되지만, 모음으로 시작하는 형식 형태소 앞에서는 음절의 끝소리 규칙이 적용되지 않고 받침소리가 그대로 연음된다는 것을 기억해 두자~

- **비음 동화**: 파열음 'ㄱ, ㄷ, ㅂ'이 비음 'ㄴ, ㅁ' 앞에서 비음 'ㅇ, ㄴ, ㅁ'으로 바뀌는 현상
  예 국물[궁물], 겉모양[걷모양 → 건모양], 앞니[압니 → 암니]

- **'ㄴ' 첨가**: 합성어나 파생어에서, 앞말이 자음으로 끝나고 뒷말이 모음 'ㅣ'나 반모음 'ㅣ'로 시작할 때 'ㄴ'이 새로 생기는 현상
  예 색연필[색년필 → 생년필], 담요[담ː뇨]

▶ 'ㄴ' 첨가 현상은 같은 환경에서 항상 일어나는 규칙적인 음운 변동 현상이 아니라서 'ㄴ' 첨가 현상과 동일한 환경을 갖추어도 'ㄴ'이 첨가되지 않고 발음되는 경우가 있는데, 예를 들자면 '절약[저략], 석유[서규], 송별연[송ː벼련]'과 같은 단어들은 'ㄴ'을 첨가하지 않은 발음이 표준 발음이야~

- **거센소리되기**: 예사소리 'ㄱ, ㄷ, ㅂ, ㅈ'이 'ㅎ'과 만나 거센소리 [ㅋ, ㅌ, ㅍ, ㅊ]으로 발음되는 현상
  예 입학[이팍], 좋고[조코], 꽂히다[꼬치다], 않던[안턴]

▶ 04 ③

'보-이다¹㉠'과 달리 '보-이다¹㉡'은 【…으로】【-게】와 같은 문형 정보를 제시하고 있으므로, 부사어를 필수적으로 요구하고 있음을 알 수 있다. 타동사는 동작의 대상인 목적어를 필요로 하는 동사이므로, 문형 정보로 【…을】이 제시된다. 따라서 '보-이다¹㉡'은 목적어를 필요로 하지 않으므로 타동사가 아니라 자동사이다. 또한 일반적으로 피동사는 특수한 예외를 제외하고는 타동사가 아닌 자동사에 해당한다.

① 사전에 별개의 표제어로 기술되었다는 것은 우연히 소리만 같을 뿐, 뜻은 전혀 다른 동음이의어임을 의미한다.

② 자료의 '보-이다¹'은 '보다¹'의 피동사이고, '보-이다²'는 '보다¹'의 사동사이므로, '보-이다¹'과 '보-이다²'는 '보다¹'에 각각 피동 접미사 '-이-'와 사동 접미사 '-이-'가 결합한 것으로 볼 수 있다. 따라서 '보-이다¹'과 '보-이다²'는 형태는 동일하지만 각기 다른 기능을 하는 접미사가 결합된 파생어이다.

④ '보다¹㉢'의 사동사인 '보-이다²㉡'의 용례로 '친구에게 영화를 보이다.'가 제시되어 있으므로, '보다¹㉢'은 '눈으로 대상을 즐기거나 감상하다.'의 의미임을 추측할 수 있다.

⑤ 자료의 '보-이다¹㉠'는 '보다¹㉠'의 피동사이고, '보-이다²㉠'은 '보다¹㉠'의 사동사이므로, 이들의 용례를 통해 '보다¹㉠'의 의미가 '눈으로 대상의 존재나 형태적 특징을 알다.'임을 추측할 수 있다. 따라서 '보다¹㉠'의 용례로 '오늘 수상한 사람을 보았다.'가 가능하다.

☞ 문법 개념 답기

- **피동사**: 주어가 다른 주체에 의해서 동작을 당하게 됨을 나타내는 동사로, 동사 어근에 '-이-/-히-/-리-/-기-' 등의 피동 접미사가 결합하여 형성됨
  예 잡다(능동사) – 잡히다(피동사), 덮다(능동사) – 덮이다(피동사)

- **사동사**: 주어가 남에게 행동이나 동작을 하게 함을 나타내는 동사로, 동사 어근에 '-이-/-히-/-리-/-기-/-우-/-구-/-추-/-시키(다)' 등의 사동 접미사가 결합하여 형성됨
  예 입다(주동사) – 입히다(사동사), 안다(주동사) – 안기다(사동사)

▶ 피동사를 만드는 접미사와 사동사를 만드는 접미사의 형태가 같아서 같은 형태가 피동사인지, 사동사인지 구분해야 할 때가 있어! 일반적으로 피동사가 사용된 피동문의 경우에는 목적어가 사용되지 않아도 되지만, 사동사가 사용된 사동문의 경우에는 목적어가 사용되어야 하니까 목적어의 유무에 따라 구분할 수 있어~ 그렇지만 문법에는 언제나 예외가 있다는 것을 간과해선 안 돼. 왜냐하면 '도둑이 경찰에게 덜미를 잡혔다.'처럼 피동문에도 목적어가 사용될 수도 있거든. 따라서 용어의 정확한 개념에 대해서 이해할 필요가 있는데, '피동사'는 남의 행동을 입어서 행해지는 동작을 나타내는 동사이고, '사동사'는 문장의 주체가 다른 대상에게 행동이나 동작을 하게 함을 나타내는 동사라는 것을 잊지 말자!

▶ **05** ④

정답풀이

㉠의 '(누 + 주격 조사)'는 체언 '누'가 모음 'ㅣ'나 반모음 'ㅣ' 이외의 모음으로 끝나는 체언이므로 주격 조사는 'ㅣ'로 나타나며, 앞 체언이 한자가 아닌 한글로 나타났으므로 앞 체언에 결합하여 '뉘'로 실현된다.

❏ 중세 국어의 주격 조사가 만약 한자 뒤에 결합했다면, 환경에 따라서 '이, ㅣ, Ø(영형태)'의 주격 조사가 한자음 뒤에 단독으로 나타나~

㉡의 '(머리 + 주격 조사)'는 체언 '머리'가 모음 'ㅣ'로 끝나는 체언이므로 주격 조사는 'Ø(영형태)'로 나타나 '머리'로 실현된다.

㉢의 '(별 + 주격 조사)'는 체언 '별'이 자음으로 끝나는 체언이므로 주격 조사는 '이'로 나타나며, 앞 체언이 한자가 아닌 한글로 나타났으므로, 앞 체언의 받침이 주격 조사 '이'의 초성으로 연철(이어적기)되어 '벼리'로 실현된다.

따라서 ㉠은 '뉘', ㉡은 '머리', ㉢은 '벼리'가 되어야 한다.

☞ **문법 개념 담기**

- **중세 국어의 주격 조사**: 자음으로 끝난 체언 뒤에서는 '이', 모음 'ㅣ'나 반모음 'ㅣ'를 제외한 모음 뒤에서는 'ㅣ', 모음 'ㅣ'나 반모음 'ㅣ' 뒤에서는 'Ø(영형태)'로 실현됨
- **연철(이어적기)**: 받침 있는 체언이나 용언의 어간에 모음으로 시작하는 형식 형태소가 연결될 경우 앞 형태소의 받침을 다음 형태소의 첫소리에 내려 쓰는 방식

문항	개념 확인	알면 Check! ☑	나의 책 Check! PAGE	선지나 〈보기〉를 활용하여 문법을 다지자! ▶ 선지나 〈보기〉의 핵심 내용을 활용하여, 내가 몰랐거나 정확히 알고 넘어가야 할 개념을 정리해 보세요.
01	품사 문장 성분 주어 관형어 부사어	☐ ☐ ☐ ☐ ☐		
02	동사 / 형용사 관형사	☐ ☐		
03	교체/첨가/탈락/축약 음절의 끝소리 규칙 비음 동화 'ㄴ' 첨가 거센소리되기 동화	☐ ☐ ☐ ☐ ☐ ☐		
04	피동사 피동 접미사 사동사 사동 접미사	☐ ☐ ☐ ☐		
05	중세 국어의 주격 조사 한자어 뒤에서 주격 조사 이어적기	☐ ☐ ☐		

1
2
3 주차
4

[01~02] 다음 글을 읽고 물음에 답하시오.

사동문은 동사나 형용사의 어근에 사동 접미사가 결합한 사동사나, '-게 하다'가 결합한 구성에 의해 만들어진다. 이때 '만지다, 던지다'와 같이 어근이 'ㅣ'로 끝날 때에는 사동 접미사가 결합하지 못하는 제약이 있다.

서술어가 사동사로 바뀌면 서술어의 자릿수에도 변화가 나타난다. 만약 형용사나 자동사인 서술어가 사동사로 바뀌면 원래 문장의 주어는 사동문에서 목적어로 나타나고, 타동사인 서술어가 사동사로 바뀌면 원래 문장의 주어는 사동문에서는 일반적으로 부사어로 나타난다. 사동문 중에는 그에 대응하는 주동문이 없는 경우도 있다. 예를 들어, '할머니가 옷에 풀을 먹이다.'와 같은 사동문은 '*옷이 풀을 먹다.'와 같은 주동문이 될 수 없다. 이와 반대로 주동문은 존재하지만 그에 대응하는 사동문이 없는 경우도 있다. 가령, '철수는 더위를 먹었다.'와 같은 주동문은 이에 대응하는 사동문을 만들 수 없다.

한편 사동문에서 사동을 일으키는 주체가 사동 행위를 받는 대상의 행위에 함께 참여하는 의미가 나타나면 직접 사동이라 하고 그렇지 않으면 간접 사동이라 한다. 사동사가 쓰인 사동문은 맥락에 따라 직접 사동과 간접 사동의 두 가지 의미로 모두 해석될 수 있으나, '-게 하다'가 쓰인 사동문은 간접 사동의 의미로만 해석된다.

중세 국어에도 사동문이 존재했다. 동사나 형용사의 어근에 사동 접미사 '-이-, -히-, -기-, -오-/-우-, -호-/-후-, -ᄋᆞ-/-으-'가 붙은 사동사나, 현대 국어의 '-게 하다'에 해당하는 '-게 ᄒᆞ다'가 결합한 구성에 의해 사동문이 만들어졌다.

*는 문법적으로 잘못된 것.

01. 윗글을 바탕으로 〈보기〉의 ㉠~㉤을 탐구한 내용으로 적절하지 <u>않은</u> 것은? [3점]

〈보기〉

㉠ 마을 사람들이 길을 넓혔다.
㉡ 등교 시간을 1시간 늦추었다.
㉢ 누나가 동생에게 밥을 먹였다.
㉣ 그는 침대 위에 가방을 던졌다.
㉤ 어머니가 아이에게 젖을 물렸다.

① ㉠의 '넓혔다'는 두 자리 서술어인 타동사이지만, 사동 접미사를 제거하면 한 자리 서술어인 자동사가 된다.

② ㉡의 '시간을'은 목적어이지만, 사동 접미사를 제거한 형용사가 서술어로 쓰이면 주어로 나타날 것이다.

③ ㉢의 '먹였다'를 어근에 '-게 하다'가 결합된 구성으로 바꾸면, 간접 사동의 의미로만 해석될 것이다.

④ ㉣의 '던졌다'는 어근이 'ㅣ'로 끝나므로, 사동문을 만들 때 사동 접미사를 활용할 수 없다.

⑤ ㉤의 '젖을'은 사동문에서 목적어로 쓰이는데, 이에 대응하는 주동문에서도 그대로 목적어로 나타날 것이다.

02. 윗글을 바탕으로 〈보기〉의 ㉠~㉤에 나타난 중세 국어의 특징을 이해한 내용으로 적절하지 <u>않은</u> 것은?

---〈보기〉---

[중세 국어] 몸을 ㉠<u>셰워</u> 道를 行ᄒ야
[현대 국어] 몸을 세워 도를 행하여

[중세 국어] 녀토시고 또 ㉡<u>기피시니</u>
[현대 국어] 얕게 하시고 또 깊게 하시니

[중세 국어] ᄀᆞ루매 비 업거늘 ㉢<u>얼우시고</u>
[현대 국어] 강에 배가 없으므로 (강물을) 얼리시고

[중세 국어] 묵수믈 ㉣<u>일케 ᄒ야뇨</u>
[현대 국어] 목숨을 잃게 하였는가

[중세 국어] 나랏 小民을 ㉤<u>사루시리잇가</u>
[현대 국어] 나라의 백성들을 살리시겠습니까

---

① ㉠을 보니, 현대 국어에서 '서다'의 사동사가 '세우다'로 나타나는 이유를 짐작할 수 있겠군.

② ㉡을 현대 국어의 '깊게 하시니'와 비교해 보니, 현대 국어와 달리 어근에 사동 접미사가 결합했군.

③ ㉢을 현대 국어의 '얼리시고'와 비교해 보니, '얼다'의 어근에 결합하는 사동 접미사가 현대 국어와 차이가 있군.

④ ㉣이 현대 국어 '잃게 하였는가'에 대응되는 것을 보니, 현대 국어의 '-게 하다'에 해당하는 '-게 ᄒ다'를 활용하였군.

⑤ ㉤이 현대 국어 '살리시겠습니까'에 대응되는 것을 보니, 현대 국어의 사동 접미사 '-리-'가 중세 국어에는 '-루-'로 쓰였군.

03. 〈보기〉를 바탕으로 단어의 발음을 탐구한 내용으로 적절하지 <u>않은</u> 것은?

---〈보기〉---

ⓐ 겹받침 'ㄼ, ㄽ, ㄾ'은 어말이나 자음 앞에서 [ㄹ]로 발음한다. 다만, '밟-'은 자음 앞에서 [밥]으로 발음하고, '넓-'은 '넓-죽하다, 넓-둥글다'의 경우 [넙]으로 발음한다.

ⓑ 겹받침 'ㄺ, ㄻ, ㄿ'은 어말이나 자음 앞에서 각각 [ㄱ], [ㅁ], [ㅂ]으로 발음한다.

ⓒ 받침 'ㄱ(ㄲ, ㅋ, ㄳ, ㄺ), ㄷ(ㅅ, ㅆ, ㅈ, ㅊ, ㅌ), ㅂ(ㅍ, ㄼ, ㄿ, ㅄ)' 뒤에 연결되는 'ㄱ, ㄷ, ㅂ, ㅅ, ㅈ'은 된소리로 발음한다.

ⓓ 어간 받침 'ㄴ(ㄵ), ㅁ(ㄻ)' 뒤에 결합되는 어미의 첫소리 'ㄱ, ㄷ, ㅅ, ㅈ'은 된소리로 발음한다. 다만, 피동, 사동의 접미사 '-가-'는 된소리로 발음하지 않는다.

ⓔ 어간 받침 'ㄼ, ㄾ' 뒤에 결합되는 어미의 첫소리 'ㄱ, ㄷ, ㅅ, ㅈ'은 된소리로 발음한다.

---

① ⓐ와 ⓒ에 따라 '밟고'는 [밥ː꼬]로, '넓둥글다'는 [넙뚱글다]로 발음해야겠군.

② ⓐ와 ⓔ에 따라 '훑소'는 [훌쏘]로, '여덟도'는 [여덜또]로 발음해야겠군.

③ ⓑ와 ⓒ에 따라 '밝지'는 [박찌]로, '읊고'는 [읍꼬]로 발음해야겠군.

④ ⓑ와 ⓒ에 따라 '흙과'는 [흑꽈]로, '닭장'은 [닥짱]으로 발음해야겠군.

⑤ ⓑ와 ⓓ에 따라 '젊지'는 [점ː찌]로, '옮기다'는 [옴기다]로 발음해야겠군.

04. 〈보기〉를 바탕으로 '반의어'를 탐구한 내용으로 적절하지 <u>않은</u> 것은?

〈보기〉

'살다–죽다'는 '생명'이라는 하나의 개념 영역 안에서 상호 배타적인 대립 관계에 있는 '상보 반의어'에 해당한다. 상보 반의어를 동시에 긍정하거나 부정하면 모순이 발생한다. 그런데 '크다–작다'와 같은 단어들은 등급성을 가지고 대립하는 '등급 반의어'에 해당한다. 상보 반의어와 달리 등급 반의어는 두 단어 사이에 중간 단계가 있고, 정도를 표현하는 부사어의 수식을 받을 수 있으며, 두 단어를 동시에 부정할 수도 있다.

◦ 상보 반의어: 남자 – 여자, 기혼 – 미혼, 참 – 거짓
◦ 등급 반의어: 넓다 – 좁다, 뜨겁다 – 차갑다

① '철수는 남자이다.'는 '철수는 여자가 아니다.'의 의미와 같다.

② '*수지는 매우 미혼이다.'처럼 정도를 나타내는 부사어는 '미혼'을 꾸며줄 수 없다.

③ '그것은 참도 아니고, 거짓도 아니다.'처럼 '참'과 '거짓'을 동시에 부정하면 모순이 발생한다.

④ '방이 넓지 않다.'는 '방이 좁다.'를 의미하므로 의미 영역이 배타적이지 않음을 나타낸다.

⑤ '할머니의 손이 뜨겁지도 차갑지도 않다.'처럼 '뜨겁다'와 '차갑다'를 동시에 부정할 수 있다.

05. 〈보기 1〉을 바탕으로 〈보기 2〉를 탐구한 내용으로 적절하지 <u>않은</u> 것은?

〈보기 1〉

문장은 '주어 – 서술어'의 관계가 몇 번 이루어지는가에 따라 홑문장과 겹문장으로 나뉜다. '홑문장'은 '주어 – 서술어'의 관계가 한 번만 이루어진 문장이고, '겹문장'은 '주어 – 서술어'의 관계가 두 번 이상 이루어진 문장을 말한다.

〈보기 2〉

ㄱ. 내가 바라본 푸른 바다는 하늘보다 넓었다.
ㄴ. 이 일의 성공 여부는 노력하기에 달렸다.
ㄷ. 아이는 해가 저물도록 밖에서 놀았다.
ㄹ. 그는 날씨가 참 덥다고 되뇌었다.
ㅁ. 우리 집은 딸이 아주 귀하다.

① ㄱ은 주어가 생략된 관형절이 안겨 있는 겹문장이다.

② ㄴ은 '주어 – 서술어'의 관계가 한 번만 이루어진 홑문장이다.

③ ㄷ에는 부사형 어미가 결합한 부사절이 안겨 있다.

④ ㄹ에는 부사격 조사가 결합한 인용절이 안겨 있다.

⑤ ㅁ의 '딸이 아주 귀하다'는 '우리 집은'과 '주어 – 서술어'의 관계를 이룬다.

MEMO

빠른 정답 찾기	01	02	03	04	05
	①	⑤	②	④	②

▶ 01 ①

정답풀이

윗글에서 '서술어가 사동사로 바뀌면 서술어의 자릿수에도 변화가 나타난다.'라고 했고, '형용사나 자동사인 서술어가 사동사로 바뀌면 원래 문장의 주어는 사동문에서 목적어로 나타'난다고 했다. ㉠의 '마을 사람들이 길을 넓혔다.'에서 '넓히다'는 주어 외에 목적어를 필요로 하는 두 자리 서술어이지만, 사동 접미사를 제거한 문장은 '길이 넓다.'가 되므로 주어만을 필요로 하는 한 자리 서술어가 된다. 그러나 '넓다'는 자동사가 아닌 형용사에 해당하므로 적절하지 않다.

오답풀이

② 윗글에서 '형용사나 자동사인 서술어가 사동사로 바뀌면 원래 문장의 주어는 사동문에서 목적어로 나타'난다고 하였는데, ㉡의 '등교 시간을 1시간 늦추었다.'에서 '시간을'은 목적격 조사 '을'과 결합하였으므로 목적어로 쓰이고 있다. '늦추었다'에서 사동 접미사를 제거한 형용사 '늦다'로 문장을 만들면, '등교 시간이 1시간 늦었다.'가 되므로, 사동문에서 목적어인 '시간을'은 형용사문에서는 주어 '시간이'로 쓰이게 된다.

③ 윗글에서 "-게 하다'가 쓰인 사동문은 간접 사동의 의미로만 해석된다.'라고 하였는데, ㉢의 '누나가 동생에게 밥을 먹였다.'는 '먹다'의 어근에 사동 접미사 '-이-'가 결합한 사동사가 쓰인 문장이다. 이를 '-게 하다'가 결합한 구성으로 바꾸면 '누나가 동생에게 밥을 먹게 하다.'가 되므로 간접 사동의 의미로만 해석될 수 있다.

④ 윗글에서 '어근이 'ㅣ'로 끝날 때에는 사동 접미사가 결합하지 못하는 제약이 있다.'라고 하였는데, ㉣의 '그는 침대 위에 가방을 던졌다.'에서 '던지다'는 어근이 'ㅣ'로 끝나므로 사동문을 만들 때 사동 접미사를 활용할 수 없음을 알 수 있다.

⑤ ㉤의 '어머니가 아이에게 젖을 물렸다.'에서 서술어 '물리다'는 '입 속에 넣어 두다'의 의미로 쓰이는 동사 '물다'의 사동사이다. 이를 주동문으로 바꾸면 '아이가 젖을 물었다.'가 되므로, 사동문에서 목적어인 '젖을'은 주동문으로 바뀌어도 그대로 목적어가 된다.

☞ 문법 개념 담기

- **파생적 사동문:** 어근에 사동 접미사 '-이-/-히-/-리-/-기-/-우-/-구-/-추-/-시키(다)' 등의 사동 접미사가 결합한 사동사가 사용된 문장
- **통사적 사동문:** 보조 용언 '-게 하다'를 결합하여 사동을 표현한 문장
- **대응하는 주동문이 없는 사동문:** 사동 표현이 관용 표현으로 굳어진 경우, 이에 대응하는 주동 표현이 없는 경우도 있음
  예 쉬는 시간에 잠깐 눈을 붙였다. – *쉬는 시간에 잠깐 눈이 붙었다.

▶ 02 ⑤

정답풀이

윗글에서 중세 국어의 사동 접미사로 '-이-, -히-, -기-, -오-/-우-, -호-/-후-, -ㅇ-/-으-'를 언급하였고, 15세기 중세 국어의 일반적인 표기 방식은 소리 나는 대로 이어 적는 연철 표기 방식이었다. 따라서 ㉤의 '사루시리잇가'는 현대 국어에서 '살리시겠습니까'로 해석되는 것으로 보아 '살- + -ㅇ- + -시- + -리- + -잇가'로 분석할 수 있으므로, 이때 사용된 사동 접미사의 형태는 '-루-'가 아니라 '-ㅇ-'라는 것을 알 수 있다.

오답풀이

① 현대 국어에서 '서다'의 사동사는 다른 사동사와 달리 사동 접미사로 '-이우-'가 결합해 '세우다'로 쓰인다. 그런데 ㉠을 통해서 중세 국어 시기에 '서다'의 사동사로 '셰워'와 같이 접미사 '-이우-'가 결합한 형태가 사용되었음을 알 수 있으므로, 현대 국어에서 '서다'의 사동사가 '세우다'로 나타나는 이유를 짐작할 수 있다.

▶ 사동 접미사 '-이우-'는 '세우다, 태우다, 재우다, 틔우다' 등과 같이 일부 용언의 어근과 결합하여 사동사를 파생하는 기능을 하지! 견해에 따라서 '-이우-'를 사동 접미사 '-이-'와 '-우-'가 중복되어서 결합한 이중 사동으로 보기도 하지만, 표준국어대사전의 입장은 '-이우-' 전체를 하나의 사동 접미사로 보고 있어~ 이에 대한 특정 견해를 기준으로 문제가 출제될 경우에는 <보기> 등을 통해서 근거를 제시할 테니, <보기>를 꼼꼼하게 읽자!

② ㉡의 '기피시니'의 현대어 풀이를 보면 '깊게 하시니'로 나타난다. 따라서 '깊다'의 어근에 현대 국어에서는 '-게 하다'가 결합하였지만, 중세 국어에서는 사동 접미사 '-이-'가 결합하였음을 알 수 있다.

③ '얼다'의 어근에 중세 국어에서는 사동 접미사로 '-우-'가 결합되어 ㉢의 '얼우시고'로 사용되었고, 현대 국어에서는 '-리-'가 결합되어서 '얼리시고'로 사용되고 있다. 따라서 '얼다'의 어근에 결합하는 사동 접미사가 현대 국어와 차이가 있음을 알 수 있다.

④ 중세 국어의 일반적인 표기 방식은 소리 나는 대로 이어 적는 연철 표기 방식이었으므로, ㉣의 '일케 ᄒᆞ야뇨'는 현대 국어의 '-게 하다'에 해당하는 중세 국어의 '-게 ᄒᆞ다'가 쓰여 동사의 어근 '잃-'의 받침 'ㅎ'과 'ㄱ'이 축약되어 '일케 ᄒᆞ야뇨'의 형태로 쓰였음을 알 수 있다.

▶ 03 ②

'훑소'는 ⓐ와 ⓔ에 따라 자음군 단순화와 된소리되기가 적용되어 [훌쏘]로 발음된다. 하지만 '여덟도'는 ⓐ에 따라 자음군 단순화만 적용되어 [여덜도]로 발음된다. ⓔ는 어간과 어미의 결합이라는 조건을 제시하고 있으므로, '체언 + 조사'의 구성인 '여덟도'는 ⓔ에 따르지 않는다.

① '밟고'와 '넓둥글다'는 ⓐ의 '다만'에 제시된 내용과 ⓒ에 따라 자음군 단순화와 된소리되기가 적용되어 [밥:꼬]와 [넙뚱글다]로 발음된다.

③ '밝지'와 '읊고'는 ⓑ와 ⓒ에 따라 자음군 단순화와 된소리되기가 적용되어 [박찌]와 [읍꼬]로 발음된다.

④ '흙과'와 '닭장'은 ⓑ와 ⓒ에 따라 자음군 단순화와 된소리되기가 적용되어 [흑꽈]와 [닥짱]으로 발음된다. 이때 ⓒ는 결합에 관한 조건을 제시하고 있지 않으므로 '체언 + 조사' 구성에서도 적용된다.

⑤ '젊지'는 ⓑ와 ⓓ에 따라 자음군 단순화와 된소리되기가 적용되어 [점:찌]로 발음되고, '옮기다'는 사동 접미사 '-기-'가 결합한 사동사이므로 ⓑ와 ⓓ의 '다만'에 따라 [옴기다]로 발음된다.

☞ 문법 개념 담기

- **된소리되기:** 예사소리였던 것이 된소리로 발음되는 현상
- ▶ 된소리되기는 매우 생산적인 음운 변동이기는 하지만 다양한 조건에서 나타나기 때문에 하나의 규칙으로 설명하기 어려워. 하지만 일반적으로 된소리되기가 나타나는 환경에 대해서 기억해 두는 게 좋겠지? 받침 'ㄱ, ㄷ, ㅂ' 뒤에서, 어간 끝 'ㄴ, ㅁ' 뒤에서, 그리고 관형사형 어미 '-(으)ㄹ' 뒤에서 나타나! 다만 체언의 끝 자음 'ㄴ, ㅁ' 뒤에서는 된소리되기가 나타나지 않고, 피동과 사동 접미사 '-기-' 역시 된소리되기가 나타나지 않으니까 참고하자~
- **자음군 단순화:** 음절의 끝에 두 개의 자음(겹받침)이 올 때 이 중에서 한 자음이 탈락하는 현상
  예 넋 → [넉], 여덟 → [여덜], 값 → [갑]

▶ 04 ④

〈보기〉에서 '상보 반의어와 달리 등급 반의어는 두 단어 사이에 중간 단계가 있다'고 하였다. 따라서 등급 반의어에 해당하는 '넓다'와 '좁다' 사이에는 중간 단계가 있음을 알 수 있다. '넓다 – 좁다'는 등급 반의어이기 때문에 의미 영역이 배타적이지 않아, 방이 넓지도 좁지도 않은 상태가 존재할 수 있다. 즉 '방이 넓지 않다.'가 방이 넓지도 좁지도 않은 상태를 나타낼 수 있으므로 '방이 좁다.'만을 의미한다고 볼 수 없다.

① 〈보기〉에서 '하나의 개념 영역 안에서 상호 배타적인 대립 관계'에 있는 반의어를 '상보 반의어'라고 하였다. '남자 – 여자'는 상보 반의어에 해당하므로 '철수는 남자이다.'는 곧 '철수는 여자가 아니다.'를 의미한다고 볼 수 있다.

② 〈보기〉에서 '상보 반의어와 달리 등급 반의어는 두 단어 사이에 중간 단계가 있고, 정도를 표현하는 부사어의 수식을 받을 수 있다'고 하였다. '기혼 – 미혼'은 상보 반의어에 해당하여 정도를 표현하는 부사어의 수식을 받을 수 없으므로, '*수지는 매우 미혼이다.'와 같은 문장은 성립할 수 없다.

③ 〈보기〉에서 '상보 반의어를 동시에 긍정하거나 부정하면 모순이 발생한다.'라고 하였다. '참 – 거짓'은 상보 반의어에 해당하므로 '그것은 참도 아니고, 거짓도 아니다.'처럼 상보 반의어인 두 단어를 동시에 부정하면 모순이 발생한다.

⑤ 〈보기〉에서 '상보 반의어와 달리 등급 반의어는 두 단어 사이에 중간 단계가 있고, 정도를 표현하는 부사어의 수식을 받을 수 있으며, 두 단어를 동시에 부정할 수도 있다.'라고 하였다. '뜨겁다 – 차갑다'는 등급 반의어에 해당하므로 두 단어를 동시에 부정하여 '할머니의 손이 뜨겁지도 차갑지도 않다.'와 같이 쓸 수 있다.

☞ 문법 개념 담기

- **반의 관계(반의어):** 둘 이상의 단어에서 의미가 짝을 이루어 대립하는 의미 관계를 반의 관계라 하고, 반의 관계에 있는 단어들을 반의어라고 함
- ▶ 반의 관계는 두 단어의 의미 요소 중 하나의 의미 요소만 다르고 나머지 의미 요소는 같을 때 성립해~ 예를 들어서 '소년 – 소녀'의 경우, [+사람], [-성인]의 의미 요소는 같고 [성별]의 의미 요소만 다르기 때문에 반의 관계가 성립하는데, '소년 – 할머니'의 경우에는 [+사람]의 의미 요소만 같고 [성인], [성별]의 의미 요소가 다르기 때문에 반의 관계가 성립하지 않아!
- **상보(모순) 반의어:** 두 단어가 한 영역 안에서 상호 배타적 대립 관계에 있음
  예 출석 – 결석, 참 – 거짓, 미혼자 – 기혼자
- **등급(정도) 반의어:** 두 단어 사이에 등급성이 있어서 중간 단계가 있음
  예 덥다 – 춥다, 넓다 – 좁다, 높다 – 낮다
- **방향(대칭) 반의어:** 두 단어가 상대적 관계를 형성하며 방향상의 대립 관계를 나타내며 의미상 대칭을 이룸
  예 왼쪽 – 오른쪽, 가다 – 오다, 오르다 – 내리다

▶ 05 ②

ㄴ의 '노력하기'는 명사절로 안긴문장으로, 안은문장에서는 부사격 조사 '에'와 결합하여 부사어로 기능한다. '노력하기'에는 '우리가'와 같은 주어가 생략되어 있는 것으로, '이 일의 성공 여부는 [(우리가) 노력하기(명사절)]에 달렸다.'로 분석할 수 있는 겹문장이므로 홑문장이라는 설명은 적절하지 않다.

① ㄱ의 안긴문장은 관형절 '내가 바라본'과 '푸른'이다. 이때 '내가 바라본'은 '내가 바다를 바라본'에서 목적어인 '바다를'이 생략된 관계 관형절이며, '푸른'은 '바다가 푸른'에서 주어인 '바다가'가 생략된 관계 관형절이다. 따라서 ㄱ은 주어가 생략된 관형절이 안겨 있는 겹문장이라는 설명은 적절하다.

③ ㄷ의 안긴문장은 '해가 저물도록'인데, 서술어의 어간에 부사형 어미 '-도록'이 결합한 부사절이 안은문장에서 부사어로 사용되고 있다. 따라서 ㄷ에 부사형 어미가 결합한 부사절이 안겨 있다는 설명은 적절하다.

④ ㄹ의 안긴문장은 '날씨가 참 덥다고'인데, 이는 인용의 부사격 조사 '고'가 붙은 인용절이다. 즉 '날씨가 참 덥다.'라는 문장이 '그는 되뇌었다.'에 인용절로 안긴 것이므로 ㄹ에 부사격 조사가 결합한 인용절이 안겨 있다는 설명은 적절하다.

⑤ ㅁ의 안긴문장은 '딸이 아주 귀하다'로, 전체 문장에서 서술어 역할을 하는 서술절이다. '우리 집은'이라는 전체 문장의 주어와 호응하기 위해 '딸이 아주 귀하다'라는 서술절이 안긴 것이다. 따라서 '딸이 아주 귀하다'가 '우리 집은'과 '주어 - 서술어'의 관계를 이룬다는 설명은 적절하다.

👉 문법 개념 담기

- **명사절로 안긴문장:** 명사형 어미 '-(으)ㅁ, -기'가 결합하여 절 전체가 문장에서 명사처럼 쓰이는 문장
- ▶ 명사절은 안은문장에서 마치 명사처럼 쓰여! 그러므로 어떤 격 조사와 결합하느냐에 따라서 여러 가지 문장 성분으로 사용될 수 있어~
- **관형절로 안긴문장:** 관형사형 어미 '-(으)ㄴ, -는, -(으)ㄹ, -던'이 결합하여 절 전체가 문장에서 관형어의 기능을 하는 문장
- ▶ 관형절에는 두 가지 종류가 있어. 관형절의 문장 성분 중 주절에 있는 동일 요소가 생략되는 관계 관형절과, 관형절과 관형절이 수식하는 체언이 동일한 의미를 갖는 동격 관형절이야. 이때 동격 관형절은 생략하면 문법적으로 어색한 문장이 된다는 점을 참고하자~
- **서술절로 안긴문장:** 절 전체가 문장에서 서술어의 기능을 하는 문장으로, 특정한 절 표지가 따로 없음
- **부사절로 안긴문장:** 부사형 어미 '-게, -도록, -듯이' 등이나 부사 파생 접미사 '-이'와 결합하여 절 전체가 문장에서 부사어의 기능을 하는 문장
- **인용절로 안긴문장:** 화자의 생각, 느낌, 다른 사람의 말 등을 옮긴 문장으로, 직접 인용절에서는 인용의 부사격 조사 '라고'가, 간접 인용절에서는 인용의 부사격 조사 '고'가 결합함

MEMO

☑ 학습 Check 1회 ☐ 2회 ☐ 3회 ☐

문항	개념 확인	알면 Check! ☑	나의 책 Check! PAGE	선지나 〈보기〉를 활용하여 문법을 다지자! ▶ 선지나 〈보기〉의 핵심 내용을 활용하여, 내가 몰랐거나 정확히 알고 넘어가야 할 개념을 정리해 보세요.
01	서술어의 자릿수 사동사가 쓰인 사동문 직접 사동 / 간접 사동	☐ ☐ ☐		
02	사동 접미사 특수한 사동 접미사 중세 국어의 사동 접미사	☐ ☐ ☐		
03	자음군 단순화 된소리되기	☐ ☐		
04	반의 관계 상보(모순) 반의어 등급(정도) 반의어 방향(대칭) 반의어	☐ ☐ ☐ ☐		
05	명사절로 안긴문장 관형절로 안긴문장 서술절로 안긴문장 부사절로 안긴문장 인용절로 안긴문장	☐ ☐ ☐ ☐ ☐		

수능 국어 문법 모의고사

문법백제
PLUS

WEEK

4

최종 점검 모의고사

01. 〈보기〉의 ㉠~㉢에 해당하는 예로 적절한 것은?

〈보기〉

탈락이나 축약에 해당하는 음운 변동이 일어나면 음운의 수가 줄어든다. ㉠음절의 종성에 자음군이 올 때, 한 자음만 남고 나머지 자음이 탈락하는 현상이나, ㉡'ㅎ'과 다른 음운이 결합하여 한 음운으로 축약되는 현상이 이에 해당한다. 그런데 음운의 개수는 변하지 않으면서 음절의 수가 줄어드는 경우가 있다. 이는 반모음을 하나의 음운으로 보는 입장에 따른 것으로, ㉢단모음이 반모음으로 바뀌면서 음절의 수가 줄어드는 현상을 말한다.

	㉠	㉡	㉢
①	넓고	뚫고	크- + -어서 → 커서
②	닮은	닳지	오- + -아 → 와
③	여덟만	각하	기- + -어 → 겨
④	많다	역할	바꾸- + -어 → 바꿔
⑤	삶는	않는	가- + -아서 → 가서

02. ⓐ~ⓔ의 문장 성분과 문장 구조에 대한 설명으로 적절하지 않은 것은? [3점]

〈보기〉

ⓐ 영희가 동수와 만났음이 밝혀졌다.
ⓑ 광호는 동생이 어제 산 책을 읽었다.
ⓒ 나는 철호가 밥을 먹은 사실을 몰랐다.
ⓓ 아침에 사람들은 일터로 가기에 바쁘다.
ⓔ 농부는 나무가 잘 자라도록 거름을 주었다.

① ⓐ의 안긴문장 속에는 부사어가 있지만, ⓒ의 안긴문장 속에는 목적어가 있다.

② ⓐ의 안은문장에는 명사절이 안겨 있지만, ⓓ의 안은문장에는 부사절이 안겨 있다.

③ ⓑ의 안긴문장 속에는 생략된 문장 성분이 있지만, ⓒ의 안긴문장 속에는 생략된 문장 성분이 없다.

④ ⓒ의 안긴문장의 주어는 안은문장의 주어와 다르지만, ⓓ의 안긴문장의 주어는 안은문장의 주어와 같다.

⑤ ⓓ와 ⓔ의 안긴문장은 안은문장에서 모두 부사어로 쓰이고 있다.

03. ㉠~㉢에서 중의성을 해소하기 위해 문장을 수정할 때 고려한 내용으로 적절하지 않은 것은?

〈보기〉

	중의성이 있는 문장	수정한 문장
㉠	배가 정말 크다.	우리가 타고 갈 배가 정말 크다.
㉡	좋아하는 작가의 책을 읽었다.	어제 읽은 책은 내가 좋아하는 작가가 썼다.
㉢	할머니는 언니보다 나를 더 사랑하신다.	언니보다 할머니가 나를 더 사랑하신다.
㉣	광호는 영수와 철수를 불렀다.	광호와 영수는 함께 철수를 불렀다.
㉤	철수는 넥타이를 매고 있다.	철수는 지금 넥타이를 매는 중이다.

① ㉠: '배'는 두 가지 이상의 의미로 해석되므로, 한 가지 의미로 해석될 수 있도록 '배'를 수식하는 관형어를 추가한다.

② ㉡: '좋아하는'이 수식하는 말이 명확하지 않으므로, '작가'만 수식하도록 주어를 추가한다.

③ ㉢: '언니'와 비교하는 대상이 '할머니'인지 '나'인지 명확하지 않으므로, '할머니'를 비교 대상으로 삼아 '언니보다'의 위치를 이동한다.

④ ㉣: 부르는 행위를 '광호' 혼자 한 것인지, '광호'와 '영수'가 같이 한 것인지 명확하지 않으므로, 동반을 의미하는 부사어를 추가한다.

⑤ ㉤: '-고 있다'로 인해 동작의 진행과 상태의 지속이라는 두 가지 의미로 해석될 수 있으므로, 동작의 진행만 의미하는 '-는 중이다'로 교체한다.

[04~05] 다음 글을 읽고 물음에 답하시오.

합성어는 단어 형성 과정에서 다양한 특징이 나타난다. 먼저 음운적 특징을 살펴보면 다음과 같다.

어근과 어근이 결합할 때, 음운이 탈락되거나 첨가되는 현상이 나타나기도 하는데, 이러한 음운 현상이 표기에 반영된 합성어가 있다. 가령, 체언의 끝소리 'ㄹ'이 'ㄴ, ㄷ, ㅅ, ㅈ' 앞에서 탈락하는 현상을 표기에 반영한 '마소'나, 합성 명사를 이룰 때 나타나는 사잇소리를 표기에 반영하기 위해 'ㅅ'을 첨가한 '촛불' 등이 그것이다.

[A] 또한 중세 국어의 어두 자음군이나 'ㅎ' 종성 체언의 흔적이 현대 국어의 합성어에 남아 있기도 하다. 예를 들어, 중세 국어에서 '쌀'은 'ᄡᆞᆯ'로 쓰였는데, 현대 국어에서 '조'와 '쌀'이 결합하여 합성어가 될 때 '좁쌀'이 되는 이유를 어두 자음군 'ㅄ'의 'ㅂ'과 관련이 있다고 본다. 또한 중세 국어에서 '안(內)'은 'ㅎ' 종성 체언으로, '않'으로 쓰였다. 현대 국어에서 '안'과 '밖'이 결합하여 합성어가 될 때 '안팎'이 되는 이유도 중세 국어의 'ㅎ' 종성 체언의 'ㅎ'과 관련이 있다고 본다.

다음으로 합성어는 국어의 일반적인 통사 구성 방식과 일치하는지의 여부에 따라 구분되기도 한다. 우리말에서 조사의 생략은 흔히 나타나기 때문에, 조사가 생략된 채 체언과 용언이 결합한 합성어는 통사적 합성어에 해당한다. 반면, 어미를 생략한 채 용언의 어간과 용언이 바로 결합한 합성어는 비통사적 합성어에 해당한다. 마지막으로 구성 요소 간의 의미 결합 방식에 따라 대등 합성어, 종속 합성어, 융합 합성어로 나뉜다. 이때 융합 합성어는 각각의 구성 요소들이 지닌 원래의 의미에서 벗어나 새로운 의미가 된 것을 의미한다.

04. 윗글을 바탕으로 〈보기〉의 ⓐ~ⓔ를 분석한 것으로 옳지 <u>않은</u> 것은?

〈보기〉

ⓐ 소나무, 화살
ⓑ 냇가, 건널목
ⓒ 애쓰다
ⓓ 뛰놀다
ⓔ 밤낮

① ⓐ: 'ㄴ, ㅅ' 앞에서 체언의 끝소리 'ㄹ'이 탈락하는 음운 현상을 표기에 반영한 것이다.
② ⓑ: 합성 명사를 이룰 때, 'ㅅ'이나 'ㄹ'이 첨가되는 음운 현상을 표기에 반영한 것이다.
③ ⓒ: 목적격 조사가 생략된 채 체언과 용언이 결합한 통사적 합성어에 해당한다.
④ ⓓ: 연결 어미가 생략된 채 용언의 어간과 용언이 결합한 비통사적 합성어에 해당한다.
⑤ ⓔ: '밤과 낮'의 뜻으로 쓰이면 대등 합성어에 해당하지만, '늘'의 뜻으로 쓰이면 융합 합성어에 해당한다.

05. 〈보기〉는 [A]를 바탕으로 탐구한 내용이다. (가)~(다)에 해당하는 예로 적절한 것은?

〈보기〉

[학습 활동] 아래의 예를 활용하여, (가), (나), (다)에 해당하는 적절한 예를 적어봅시다.

[중세 국어 어휘]
ᄡᆞᆯ(쌀), ᄡᅵ(씨), ᄡᅳᆯ다(쓸다), ᄠᅳ다(뜨다), ᄣᅢ(때)
ᄯᅡᇂ(땅), 나랗(나라), ᄉᆞᆶ(살), 긿(길), 암ㅎ(암), 숳(수)

* ( )의 내용은 현대어 풀이

(가) 중세 국어에서 'ㅂ'으로 시작하는 어두 자음군의 'ㅂ'은 현대 국어의 복합어에서 앞 형태소의 받침으로 나타나는 경우가 있다.

(나) 'ㅎ' 종성 체언이 'ㄱ, ㄷ, ㅂ'으로 시작하는 말과 결합할 때에는 'ㅋ, ㅌ, ㅍ'으로 축약되어 나타났는데, 이러한 현상은 현대 국어의 합성어에도 남아 있다.

(다) 중세 국어에서 'ㅎ' 종성 체언의 'ㅎ'은 모음으로 시작하는 조사 앞에서는 이어적기를 하였다.

	(가)	(나)	(다)
①	볍씨	머리털	ᄉᆞᆯᄒᆞᆯ
②	휩쓸다	수컷	나라ᄋᆞᆯ
③	들뜨다	암탉	ᄯᅡ히
④	입때	수퀑	ᄯᅡᄒᆞᆯ
⑤	햅쌀	살코기	길히

☞ 문법 개념 담기

- **자음군 단순화:** 음절의 끝에 두 개의 자음(겹받침)이 올 때, 이 중에서 한 자음이 탈락하는 현상
- **거센소리되기(자음 축약):** 예사소리 'ㄱ, ㄷ, ㅂ, ㅈ'이 'ㅎ'과 만나 거센소리 [ㅋ, ㅌ, ㅍ, ㅊ]으로 발음되는 현상
- **반모음화:** 어간 끝의 모음 'ㅣ'나 'ㅗ/ㅜ'가 어미 첫 모음 'ㅏ/ㅓ'와 만날 때 반모음 'ǐ'나 'ㅗ̆/ㅜ̆[w]'로 바뀌면서 음절 수가 줄어드는 현상
  예 가- + -어서 → 겨서[겨:서], 두- + -어라 → 둬라[둬:라]

▶ 이 현상은 두 음절이 한 음절로 합쳐진다는 점을 중시하여 '축약'으로 보는 입장이 있고, 단모음이 반모음으로 바뀌었다는 점을 중시하여 '교체'로 보는 입장이 있어. '이중 모음'을 하나의 음운으로 볼 것인지, 아니면 '반모음'을 하나의 음운으로 볼 것인지에 대한 견해에 따라 이 현상을 바라보는 시각이 달라지지. 즉 이 현상을 축약으로 보면, 이중 모음을 하나의 음운으로 보아 '모음 축약'으로 보는 것이고, 반모음을 하나의 음운으로 보면, 이를 교체라고 보는 거야. 어떤 견해에 따라 공부해야 할지 혼란스럽다고? 걱정하지 마~ 1번 문제에서처럼 어떤 시각에 근거하여 문제를 풀어야 하는지 〈보기〉를 통해서 제시될 테니까!

▶ **01 ③**

정답풀이

'여덟만'은 음절의 종성에 자음군이 올 때, 한 자음만 남고 나머지 자음이 탈락하는 자음군 단순화가 일어나 [여덜만]으로 발음되므로 ㉠에 해당하는 예로 적절하다. '각하'는 'ㅎ'과 다른 음운이 결합하여 한 음운으로 축약되는 거센소리되기가 적용되어 [가카]로 발음하므로 ㉡에 해당하는 예로 적절하다. '기- + -어'가 [겨]가 되는 것은 단모음 'ㅣ'가 반모음 'ǐ'로 바뀌면서 음절의 수가 줄어드는 현상으로 ㉢에 해당하는 예로 적절하다.

오답풀이

① '넓고'는 음절의 종성에 자음군이 올 때, 한 자음만 남고 나머지 자음이 탈락하는 자음군 단순화가 일어난 뒤 된소리되기가 일어나 [널꼬]로 발음되므로 ㉠에 해당하는 예로 적절하다. '뚫고'는 'ㅎ'과 다른 음운이 결합하여 한 음운으로 축약되는 거센소리되기가 적용되어 [뚤코]로 발음되므로 ㉡에 해당하는 예로 적절하다. 그러나 '크- + -어서'가 '커서'가 되는 것은 단모음이 반모음으로 바뀌면서 음절의 수가 줄어든 것이 아니라, 'ㅡ' 탈락 규칙에 의한 것이므로 ㉢에 해당하는 예로 적절하지 않다.

② '닮은'은 겹받침 중 뒤의 것만을 뒤 음절 초성으로 옮겨 [달믄]으로 발음하는 경우이기 때문에 ㉠에 해당하는 예로 적절하지 않다. '닳지'는 'ㅎ'과 다른 음운이 결합하여 한 음운으로 축약되는 거센소리되기가 적용되어 [달치]로 발음하므로 ㉡에 해당하는 예로 적절하다. '오- + -아'가 '와'가 되는 것은 단모음 'ㅗ'가 반모음 'ㅗ̆'로 바뀌면서 음절의 수가 줄어든 것이므로 ㉢에 해당하는 예로 적절하다.

④ '많다'는 'ㅎ'과 다른 음운이 결합하여 한 음운으로 축약되는 거센소리되기가 적용되어 [만:타]로 발음되므로 ㉠에 해당하는 예로 적절하지 않다. '역할'은 'ㅎ'과 다른 음운이 결합하여 한 음운으로 축약되는 거센소리되기가 적용되어 [여칼]로 발음되므로 ㉡에 해당하는 예로 적절하다. '바꾸- + -어'가 '바꿔'가 되는 것은 단모음 'ㅜ'가 반모음 'ㅜ̆'로 바뀌면서 음절의 수가 줄어든 것이므로 ㉢에 해당하는 예로 적절하다.

⑤ '삶는'은 음절의 종성에 자음군이 올 때, 한 자음만 남고 나머지 자음이 탈락하는 자음군 단순화가 일어나 [삼는]으로 발음되므로 ㉠에 해당하는 예로 적절하다. '않는'은 음절의 종성에 자음군이 올 때, 한 자음만 남고 나머지 자음이 탈락하는 자음군 단순화가 일어나 [안는]으로 발음되므로 ㉡에 해당하는 예로 적절하지 않다. '가- + -아서'가 '가서'가 된 것은 'ㅏ/ㅓ'로 끝나는 어간이 모음 'ㅏ/ㅓ'로 시작하는 어미와 결합할 때 'ㅏ/ㅓ'가 탈락하는 현상이므로 ㉢에 해당하는 예로 적절하지 않다.

▶ 02 ②

ⓐ의 안은문장에 안겨 있는 절은 '영희가 동수와 만났음'이므로 명사형 어미 '-음'이 결합한 명사절이고, 명사절에 주격 조사 '이'가 결합하여 주어로 기능하고 있다. 그런데 ⓓ의 안은문장에 안겨 있는 절도 '일터로 가기'이므로 명사형 어미 '-기'가 결합한 명사절이고, 명사절에 부사격 조사 '에'가 결합하여 부사어로 기능하고 있다. 따라서 ⓓ의 안은문장에 안겨 있는 절이 부사절이라는 설명은 적절하지 않다.

① ⓐ의 안긴문장 '영희가 동수와 만났음'에는 '동수와'가 부사어로 쓰이고 있고, ⓒ의 안긴문장 '철호가 밥을 먹은'에는 '밥을'이 목적어로 쓰이고 있으므로 적절한 설명이다.

③ ⓑ의 안긴문장은 관형절 '동생이 어제 산'인데, 이는 원래 '동생이 어제 책을 산'이라고 볼 수 있다. 이때 관형절이 수식하는 명사인 '책'과 같은 성분이 생략되었다. ⓒ의 안긴문장은 관형절 '철호가 밥을 먹은'인데, 관형절이 수식하는 명사인 '사실'의 내용에 해당하여 안긴문장 속에 생략된 문장 성분이 없으므로 적절한 설명이다.

④ ⓒ의 안긴문장 '철호가 밥을 먹은'의 주어는 '철호가'이고, 안은문장의 주어는 '나는'이므로 서로 다르고, ⓓ의 안긴문장 '(사람들은) 일터로 가기'의 주어는 '사람들은'으로, 안은문장의 주어와 동일하므로 적절한 설명이다.

⑤ ⓓ의 안긴문장은 '(사람들은) 일터로 가기'라는 명사절인데, 명사절이 부사격 조사 '에'와 결합하여 안은문장의 부사어로 쓰이고 있다. ⓔ의 안긴문장은 '나무가 잘 자라도록'이라는 부사절이므로 안은문장에서 부사어로 쓰이고 있다.

☞ 문법 개념 담기

- **명사절로 안긴문장**: 명사형 어미 '-(으)ㅁ, -기'가 결합하여 절 전체가 문장에서 명사처럼 쓰이는 문장
- **관형절로 안긴문장**: 관형사형 어미 '-(으)ㄴ, -는, -(으)ㄹ, -던'이 결합하여 절 전체가 문장에서 관형어의 기능을 하는 문장
- **서술절로 안긴문장**: 절 전체가 문장에서 서술어의 기능을 하는 문장으로, 특정한 절 표지가 따로 없음
- **부사절로 안긴문장**: 부사형 어미 '-게, -도록, -듯이' 등이나 부사 파생 접미사 '-이'와 결합하여 절 전체가 문장에서 부사어의 기능을 하는 문장
- **인용절로 안긴문장**: 화자의 생각, 느낌, 다른 사람의 말 등을 옮긴 문장으로, 직접 인용절에서는 인용의 부사격 조사 '라고'가, 간접 인용절에서는 인용의 부사격 조사 '고'가 결합함

▶ 03 ②

ⓒ은 관형어 '좋아하는'이 수식하는 대상이 '작가'인지 '작가의 책'인지 혹은 '작가가 쓴 책'인지 '작가에 대한 책'인지 명확하지 않기 때문에 중의성이 발생한다. 중의성을 해소하기 위해서는 어순을 교체하거나 의미가 명확하도록 문장 성분을 추가할 수 있으며, 쉼표나 보조사 등을 활용할 수도 있다. '어제 읽은 책은 내가 좋아하는 작가가 썼다.'라고 수정한 문장은 관형절을 삽입하고 어순을 바꾸어 중의성을 해소한 것이다. 단지 주어를 추가했다고 해서 중의성이 해소되지 않는다. 예를 들어 '어제 내가 좋아하는 작가의 책을 읽었다.'라고 한다면 주어를 추가했지만, 여전히 중의성이 발생하기 때문이다. 따라서 '좋아하는'이 '작가'만 수식하도록 주어를 추가한다는 설명은 적절하지 않다.

① ⓐ의 '배'는 사람이나 동물의 신체 부위를 의미하는 '배'로도 쓰이고, 교통수단을 의미하는 '배'로도 쓰이며, 과일의 한 종류를 이르는 '배'로도 쓰이는 동음이의어이다. 따라서 '배가 정말 크다.'는 교통수단인 '배'가 크다는 것인지, 과일의 한 종류인 '배'가 크다는 것인지가 불분명하여 중의성이 발생한다. 따라서 이것이 한 가지 의미로 해석될 수 있도록 '우리가 타고 갈'이라는 관형어를 추가하면 중의성이 해소된다.

③ ⓒ은 비교하는 대상을 '언니'와 '할머니'로 보아 '언니가 나를 사랑하는 것보다 할머니가 나를 더 사랑한다.'는 의미와, 비교하는 대상을 '언니'와 '나'로 보아 '할머니는 언니를 사랑하는 것보다 나를 더 사랑한다.'는 의미로 해석될 수 있어 중의성이 발생한다. 따라서 '언니'와 '할머니'를 비교 대상으로 삼아 문장의 어순을 바꾸어 '언니보다 할머니가 나를 더 사랑하신다.'로 수정하면 중의성이 해소된다.

④ ⓓ은 '광호'가 '영수와 철수' 두 명을 부른 것인지, '광호와 영수'가 함께 '철수'를 부른 것인지 불분명하여 중의성이 발생한다. 따라서 어순을 바꾸고 동반을 의미하는 부사 '함께'를 추가하여 '광호와 영수는 함께 철수를 불렀다.'로 수정하면 중의성이 해소된다.

⑤ ⓔ은 '-고 있다'로 인해 '철수'가 '넥타이를 맨 상태'로 있는지, '철수'가 지금 '넥타이를 매고 있는 중'인지가 불분명하여 중의성이 발생한다. 따라서 동작의 진행만 의미하는 '-는 중이다'로 바꾸어 '철수는 지금 넥타이를 매는 중이다.'로 수정하면 중의성이 해소된다.

☞ 문법 개념 담기

- **어휘의 중의성에 의한 중의문**: 동음이의어, 다의어, 관용 표현에 의해 중의성이 발생하는 문장
  - 예 배가 정말 크다.(신체의 일부 또는 과일의 한 종류 또는 교통수단)
    우리 어머니는 손이 크다.(신체의 일부 또는 관용 표현 '씀씀이가 크다')
- **문장 구조 차이에 의한 중의문**: 주어의 범위, 수식하는 말, 비교 대상, 접속 조사의 사용, 부정 표현의 범위에 의해 중의성이 발생하는 문장
  - 예 영희가 보고 싶은 친구가 많다.(주어의 범위가 불분명함)
    예쁜 언니의 친구를 보았다.(수식하는 말이 불분명함)
    아빠는 나보다 엄마를 더 사랑한다.(비교 대상이 불분명함)
    영수는 찬호와 민수를 만났다.(이어주는 대상이 불분명함)
    교실에 학생들이 다 오지 않았다.(부정 표현의 범위가 불분명함)
- **상황 맥락에 의한 중의문**
  - 예 그는 신발을 신고 있다.(진행과 완료 지속)
    아빠가 동생을 차에 태웠다.(직접 사동과 간접 사동)
- ◑ 여러 가지 이유로 인해서 발생하는 중의성은 의미를 한정해 주는 문맥이나 상황을 제시하거나, 쉼표를 사용하거나, 어순을 조절하거나, 조사(은/는)를 사용하여서 해소할 수 있어!

ⓑ의 '냇가'는 '내'와 '가'가 합성되어 합성 명사를 이룰 때 사잇소리로 'ㅅ'이 첨가되는 사잇소리 현상에 의해 '냇가'로 표기한 것이다. 그러나 '건널목'은 용언 어간 '건너-'에 관형사형 어미 '-ㄹ'이 결합한 뒤 '목'과 합성된 합성 명사이다. 이때 첨가된 'ㄹ'은 음운 현상에 의해 첨가된 것이 아니므로 'ㄹ'이 첨가되는 음운 현상을 표기에 반영한 것이라는 설명은 적절하지 않다.
▶ 국어의 음운 변동 현상 중에 'ㄹ' 첨가는 없어!

① 윗글에서 '체언의 끝소리 'ㄹ'이 'ㄴ, ㄷ, ㅅ, ㅈ' 앞에서 탈락하는 현상을 표기에 반영'한다고 하였다. 이에 따라 ⓐ는 '솔 + 나무'와 '활 + 살'에서 앞 체언의 끝소리 'ㄹ'이 'ㄴ, ㅅ' 앞에서 탈락하는 음운 현상을 표기에 반영하여 '소나무'와 '화살'로 표기한 것이다.

③ 윗글에서 '우리말에서 조사의 생략은 흔히 나타나기 때문에, 조사가 생략된 채 체언과 용언이 결합한 합성어는 통사적 합성어에 해당한다.'라고 하였다. 이에 따라 ⓒ의 '애쓰다'는 '애를 쓰다'에서 목적격 조사 '를'이 생략된 채 체언과 용언이 결합하였으므로 통사적 합성어에 해당한다.

④ 윗글에서 '어미를 생략한 채 용언의 어간과 용언이 바로 결합한 합성어는 비통사적 합성어에 해당한다.'라고 하였다. 이에 따라 ⓓ의 '뛰놀다'는 용언 어간 '뛰-'와 '놀-'이 연결 어미 없이 결합하였으므로 비통사적 합성어에 해당한다고 볼 수 있다.

⑤ 윗글에서 '융합 합성어는 각각의 구성 요소들이 지닌 원래의 의미에서 벗어나 새로운 의미가 된 것을 의미한다.'라고 하였다. 이에 따라 ⓔ의 '밤낮'은 각각의 구성 요소들이 지닌 원래의 의미인 '밤과 낮'의 뜻으로 쓰이면 대등 합성어이지만, 각각의 구성 요소들이 지닌 원래의 의미에서 벗어난 새로운 의미인 '늘'의 뜻으로 쓰이면 융합 합성어에 해당함을 알 수 있다.

☞ 문법 개념 담기

- **'ㄹ' 탈락:** 'ㄹ'로 끝나는 용언의 어간이 몇몇 어미와 결합할 때 'ㄹ'이 탈락하거나, 합성이나 파생의 과정에서 앞말의 끝소리 'ㄹ'이 'ㄴ, ㄷ, ㅅ, ㅈ' 앞에서 탈락하는 현상
- **통사적 합성어:** 우리말의 일반적인 단어 배열에 따른 합성어
▶ 국어에서 조사의 생략은 빈번하게 일어나는 일이라서 체언과 용언이 결합할 때 조사가 생략된 것은 통사적 합성어에 해당한다는 사실을 잊지 말고 정리해 놓자!
- **비통사적 합성어:** 우리말의 일반적인 단어 배열 방식에서 벗어난 합성어
- **대등 합성어:** 두 어근이 대등한 자격으로 결합한 합성어
  예 논밭, 오가다, 높푸르다, 밤낮(밤과 낮)
- **종속 합성어:** 한 어근이 다른 어근에 종속된 합성어
  예 돌다리, 콩나물밥, 책가방
- **융합 합성어:** 결합한 단어가 전혀 다른 제3의 의미로 탄생한 합성어
  예 춘추(연세), 피땀(노력), 밤낮(늘, 항상)

'햅쌀'은 '당해에 난'의 뜻을 더하는 접두사 '해-'와 '쌀'이 결합할 때 '쌀'의 중세 국어 형태인 'ᄡᆞᆯ'의 'ㅂ'이 앞 형태소의 받침으로 나타난 것이므로 (가)에 해당하는 예로 적절하다. '살코기'는 '살'과 '고기'가 결합할 때 '살'의 중세 국어 형태인 '삻'의 'ㅎ'이 'ㄱ'과 축약되어 '살코기'로 나타난 것이므로 (나)에 해당하는 예로 적절하다. '길히'는 'ㅎ' 종성 체언인 '긿'이 모음으로 시작하는 주격 조사 '이'와 결합할 때 이어적기되어 '길히'로 적은 것이므로 (다)에 해당하는 예로 적절하다.

① '볍씨'는 '벼'와 '씨'가 결합할 때 '씨'의 중세 국어 형태인 'ᄡᅵ'의 'ㅂ'이 앞 형태소의 받침으로 나타난 것이므로 (가)에 해당하는 예로 적절하다. '머리털'은 '머리'와 '털'이 결합한 것이므로 중세 국어의 'ㅎ' 종성 체언의 'ㅎ'이 'ㄷ'과 축약되어 'ㅌ'으로 나타난 것이라고 볼 수 없어 (나)에 해당하는 예로 적절하지 않다. '솔흘'은 'ㅎ' 종성 체언인 '숧'과 목적격 조사 '올'이 결합할 때 종성의 'ㅎ'이 이어적기되어 '솔흘'로 적은 것이므로 (다)에 해당하는 예로 적절하다.

② '휩쓸다'는 '마구, 매우 심하게'의 뜻을 더하는 접두사 '휘-'와 '쓸다'가 결합할 때 '쓸다'의 중세 국어 형태인 'ᄡᅳᆯ다'의 'ㅂ'이 앞 형태소의 받침으로 나타난 것이므로 (가)에 해당하는 예로 적절하다. '수컷'은 '수'와 '것'이 결합할 때 '수'의 중세 국어 형태인 '숳'의 'ㅎ'이 'ㄱ'과 축약되어 '수컷'으로 나타난 것이므로 (나)에 해당하는 예로 적절하다. 그러나 '나라올'은 'ㅎ' 종성 체언인 '나랗'과 모음으로 시작하는 목적격 조사 '올'이 결합할 때 'ㅎ'을 이어적기한 형태가 아니므로 (다)에 해당하는 예로 적절하지 않다.

③ '들뜨다'는 '마구, 몹시'의 뜻을 더하는 접두사 '들-'이 '뜨다'와 결합하였는데, 이때 '뜨다'의 중세 국어 형태인 '쁘다'의 'ㅂ'이 앞 형태소의 받침으로 나타나지 않았으므로 (가)에 해당하는 예로 적절하지 않다. '암탉'은 '암'과 '닭'이 결합할 때 '암'의 중세 국어 형태인 '앓'의 'ㅎ'이 'ㄷ'과 축약되어 '암탉'으로 나타난 것이므로 (나)에 해당하는 예로 적절하다. '짜히'는 'ㅎ' 종성 체언인 '짷'이 모음으로 시작하는 주격 조사 '이'와 결합할 때 이어적기되어 '짜히'로 적은 것이므로 (다)에 해당하는 예로 적절하다.

④ '입때'는 '이'와 '때'가 결합할 때 '때'의 중세 국어 형태인 '빼'의 'ㅂ'이 앞 형태소의 받침으로 나타난 것이므로 (가)에 해당하는 예로 적절하다. '수꿩'은 '수'와 '꿩'이 결합한 것이므로 중세 국어의 'ㅎ' 종성 체언의 'ㅎ'이 나타난 형태로 볼 수 없어 (나)에 해당하는 예로 적절하지 않다. '짜흘'은 'ㅎ' 종성 체언인 '짷'이 모음으로 시작하는 목적격 조사 '올'과 결합할 때 이어적기되어 '짜흘'로 적은 것이므로 (다)에 해당하는 예로 적절하다.

☞ 문법 개념 담기

- **어두자음군:** 단어의 첫머리에 오는 둘 또는 그 이상의 자음의 연속체
- **'ㅎ' 종성 체언:** 체언의 종성에 'ㅎ'을 가진 단어들로, 단독형이나 관형격 조사 'ㅅ' 앞에서는 'ㅎ'이 나타나지 않다가, 모음으로 시작하는 조사나 부사격 조사 '과' 앞에서는 'ㅎ'이 나타났음

☑ 학습 Check   1회 ☐   2회 ☐   3회 ☐

문항	개념 확인	알면 Check! ☑	나의 책 Check! PAGE	선지나 〈보기〉를 활용하여 문법을 다지자! ▶ 선지나 〈보기〉의 핵심 내용을 활용하여, 내가 올랐거나 정확히 알고 넘어가야 할 개념을 정리해 보세요.
01	자음군 단순화 거센소리되기 교체 축약 반모음화 / 모음 축약	☐ ☐ ☐ ☐ ☐		
02	명사절로 안긴문장 관형절로 안긴문장 서술절로 안긴문장 부사절로 안긴문장 인용절로 안긴문장	☐ ☐ ☐ ☐ ☐		
03	어휘에 의한 중의성 문장 구조 차이에 의한 중의성 상황 맥락에 의한 중의성 중의성 해소 방법	☐ ☐ ☐ ☐		
04	'ㄹ' 탈락 통사적 합성어 비통사적 합성어 대등 합성어 종속 합성어 융합 합성어	☐ ☐ ☐ ☐ ☐ ☐		
05	어두자음군 'ㅎ' 종성 체언	☐ ☐		

1
2
3
4
주차

[01~02] 다음 글을 읽고 물음에 답하시오.

　하나의 형태소가 앞뒤의 환경에 따라 여러 형태로 나타나기도 하는데, 이를 이형태라고 한다. 이형태를 가진 형태소는 다양한 이형태들 중에서 대표가 되는 하나의 형태를 기본형으로 정한다. 이때 기본형은 다른 이형태들이 실현되는 과정을 국어의 음운 변동 현상에 의해 자연스럽게 설명할 수 있어야 한다. 예를 들어, '흙'은 단독으로 쓰일 경우 [흑]으로, 비음 앞에서는 [흥]으로, 모음으로 시작하는 형식 형태소 앞에서는 겹받침 중 뒤의 것이 연음되기 때문에 [흘기]로 나타난다. 따라서 이형태는 '흑, 흥, 흙'이 되며, 이들 중 기본형을 '흙'으로 설정한 이유는 다른 형태들이 나타나는 과정을 가장 자연스럽게 설명할 수 있기 때문이다.

　만약 기본형을 잘못 설정하면 국어의 음운 변동 현상으로 설명하기 어렵거나, 잘못된 발음이 도출될 수 있다. 따라서 기본형을 정할 때에는 하나의 형태소가 다양한 음운 환경에서 나타나는 이형태를 정리한 후, 각각을 기본형이라고 가정하고 나머지 형태들이 나타나는 과정을 설명할 수 있는지 검토해 보아야 한다.

[가]　한편 이형태 중에서는 어느 하나를 기본형으로 잡더라도 다른 이형태가 나타나는 이유를 설명하기 어려운 경우도 있다. 예를 들어 'ㅅ' 불규칙 활용을 하는 용언의 어간은 음운 환경에 따라 다양한 이형태가 나타나는데, 모음 어미 앞에서 'ㅅ'이 탈락하기 때문에 이형태 중 어느 하나를 기본형으로 설정하기 어렵다. 따라서 이러한 경우에는 제3의 형태가 기본형이 된다.

01. 윗글을 바탕으로 '밭'의 발음에 대해 이해한 내용으로 적절하지 **않은** 것은?

① '밭'은 조사 '도' 앞에서 이형태가 '받'으로 나타난다.
② '밭'은 조사 '만' 앞에서 이형태가 '반'으로 나타난다.
③ '밭'은 조사 '이' 앞에서 이형태가 '밭'으로 나타난다.
④ '밭'은 명사 '꽃' 뒤에서 이형태가 '빹'으로 나타난다.
⑤ '밭'은 명사 '꽃'과 조사 '에' 사이에서 이형태가 '빹'으로 나타난다.

02. 〈보기〉는 [가]를 바탕으로 진행된 학습 활동이다. 윗글을 바탕으로 〈보기〉의 탐구 활동을 수행할 때, ⓐ~ⓓ에 들어갈 내용으로 적절하지 **않은** 것은? [3점]

〈보기〉

예	• 그는 고향에 집을 ___ⓐ___ + -었- + -대[지얻때]. • 그녀는 늘 미소를 ___ⓐ___ + -고[짇꼬] 다닌다. • 진수의 취미는 시를 ___ⓐ___ + -는[진:는] 것이다.
이 형 태	• 자- • 짇- • 진-
탐 구 과 정	**(1) '자-'를 기본형으로 정할 경우:** ___ⓑ___ **(2) '짇-'을 기본형으로 정할 경우:** ___ⓒ___ **(3) '진-'을 기본형으로 정할 경우:** ___ⓓ___
결 과	' ___ⓐ___ '을/를 기본형으로 설정하는 것이 타당함

① ⓐ에는 'ㅅ' 불규칙 활용 때문에 이형태들 중 어느 하나를 기본형으로 설정할 수 없으므로, 제3의 형태가 들어갈 것이다.

② ⓑ에는 비음을 제외한 자음 어미 앞에서 '짇-'으로 실현되는 것을 설명할 수 없다는 내용이 들어갈 수 있다.

③ ⓑ에는 비음 앞에서 '진-'으로 실현되는 것을 설명할 수 없다는 내용이 들어갈 수 있다.

④ ⓒ에는 비음 앞에서 '진-'으로 실현되는 것을 설명할 수 없다는 내용이 들어갈 것이다.

⑤ ⓓ에는 모음 어미 앞에서 '지-'로, 비음을 제외한 자음 어미 앞에서 '짇-'으로 실현되는 것을 설명할 수 없다는 내용이 들어갈 것이다.

03. 〈보기〉는 준말과 관련한 규정을 정리한 내용이다. ㉠~㉢에 들어갈 말로 적절한 것은?

〈보기〉

단어 또는 어간의 끝음절 모음이 줄어지고 자음만 남는 경우, 그 자음을 앞 음절의 받침으로 올려붙여 적는다. 예를 들어 '가지다'의 준말 '갖다'는 어간 '가지-'에서 모음 'ㅣ'가 줄고 남은 자음 'ㅈ'이 앞 음절의 받침으로 옮겨 적힌 것이다. 일반적으로 준말은 '*갖아, *갖은, *갖아라'처럼 모음 어미가 결합된 활용형이 성립하지 않는다. 이때 '르' 불규칙 활용에 해당하는 용언은 모음 어미 '-아/어'가 연결될 때에는 준말이 활용된 것이 아님에 유의해야 한다.

본말	준말	모음 어미가 결합된 활용형
디디다	딛다	계단을 살살 ㉠ 삐걱거리는 소리는 났다.
㉡	서툴다	나는 운전에 ㉢ 긴장이 됐다.

	㉠	㉡	㉢
①	딛어도	서툴르다	서툴러서
②	디뎌도	서툴르다	서툴어서
③	디뎌도	서투르다	서툴어서
④	딛어도	서투르다	서툴러서
⑤	디뎌도	서투르다	서툴러서

04. 〈보기 1〉을 바탕으로 〈보기 2〉의 ⓐ~ⓔ를 탐구한 내용으로 적절하지 <u>않은</u> 것은?

〈보기 1〉

부정문은 부정 부사 '안'이나 '못'을 활용한 짧은 부정문과 '-지 않다, -지 못하다, -지 말다' 등을 활용한 긴 부정문으로 나뉜다. 이때 '못' 부정문은 서술어가 형용사인 경우 잘 성립되지 않으나, 기대나 기준에 이르지 못함을 나타낼 때 긴 부정문을 활용하여 표현할 수 있다. 일부 특수한 어휘는 '-지 못하다'만을 활용하여 부정 표현을 나타내며, 명령문이나 청유문은 '-지 말다'만을 활용하여 부정 표현을 나타낼 수 있다. 또한 부정문은 어떤 문장 성분을 부정하는가에 따라 의미의 해석이 달라지기도 한다.

〈보기 2〉

ⓐ 제발 나를 떠나지 마라.
ⓑ 철수가 자꾸 밥을 안 먹는다.
ⓒ 수지는 그 사실을 알지 못했다.
ⓓ 학교에 학생들이 다 오지 않았다.
ⓔ 우리집은 가정 형편이 좋지 못하다.

① ⓐ와 같은 문장 유형에서는 부정 부사를 활용하여 부정을 표현할 수 없겠군.

② ⓑ는 주어의 의지가 작용한 부정을 표현한 것으로, 부정 부사 '안'을 활용한 짧은 부정문이군.

③ ⓒ는 '-지 못하다'를 활용한 긴 부정문으로, 부정 부사를 활용하면 짧은 부정을 나타낼 수 있겠군.

④ ⓓ는 전체를 부정하는 의미와 일부를 부정하는 의미의 두 가지로 해석될 수 있어 중의성이 나타나는군.

⑤ ⓔ는 '좋지 못하다' 대신에 기대나 기준에 이르지 못함을 의미하는 '넉넉하지 못하다'를 넣을 수 있겠군.

1
2
3
4
주
차

05. 〈보기〉에 나타난 중세 국어의 특징을 탐구한 내용으로 적절한 것은?

〈보기〉

> ㉠ [중세 국어] 네 이제 또 **묻누다**
>   [현대 국어] 네가 이제 또 묻는다
> ㉡ [중세 국어] 功德(공덕)이 **하녀 져그녀**
>   [현대 국어] 공덕이 많으냐 적으냐
> ㉢ [중세 국어] 네 아비 하마 **주그니라**
>   [현대 국어] 너의 아버지가 이미 죽었다
> ㉣ [중세 국어] 지븨 이싫 저긔 **두립더라**
>   [현대 국어] 집에 있을 적에 두렵더라
> ㉤ [중세 국어] 聖子는 聖人엣 **아두리라**
>   [현대 국어] 성자는 성인의 아들이다
> ㉥ [중세 국어] 내 이제 分明(분명)히 **닐오리라**
>   [현대 국어] 내가 이제 분명히 말하겠다

① ㉠과 ㉡을 비교해 보니 품사에 따라 현재 시제를 나타내는 방법이 달랐군.

② ㉠과 ㉥을 비교해 보니 시제가 동일하더라도 다른 선어말 어미를 사용할 수 있었군.

③ ㉡과 ㉣을 비교해 보니 형용사에는 과거를 나타내는 선어말 어미가 결합할 수 없었군.

④ ㉢과 ㉣은 모두 과거 시제를 나타낼 때, 현대 국어와 동일한 선어말 어미를 사용하였군.

⑤ ㉤과 ㉥은 모두 선어말 어미 '-리-'를 사용하여 미래 시제를 나타냈군.

MEMO

빠른 정답 찾기	01	02	03	04	05
	③	④	⑤	③	①

▶ 01 ③

'밭'이 조사 '이'와 결합하여 '밭이'가 되면 구개음화가 적용되어 [바치]로 발음한다. 따라서 이때 이형태는 '밫'으로 나타난다. 구개음화는 받침 'ㄷ, ㅌ(ㄾ)'이 모음 'ㅣ'나 반모음 'ㆍ'로 시작하는 형식 형태소 앞에서 [ㅈ, ㅊ]으로 발음되는 현상이므로 '밭이'는 구개음화가 적용된다.

① '밭'이 조사 '도'와 결합하면 음절의 끝소리 규칙과 된소리되기가 적용되어 [받또]로 발음된다. 따라서 이때 '밭'의 이형태는 '받'으로 나타난다.

② '밭'이 조사 '만'과 결합하면 음절의 끝소리 규칙을 겪어 'ㅌ'이 'ㄷ'으로 바뀐 뒤 비음 동화를 겪어 [반만]으로 발음된다. 따라서 이때 '밭'의 이형태는 '반'으로 나타난다.

④ '꽃밭'은 음절의 끝소리 규칙이 적용되어 '꼳받'이 되고, 여기에 된소리되기가 적용되어 [꼳빧]으로 발음된다. 따라서 이때 '밭'의 이형태는 '빧'으로 나타난다.

⑤ '꽃밭에'는 우선 음절의 끝소리 규칙이 적용되어 '꼳바테'가 되고, 여기에 된소리되기가 적용되어 [꼳빠테]로 발음된다. 따라서 이때 '밭'의 이형태는 '빹'으로 나타난다.

☞ 문법 개념 담기

- **이형태:** 의미와 기능이 동일한 하나의 형태소가 주위 환경에 따라 음상을 달리하는 경우가 있는데, 이때 달라진 한 형태소의 모양
- ▶ 이형태 중에는 음운 환경에 따라 다른 형태로 나타나는 음운론적 이형태와 형태론적 환경에서 다른 형태로 나타나는 형태론적 이형태가 있어! 음운론적 이형태의 예로는 앞 음운이 자음일 경우 주격 조사의 형태로 '이'가 쓰이고 앞 음운이 모음일 경우 주격 조사의 형태로 '가'가 쓰이는 것을 들 수 있고, 형태론적 이형태의 예로는 용언 어간 '하-' 뒤에서 과거 시제 선어말 어미 '-었-'이 '-였-'의 형태로 나타나는 것을 들 수 있어! 이때 형태론적 이형태는 음운론적으로는 설명될 수 없어.
- **구개음화:** 받침 'ㄷ, ㅌ(ㄾ)'이 모음 'ㅣ'나 반모음 'ㆍ'로 시작하는 형식 형태소 앞에서 [ㅈ, ㅊ]으로 발음되는 현상
- **비음 동화:** 파열음 'ㄱ, ㄷ, ㅂ'이 비음 'ㄴ, ㅁ' 앞에서 비음 'ㅇ, ㄴ, ㅁ'으로 바뀌는 현상
- **음절의 끝소리 규칙:** 받침소리로 'ㄱ, ㄴ, ㄷ, ㄹ, ㅁ, ㅂ, ㅇ' 이외의 자음이 이 일곱 자음 중 하나로 바뀌는 현상
- **된소리되기:** 예사소리였던 것이 된소리로 발음되는 현상

▶ 02 ④

'짇-'을 기본형으로 정할 경우, 국어의 음운 규칙 중 비음 동화에 의해 받침 'ㄷ'이 비음 앞에서 비음 'ㄴ'으로 발음되는 것을 설명할 수 있다. 따라서 ⓒ에는 비음 앞에서 '진-'으로 실현되는 것을 설명할 수 없다는 내용은 들어갈 수 없다.

① 〈보기〉의 탐구 결과에 따른 이형태들은 '자-, 짇-, 진-'인데, 이형태들 중 어떤 것을 기본형으로 정해도 다른 이형태가 나타나는 이유를 설명하기 어렵다. 따라서 제3의 형태인 '짓-'을 기본형으로 설정하는 것이 타당하다.

② '자-'를 기본형으로 정할 경우, 국어의 음운 규칙으로는 비음을 제외한 자음 어미 앞에서 '짇-'으로 실현되는 것을 설명할 수 없다.

③ '자-'를 기본형으로 정할 경우, 국어의 음운 규칙으로는 비음으로 시작하는 어미 앞에서 '진-'으로 실현되는 것을 설명할 수 없다.

⑤ '진-'을 기본형으로 정할 경우, 국어의 음운 규칙으로는 모음 어미 앞에서 '자-'로 실현되는 것과 비음을 제외한 자음 어미 앞에서 '짇-'으로 실현되는 것을 설명할 수 없다.

☞ 문법 개념 담기

- **'ㅅ' 불규칙 활용:** 용언의 어간 끝 'ㅅ'이 모음으로 시작하는 어미 앞에서 탈락하는 불규칙 활용
  - 예 짓- + -어 → 지어 / 긋- + -어 → 그어
  - 규칙 활용: 벗- + -어 → 벗어 / 웃- + -어 → 웃어
- ▶ 여러 가지 이형태 중에서 대표가 되는 형태소를 기본형으로 정하는데, 기본형은 다른 이형태들이 나타나는 현상을 가장 자연스럽게 설명할 수 있는 것으로 정하는 것이 일반적이야. 그런데 만약 여러 가지 이형태 중에서 어느 하나를 기본형으로 삼더라도 다른 형태가 나타나는 것을 설명할 수 없다면 더 많이 쓰이거나, 역사적으로 먼저 생긴 형태를 기본형으로 정해. 예를 들어서 명령형 어미 '-어라/-아라/-라/-거라/-너라/-여라'의 경우에는 그 어떤 형태를 기본형으로 삼더라도 다른 형태가 나타나는 것을 설명하기가 어렵겠지? 이 경우에는 가장 많이 쓰이는 '-어라'를 기본형으로 정하는 거야!

▶ 03 ⑤

〈보기〉에서 '준말은 '*갖아, *갖은, *갖아라'처럼 모음 어미가 결합된 활용형이 성립하지 않는다.'라고 하였다. '디디다'의 준말인 '딛다'도 '*딛어, *딛은, *딛어라'와 같이 모음 어미가 결합된 활용형이 성립하지 않는다. 따라서 준말의 어간 '딛-'에 모음 어미 '-어도'가 결합한 '*딛어도'의 형태가 아니라, 본말의 어간 '디디-'에 모음 어미 '-어도'가 결합한 '디뎌도'의 형태로 활용한다. 이때 '디뎌도'의 '뎌'는 '디'와 '어'가 결합한 형태이다.

준말 '서툴다'의 본말은 '서투르다'로, 모음 어미와 결합할 때 어간 끝의 '르'가 'ㄹㄹ'로 바뀌는 '르' 불규칙 활용을 하는 용언이다. 〈보기〉에서 '이때 '르' 불규칙 활용에 해당하는 용언은 모음 어미 '-아/-어'가 연결될 때에는 준말이 활용된 것이 아님에 유의해야 한다.'라고 하였으므로, 준말 '서툴다'에도 모음 어미가 결합할 수 없다. 따라서 본말 '서투르다'의 어간 '서투르-'에 모음 어미 '-어서'가 결합할 때 '르' 불규칙 활용에 따라 '서툴러서'의 형태로 활용한다.

그러므로 ㉠에는 '디뎌도', ㉡에는 '서투르다', ㉢에는 '서툴러서'가 들어갈 수 있다.

👉 문법 개념 담기

- **'르' 불규칙 활용:** 어간 끝 '르'가 모음 어미 앞에서 'ㄹㄹ'로 바뀌는 불규칙 활용

  예 흐르-+-어 → 흘러, 머무르-+-어서 → 머물러서

  규칙 활용('_' 탈락): 따르-+-아 → 따라, 잠그-+-아라 → 잠가라

- ➡ '르' 불규칙 활용을 보이는 용언 중 '머무르다, 서두르다, 서투르다'는 준말인 '머물다, 서둘다, 서툴다'의 형태도 널리 쓰이고 있어서 본말과 준말 모두를 표준어로 삼고 있다. 그런데 표준어 규정에서는 이 준말에 대해서 '모음 어미가 연결될 때에는 준말의 활용형을 인정하지 않는다'고 설명하고 있다. 따라서 '르' 불규칙 용언 중 준말의 형태가 모음 어미와 결합한 '머물어, 서둘어, 서툴어' 등의 형태는 인정되지 않고, 어간 끝 '르'가 'ㄹㄹ'로 바뀐 '머물러, 서둘러, 서툴러' 등의 형태만 인정된다는 것을 참고하자! 또한 '가지다'의 준말 '갖다'의 모음 어미 활용형이 불가능한 것과 마찬가지로 '디디다'의 준말 '딛다'의 모음 어미 활용형도 불가능하기 때문에 '디뎌서, 디뎌라' 등의 형태로 써야 한다는 것도 기억해 둬~

▶ 04 ③

〈보기 1〉에서 '일부 특수한 어휘는 '-지 못하다'만을 활용하여 부정 표현을 나타'낸다고 하였다. ㉢의 '수지는 그 사실을 알지 못했다.'의 서술어 '알다'는 '-지 못하다'만을 활용하여 부정 표현을 나타낼 수 있고, '*못 알다'와 같은 짧은 부정문이 사용되지 못한다. 따라서 ㉢는 부정 부사를 활용하여 '*수지는 그 사실을 못 알았다.'와 같이 짧은 부정문으로 쓸 수 없다.

➡ 참고로 '알다'의 경우에는 주체의 의지가 작용되지 않아도 일단 '지각'되면 저절로 그 행위가 이루어지는 동사이므로 '안' 부정문이 성립하지 않고, '모르다'라는 부정의 의미를 지니는 반의어가 존재하여서, '수지는 그 사실을 몰랐다.'와 같이 쓸 수 있기 때문에 짧은 부정문으로 나타낼 수 없다고 설명하기도 해~

① 〈보기 1〉에서 '명령문이나 청유문은 '-지 말다'만을 활용하여 부정 표현을 나타낼 수 있다.'라고 하였다. ⓐ의 '제발 나를 떠나지 마라.'는 명령문이기 때문에 부정 부사 '안', '못'을 활용하여 부정을 표현할 수 없다.

② ⓑ의 '철수가 자꾸 밥을 안 먹는다.'는 '안' 부정문을 사용하여 주체의 의지가 작용할 수 있는 행위를 부정하는 의지 부정을 나타내며, 부정 부사 '안'이 사용되었으므로 짧은 부정문에 해당된다.

④ ⓓ의 '학교에 학생들이 다 오지 않았다.'는 '학교에 학생들이 전부 오지 않았다.'는 의미로 해석될 경우 전체를 부정하는 의미로 볼 수 있고, '학교에 학생들이 일부만 왔고, 다는 오지 않았다.'의 의미로 해석될 경우 일부를 부정하는 의미로 볼 수 있으므로 중의성이 나타난다.

⑤ 〈보기 1〉에서 "못' 부정문은 서술어가 형용사인 경우 잘 성립되지 않으나, 기대나 기준에 이르지 못함을 나타낼 때' 부정 용언을 활용하여 표현할 수 있다고 하였다. 일반적으로 형용사 '좋다'는 '못' 부정문이 성립하지 않지만, ⓔ의 '우리집은 가정 형편이 좋지 못하다.'에서 '좋지 못하다'는 '기대나 기준에 이르지 못함'을 나타내는 것이므로, 부정 용언 '-지 못하다'를 활용하여 부정을 표현할 있다. 이때 '우리집은 가정 형편이 넉넉하지 못하다.'로 바꾸어도 '기대나 기준에 이르지 못함'을 나타낼 수 있다.

👉 문법 개념 담기

- **부정 표현:** 문장의 내용을 의미상으로 부정하는 표현
- **의지 부정:** 행동 주체의 의지가 작용할 수 있는 행위를 부정하는 것으로, 부정 부사 '안'과 부정 용언 '-지 않다/아니하다'가 사용됨
- **단순 부정(상태 부정):** 단순한 사실을 부정하는 것으로, 부정 부사 '안'과 부정 용언 '-지 않다/아니하다'가 사용됨
- **능력 부정:** 행동 주체의 능력이나 그 외의 다른 외부 원인 때문에 그 행위가 일어나지 못하는 것을 표현하는 것으로, 부정 부사 '못'과 부정 용언 '-지 못하다'가 사용됨
- **'말다' 부정문:** 주로 명령문과 청유문에서 '-지 마라', '-지 말자'처럼 쓰이는 부정문
- **부정문의 제약:** 서술어가 형용사인 경우, '못' 부정은 잘 성립되지 않으며, '기대나 기준에 이르지 못함'을 나타낼 때에만 '-지 못하다'를 활용하여 표현할 수 있음

정답풀이

'-ᄂᆞ-'가 사용된 ㉠의 '묻ᄂᆞ다'의 현대어 해석은 '묻는다'이므로 현재 시제인 것을 알 수 있고, ㉡의 '하녀 져그녀'의 현대어 해석은 '많으냐 적으냐'로 역시 현재 시제인 것을 알 수 있다. 그런데 동사 '묻다'는 현재 시제 선어말 어미 '-ᄂᆞ-'를 사용하여 현재 시제를 나타냈지만, 형용사에는 현재 시제 선어말 어미가 보이지 않으므로, 품사에 따라 현재 시제를 나타내는 방법이 달랐음을 알 수 있다.

오답풀이

② ㉠의 '묻ᄂᆞ다'는 선어말 어미 '-ᄂᆞ-'가 결합하여 현재 시제인 '묻는다'로 해석되고 있고, ㉂의 '닐오리라'는 선어말 어미 '-리-'가 결합하여 미래 시제인 '말하겠다'로 해석되어 있으므로, 시제가 동일하다는 설명은 적절하지 않다.

③ ㉡의 '하녀 져그녀'와 ㉣의 '두립더라'는 모두 형용사에 해당한다. 그런데 ㉡의 '하녀 져그녀'는 현재 시제로 선어말 어미가 결합하지 않았으나 ㉣의 '두립더라'는 선어말 어미 '-더-'가 결합하여 과거 시제를 나타내고 있으므로, 형용사에는 과거를 나타내는 선어말 어미가 결합할 수 없다는 설명은 적절하지 않다.

④ ㉢의 '주그니라'는 과거를 나타내는 선어말 어미는 사용되지 않았고, ㉣의 '두립더라'는 과거 시제 선어말 어미인 '-더-'가 결합하여 과거를 나타내고 있다. 현대어 해석을 참고하면 ㉣만 과거 시제를 나타낼 때 현대 국어와 동일한 선어말 어미인 '-더-'를 사용하고 있다.

⑤ ㉤의 '아ᄃᆞ리라'의 현대어 해석은 '아들이다'이므로 현재 시제인 것을 알 수 있다. 중세 국어의 선어말 어미 '-리-'가 미래 시제를 나타냈던 것은 맞지만, 이 문장에서 미래 시제의 선어말 어미 '-리-'가 사용된 것은 아니다. '아ᄃᆞ리라'는 명사와 서술격 조사의 결합인 '아ᄃᆞᆯ + 이라'를 발음대로 이어적기한 것이다. 한편 ㉂의 '닐오리라'의 현대어 해석은 '말하겠다'이므로 미래 시제인 것을 알 수 있다. 따라서 ㉂은 선어말 어미 '-리-'를 사용하여 미래 시제를 나타냈다고 볼 수 있다.

☑ 학습 Check 1회 ☐ 2회 ☐ 3회 ☐

문항	개념 확인	알면 Check! ☑	나의 책 Check! PAGE	선지나 〈보기〉를 활용하여 문법을 다지자! ▶ 선지나 〈보기〉의 핵심 내용을 활용하여, 내가 몰랐거나 정확히 알고 넘어가야 할 개념을 정리해 보세요.
01	이형태 구개음화 비음 동화 음절의 끝소리 규칙 된소리되기	☐ ☐ ☐ ☐ ☐		
02	'ㅅ' 불규칙 활용 이형태의 기본형	☐ ☐		
03	'르' 불규칙 활용 준말 준말의 활용 제약	☐ ☐ ☐		
04	부정 표현 의지 부정 능력 부정 단순 부정 '말다' 부정 부정문의 제약	☐ ☐ ☐ ☐ ☐ ☐		
05	중세 국어의 현재 시제 중세 국어의 과거 시제 중세 국어의 미래 시제	☐ ☐ ☐		

1
2
3
4
주
차

01. 〈보기〉에 대한 이해로 적절한 것은?

――〈보기〉――

㉠ 색연필[생년필]　㉡ 핥지[할찌]　㉢ 끓는[끌른]

① ㉠, ㉡에서는 음운 변동이 각각 세 번씩 일어났군.

② ㉠에서 첨가된 음운과 ㉡에서 탈락된 음운은 동일하군.

③ ㉡과 달리 ㉢에서 음운 개수의 변화가 생기는 음운 변동이 일어났군.

④ ㉠은 'ㅇ'으로 인해, ㉢은 'ㄹ'로 인해 동화되는 음운 변동이 일어났군.

⑤ ㉠, ㉢에서는 모두 인접한 자음과 조음 방법이 같아지는 음운 변동이 일어났군.

02. 〈보기〉의 [가]에 들어갈 말로 적절한 것은?

――〈보기〉――

선생님 : 관형사는 체언 앞에서 그 체언을 꾸며 주는 품사로, 조사가 붙을 수 없고, 서술성을 지닌 용언처럼 활용을 할 수도 없습니다. 그런데 관형사의 형태가 용언의 활용형이나 접두사의 형태와 동일한 경우가 있으므로, 이를 구분해야 할 필요가 있습니다. 반드시 어근과 결합해야만 쓰일 수 있는 접두사는 자립성이 없지만, 관형사는 자립성을 지니고 있으므로 항상 뒷말과 띄어 써야 합니다. 그럼 ㉠~㉤의 밑줄 친 관형사에 대해 설명해 봅시다.

㉠ 전교생들이 한 공간에 모였다.
㉡ 맨 처음 학교에 간 날이 생각난다.
㉢ 이 음식에는 갖은 양념이 들어갔군.
㉣ 나는 온 힘을 다해 그에게 달려갔다.
㉤ 수호는 축구 외에 다른 일에는 관심이 없다.

학생: ＿＿＿＿＿＿＿＿＿ [가]

① ㉠의 '한'은 '한시름'의 접두사 '한'과 형태가 동일하지만, 관형사 '한'은 체언 앞에 온다는 점에서 차이가 있다.

② ㉡의 '맨'은 '맨발'의 접두사인 '맨'과 형태가 동일하지만, 관형사 '맨'은 조사가 결합할 수 없다는 점에서 차이가 있다.

③ ㉢의 '갖은'은 동사 '가지다'의 어간에 관형사형 어미 '-ㄴ'이 결합한 활용형과 형태가 동일하지만, 관형사 '갖은'은 서술성이 없다는 점에서 차이가 있다.

④ ㉣의 '온'은 동사 '오다'의 활용형인 '온'과 형태가 동일하며, 모두 문장에서 관형어로 쓰인다는 점에서 공통적이다.

⑤ ㉤의 '다른'은 형용사 '다르다'의 어간에 관형사형 어미 '-ㄴ'이 결합한 활용형과 형태가 동일하며, 모두 비교되는 두 대상이 같지 않다는 의미를 지닌다는 점에서 공통적이다.

03. 〈보기〉의 ⓐ~ⓔ에 대한 설명으로 적절한 것은?

――〈보기〉――

　문장이나 절의 서술어로 사용되는 용언은 다양한 양상으로 나타난다. 우선 두 개의 용언으로 이루어진 구가 서술어가 되는 경우가 있다. 가령 '옷을 사 입다'에서는 개별 용언들이 각각 서술의 기능을 하므로, 이 문장의 서술어는 두 개가 된다. 그러나 뒤의 용언이 주어와 직접적으로 호응하지 않을 경우 두 용언이 하나의 서술어 역할을 하게 된다. 이때 뒤의 용언은 앞 용언의 뜻을 보충하는 역할을 한다. 한편 두 개의 용언이 새로운 단어를 형성하여 하나의 서술어를 이루는 경우도 있다.

ⓐ 철호는 이불 속으로 파고들었다.
ⓑ 누나가 동생에게 밥을 먹이고 있다.
ⓒ 영희는 마음이 무겁다고 하며 일어서고 있다.
ⓓ 산속에서 쉬지 않고 날아드는 벌레를 막지 못했다.
ⓔ 지호의 말을 들어 보니 그 바위가 신비롭게 보였다.

① ⓐ: 두 개의 용언으로 이루어진 구가 하나의 서술어 역할을 하고 있다.

② ⓑ: 두 용언 중 뒤의 용언은 앞 용언에 사동의 의미를 부여하는 보조적 역할을 하므로 이 문장의 서술어는 한 개다.

③ ⓒ: 앞 절과 뒤 절의 서술어는 모두 두 개의 용언이 하나의 서술어 역할을 하고 있다.

④ ⓓ: 안긴문장에서 서술어는 두 개의 용언이 하나의 서술어가 되는 형태와 두 개의 용언이 새로운 단어를 형성한 형태로 총 두 개다.

⑤ ⓔ: 이어진문장에서 앞 절과 뒤 절의 서술어는 모두 두 개의 용언으로 이루어진 서술어로, 각각의 용언이 모두 서술어로 기능하고 있다.

04. 〈보기〉의 설명을 바탕으로 탐구 활동을 한다고 할 때, ⓐ~ⓔ를 탐구한 내용으로 적절하지 <u>않은</u> 것은?

〈보기〉

○ **탐구 활동**

　사동문은 주어가 다른 대상으로 하여금 어떤 동작을 하게 하거나 특정한 상태에 이르도록 하는 문장으로, 어근에 사동 접미사가 결합한 사동사에 의해 만들어진 파생적 사동과, 어간에 '-게 하다'가 결합한 구성에 의해 만들어진 통사적 사동이 있다. 이때 사동사와 '-게 하다'의 구성이 모두 쓰인 이중 사동 표현이 나타나기도 하는데, 이 경우에는 사동의 의미가 두 번 나타나게 된다. 한편 사동사가 관용구의 구성 요소로 쓰인 경우나 서술의 대상이 무정 체언이나 추상 명사일 경우 그에 대응하는 주동문을 만들기 어렵다. 또한 일부 용언들은 사동사의 형태와 동일하더라도 사동의 의미로 해석할 수 없는 경우도 있으며, 어근에 사동 접미사가 결합할 수 없는 경우도 있다. 다음의 자료를 통해 사동 표현을 탐구해 보자.

○ **자료**

ⓐ ⎡ 선생님이 아이들을 운동장에서 <u>놀렸다</u>.
　⎣ 철수는 동생을 오줌싸개라고 <u>놀렸다</u>.

ⓑ ⎡ 아이들이 종이비행기를 <u>날렸다</u>.
　⎣ 오늘도 손님이 없어 파리를 <u>날렸다</u>.

ⓒ ⎡ 나무꾼은 토끼를 바위 뒤에 <u>숨겼다</u>.
　⎣ 어머니는 우리에게 그 사실을 <u>숨겼다</u>.

ⓓ ⎡ 엄마가 회초리로 아들의 종아리를 <u>때렸다</u>.
　⎣ 엄마가 아들에게 자신의 어깨를 <u>때리게 했다</u>.

ⓔ ⎡ 마을 사람들이 홍수를 대비하여 담을 <u>높였다</u>.
　⎣ 이장은 마을 사람들에게 담을 <u>높이게 했다</u>.

① ⓐ를 보니, '놀리다'는 사동사로 쓰이기도 하고, 사동의 의미가 아닌 경우로 쓰이기도 하는군.

② ⓑ를 보니, 관용 표현의 구성 요소로 쓰인 '날리다'가 쓰인 문장을 주동문으로 바꾸면 관용 표현의 의미가 사라지는군.

③ ⓒ를 보니, '숨기다'가 쓰인 문장을 주동문으로 바꿀 때, 주동문의 주어가 무정 체언이면 어색한 문장이 되는군.

④ ⓑ와 ⓓ를 비교해 보니, 관용 표현의 구성 요소로 쓰인 '날리다'는 통사적 사동을 만들 수 없는 반면, '때리다'는 파생적 사동을 만들 수 없군.

⑤ ⓓ와 ⓔ를 비교해 보니, '때리게 하다'와 '높이게 하다'는 사동의 의미가 두 번 드러난다는 점에서 이중 사동 표현이겠군.

05. 〈보기〉의 밑줄 친 부분에서 알 수 있는 중세 국어 높임법의 특징을 설명한 것으로 적절하지 <u>않은</u> 것은?

〈보기〉

(가) 우리 父母ㅣ 듣디 <u>아니ㅎ샨</u> 고단
　　[현대어 풀이: 우리 부모님이 듣지 않으신 것은]

(나) 大臣이 이 藥 밍ㄱ라 <u>大王ㅅ긔받ㅈ븐대</u>
　　[현대어 풀이: 대신이 이 약을 만들어 대왕께 바쳤는데]

(다) 님금하 <u>아ㄹ쇼셔</u>
　　[현대어 풀이: 임금이시여 아소서]

(라) 이 못 ㄱ샛 큰 나모 아래 <u>무두이다</u>
　　[현대어 풀이: 이 연못가의 큰 나무 아래 묻었습니다.]

(마) 아자바님내씌 다 <u>安否ㅎ숩고</u>
　　[현대어 풀이: 숙부님들께 다 안부를 여쭙고]

① (가): 모음 어미 앞에서 '-(으)샤-'를 사용하여 주체를 높이고 있다.

② (나): 부사격 조사 '씌'와 선어말 어미 '-줍-'을 사용하여 객체를 높이고 있다.

③ (다): 어말 어미 '-(으)쇼셔'를 사용하여 주어인 '님금'을 높이고 있다.

④ (라): 선어말 어미 '-이-'를 사용하여 청자를 높이고 있다.

⑤ (마): 모음으로 끝나는 어간 뒤에서 선어말 어미 '-숩-'을 사용하여 부사어를 높이고 있다.

1
2
3
4
주
차

빠른 정답 찾기	01	02	03	04	05
	⑤	④	④	⑤	③

▶ 01 ⑤

정답풀이

인접한 자음과 조음 방법이 같아지는 것은 동화의 일종으로, 비음화와 유음화는 조음 방법이 같아지는 동화이다. ㉠(색연필[생년필])에서는 첨가된 'ㄴ'으로 인해 바로 앞의 자음 'ㄱ'이 비음 'ㅇ'으로 바뀌는 비음화가 일어났고, ㉢(끓른[끌른])에서는 자음군 단순화가 일어나 앞말의 받침 'ㅎ'이 탈락하고 남은 'ㄹ'로 인해 바로 이어지는 'ㄴ'이 유음 'ㄹ'로 바뀌는 유음화가 일어났다. 따라서 ㉠, ㉢에서는 모두 인접한 자음과 조음 방법이 같아지는 음운 변동이 일어났다.

오답풀이

① ㉠은 '색연필 → 색년필('ㄴ' 첨가) → [생년필](비음화)'과 같이 두 번의 음운 변동이 일어난다. 한편 ㉡은 '핥지 → 핥지(음절의 끝소리 규칙) → 핥찌(된소리되기) → [할찌](자음군 단순화)'와 같이 세 번의 음운 변동이 일어난다.

② ㉠에서 첨가된 음운은 'ㄴ'이고, ㉡에서 탈락한 음운은 'ㄷ'이므로 ㉠에서 첨가된 음운과 ㉡에서 탈락한 음운은 동일하지 않다.

③ ㉡은 '핥지(6개) → [할찌](5개)'로 음운의 개수가 줄어들었고, ㉢도 '끓는(7개) → [끌른](6개)'으로 음운의 개수가 줄어들었다. 즉, ㉡과 ㉢ 모두 자음군 단순화(탈락)로 인해 음운 개수에 변화가 생긴 것이다.

④ 인접한 자음과 조음 방법이 같아지는 것은 동화의 일종으로, 비음화와 유음화는 조음 방법이 같아지는 동화이다. ㉢은 '끓는 → 끌는(자음군 단순화) → [끌른](유음화)'과 같이 자음군 단순화가 일어나 앞말의 받침 'ㅎ'이 탈락하고 남은 'ㄹ'로 인해 바로 이어지는 'ㄴ'이 유음 'ㄹ'로 바뀌는 유음화가 일어났으므로, 'ㄹ'로 인해 동화가 일어난 것이 맞다. 그러나 ㉠은 '색연필 → 색년필('ㄴ' 첨가) → [생년필](비음화)'과 같이 첨가된 'ㄴ'으로 인해 'ㄱ'이 비음 'ㅇ'으로 바뀌는 비음화가 일어난 것이므로, 'ㅇ'으로 인해 동화되는 음운 변동이 일어났다고 할 수 없다.

👉 문법 개념 담기

- **동화**: 말소리가 서로 이어질 때, 어느 한쪽 또는 양쪽이 영향을 받아 비슷하거나 같은 소리로 바뀌는 소리의 변화
- **'ㄴ' 첨가**: 합성어나 파생어에서 앞말이 자음으로 끝나고 뒷말이 모음 'ㅣ'나 반모음 'ㅣ̌'로 시작할 때 'ㄴ'이 새로 생기는 현상
  예 맨입 → [맨닙], 색연필 → [생년필]
- **비음화**: 파열음 'ㄱ, ㄷ, ㅂ'이 비음 'ㄴ, ㅁ' 앞에서 각각 비음 'ㅇ, ㄴ, ㅁ'으로, 조음 방법이 바뀌는 현상
  예 곡물[공물], 걷는다[건는다], 밥물[밤물]
- **유음화**: 'ㄴ'이 앞이나 뒤에 오는 'ㄹ'의 영향으로 유음 'ㄹ'로 바뀌는 현상
  예 칼날[칼랄], 권력[궐력], 설날[설랄]
- **자음군 단순화**: 음절의 끝에서 겹받침의 자음 중 하나가 탈락하는 현상
  예 값 → [갑], 흙 → [흑]

▶ 02 ④

정답풀이

㉣의 '온'은 관형사로, 동사 '오다'의 어간에 관형사형 전성 어미가 결합한 '온'과 형태가 동일하다. '온'은 문장에서 관형사로 쓰이든지, 동사의 관형사형으로 쓰이든지 모두 문장에서 관형어로 쓰인다는 점에서 공통적이다.

오답풀이

① 체언은 명사, 대명사, 수사를 포함하며, '한시름'에서 '시름'은 명사이므로, 접두사 '한−'이 체언인 명사 앞에 올 수 있음을 확인할 수 있다. 따라서 체언 앞에 올 수 있는지 여부는 관형사 '한'과 접두사 '한−'의 차이점이 될 수 없다.

② 접두사 '맨−' 역시 관형사 '맨'과 마찬가지로 조사가 결합할 수 없다. 따라서 조사의 결합 여부는 관형사 '맨'과 접두사 '맨−'의 차이점이 될 수 없다.

③ 관형사 '갖은'과 '가지다'의 관형사형은 형태가 다르다. 동사 '가지다'의 어간에 관형사형 전성 어미 '−ㄴ'이 결합한 형태는 '갖은'이 아니라, '가진'이다.

⑤ 관형사 '다른'은 형용사 '다르다'의 관형사형 '다른'과 형태는 같으나 의미가 다르다. '비교되는 두 대상이 같지 않다.'의 의미를 가지는 '다른'은 형용사 '다르다'의 활용형이고, '해당되는 것 이외의'의 의미를 가지는 '다른'은 관형사이다.

▶ 03 ④

ⓓ에서 안긴문장은 '산속에서 (벌레가) 쉬지 않고, 날아드는'으로, 이어진 문장이 다시 안긴문장으로 안긴 형태이다. 여기서 '쉬지 않고'와 '날아드는'이 각각 서술어의 역할을 하는데, '쉬지 않고'에서 '않고'는 앞의 용언을 보충하는 역할을 하며 생략된 주어인 '벌레가'와 직접적으로 호응하지 않으므로, '쉬지 않고'가 하나의 서술어 역할을 하게 된다. 한편 '날아드는'은 '날다'와 '들다'가 결합하여 새로운 단어인 '날아들다'가 활용한 형태로 이 역시 하나의 서술어 역할을 한다. 따라서 안긴문장에서 서술어는 총 두 개다.

① ⓐ에서 서술어는 '파고들었다'로, 이는 두 개의 용언으로 이루어진 구가 아니라 두 개의 용언이 새로운 단어를 형성하여 합성 용언이 된 것으로, 하나의 서술어를 이룬 경우에 해당한다.

② ⓑ에서 서술어는 '먹이고 있다'로 두 개의 용언으로 이루어진 구가 하나의 서술어 역할을 하고 있다. 그러나 보조적 연결 어미 '-고'와 보조 용언인 '있다'는 진행의 의미만 더할 뿐, 사동의 의미를 부여하지는 않는다. 사동의 의미는 본용언에서 사동 접미사 '-이-'로 인해 생긴 것이다.

③ ⓒ에서 서술어는 앞 절과 뒤 절로 나누어 볼 수 있다. 뒤 절의 '일어서고 있다'는 두 개의 용언이 하나의 서술어 역할을 하고 있는 반면, 앞 절은 '마음이 무겁다고'가 인용절로 안긴 형태로, 안긴문장의 서술어는 '무겁다'이고, 안은문장의 서술어는 '하며'이다. 따라서 앞 절의 서술어는 모두 하나의 용언이 서술어 역할을 하고 있다.

⑤ ⓔ에서 서술어는 앞 절과 뒤 절로 나누어 볼 수 있다. 먼저 앞 절의 서술어는 '들어 보니'로 두 개의 용언이 각각 서술어로 기능하는 것이 아니라 하나의 서술어 역할을 하고 있다. 한편, 뒤 절은 '(그 바위가) 신비롭게'가 부사절로 안긴 형태로, 안긴문장의 서술어는 '신비롭다'이고, 안은문장의 서술어는 '보였다'이다. 따라서 뒤 절의 서술어는 모두 하나의 용언이 서술어 역할을 하고 있다.

☞ 문법 개념 담기

- **본용언, 보조 용언**: 혼자서 쓰이지 못하고 반드시 다른 용언의 뒤에 붙어서 의미를 더해주는 용언을 보조 용언이라 하고, 보조 용언 앞에 위치하여 실질적인 뜻을 나타내는 부분을 본용언이라 함
  예 첫사랑을 보고(본용언) 싶다(보조 용언).

- **합성 동사**: 둘 이상의 어근이 결합하여 합성된 동사로 '본용언+보조 용언', '본용언+본용언'과 달리 하나의 단어로 붙여 씀
  예 파고들다, 들고나다, 알아듣다

▶ 04 ⑤

'높이게 하다'는 '높다'의 사동사인 '높이다'와 '-게 하다'의 구성이 모두 쓰인 이중 사동 표현이지만, '때리게 하다'는 주동사 '때리다'에 '-게 하다'만 결합한 형태이므로 이중 사동 표현으로 볼 수 없다.

① '놀리다'가 '놀게 하다'의 의미로 쓰이는 경우에는 '놀다'에 사동 접미사 '-리-'가 결합한 사동사로 쓰인 것이지만, '짓궂게 굴거나 흉을 보거나 웃음거리로 만들다.'의 의미로 쓰이는 경우에는 주동사로 쓰인 것이지, 사동사로 쓰인 것이 아니다.

② '파리를 날리다'라는 표현은 '손님이 없다'의 의미를 가진 관용구로, '파리가 날았다'라는 주동문으로 바꾸면 관용 표현의 의미가 사라진다.

③ '토끼를 바위 뒤에 숨겼다'를 '토끼가 바위 뒤에 숨었다'라는 주동문으로 바꾸는 것은 의미상 어색하지 않지만, '그 사실을 숨겼다'를 '그 사실이 숨었다'라는 주동문으로 바꾸게 되면 어색한 문장이 된다. 이는 첫 번째와 달리 두 번째 주동문의 주어가 어떤 행위의 의지를 가질 수 없는 무정 체언이기 때문이다.

④ '파리를 날리다'라는 관용구를 '파리를 날게 하다'와 같이 통사적 사동으로 바꾸면 의미가 어색해진다. 반면 어근이 '때리-'인 주동사 '때리다'는 '어깨를 때리게 하다'와 같이 바꾸어 쓸 수 있지만, 사동 접미사가 붙은 파생적 사동의 형태로 만들 수는 없다.

▶ 사동 접미사의 종류를 암기하기만 했다면, '때리다'의 '리'를 사동 접미사로 착각했을 가능성이 있어! 사동이나 피동 문제는 반드시 의미적으로 접근하고, 헷갈릴 경우에는 형태소 분석을 해보자!

▶ **05 ③**

정답풀이

'-(♡)쇼셔'는 중세 국어의 상대 높임법 중 명령형에 해당한다. 상대 높임법은 '청자'를 높이거나 낮추는 표현이므로 주어인 '님금'을 높이고 있다는 진술은 적절하지 않다.

◉ 청자인 '님금'을 높이고 있는 것은 맞지만, '-(♡)쇼셔'는 주체 높임의 기능이 없지. 문법 문제는 용어 하나하나에 신경 써서 문제를 풀어야 해!

오답풀이

① (가)의 현대어 풀이를 참고하면 '-(으/으)샤-'가 현대 국어의 주체 높임 선어말 어미 '-시-'와 대응되므로, 이를 통해 주체를 높이고 있음을 알 수 있다.

② (나)의 현대어 풀이를 참고하면 '씌'는 현대 국어의 부사격 조사 '께'와 대응되며, '-줍-'은 현대 국어에는 사라진 객체 높임의 선어말 어미로, 이들은 부사어 '大王(대왕)'을 높이고 있다.

④ (라)의 현대어 풀이를 참고하면 '무두이다'는 '묻었습니다'와 대응되는데, 이때 중세 국어의 '-이-'는 상대 높임을 나타내는 선어말 어미에 해당한다.

⑤ 중세 국어의 객체 높임 선어말 어미 '-습-, -줍-, -습-'은 '安否(안부) 호-'처럼 모음으로 끝나는 어간 뒤에서는 '-습-'으로 나타났다.

👉 문법 개념 담기

· **중세 국어의 상대 높임 선어말 어미:** 중세 국어에서는 듣는 이를 높이기 위한 선어말 어미가 사용됨
  예 호ᄂ이다(평서형) / 호ᄂ니잇가(의문형)

☑ 학습 Check **1회** ☐ **2회** ☐ **3회** ☐

문항	개념 확인	알면 Check! ☑	나의 책 Check! PAGE	선지나 〈보기〉를 활용하여 문법을 다지자! ▶ 선지나 〈보기〉의 핵심 내용을 활용하여, 내가 몰랐거나 정확히 알고 넘어가야 할 개념을 정리해 보세요.
01	동화 'ㄴ' 첨가 비음화 유음화 자음군 단순화	☐ ☐ ☐ ☐ ☐		
02	관형사 용언의 활용형 접두사	☐ ☐ ☐		
03	구 본용언 보조 용언 합성 용언	☐ ☐ ☐ ☐		
04	사동문 파생적 사동 통사적 사동 이중 사동 표현	☐ ☐ ☐ ☐		
05	중세 국어의 주체 높임 중세 국어의 객체 높임 중세 국어의 상대 높임	☐ ☐ ☐		

1
2
3
4 주차

01. 〈보기〉에 대한 이해로 가장 적절한 것은?

─────〈보기〉─────

· 몇 ㉠마디[마디] 건네보았다.
· 푸르른 ㉡밭이[바치] 펼쳐져 있다.
· ㉢굳이[구지] 당신들에게 부탁하지 않겠소.
· 새로운 영화가 ㉣곧이어[고디어] 개봉한다.
· 문이 ㉤닫힐[다칠] 때는 조금 떨어져 있어야 한다.

① 하나의 형태소로 이루어진 ㉠과 달리, '맏이[마지]'에서는 형태소 간의 결합 과정에서 표기된 'ㄷ'이 'ㅈ'으로 발음된다.

② ㉡은 체언 받침 'ㅌ' 뒤에 'ㅣ'로 시작하는 조사가 결합하였지만, '똑같이[똑까치]'는 어간 받침 'ㅌ' 뒤에 'ㅣ'로 시작하는 어미가 결합하였다.

③ ㉢과 마찬가지로 '안개가 걷히다'의 '걷히다[거치다]'에서도 품사가 바뀌는 과정에서 조음 위치가 동화되는 현상이 일어난다.

④ 서술격 조사가 활용한 형태로 결합한 ㉣과 달리, 서술격 조사가 그대로 결합한 '끝이다[끄치다]'에서는 구개음화가 일어난다.

⑤ ㉤은 앞 형태소의 받침이 그대로 접미사 '-히-'와 결합하여 구개음화가 일어나지만, '앉히다[안치다]'는 먼저 음운이 교체된 후 접미사 '-히-'와 결합하여 구개음화가 일어난다.

02. 〈보기〉의 ㉠에 들어갈 말로 적절하지 <u>않은</u> 것은?

─────〈보기〉─────

선생님: 오늘은 '표준 발음법' 자료에 있는 다양한 예시들을 살펴보면서 그동안 배운 음운 변동에 대해 설명해 보는 시간을 갖도록 하겠습니다. 우선 아래의 예시들을 보면서 분류한 이유를 음운 변동 현상과 관련지어 설명해 볼까요?

> (가) 깎는[깡는], 젖어미[저더미]
> (나) 값어치[가버치], 닭 앞에[다가페]
> (다) 맏형[마텽], 막히다[마키다]
> (라) 늑막염[능망념], 들일[들릴]
> (마) 앉고[안꼬], 젊다[점:따]

학생: 　　　　　　　　㉠

① (가)는 음절 말음이 파열음의 예사소리로 바뀌는 음절의 끝소리 규칙이 먼저 적용되었습니다.

② (나)는 음절 말의 겹받침 중 하나가 탈락하는 자음군 단순화가 먼저 적용되었습니다.

③ (다)는 파열음의 예사소리가 'ㅎ'과 만나 음운이 축약되는 거센소리되기가 적용되었습니다.

④ (라)는 첨가된 'ㄴ'의 영향으로 다른 음운이 동화되는 비음화나 유음화가 적용되었습니다.

⑤ (마)는 어간 받침에 자음군 단순화가 적용되었고, 뒤에 오는 어미의 초성에 된소리되기가 적용되었습니다.

03. 〈보기〉의 (가)~(다)와 ㉠~㉘의 관계에 대한 설명으로 옳지 않은 것은?

〈보기〉

품사는 문장 안에서 특정 문장 성분으로만 쓰이는 경우도 있고, 다양한 문장 성분으로 쓰이는 경우도 있다. 또한 각 품사는 경우에 따라 문장 안에서 조사나 어미의 도움을 받아 문장 성분으로 쓰이거나 그러한 도움 없이 그 자체로 문장 성분으로 쓰이기도 한다.

품사	문장 성분
(가) 명사, 대명사, 수사 (나) 동사, 형용사 (다) 관형사	㉠ 주어 ㉡ 목적어 ㉢ 보어 ㉣ 서술어 ㉤ 관형어 ㉥ 부사어 ㉘ 독립어

① (가)가 문장에서 ㉠~㉘으로 쓰일 때 이를 표시하는 각각의 격 조사가 나타나기도 한다.

② (가)가 문장에서 ㉠으로 쓰일 때 결합하는 조사 중 일부는 ㉡으로 쓰일 때에도 동일한 형태로 결합한다.

③ (나)가 문장에서 ㉠, ㉡, ㉢으로 쓰이면 이 성분은 항상 안긴 문장의 형식으로 나타난다.

④ (나)가 ㉠~㉥으로 쓰일 때에는 항상 각각의 전성 어미가 결합한다.

⑤ (다)가 ㉤으로 쓰일 때에는 조사나 어미와 같은 다른 형식 형태소와 결합하지 않는다.

04. 〈보기〉의 @~@에 대한 설명으로 적절하지 않은 것은?

〈보기〉

선생님 : 지금까지 이어진문장의 연결 어미에 대해 공부했지요? 그럼, 다음 〈자료〉에 사용된 연결 어미를 중심으로 다른 예시들을 찾아 비교해 보면서 설명해 봅시다.

〈자료〉

@ 철희가 공부를 하러 도서관에 갔다.
ⓑ 공부를 하느라고 게임을 하지 못했다.
ⓒ 지호가 음악을 들으면서 공부를 한다.
ⓓ 운동을 하고자 학교 앞 체육관에 갔다.
ⓔ 민지는 밥을 먹으려고 인터넷을 검색했다.

*는 비문이라는 표시.

① @와 '*철희가 공부를 하러 영수가 도서관에 갔다.'를 비교해 보니, 연결 어미 '-러'가 결합한 이어진문장의 앞 절과 뒤 절의 주어는 동일해야 한다는 것을 알 수 있어요.

② ⓑ와 '*공부를 {했느라고/하겠느라고} 게임을 하지 못했다.'를 비교해 보니, 연결 어미 '-느라고'에는 시제 관련 선어말 어미를 결합할 수 없음을 알 수 있어요.

③ ⓒ와 '*지호가 음악을 들으면서 {공부하자./공부해라.}'를 비교해 보니 연결 어미 '-(으)면서'는 청유문이나 명령문과 어울릴 수 없음을 알 수 있어요.

④ ⓓ와 '*운동을 하고자 학교 앞 체육관에 가라.'를 비교해 보니, 연결 어미 '-고자'가 쓰인 이어진문장에서 뒤 절이 명령형 어미로 끝날 수 없음을 알 수 있어요.

⑤ ⓔ와 '*민지는 예쁘려고 인터넷을 검색했다.'를 비교해 보니, 연결 어미 '-(으)려고'는 형용사와 결합할 수 없음을 알 수 있어요.

1
2
3
4 주차

05. 〈보기〉의 '자료'를 탐구한 '탐구 내용'으로 적절하지 **않은** 것은?

〈보기〉

중세 국어에서 과거 시제를 표현할 때에는 주로 '-더-'를 사용하였는데, 동사일 경우에는 선어말 어미와 결합하지 않은 기본형이 과거 시제를 표현하기도 하였다.

중세 국어의 '-더-'는 주어가 2·3인칭일 때에는 그대로 나타났고, 주어가 1인칭일 경우에는 '-다-'로 나타났는데, '-더-'와 '-다-'가 서술어 '이다, 아니다'와 결합할 때에는 각각 '-러-'와 '-라-'로 교체되었다. 또한 '-더-' 또는 '-다-'는 'ㅎ'과 축약되어 나타나기도 하였다.

[자료]

ⓐ 내 롱담ᄒ다라
　　[내가 농담했었다]
ⓑ 如來 苦行ᄒ더신 ᄯᅡ히니이다
　　[여래께서 고행하셨던 땅입니다]
ⓒ 내 지븨 이싫 저긔 受苦ㅣ 만타라
　　[내가 집에 있을 적에 고통이 많았다]
ⓓ 우리도 沙羅樹大王ㅅ 夫人ᄃᆞ히라니
　　[우리도 사라수대왕의 부인들이더니]
ⓔ 아ᄃᆞᄃᆞᆯ히 아비 죽다 듣고
　　[아들들이 아버지가 죽었다 들었고]

---

① ⓐ를 통해 1인칭 주어가 쓰인 문장에서 '-다-'가 과거 시제를 나타내고 있음을 알 수 있다.

② ⓑ를 통해 선어말 어미 '-더-'와 '-시-'의 결합 순서가 현대 국어와 달랐음을 알 수 있다.

③ ⓒ를 통해 안긴문장의 주어가 1인칭일 때 나타난 '-다-'가 'ㅎ'과 축약하여 '-타-'로 실현되었음을 알 수 있다.

④ ⓓ를 통해 주어가 1인칭인 문장에서 나타나는 '-다-'가 '이다'와 결합하여 '-라-'로 실현되고 있음을 알 수 있다.

⑤ ⓔ를 통해 중세 국어에서는 서술어가 동사일 경우, 어간에 선어말 어미가 결합하지 않고 기본형으로 쓰여도 과거 시제를 나타냈음을 알 수 있다.

빠른 정답 찾기	01	02	03	04	05
	①	④	④	③	③

▶ 01 ①

정답풀이

구개음화는 받침의 'ㄷ, ㅌ'이 모음 'ㅣ'나 반모음 'ㅣ'로 시작하는 형식 형태소와 만나 'ㅈ, ㅊ'으로 발음되는 음운 변동으로, 현대 국어의 구개음화는 형태소들 간의 결합 과정에서만 나타난다. '마디'는 단일 형태소이고 'ㄷ'이 받침이 아니므로 구개음화가 일어날 수 있는 조건을 만족하지 않는다. 반면 '맏이[마지]'는 '맏-'과 '-이'라는 두 형태소가 결합하면서 '맏'의 받침 'ㄷ'이 형식 형태소인 접사 '-이' 앞에서 구개음화를 겪어 [마지]로 발음된다.

오답풀이

② '밭이[바치]'와 '똑같이[똑까치]'는 모두 구개음화가 적용된 예이다. 그런데 '밭이'에서 명사 '밭'에 조사 '이'가 결합했다는 설명은 적절하지만, '똑같이'의 '-이'는 어미가 아닌 부사 파생 접미사이므로, 어간 받침 'ㅌ' 뒤에 'ㅣ'로 시작하는 어미가 결합했다는 설명은 적절하지 않다.

③ 구개음화는 치조음인 'ㄷ, ㅌ'이 모음 'ㅣ'나 반모음 'ㅣ'의 조음 위치와 비슷한 구개음으로 바뀌어 'ㅈ, ㅊ'으로 발음되는 음운 변동 현상으로, 이는 조음 위치 동화에 해당한다. '굳이[구지]'와 '걷히다[거치다]'는 모두 구개음화를 겪지만, '굳다'의 어근에 부사 파생 접미사 '-이'가 결합하여 품사가 부사로 바뀌는 '굳이'와 달리, '걷히다'는 동사 '걷다'의 어근에 피동 접미사 '-히-'가 결합하여 품사는 그대로 유지되는 경우이므로 품사가 바뀌는 과정에서 조음 위치 동화가 나타났다고 볼 수 없다.

④ '끝이다'는 명사 '끝'에 서술격 조사 '이다'가 결합한 것으로, 앞말의 받침 'ㅌ'이 모음 'ㅣ'로 시작하는 형식 형태소 앞에서 구개음화를 겪어 [끄치다]로 발음된다. 하지만 '곧이어[고디어]'의 '이어'는 서술격 조사가 활용한 형태가 아니라 동사 '잇다'의 활용형으로, 실질 형태소에 해당하므로 구개음화가 일어나지 않는다.

⑤ '닫히다'는 '닫-'의 받침 'ㄷ'이 피동 접미사 '-히-'와 만나 구개음화가 일어나 [다치다]로 발음된다. 하지만 '앉히다[안치다]'는 음운이 교체된 후 구개음화가 일어난 것이 아니라, '앉-'의 받침 'ㅈ'이 사동 접미사 '-히-'의 'ㅎ'을 만나 'ㅊ'으로 축약된 것이다.

☞ 문법 개념 담기

- **구개음화**: 받침이 'ㄷ, ㅌ(ㄾ)'인 형태소가 모음 'ㅣ'나 반모음 'ㅣ'로 시작되는 형식 형태소와 만나 'ㄷ, ㅌ'이 'ㅈ, ㅊ'으로 바뀌는 현상
- ▶ 'ㄷ' 뒤에 접미사 '-히-'가 결합되는 경우도 구개음화로 인정돼!
  - 예 굳히다 → 구티다 → [구치다]

▶ 02 ④

정답풀이

(라)의 '늑막염[능망념]'은 'ㄴ' 첨가와 비음화가, '들일[들릴]'은 'ㄴ' 첨가와 유음화가 일어났다. 그런데 '늑막염[능망념]'에서 '막'의 받침 'ㄱ'은 첨가된 'ㄴ'의 영향으로 비음 'ㅇ'으로 바뀌는 비음화가 일어난 것이지만, '들일[들릴]'에서는 'ㄴ' 첨가가 일어난 후 첨가된 'ㄴ'이 앞말의 받침 'ㄹ'의 영향을 받아 유음화가 일어난 것이다. 즉, '들일[들릴]'은 첨가된 'ㄴ'의 영향으로 유음화가 일어난 것이 아니다.

오답풀이

① 파열음의 예사소리는 'ㅂ, ㄷ, ㄱ'이다. (가)의 '깎는[깡는]'에서 '깎-'의 받침 'ㄲ'은 음절의 끝소리 규칙에 의해 'ㄱ'으로 바뀐 후 비음화가 일어나고, '젖어미[저더미]'에서 '젖'의 받침 'ㅈ'은 음절의 끝소리 규칙에 의해 'ㄷ'으로 바뀐다.

▶ 쌍자음 'ㄲ, ㅆ, ㄸ, ㅃ, ㅉ'은 각각 음운의 개수가 1개야! 따라서 'ㄲ'이 'ㄱ'으로 바뀐 것은 탈락이 아닌 교체에 해당해! 꼭 기억하자!

② (나)의 '값어치[가버치]'에서는 '값'의 겹받침 'ㅄ' 중 'ㅅ'이 탈락하는 자음군 단순화가 일어나고, '닭 앞에[다가페]'에서는 '닭'의 겹받침 'ㄺ' 중 'ㄹ'이 탈락하는 자음군 단순화가 일어난다.

③ (다)의 '맏형[마텽]'에서는 앞말 '맏'의 받침 'ㄷ'과 '형'의 'ㅎ'이 축약되어 거센소리 'ㅌ'이 되고, '막히다[마키다]'에서는 앞말 '막-'의 받침 'ㄱ'과 '-히-'의 'ㅎ'이 축약되어 거센소리 'ㅋ'이 된다.

⑤ 어간 받침 'ㄴ(ㄵ), ㅁ(ㄻ)' 뒤에 결합하는 어미의 첫소리 'ㄱ, ㄷ, ㅅ, ㅈ'은 된소리로 발음된다. (마)의 '앉고'는 어간 '앉-'에 자음군 단순화가 적용된 후 어미의 첫소리 'ㄱ'에 된소리되기가 일어나 [안꼬]로 발음되고, '젊다'는 어간 '젊-'에 자음군 단순화가 적용된 후 어미의 첫소리 'ㄷ'에 된소리되기가 일어나 [점따]로 발음된다.

☞ 문법 개념 담기

- **음절의 끝소리 규칙**: 받침소리로 'ㄱ, ㄴ, ㄷ, ㄹ, ㅁ, ㅂ, ㅇ' 이외의 자음이 이 일곱 자음 중 하나로 바뀌는 현상
  - 예 밖[박], 부엌[부억], 닦[닫], 잎[입]
- **축약**: 두 음운이 하나의 음운으로 합쳐지는 음운 변동으로, 거센소리되기(자음 축약)가 대표적임
  - 예 낳고[나코], 꽂히다[꼬치다]
- **거센소리되기**: 예사소리 'ㄱ, ㄷ, ㅂ, ㅈ'이 'ㅎ'과 만나 거센소리 [ㅋ, ㅌ, ㅍ, ㅊ]으로 발음되는 현상
  - 예 놓고[노코], 맏형[마텽], 넓히다[널피다], 좋지[조치]
- **된소리되기**: 예사소리였던 것이 된소리로 발음되는 현상
  - 예 국밥[국빱], 꽃병[꼳뼝], 앉고[안꼬], 갈등[갈뜽]

▶ 03 ④

(나)(동사, 형용사)는 문장에서 ㉠(주어), ㉡(목적어), ㉢(보어)으로 쓰일 때는 어간에 명사형 전성 어미가 결합하고, ㉣(관형어)이나 ㉤(부사어)으로 쓰일 때는 각각 관형사형 전성 어미와 부사형 전성 어미가 결합해야 하지만, ㉣(서술어)로 쓰일 때는 전성 어미를 필요로 하지 않는다.

① ㉠~㉅은 각각에 해당하는 격 조사를 지닌다. 따라서 (가)(명사, 대명사, 수사)는 격 조사의 도움을 받아 문장에서 ㉠~㉅ 중 하나로 쓰일 수 있다. 물론, 격 조사가 생략된 채 다양한 문장 성분으로 쓰이는 것도 가능하다.

② 주격 조사는 '이/가, 께서(높임), 에서(단체)'가 있는데, 이중 '이/가'의 형태는 보격 조사의 형태와 동일하다. 따라서 (가)가 ㉠(주어)으로 쓰일 때 결합할 수 있는 조사 중 일부인 '이/가'는 ㉢(보어)으로 쓰일 때에도 동일한 형태로 결합할 수 있다.

③ (나)는 활용을 할 수 있는 용언에 해당하며, 서술성을 지닌다. (나)가 문장에서 ㉠(주어), ㉡(목적어), ㉢(보어)으로 쓰이려면 반드시 용언의 어간에 전성 어미가 결합해야 한다. 가령, 동사 '먹다'는 '밥을 먹기가 어렵다.', '그가 밥을 먹었음을 알았다.', '중요한 것은 무엇을 먹었음이 아니다.'와 같이 '먹다'의 어간에 명사형 전성 어미가 결합해야 한다. 이때 서술성이 있는 동사나 형용사에 전성 어미가 결합하면 안긴문장이 되므로, (나)가 문장에서 ㉠, ㉡, ㉢으로 쓰이면 항상 안긴문장의 형식으로 나타난다.

⑤ 관형사는 체언 앞에서 그 체언을 꾸며주는 품사로 조사나 어미가 붙을 수 없고 그 자체로 문장에서 관형어로 쓰인다. 따라서 (다)(관형사)가 ㉣(관형어)으로 쓰일 때에는 다른 형식 형태소와 결합하지 않는다.

▶ 04 ③

'*지호가 음악을 들으면서 {공부하자./공부해라.}'가 비문인 이유는 연결 어미 '-(으)면서' 때문이 아니라 주어와 서술어의 호응이 맞지 않기 때문이다. 일반적으로 명령문의 주어는 청자, 청유문의 주어는 청자와 화자가 함께 포함되는 것이 자연스럽다. '너는 음악을 들으면서 공부해라.', '우리는 음악을 들으면서 공부하자.'처럼 사용하면 연결 어미 '-(으)면서'가 명령문, 청유문과 어울릴 수 있음을 알 수 있다.

① 연결 어미 '-러'는 뒤에 연결되는 동작의 목적을 나타내는 연결 어미로, 앞 절과 뒤 절의 주어가 동일해야 한다.

② '하느라고'는 가능하지만 '*{했느라고/하겠느라고}'는 불가능한 것으로 보아, 연결 어미 '-느라고'에 '-았-/-었-', '-겠-' 등의 시제 선어말 어미가 결합할 수 없음을 알 수 있다.

④ 연결 어미 '-고자'는 일반적으로 주어가 어떤 행동을 할 의도나 욕망을 가지고 있음을 나타내는 연결 어미이므로, 이어지는 절에서 청자에게 명령이나 요구의 뜻을 나타내는 명령형 어미가 올 수 없다.

⑤ 연결 어미 '-(으)려고'는 어떤 행동을 할 의도나 욕망을 가지고 있음을 나타내는 연결 어미로 동사의 어간에 결합하는 것이 자연스러우며, 형용사의 어간에 결합하지 못한다는 제약이 있다.

► **05** ③

〈보기〉에서 중세 국어의 '-더-'는 주어가 1인칭일 경우에 '-다-'로 나타났다고 했고, '-더-' 또는 '-다-'가 'ㅎ'과 축약되어 나타난다고 했다. ⓒ에서 '-다-'가 'ㅎ'과 결합하여 '-타-'로 나타난 것은 맞으나, '-더-'가 '-다-'로 실현된 것은 '안긴문장'이 아니라 '안은문장'의 주어 '나'가 1인칭이기 때문이다.

① 〈보기〉에서 중세 국어에서는 과거 시제를 표현할 때에는 주로 '-더-'를 사용하였는데, 주어가 1인칭일 경우에는 '-다-'로 나타났다고 했으므로, ⓐ에 쓰인 '-다-'가 과거 시제를 나타내고 있음을 알 수 있다.

② ⓑ의 '苦行(고행)ᄒᆞ더신'은 현대어 풀이 '고행하셨던'과 대응되므로, 중세 국어에서 선어말 어미 '-더-'와 '-시-'의 결합 순서가 현대 국어와 달랐음을 알 수 있다.

④ 〈보기〉에서 '-더-'와 '-다-'가 서술어 '이다, 아니다'와 결합할 때에는 각각 '-러-'와 '-라-'로 교체된다고 하였다. ⓓ의 '夫人ᄃᆞᆯ히라니'가 현대어 풀이 '부인들이더니'와 대응되는 것으로 보아, 중세 국어의 '-라-'는 '-다-'가 서술어 '이다'의 어간 뒤에서 교체된 형태임을 추측할 수 있다. 참고로 '夫人ᄃᆞᆯ히라니'는 '夫人(부인) + -ᄃᆞᆯㅎ(접미사) + 이-('이다'의 어간) + -라-('-다-') + -니'로 분석할 수 있다.

⑤ 〈보기〉에서 중세 국어에서는 동사일 경우 기본형이 과거 시제를 표현하기도 하였다고 했다. ⓔ의 '죽다 듣고'가 현대어 풀이 '죽었다 들었고'와 대응되는 것으로 보아, 동사의 어간에 선어말 어미가 결합하지 않은 기본형이 과거 시제로 쓰였음을 알 수 있다.

문항	개념 확인	알면 Check! ☑	나의 책 Check! PAGE	선지나 〈보기〉를 활용하여 문법을 다지자! ▶ 선지나 〈보기〉의 핵심 내용을 활용하여, 내가 몰랐거나 정확히 알고 넘어가야 할 개념을 정리해 보세요.
01	구개음화 조음 위치 동화 서술격 조사	☐ ☐ ☐		
02	파열음의 예사소리 음절의 끝소리 규칙 자음군 단순화 거센소리되기 비음화 유음화 된소리되기	☐ ☐ ☐ ☐ ☐ ☐ ☐		
03	품사 격 조사 문장 성분 안긴문장 전성 어미	☐ ☐ ☐ ☐ ☐		
04	이어진문장 연결 어미의 제약	☐ ☐		
05	중세 국어의 과거 시제 선어말 어미 '-더-'	☐ ☐		

01. 〈보기〉의 (가)와 (나)에 해당하는 예로 적절한 것은?

〈보기〉

(가) '국밥[국빱]'은 명사 '국'과 '밥'이 결합하면서 파열음의 예사소리 'ㄱ' 뒤에서 'ㅂ'이 된소리로 바뀌는 음운 변동 현상이 일어난다. 이와 같이 단어의 직접 구성 요소가 어근과 어근으로 구성될 때 그로 인하여 음운 변동 현상이 일어나는 경우가 있다.

(나) 그런데 오늘날의 합성어 중에는 현대 국어의 음운 규칙으로는 설명할 수 없는 과거의 음운 체계나 음운 변동의 결과가 표기로 굳어진 경우가 있다. 현대 국어에서는 '사니, 사신다'와 같이 용언의 어간과 어미의 결합에서만 'ㄹ' 탈락 규칙이 적용되지만 과거에는 명사와 명사가 결합할 때에도 'ㄹ'이 탈락하는 현상이 있었다. 또한 중세 국어 시기에는 'ㅄ, ㅵ'과 같은 어두 자음군도 사용되었고, 그 흔적이 현대 국어의 합성어에도 남아 있다.

	(가)	(나)
①	눈웃음[누누슴]	화살
②	칼날[칼랄]	발가락
③	집집이[집찌비]	곱셈
④	말소리[말:쏘리]	쌀집
⑤	콧날[콘날]	좁쌀

02. 〈보기〉를 참고할 때, 〈조건〉을 모두 만족시키는 문장으로 적절하지 않은 것은?

〈보기〉

[학습 활동]

문장은 주어-서술어 관계가 한 번만 이루어진 홑문장과 주어-서술어 관계가 두 번 이상 이루어진 겹문장으로 나눌 수 있다. 문장을 이루는 문장 성분은 주성분인 주어, 목적어, 보어, 서술어와 부속 성분인 관형어, 부사어, 독립 성분인 독립어로 구분된다. 그런데 이때 서술어에 따라서는 문장에서 필수적으로 요구하는 부사어가 존재하기도 한다. 그럼 아래의 〈조건〉을 모두 만족시키는 문장을 만들어 보자.

〈조건〉

- 홑문장일 것.
- 관형사를 사용할 것.
- 서술어가 필수적으로 요구하는 부사어를 포함할 것.

① 손자는 새 옷을 할머니께 드렸다.

② 할아버지께서 우리에게 옛 추억을 들려주셨다.

③ 우리 학교의 모든 1학년 학생들은 귀엽게 굴었다.

④ 한 사람은 외딴섬에서 바다에 제물을 바쳐야만 한다.

⑤ 저 민들레의 생김새는 씀바귀의 생김새와 비슷하다.

03. 〈보기〉의 '자료'를 탐구한 '탐구 내용'으로 적절하지 **않은** 것은?

─〈보기〉─

　　주체 높임은 주로 선어말 어미 '-(으)시-'를 통해 실현하거나 주격 조사 '께서', 접미사 '-님' 또는 '계시다, 주무시다, 잡수다, 잡수시다' 등과 같은 특수 어휘를 활용한다. 한편 주체 높임에는 주체를 직접 높이지 않고, 주체와 밀접한 대상을 높이는 간접 높임도 있다. 간접 높임의 서술어는 특수 어휘를 사용하지 않고 선어말 어미 '-(으)시-'를 활용한다. 이로 인해 '있다'의 높임 표현인 '있으시다'는 높임의 대상이 유정 명사일 때뿐만 아니라 무정 명사일 때에도 사용되지만, '계시다'는 높임의 대상이 유정 명사일 때에만 사용된다.

[자료]
　㉠ 부모님께서는 고생을 참 많이 하셨다.
　㉡ 교장 선생님의 말씀이 있으시겠습니다.
　㉢ 할아버지께서는 지금 주무시고 계십니다.
　㉣ 할머니께서는 여전히 음식을 잘 잡수십니다.
　㉤ 아버지는 편찮으신 어머니를 정성껏 모셨다.

① ㉠은 주격 조사, 접미사, 선어말 어미를 활용하여 주체를 높이고 있다.

② ㉡은 '있다'의 어간에 선어말 어미 '-(으)시-'가 결합하여 무정 명사인 주어 '말씀'을 높이고 있다.

③ ㉢은 주체를 직접 높이는 본용언과 진행의 의미를 덧붙이는 보조 용언이 모두 특수 어휘로 나타나고 있다.

④ ㉣은 특수 어휘 '잡수다'에 다시 '-(으)시-'가 결합되어 하나의 어휘로 굳어진 '잡수시다'가 주체를 직접 높이고 있다.

⑤ ㉤은 '편찮으신'과 '모셨다'가 각각 안긴문장과 안은문장의 행위의 주체인 주어를 직접적으로 높이고 있다.

04. 다음은 '사전 활용하기' 학습 활동을 위한 자료이다. 이에 대해 탐구한 내용으로 적절하지 **않은** 것은?

─〈보기〉─

살다 동
① 생명을 지니고 있다.
　¶ 우리 할아버지는 백 살까지 사셨다.
② 【…에】/【 …에서】어느 곳에 거주하거나 거처하다.
　¶ 선생님은 하루 종일 연구실에서 사신다.
③ 【…과】어떤 사람과 결혼하여 함께 생활하다.
　¶ 그는 한평생 첫사랑과 살았다.
(단, 【…과】가 나타나지 않을 때는 여럿임을 뜻하는 말이 주어로 온다)

돌다 동
① 물체가 일정한 축을 중심으로 원을 그리면서 움직이다.
　¶ 팽이가 오랫동안 잘도 돈다.
② 【…에】/【 …에서】어떤 기운이나 빛이 겉으로 나타나다.
　¶ 그 소식을 듣자 윤아의 얼굴에 생기가 돌았다.
③ 【…을】무엇의 주위를 원을 그리면서 움직이다.
　¶ 달은 지구 주위를 돈다.

① '살다①'과 '돌다①'이 문장에서 필수적으로 요구하는 문장 성분은 주어 하나이겠군.

② '살다②'와 '돌다②'를 보니 서술어의 특성에 따라 부사어도 문장의 성립에 반드시 필요한 문장 성분이 될 수 있겠군.

③ '돌다'의 문형 정보를 보니, 두 자리 서술어로 쓰일 때 자동사 '돌다②'는 주어와 부사어를, 타동사 '돌다③'은 주어와 목적어를 필요로 하는군.

④ '살다②'와 '살다③'은 모두 두 자리 서술어지만, 주어 외에 필요로 하는 문장 성분에 결합하는 조사가 각각 부사격 조사와 접속 조사라는 점에서 차이가 있군.

⑤ '살다③'이 쓰인 문장에서 【…과】가 나타나지 않을 경우, '살다③'은 한 자리 서술어로 쓰이고, 용례로 '우리는 결혼해서 잘 살고 있다.'를 추가할 수 있겠군.

1
2
3
4 주차

05. 〈보기〉의 중세 국어 자료에서 나타난 특징을 탐구한 내용으로 적절하지 <u>않은</u> 것은?

> ───────〈보기〉───────
>
> **[중세 국어]**
> **태 자:** ㉠네 어쩐 사루민다
> **옥녀1:** 내 龍王ㅅ 밧門 자븐 죠이로라
> **태 자:** ㉡그듸 엇더니시니
> **옥녀2:** ㉢나는 龍王ㅅ 안門 자븐 죠이로라
> **태 자:** 그듸 날 爲ᄒ야 ㉣龍王끠 술ᄫᅩ디…㉤善友太子ㅣ 보ᅀᆞ
> 라 왯다 ᄒ고라
> **용 왕:** 福德 ᄀᆞ존 사룸 아니면 이런 險호 길헤 옳 줄 업스니라.
>
> **[현대어 풀이]**
> **태 자:** 너는 어떤 사람인가?
> **옥녀1:** 나는 용왕의 바깥문 잡은 종이다.
> **태 자:** 그대는 어떤 사람이시니?
> **옥녀2:** 나는 용왕의 안문을 잡은 종이다.
> **태 자:** 그대가 나를 위하여 용왕께 아뢰되…선우태자가 뵈러
> 와 있다 하오.
> **용 왕:** 복덕이 갖추어져 있는 사람이 아니면 이런 험한 길에
> 올 줄이 없으니라.

① ㉠: 주어가 2인칭인 경우 사용되는 의문형 종결 어미가 나타
났군.

② ㉡: 선어말 어미 '–더–'와 '–시–'의 결합 순서가 현대 국어와
차이가 있군.

③ ㉢: 높임의 유정 명사 뒤에 관형격 조사 'ㅅ'이 사용되었군.

④ ㉣: 부사어를 높이기 위해 부사격 조사 '끠'가 사용되었군.

⑤ ㉤: 'ㅏ'로 끝나는 체언 뒤에서 주격 조사 'ㅣ'가 단독으로 쓰였군.

MEMO

빠른 정답 찾기	01	02	03	04	05
	⑤	③	⑤	④	②

▶ 01 ⑤

정답풀이

'콧날[콘날]'은 명사 '코'와 '날'이 결합하면서 사잇소리가 첨가된 후, 뒷말 '날'의 첫소리 'ㄴ'의 영향으로 비음화가 일어나 [콘날]로 발음되므로, (가)의 예시로 볼 수 있다. 즉, '콧날[콘날]'은 단어의 직접 구성 요소가 어근과 어근으로 이루어진 합성어이면서, 합성의 과정에서 사잇소리 현상과 비음화가 일어난 경우이다. 또한 '좁쌀'은 명사 '조'와 '쌀'이 결합한 합성어로, '좁쌀'로 표기된다. 이는 현대 국어의 '쌀'이 중세 국어 시기에 어두자음군이 사용된 'ᄡᆞᆯ'로 표기되었기 때문인데, 중세 국어 시기에 '조 + ᄡᆞᆯ'의 구성으로 합성어가 된 후, 그 흔적이 현대 국어로 이어져 '좁쌀'로 표기된 것이라 할 수 있다. 따라서 '좁쌀'은 두 명사가 결합할 때 현대 국어의 음운 규칙으로는 설명할 수 없는 현상이 표기에 반영된 경우이므로 (나)의 예시에 해당한다.

오답풀이

① '눈웃음[누누슴]'은 직접 구성 요소가 명사 '눈'과 '웃음'으로 합성어에 해당하지만, 연음만 일어날 뿐 음운 변동 현상은 나타나지 않으므로 (가)의 예시로 볼 수 없다. 반면 '화살'은 명사 '활'과 '살'이 결합하면서 '활'의 받침 'ㄹ'이 탈락한 것이므로 (나)의 예시로 볼 수 있다.

② '칼날[칼랄]'은 직접 구성 요소가 명사 '칼'과 '날'로 이루어진 합성어에 해당하며, 유음화가 일어났으므로 (가)의 예시로 볼 수 있다. 한편 '발가락'은 명사 '발'과 '가락'이 합성되는 과정에서 사잇소리 첨가로 인해 [발까락]으로 발음되는데, 이는 현대 국어에서도 일어나는 사잇소리 현상에 해당하므로, 현대 국어의 음운 규칙으로는 설명할 수 없는 과거의 음운 체계나 음운 변동이 표기로 굳어진 경우에 해당하지 않아 (나)의 예시로 볼 수 없다.

③ '집집이[집찌비]'는 직접 구성 요소가 명사 '집집'과 부사 파생 접미사 '-이'로 이루어진 파생어이므로, (가)의 예시로 볼 수 없다. 한편 '곱셈'은 명사 '곱'과 명사 '셈'이 결합한 합성어로, 파열음의 예사소리 'ㅂ' 뒤에서 'ㅅ'이 된소리되기가 일어나 [곱쎔]으로 발음되는데, 이는 현대 국어에서도 일어나는 된소리되기 현상에 해당하므로 (나)의 예시로 볼 수 없다.

④ '말소리[말쏘리]'는 직접 구성 요소가 명사 '말'과 '소리'로 이루어진 합성어에 해당하며, 합성 과정에서 사잇소리가 첨가되어 뒷말의 첫소리가 된소리로 나는 경우이므로, (가)의 예시로 볼 수 있다. 한편 '쌀집'은 명사 '쌀'과 '집'이 결합하면서 사잇소리 첨가로 인해 [쌀찝]으로 발음되는 것일 뿐, 두 명사가 결합할 때 현대 국어의 음운 규칙으로는 설명할 수 없는 과거의 음운 체계나 음운 변동이 표기로 굳어진 경우에 해당하지 않으므로 (나)의 예시로 볼 수 없다.

☞ 문법 개념 담기

- **직접 구성 요소**: 둘 이상의 형태소가 결합하였을 때 그 단어를 직접 구성하고 있는 요소로, 직접 구성 요소의 결합 방식이 어떠한가에 따라 그 단어가 파생어인지 합성어인지 판단함
  예 '민물고기': '민물'과 '고기'가 직접 구성 요소인 합성어
- **사잇소리 현상**: 두 형태소 또는 단어가 결합하여 합성 명사를 이룰 때, 그 사이에 어떤 소리가 덧생기는 현상
  예 코 + 날 → 콧날[콘날], 문 + 고리 → 문고리[문꼬리]

▶ 02 ③

정답풀이

'우리 학교의 모든 1학년 학생들은 귀엽게 굴었다.'에서는 관형사 '모든'이 사용되었고, 서술어 '굴다'가 필수적으로 요구하는 부사어 '귀엽게'가 쓰였다. 하지만, '귀엽게'는 부사형 전성 어미 '-게'가 결합한 부사절로 안긴문장의 서술어에 해당한다. 따라서 '우리 학교의 모든 1학년 학생들은 귀엽게 굴었다'는 '홑문장일 것'이라는 조건을 충족하지 못한다.

오답풀이

① '손자는 새 옷을 할머니께 드렸다.'는 주어-서술어 관계가 한 번만 이루어진 홑문장으로, 관형사 '새'가 사용되었고, 서술어 '드렸다'가 필수적으로 요구하는 부사어로 '할머니께'가 쓰였으므로 〈조건〉을 모두 만족시키는 문장에 해당한다.

② '할아버지께서 우리에게 옛 추억을 들려주셨다.'는 주어-서술어 관계가 한 번만 이루어진 홑문장으로, 관형사 '옛'이 사용되었고, 서술어 '들려주다'가 필수적으로 요구하는 부사어로 '우리에게'가 쓰였으므로 〈조건〉을 모두 만족시키는 문장에 해당한다.

④ '한 사람은 외딴섬에서 바다에 제물을 바쳐야만 한다.'는 주어-서술어 관계가 한 번만 이루어진 홑문장으로, '바쳐야만 한다'는 본용언 '바치다'와 보조 용언 '하다'로 구성된 하나의 서술어에 해당한다. 또한 관형사 '한'이 사용되었고, 서술어 '바치다'가 필수적으로 요구하는 부사어로 '바다에'가 쓰였으므로 〈조건〉을 모두 만족시키는 문장에 해당한다.

⑤ '저 민들레의 생김새는 씀바귀의 생김새와 비슷하다.'는 주어-서술어 관계가 한 번만 이루어진 홑문장으로, 관형사 '저'가 사용되었고, 서술어 '비슷하다'가 필수적으로 요구하는 부사어로 '생김새와'가 쓰였으므로 〈조건〉을 모두 만족시키는 문장에 해당한다.

☞ 문법 개념 담기

- **부사절**: 부사형 전성 어미 '-게, -도록, -아서/어서, -듯이, -ㄹ수록' 등이나 부사 파생 접미사 '-이'와 결합하여 부사어의 구실을 하는 절
  예 엄마가 아이를 입이 마르게 칭찬했다.
  그가 말도 없이 갔다.
- **필수적 부사어**: 문장의 성립에 반드시 필요한 부사어. 일반적으로 부사어는 문장의 필수 성분이 아니지만 서술어에 따라서는 필수적인 성분이 되기도 하는데, 동사 '주다, 삼다, 넣다, 두다' 등과 형용사 '같다, 비슷하다, 닮다, 다르다' 등은 반드시 부사어를 필요로 함
  예 선생님께서 지혜에게 선행상을 주셨다.

▶ 03 ⑤

ⓜ의 관형절 '편찮으신'에서는 서술어가 관형절의 주어인 '어머니'를 직접적으로 높이고 있다. 하지만 '모시다'는 객체 높임을 실현하는 특수 어휘로, '아버지는 어머니를 정성껏 모셨다.'라는 문장에서 목적어인 어머니를 높이고 있는 것이지 주어를 높이는 것이 아니다.

❏ 높임의 대상과 문장 성분을 관련지어 물어볼 수 있으니, 높임의 대상이 안긴 문장과 안은문장 각각에서 어떤 문장 성분으로 쓰이고 있는지 정확히 확인하자!

① 주격조사 '께서', 접미사 '-님', 주체 높임 선어말 어미 '-시-'와 같은 문법 표지를 활용하여 주체를 높이고 있다.

② 무정 명사인 '말씀'을 '있으시다'를 통해 높임으로써 간접 높임을 실현하고 있다.

③ 본용언 '주무시다'는 주체인 할아버지를 높이고 있으며 보조 용언인 '계시다'는 본용언에 진행의 의미를 덧붙이고 있다.

④ '잡수다'와 '잡수시다'는 사전에 따로 등재된 각각의 단어로, '잡수시다'는 '잡수다'의 어간에 주체 높임의 선어말 어미 '-시-'가 결합하여 하나의 단어로 굳어진 것이다.

▶ 04 ④

'살다②'와 '살다③'은 【…에】나 【…과】 같은 부사어를 요구하는 두 자리 서술어이다. 주어 외에 필요로 하는 문장 성분에 '에'나 '과'와 같은 부사격 조사가 결합한다는 점이 동일하므로, 부사격 조사나 접속 조사가 결합한다는 설명은 적절하지 않다.

① '살다①'과 '돌다①'은 문형 정보가 없는 것으로 보아 서술어가 필요로 하는 문장 성분은 주어 하나라고 볼 수 있다.

② '살다②'와 '돌다②'는 【…에】/【…에서】와 같은 문형 정보를 제시하고 있으므로, 부사어를 필수적으로 요구함을 확인할 수 있다.

③ '돌다'는 【…에】/【…에서】'와 같은 부사어를 요구하거나('돌다②'), '【…을】' 같은 목적어를 요구하는('돌다③') 두 자리 서술어로 쓰인다. 이 때 전자는 목적어가 없는 자동사로 쓰이는 경우이며, 후자는 목적어가 있는 타동사로 쓰이는 경우이다.

⑤ '살다③'이 쓰인 문장에서 【…과】가 나오지 않으면 여럿임을 뜻하는 말이 주어로 나타나야 한다고 했으므로 '살다③'의 용례로 '우리는 결혼해서 잘 살고 있다.'를 추가할 수 있다.

▶ 05 ②

ⓒ의 '엇더니시니'에 대응하는 현대어 풀이는 '어떤 사람이시니'로, 선어말 어미 '-사-'만 사용되었을 뿐, '-더-'는 사용되지 않았음을 알 수 있다.

> ❷ 중세 국어 자료를 주고 현대 국어와의 관련성에 대해 물을 때에는 반드시 현대어 풀이를 참고해서 문제를 풀어야 해! 중세 국어의 자료를 정확히 분석 하기 어렵더라도 현대어 풀이와 대응해 보면 문제는 해결할 수 있어!

① ㉠의 주어는 '네'로 2인칭이며, '어썬 사루민다'에서 의문형 종결 어미 '-ㄴ다'가 사용되었음을 확인할 수 있다.

③ 중세 국어의 관형격 조사는 높임의 유정 명사나 무정 명사의 경우 'ㅅ'이 사용되는데, ㉢의 '龍王(용왕)'이 높임의 유정 명사이기 때문에 관형격 조사로 'ㅅ'이 사용되었음을 확인할 수 있다.

④ ㉣에 대응되는 현대어 풀이를 참고하면 중세 국어의 높임의 부사격 조사는 '씌'임을 알 수 있다.

⑤ 중세 국어의 주격 조사는 이, ㅣ, ∅로 실현되었는데, 모음 '이'와 반모음 'ㅣ' 이외의 모음 다음에는 'ㅣ'가 나타났다. ㉤의 '善友太子(선우태자)'는 모음 'ㅏ'로 끝나므로, 주격 조사 'ㅣ'가 나타나며, 이때 한자 뒤에서 단독으로 실현되었다.

☑ 학습 Check **1회** ☐ **2회** ☐ **3회** ☐

문항	개념 확인	알면 Check! ☑	나의 책 Check! PAGE	선지나 〈보기〉를 활용하여 문법을 다지자! ▶ 선지나 〈보기〉의 핵심 내용을 활용하여, 내가 틀렸거나 정확히 알고 넘어가야 할 개념을 정리해 보세요.
01	된소리되기 직접 구성 요소 합성어 'ㄹ' 탈락 어두자음군	☐ ☐ ☐ ☐ ☐		
02	홑문장 겹문장 관형사 필수적 부사어	☐ ☐ ☐ ☐		
03	주체 높임 직접 높임과 간접 높임 유정 명사 무정 명사	☐ ☐ ☐ ☐		
04	자동사와 타동사 문형 정보 부사격 조사 접속 조사	☐ ☐ ☐ ☐		
05	중세 국어의 의문형 어미 선어말 어미의 결합 순서 중세 국어의 관형격 조사 중세 국어의 부사격 조사 중세 국어의 주격 조사	☐ ☐ ☐ ☐ ☐		

1
2
3
4 주차

01. 〈보기〉의 ⓐ, ⓑ에 해당하는 음운 변동의 사례를 바르게 짝지은 것은?

〈보기〉

선생님: 오늘은 이중 모음의 표준 발음에 대해 알아보겠습니다. 먼저 표준 발음법 상에서 'ㅈ, ㅉ, ㅊ' 뒤에 오는 'ㅕ'는 단모음 'ㅓ'로 발음해야 해요. 그런데 이때 표기상 '져, 쪄, 쳐'가 아니라도 ⓐ구개음화의 과정을 거쳐 발음상 '져, 쪄, 쳐'와 동일하게 발음하는 경우에도 이 규정의 적용을 받습니다. 또한 이중 모음 'ㅢ'를 반드시 단모음 [ㅣ]로만 발음해야 하는 규정도 있습니다. 음절의 초성이 자음일 경우 그 뒤에 오는 'ㅢ'는 [ㅣ]로 발음해야 합니다. 다만 단어의 둘째 음절 이하에 표기된 '의'는 [ㅢ] 이외에 [ㅣ]로 발음하는 것도 인정하고, ⓑ앞말의 받침이 뒷말의 초성으로 옮겨져 'ㅢ' 앞에 자음이 오게 되는 경우에도 이 규정이 적용되지 않고 [ㅢ]와 [ㅣ]로 모두 발음하는 것을 허용하고 있습니다.

	ⓐ	ⓑ
①	잊혀[이처]	밭의[바틔/바티]
②	묻혀[무처]	강의[강:의/강:이]
③	꽂혀[꼬처]	신의[시늬/시니]
④	붙여[부처]	협의[혀븨/혀비]
⑤	훑여[훌처]	주의[주의/주이]

02. 〈보기〉의 '자료'를 탐구한 '탐구 내용'으로 적절하지 않은 것은?

〈보기〉

○ **탐구 과제**

　하나의 문장이 안긴문장으로 다른 문장에 안길 때, 원래 있던 문장 성분이 생략되는 경우도 있고, 같은 종류의 안긴문장이라도 안은문장에서 다른 문장 성분으로 쓰일 수 있다.

○ **자료**

　㉠ 시우가 영수와 만났음이 분명했다.
　㉡ 재영이는 형이 어제 산 책을 읽었다.
　㉢ 철호는 내가 어제 결석한 사실을 모른다.
　㉣ 수지는 어젯밤 목이 쉬게 소리를 질렀다.
　㉤ 나는 어려운 과제를 끝내고 집에 가기에 바쁘다.

① ㉠과 ㉡의 안긴문장의 종류는 다르지만, 각각의 안긴문장 속에는 모두 부사어가 있다.

② ㉠과 ㉤에서 종류가 같은 안긴문장은 각각 안은문장에서의 문장 성분이 다르다.

③ ㉡과 ㉢의 안긴문장은 안은문장에서의 문장 성분은 같지만, 안긴문장 속에 생략된 문장 성분이 있는지 여부에서 차이가 난다.

④ ㉣의 안긴문장은 안은문장의 서술어를 꾸며 주는 역할을 하는 부사어이다.

⑤ ㉤의 앞 절과 뒤 절에서 각각의 안긴문장의 주어는 안은문장의 주어와 다르다.

03. (가)에 들어갈 내용으로 가장 적절한 것은?

〈보기〉

선생님 : 높임 표현은 화자가 어떤 대상에 대해 높고 낮은 정도를 언어적으로 표현한 것으로, 화자와 청자의 나이나 직위 등의 차이에 따른 서열에 의해 높임 표현의 선택이 달라집니다. 높임법은 그 대상에 따라 주체 높임법, 상대 높임법, 객체 높임법으로 구분됩니다. 자 그림, 다음의 두 문장을 보고 높임 표현에 대해 설명해 봅시다.

ⓐ 저의 부탁을 교수님께 전해주셔서 감사합니다.
ⓑ 여쭐 것이 있어서 할머니 댁에 갔는데, 할머니께서 안 계셨어.

학생: ⎯⎯⎯⎯⎯ (가) ⎯⎯⎯⎯⎯

① ⓐ는 청자와 앞 절의 주어가 동일하므로, '전해주셔서'를 통해 상대 높임과 주체 높임을 동시에 표현하고 있어요.

② ⓑ는 화자보다 높은 대상인 '할머니'를 높이기 위해 특수 어휘 '여쭈다', '댁', '계시다'를 사용하여 객체 높임을 표현하고 있어요.

③ ⓐ와 ⓑ는 모두 부사격 조사를 통해 행위의 대상을 높이는 객체 높임을 실현하고 있어요.

④ ⓑ와 달리 ⓐ는 선어말 어미 '-(으)시-'를 통해 주체 높임을 실현하고 있어요.

⑤ ⓐ는 종결 어미를 통해, ⓑ는 선어말 어미를 통해 상대 높임을 실현하고 있어요.

04. 〈보기〉의 ⓐ에 해당하는 예로 적절한 것은?

〈보기〉

서술어의 자릿수란 서술어가 반드시 갖추어야 하는 문장 성분의 수를 의미한다. 그런데 ⓐ형태가 동일한 서술어가 쓰였더라도 그 서술어의 성격에 따라 서술어의 자릿수에는 변동이 없으나 문장에서 필요로 하는 문장 성분이 다르게 나타나는 경우가 있다.

① 　㉠: 수호는 얼마 전 군대에 갔다.
　　㉡: 엄마의 옷에 주름이 갔다.

② 　㉠: 오늘 아침은 햇살이 밝았다.
　　㉡: 민지는 세상 물정에 밝았다.

③ 　㉠: 얼음이 녹아서 물이 되었다.
　　㉡: 낡은 옷이 새 가방으로 되었다.

④ 　㉠: 자식은 부모에게 기쁨을 준다.
　　㉡: 그는 다른 사람에게 정을 잘 준다.

⑤ 　㉠: 철수에게 동생이 생겼다.
　　㉡: 그녀는 이국적으로 생겼다.

1
2
3
4 주차

05. 〈보기 1〉의 중세 국어의 특징을 바탕으로 〈보기 2〉의
ⓐ~ⓔ를 탐구하는 활동을 수행하였다. 탐구 내용으로 적절
하지 <u>않은</u> 것은?

MEMO

〈보기 1〉

○ ㉠ 현대 국어에 쓰이지 않는 부사격 조사 '이/의'가 쓰이기도
했다.

○ ㉡ 단어의 첫머리에 둘 이상의 자음이 발음되는 경우가 있었
는데, 그 흔적이 현대 국어에까지 남아 있다.

○ ㉢ 모음으로 시작하는 조사와 결합할 때 'ㅎ'이 덧붙는 체언이
있었다.

○ ㉣ 설명 의문문과 판정 의문문에서 쓰이는 서로 다른 보조
사가 존재했다.

○ ㉤ 현대 국어의 부정 부사 '아니'가 명사로 쓰이기도 했다.

〈보기 2〉

ⓐ 믈 **우희** 차 두퍼 잇ᄂᆞ니라

　[현대 국어: 물 위에 차 덮여 있느니라]

ⓑ **벼삐** 가져 나오나ᄂᆞᆯ

　[현대 국어: 볍씨를 가져 나오거늘]

ⓒ 이는 **賞가 罰**아 [현대 국어: 이는 상인가, 벌인가?]

　/ 이 어떤 **光明**고 [현대 국어: 이 어떤 광명인가?]

ⓓ **불휘** 기픈 남ᄀᆞᆫ 바라매 **아니** 뮐ᄊᆡ

　[현대 국어: 뿌리가 깊은 나무는 바람에 아니 흔들리므로]

ⓔ 生(생)이며 生(생) **아니롤** 골히ᄂᆞ니

　[현대 국어: 삶이며 삶이 아닌 것을 분별하느니]

① ⓐ의 '우희'가 현대 국어의 '위에'와 대응되는 것을 보니, ㉠을
확인할 수 있군.

② ⓑ의 '벼삐'와 현대 국어의 '볍씨'를 비교해 보니, ㉡을 확인할
수 있군.

③ ⓐ의 '우희'와 ⓓ의 '불휘'를 보니, ㉢을 확인할 수 있군.

④ ⓒ의 '가/아'와 '고'를 보니, ㉣을 확인할 수 있군.

⑤ ⓓ의 '아니'와 ⓔ의 '아니롤'을 비교해 보니, ㉤을 확인할 수
있군.

MEMO

주
차

빠른 정답 찾기	01	02	03	04	05
	④	⑤	④	③	③

▶ 01 ④

정답풀이

〈보기〉의 ⓐ에 해당하기 위해서는 구개음화의 과정을 거쳐야 한다. 그런데 ①의 '잊혀'와 ③의 '꽂혀'는 앞말의 받침이 'ㅈ'이므로 구개음화의 조건에 해당되지 않아 ⓐ에 해당하지 않는다. 따라서 ⓐ에는 '묻혀(②), 붙여(④), 훑여(⑤)'만 해당한다.

한편 〈보기〉의 ⓑ에 해당하기 위해서는 앞말의 받침이 뒷말의 초성으로 옮겨 발음되어야 한다. 그런데 현대 국어의 초성에는 음가가 있는 'ㅇ'이 올 수 없으므로, ②의 '강의'는 앞말의 받침 'ㅇ'을 뒷말의 초성으로 옮겨 발음할 수 없다. 또한 ⑤의 '주의'는 앞말이 자음으로 끝나지 않으므로 ⓑ에 해당하지 않는다. 따라서 ⓐ와 ⓑ의 조건을 모두 만족하는 것은 ④번이다.

☞ 문법 개념 담기

- **'ㅢ'의 발음**: 자음을 첫소리로 가지고 있는 음절의 'ㅢ'는 항상 [ㅣ]로 발음하되, 단어의 첫 음절 이외의 '의'는 [ㅣ]로, 조사 '의'는 [ㅔ]로 발음할 수 있음

  📖 닐리리[닐리리], 무늬[무니], 우리의[우리의/우리에]

▶ 02 ⑤

정답풀이

ⓜ에서 앞 절의 안긴문장 '어려운'의 주어는 '과제'로 안은문장의 주어 '나'와 다르지만, 뒤 절의 명사절 '집에 가기'의 주어는 '나'로 안은문장의 주어인 '나'와 같다.

오답풀이

① ㉠의 명사절 '시우가 영수와 만났음'에는 부사어 '영수와'가 있으며 ㉡의 관형절 '형이 어제 산'에는 부사어 '어제'가 있다.

② ㉠과 ⓜ에는 공통적으로 명사절이 있으며 ㉠에서는 안은문장에서 명사절 '시우가 영수와 만났음'이 주격 조사 '이'와 결합하여 주어로 쓰였고, ⓜ에서는 안은문장에서 명사절 '집에 가기'가 부사격 조사 '에'와 결합하여 부사어로 쓰였다.

③ ㉡의 관형절 '형이 어제 산'에는 목적어 '책을'이 생략되어 있으나, ㉢의 관형절 '내가 어제 결석한'은 피수식어가 '사실'인 동격 관형절로, 생략된 문장 성분이 없다.

④ ㉣에서 부사절 '목이 쉬게'는 서술어 '질렀다'를 꾸며 주는 역할을 하는 부사어이다.

☞ 문법 개념 담기

- **관계 관형절**: 관형절의 문장 성분 중 주절에 있는 동일 요소가 생략되는 관형절

  📖 철수가 쓴 글을 읽었다.

  재영이는 형이 어제 산 책을 읽었다.

- **동격 관형절**: 관형절과 관형절이 수식하는 체언이 동일한 의미를 가지는 관형절

  📖 철수가 어제 수지를 만난 사실을 아는 사람이 많지 않았다.

  철호는 내가 어제 결석한 사실을 모른다.

▶ 03 ④

ⓑ의 '계시다'는 높임의 특수 어휘로 '계시다'의 '-시-'는 선어말 어미 '-시-'가 붙은 것이 아니다. 한편 ⓐ는 '전해주다'라는 용언에서 선어말 어미 '-시-'를 통해 주체 높임을 실현하고 있으므로, ⓑ와 달리 ⓐ는 선어말 어미 '-시-'를 통해 주체 높임을 실현하고 있다.

① ⓐ에서 앞 절은 '저의 부탁을 교수님께 전해주셔서'로, 이때 주어는 청자와 동일한 대상으로 생략되어 있다. 하지만 '전해주셔서'의 선어말 어미 '-시-'는 주체 높임만 실현할 수 있을 뿐, 상대 높임을 실현할 수는 없다.

② '계시다'는 주체 높임의 특수 어휘이므로 객체 높임을 표현하고 있지 않다.

③ ⓐ에서는 부사격 조사 '께'를 통해, ⓑ에서는 주격 조사 '께서'를 통해 각각 객체 높임과 주체 높임을 실현하고 있다.

⑤ ⓐ에서는 '하십시오체'를 활용하여 상대 높임법을 실현하고 있으며 ⓑ에서는 비격식체 '해체'를 활용하여 상대 높임법을 실현하고 있다. 이렇듯 상대 높임은 종결 어미를 통해 실현될 뿐, 선어말 어미를 통해 실현되지 않는다.

▶ 04 ③

'되다'는 주어 외에 보어나 부사어를 필수적으로 요구하는 두 자리 서술어이다. '되다'는 '얼음이 녹아서 물이 되었다(㉠)'에서는 주어 '얼음이' 외에 보어 '물이'를 필요로 하는 두 자리 서술어이며, '낡은 옷이 새 가방으로 되었다(㉡)'에서는 주어 '옷이' 외에 부사어 '가방으로'를 필요로 하는 두 자리 서술어이다. 즉 '되다'라는 동일한 형태의 서술어가 두 자리 서술어라는 사실에는 변함이 없으나, ㉠, ㉡에 쓰인 서술어가 주어 외에 필요로 하는 성분이 각각 보어, 부사어로 다르게 나타나므로 〈보기〉의 ⓐ에 해당하는 예로 적절하다.

① '가다'는 주어 외에 부사어를 필수적으로 요구하는 두 자리 서술어이다. '가다'는 '수호는 얼마 전 군대에 갔다(㉠)'에서는 주어 '수호는' 외에 부사어 '군대에'를 필요로 하며, '엄마의 옷에 주름이 갔다(㉡)'에서는 주어 '주름이' 외에 부사어 '옷에'를 필요로 한다. 문장에서 서술어가 주어 외에 필요로 하는 문장 성분이 부사어라는 점에서 동일하므로 〈보기〉의 ⓐ에 해당하는 예로 적절하지 않다.

② '오늘 아침은 햇살이 밝았다(㉠)'에서 '밝았다'는 주어 '햇살이'를 필수적으로 요구하는 한 자리 서술어이다. '민지는 세상 물정에 밝았다(㉡)'에서 '밝았다'는 주어 '민지는' 외에 부사어 '물정에'를 필수적으로 요구하는 두 자리 서술어이다. 즉 ㉠, ㉡의 서술어 '밝다'는 서술어의 자릿수가 다르므로 〈보기〉의 ⓐ에 해당하는 예로 적절하지 않다.

④ '주다'는 주어 외에 목적어, 부사어를 필수적으로 요구하는 세 자리 서술어이다. '자식은 부모에게 기쁨을 준다(㉠)'에서 '주다'는 주어 '자식은' 외에 부사어 '부모에게'와 목적어 '기쁨을'을 필수적으로 요구하며, '그는 다른 사람에게 정을 잘 준다(㉡)'에서 '주다'는 주어 '그는' 외에 부사어 '사람에게'와 목적어 '정을'을 필수적으로 요구한다. ㉠, ㉡의 서술어 '주다'는 세 자리 서술어로 서술어의 자릿수에는 변동이 없으나, 필요로 하는 문장 성분이 동일하므로 〈보기〉의 ⓐ에 해당하는 예로 적절하지 않다.

⑤ '철수에게 동생이 생겼다(㉠)'에서 '생기다'와 '그녀는 이국적으로 생겼다(㉡)'에서 '생기다'는 주어 외에 부사어를 필수적으로 요구하는 두 자리 서술어이다. ㉠, ㉡의 서술어 '생기다'는 두 자리 서술어로 서술어의 자릿수에는 변동이 없으나, 필요로 하는 문장 성분이 동일하므로 〈보기〉의 ⓐ에 해당하는 예로 적절하지 않다.

▶ **05 ③**

ⓒ은 'ㅎ' 소리로 끝나는 'ㅎ' 종성 체언에 대한 설명이다. '우희'는 'ㅎ' 종성 체언 '우ㅎ'에 부사격 조사 '의'가 결합한 형태이다. 하지만 '불휘'는 '불휘'라는 단일 체언에 주격 조사(∅)가 결합한 형태이므로, 종성의 끝소리가 'ㅎ'인 'ㅎ' 종성 체언의 예시로 볼 수 없다.

❍ 중세 국어 단어의 형태를 모르고 있을 때에도 평가원 문제에서는 형태의 유추가 가능하도록 문제를 출제할 거야. '우희'의 현대어 풀이를 보면 '위에'라는 것을 알 수 있고, <보기 1>에서 부사격 조사 '이/의'를 제시해 주었으므로, 중세 국어의 이어적기(연철)를 고려하면 '우희'는 '우ㅎ + 의'로 분석할 수 있어!

① <보기 1>의 ㉠에서 중세 국어에는 부사격 조사 '이/의'가 쓰이기도 했다고 했으므로, 현대어 '위에'에 대응되는 '우희'는 '우ㅎ + 의(부사격 조사)'가 이어적기(연철)된 형태라고 추측할 수 있다.

② ㉡은 어두자음군의 흔적이 현대까지 남아 있는 경우에 대한 설명이다. '벼삐'는 '벼'와 '삐'가 결합한 형태로, 어두자음군 'ㅳ'의 'ㅂ'이 앞말의 받침으로 이동하여 현대어의 '볍씨'가 된 것이라고 볼 수 있다. 따라서 '볍씨'는 어두자음군의 흔적이 남아 있는 사례에 해당한다.

④ 판정 의문문인 '이는 賞(상)가 罰(벌)아'에서는 보조사 '가/아'가 쓰였지만, 설명 의문문인 '이 어떤 光明(광명)고'에서는 보조사 '고'가 쓰였음을 확인할 수 있다.

⑤ ⓓ의 '바라매 아니 뮐쌔'에서는 '아니'가 부정 부사로 쓰였으나, ⓔ의 '生(생) 아니롤 골히누니'에서는 '아니'가 명사로 쓰여 목적격 조사 '롤'이 결합한 것을 확인할 수 있다.

☑ 학습 Check   1회 ☐   2회 ☐   3회 ☐

문항	개념 확인	암면 Check! ☑	나의 책 Check! PAGE	선지나 〈보기〉를 활용하여 문법을 다지자! ◐ 선지나 〈보기〉의 핵심 내용을 활용하여, 내가 몰랐거나 정확히 알고 넘어가야 할 개념을 정리해 보세요.
01	구개음화 이중 모음 'ㅢ'의 발음	☐ ☐		
02	동격 관형절 관계 관형절	☐ ☐		
03	주체 높임법 상대 높임법 객체 높임법	☐ ☐ ☐		
04	서술어의 자릿수 문장 성분	☐ ☐		
05	중세 국어의 부사격 조사 어두자음군 'ㅎ' 종성 체언 중세 국어의 의문문 중세 국어의 '아니'	☐ ☐ ☐ ☐ ☐		

① ② ③ ④
주차

도서출판 홀수 Holsoo Publishers

나만의 문법 오답 노트

문법노트
PLUS

'문법노트 PLUS' 완성하기

문법백제 모의고사 풀이와 '문법 개념 PLUS' 정리를 마쳤다면, 이제 **'문법노트 PLUS'**를 완성할 시간이에요! 파트별로 제시된 **문법 핵심 정리**를 보며 전체적인 국어 문법의 체계를 익히고, 각 파트에 해당하는 문제를 확인한 후 틀린 문제나 헷갈렸던 문제를 꼼꼼하게 정리하면 **나만의 오답 노트**가 완성된답니다.

'문법노트 PLUS'는 가지고 다니기 편리하게 별책으로 구성하였고, 본책의 모의고사 120문제를 모두 노트에 다시 한번 실어 두어 효율적으로 오답 노트를 정리할 수 있도록 했어요! 이 책 한 권을 끝내면 아무도 가질 수 없는 나만의 문법노트가 완성될 거예요.

How to use & Contents

그럼 지금부터 '문법노트 PLUS'를
제대로 활용하는 방법을 소개할게요!

STEP 1

파트별로 문법 핵심 내용 정리하기

STEP 2

본책 모의고사 정·오답 체크하기

시험명	본책 PAGE	체크하기			시험명	본책 PAGE	체크하기		
01회차 기본기 다지기 모의고사 01번	P.012	✔	△	×	13회차 고난도 합정 모의고사 02번	P.091	○	✔	×
01회차 기본기 다지기 모의고사 02번	P.012	✔	△	×	14회차 고난도 합정 모의고사 03번	P.099	✔	△	×
02회차 기본기 다지기 모의고사 03번	P.019	✔	△	×	16회차 고난도 합정 모의고사 03번	P.115	✔	△	×
03회차 기본기 다지기 모의고사 03번	P.024	○	✔	✔	17회차 고난도 합정 모의고사 03번	P.123	○	△	✔
04회차 기본기 다지기 모의고사 03번	P.031	○	△	×	18회차 고난도 합정 모의고사 03번	P.131	○	✔	×
06회차 기본기 다지기 모의고사 01번	P.042	✔	△	×	19회차 최종 점검 모의고사 01번	P.140	○	△	×
07회차 실전 대비 모의고사 01번	P.051	○	✔	×	21회차 최종 점검 모의고사 01번	P.154	✔	△	×
08회차 실전 대비 모의고사 03번	P.057	✔	△	×	22회차 최종 점검 모의고사 01번	P.160	○	✔	×
09회차 실전 대비 모의고사 03번	P.063	✔	△	×	22회차 최종 점검 모의고사 02번	P.160	○	✔	×
10회차 실전 대비 모의고사 03번	P.069	○	△	✔	23회차 최종 점검 모의고사 01번	P.168	✔	△	×
11회차 실전 대비 모의고사 03번	P.075	✔	△	×	24회차 최종 점검 모의고사 01번	P.176	○	△	✔
13회차 고난도 합정 모의고사 01번	P.090	✔	△	×					

○: 개념도 명확히 알고, 정답도 맞힌 경우   △: 개념은 명확하게 모르지만, 정답은 맞힌 경우   ×: 개념도 명확히 모르고, 정답도 틀린 경우

STEP 3

나만의 문법 오답 노트 만들기

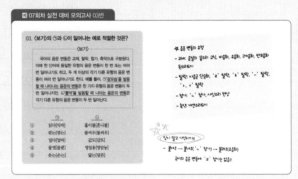

★ 반드시 다시 보아야 할 문제를 체크하고,
위 예시를 참고하여 나만의 오답 노트를 만들어 보세요.

음운과 음운의 변동

1 자음과 모음

1. 자음(19개): 소리 낼 때, 목 안 또는 입 안에서 장애를 받고 나오는 소리

조음 방법		조음 위치	양순음 (두 입술)	치조음 (윗잇몸–혀끝)	경구개음 (센입천장–혓바닥)	연구개음 (여린입천장–혀뒤)	후두음 (목청)
무성음 (안울림 소리)	파열음	예사소리(평음)	ㅂ	ㄷ		ㄱ	
		된소리(경음)	ㅃ	ㄸ		ㄲ	
		거센소리(격음)	ㅍ	ㅌ		ㅋ	
	파찰음	예사소리(평음)			ㅈ		
		된소리(경음)			ㅉ		
		거센소리(격음)			ㅊ		
	마찰음	예사소리(평음)		ㅅ			ㅎ
		된소리(경음)		ㅆ			
유성음 (울림 소리)	비음		ㅁ	ㄴ		ㅇ	
	유음			ㄹ			

★ **파열음**: 공기의 흐름을 막았다가 터뜨리며 내는 소리
★ **파찰음**: 일단 파열시켰다가 마찰을 일으키며 내는 소리
★ **마찰음**: 입 안의 공간을 좁혀 마찰을 일으키며 내는 소리
★ **비음**: 입 안의 통로를 막고 코로 공기를 내보내면서 내는 소리
★ **유음**: 혀끝을 잇몸에 가볍게 대었다가 떼거나, 잇몸에 댄 채 공기를 그 양옆으로 흘려보내면서 내는 소리

2. 모음(21개): 소리 낼 때, 장애를 받지 않고 순조롭게 나오는 소리
① 단모음(10개): 소리 낼 때, 입술 모양이나 혀의 위치가 변하지 않는 모음

혀의 위치	전설 모음		후설 모음	
혀의 높이 ＼ 입술 모양	평순 모음	원순 모음	평순 모음	원순 모음
고모음	ㅣ	ㅟ	ㅡ	ㅜ
중모음	ㅔ	ㅚ	ㅓ	ㅗ
저모음	ㅐ		ㅏ	

★ **전설 모음**: 발음할 때 혀의 최고점이 앞쪽에 놓이는 모음　　★ **후설 모음**: 발음할 때 혀의 최고점이 뒤쪽에 놓이는 모음
★ **고모음**: 혀의 높이가 높음　　★ **중모음**: 혀의 높이가 중간　　★ **저모음**: 혀의 높이가 낮음
★ **평순 모음**: 입술을 오므리지 않고 평평하게 하고 발음　　★ **원순 모음**: 입술을 동그랗게 오므리고 발음

② 이중 모음(11개): 소리 내는 도중에 입술 모양이나 혀의 위치가 처음과 나중이 달라지는 모음

'ㅣ'계 이중 모음	ㅑ, ㅕ, ㅛ, ㅠ, ㅒ, ㅖ
'ㅗ/ㅜ'계 이중 모음	ㅘ, ㅙ, ㅝ, ㅞ
'ㅢ'는 앞의 'ㅡ'가 반모음인지, 뒤의 'ㅣ'가 반모음인지 구별하기가 쉽지 않음	ㅢ

② 음운의 변동

1. 교체: 어떤 음운이 다른 음운으로 바뀌는 음운 변동

① 음절의 끝소리 규칙	음절의 끝에서 'ㄱ, ㄴ, ㄷ, ㄹ, ㅁ, ㅂ, ㅇ' 이외의 자음이 이 일곱 자음으로 바뀌는 현상
	예 잎[입], 밖[박]
② 비음화	〈비음 동화〉 'ㄱ, ㄷ, ㅂ'이 비음 'ㄴ, ㅁ' 앞에서 비음으로 바뀌는 현상
	예 국물[궁물], 걷는다[건는다], 밥물[밤물]
	〈'ㄹ'의 비음화〉 'ㄹ'이 다른 자음 뒤에서 'ㄴ'으로 바뀌는 현상
	예 담력[담녁], 십리[심니], 생산량[생산냥]
③ 유음화	'ㄴ'이 앞이나 뒤에 오는 유음 'ㄹ'의 영향으로 'ㄹ'로 바뀌는 현상
	예 칼날[칼랄], 권력[궐력], 설날[설랄]
④ 된소리되기 (경음화)	예사소리가 된소리로 바뀌는 현상
	예 국자[국짜], 역도[역또], 닫지[닫찌], 신지[신찌], 잡고[잡꼬]
⑤ 구개음화	끝소리가 'ㄷ, ㅌ'인 형태소가 모음 'ㅣ'나 반모음 'ĭ'로 시작되는 형식 형태소 앞에서 구개음인 'ㅈ'이나 'ㅊ'으로 바뀌는 현상
	예 굳이[구지], 같이[가치]
⑥ 반모음화	모음 'ㅣ'나 'ㅗ/ㅜ'가 다른 모음과 결합하여 어간의 모음이 반모음으로 바뀌는 현상
	예 기- + -어 → [겨ː], 쏘- + -아 → [쏴ː]
⑦ 'ㅣ' 모음 역행 동화 (표준 발음 인정 X)	앞 음절의 후설 모음 'ㅏ, ㅓ, ㅗ, ㅜ'가 뒤 음절 'ㅣ' 모음에 끌려서 전설 모음 'ㅐ, ㅔ, ㅚ, ㅟ'로 바뀌는 현상
	예 아기[애기], 맛보기[맏뾔기], 죽이다[쥐기다]

2. 탈락: 어떤 음운이 없어지는 음운 변동

① 자음군 단순화	음절의 끝에 두 개의 자음(겹받침)이 올 때, 이 중에서 한 자음이 탈락하는 현상
	예 흙[흑], 앎[암], 넋[넉]
② 'ㅎ' 탈락	'ㅎ'으로 끝나는 어간이 모음으로 시작하는 어미나 접미사와 결합할 때 'ㅎ'이 탈락하는 현상
	예 좋- + -아 → [조아], 않- + -은 → [아는]
③ 'ㄹ' 탈락	ㄱ. 파생이나 합성 과정에서 'ㄹ'이 뒤에 'ㄴ, ㄷ, ㅅ, ㅈ'을 만나 탈락하는 현상 ㄴ. 활용 과정에서 용언 어간의 끝소리 'ㄹ'이 어미의 첫소리 'ㄴ, ㅅ' 또는 '-오, -ㅂ, -(으)ㅁ, -(으)ㄴ, -(으)ㄹ' 앞에서 탈락하는 현상
	예 ㄱ. 딸 + -님 → [따님], 활 + 살 → [화살] 　　ㄴ. 알- + -는 → [아는], 살- + -ㅂ시다 → [삽씨다]
④ 'ㅡ' 탈락	'ㅡ'로 끝나는 어간이 모음 'ㅏ/ㅓ'로 시작하는 어미와 결합할 때 'ㅡ'가 탈락하는 현상
	예 쓰- + -어 → [써]
⑤ 'ㅏ/ㅓ' 탈락	모음 'ㅏ/ㅓ'로 끝나는 어간이 모음 'ㅏ/ㅓ'로 시작하는 어미와 결합할 때 'ㅏ/ㅓ'가 탈락하는 현상
	예 가- + -아서 → [가서]

3. 첨가: 새로운 음운이 생기는 음운 변동

① 'ㄴ' 첨가	선행 요소가 자음으로 끝나고 후행 요소가 모음 'ㅣ'나 반모음 'ĭ'로 시작할 때 'ㄴ'이 새로 생기는 현상
	예 맨- + 입 → [맨닙], 솜 + 이불 → [솜ː니불]
② 반모음 첨가	모음으로 끝나는 용언 어간 뒤에 '-아/-어'로 시작하는 어미가 결합할 때, 반모음 'ĭ'나 'ㅗ/ㅜ'가 새로 생기는 현상
	예 피- + -어도 → [피어도/피여도], 되- + -어 → [되어/되여]

4. 축약: 두 음운이 하나의 음운으로 합쳐지는 음운 변동

거센소리되기 (자음 축약)	파열음이나 파찰음의 예사소리 'ㄱ, ㄷ, ㅂ, ㅈ'이 'ㅎ'과 결합하여 거센소리로 바뀌는 현상
	예 놓고[노코], 낙하산[나카산], 많지[만치]

시험명	본책 PAGE	체크하기
01회차 **기본기 다지기 모의고사 01번**	P.012	O △ X
01회차 **기본기 다지기 모의고사 02번**	P.012	O △ X
02회차 **기본기 다지기 모의고사 03번**	P.019	O △ X
03회차 **기본기 다지기 모의고사 01번**	P.024	O △ X
04회차 **기본기 다지기 모의고사 03번**	P.031	O △ X
06회차 **기본기 다지기 모의고사 01번**	P.042	O △ X
06회차 **기본기 다지기 모의고사 02번**	P.042	O △ X
07회차 **실전 대비 모의고사 03번**	P.051	O △ X
08회차 **실전 대비 모의고사 03번**	P.057	O △ X
09회차 **실전 대비 모의고사 03번**	P.063	O △ X
10회차 **실전 대비 모의고사 03번**	P.069	O △ X
11회차 **실전 대비 모의고사 03번**	P.075	O △ X

시험명	본책 PAGE	체크하기
13회차 **고난도 함정 모의고사 01번**	P.090	O △ X
13회차 **고난도 함정 모의고사 02번**	P.091	O △ X
14회차 **고난도 함정 모의고사 03번**	P.099	O △ X
16회차 **고난도 함정 모의고사 03번**	P.115	O △ X
17회차 **고난도 함정 모의고사 03번**	P.123	O △ X
18회차 **고난도 함정 모의고사 03번**	P.131	O △ X
19회차 **최종 점검 모의고사 01번**	P.140	O △ X
21회차 **최종 점검 모의고사 01번**	P.154	O △ X
22회차 **최종 점검 모의고사 01번**	P.160	O △ X
22회차 **최종 점검 모의고사 02번**	P.160	O △ X
23회차 **최종 점검 모의고사 01번**	P.168	O △ X
24회차 **최종 점검 모의고사 01번**	P.176	O △ X

O : 개념도 명확히 알고, 정답도 맞힌 경우   △ : 개념은 명확하게 모르지만, 정답은 맞힌 경우   X : 개념도 명확하게 모르고, 정답도 틀린 경우

01회차 기본기 다지기 모의고사 01번

→ **본책** ▶ P.012 지문 **참고하기**

01. 윗글을 통해 알 수 있는 내용으로 적절하지 않은 것은?

① '밝혀[발켜]'에서 '발'과 '켜'는 각각 하나의 음절에 해당한다.

② '양[양]'은 이중 모음에 자음 1개가 붙은 '중성 + 종성'의 음절 구성 방식에 해당한다.

③ '가져[가저]'에서 두 음절은 모두 초성에 자음 1개와 중성에 단모음 1개로 이루어져 있다.

④ '건너– + –어서'에서 한 음절이 줄어 '건너서[건너서]'가 된 것은 모음이 탈락한 것과 관련된다.

⑤ '사이'에서 한 음절이 줄어 '새[새:]'가 된 것은 두 단모음이 하나의 이중 모음으로 축약된 것과 관련된다.

01회차 기본기 다지기 모의고사 02번

→ **본책** P.012 지문 **참고하기**

02. ⊙과 ⓒ에 해당하는 예를 찾아 이를 〈보기〉와 관련지어
 설명한 내용으로 적절한 것은? [3점]

〈보기〉

(가) 최소 대립쌍이란 같은 위치에 있는 하나의 소리로 인해
 뜻이 구별되는 단어의 짝을 말한다. 그런데 자음 'ㅇ'과는
 달리 'ㅎ'은 음절의 초성에만 올 수 있고, 음절의 종성에는
 올 수 없다.

(나) 음절의 종성에는 하나의 자음만 발음될 수 있으므로,
 겹받침의 경우에는 자음군 중 하나가 탈락한다.

① '영[영]'은 ⊙에 해당하는 예로, (가)에 따라 '형[형]'과 최소
 대립쌍을 이룬다.

② '종이[종이]'는 ⊙에 해당하는 예로, (가)에 따라 '좋아[조:아]'와
 달리 앞 음절의 종성이 뒤 음절의 초성으로 옮겨 발음된다.

③ '닦는 → [당는]'은 ⓒ에 해당하는 예로, (나)에 해당하는 음운
 변동은 나타나지 않는다.

④ '옳지 → [올치]'는 ⓒ에 해당하는 예로, (나)에 해당하는 음운
 변동이 나타난다.

⑤ '없다 → [업:따]'는 ⓒ에 해당하는 예로, (나)에 해당하는 음운
 변동이 나타난다.

02회차 기본기 다지기 모의고사 03번

03. 〈보기〉의 '탐구 목표'를 바탕으로 '자료'를 분석한 '탐구
 내용'으로 적절하지 <u>않은</u> 것은?

〈보기〉

[탐구 목표]

 국어의 음절 종성에서는 자음을 두 개 발음할 수 없기 때
문에 겹받침은 두 자음 중 하나가 탈락하거나, 겹받침 중 뒤의
자음이 다음 음절의 초성으로 연음된다. 또한 자음군 단순화
를 겪은 후 연음되기도 하고, 다른 음운 변동이 함께 일어나기
도 한다. 그런데 겹받침 중에서도 'ㅎ'으로 끝나는 용언의 어간
은 연음이 일어나지 않고, 'ㅎ'이 탈락하거나 다른 자음과 축약
된다. [자료]를 보고 국어의 겹받침에 적용되는 음운 변동 현
상에 대해 설명해 보자.

[자료]

(가)	여덟과[여덜과], 옮는[옴:는], 앉는[안는]
(나)	여덟이[여덜비], 옮아[올마], 앉아서[안자서]
(다)	값있는[가빈는], 흙일[흥닐]
(라)	잃은[이른], 싫어도[시러도]
(마)	짧지[짤찌], 맑게[말께], 닳는[달른]

[탐구 내용]

① (가)와 (나)를 비교해 보니, 겹받침 뒤에 모음으로 시작하는
 형식 형태소가 오면 자음군 단순화가 일어나지 않는군.

② (나)와 (다)를 비교해 보니, 겹받침 뒤에 모음으로 시작하는
 실질 형태소가 오면 자음군 단순화가 일어나는군.

③ (다)와 (마)를 비교해 보니, 'ㄹ'을 포함한 겹받침이 자음군 단순
 화를 겪으면 앞 자음인 'ㄹ'만 남고 뒤 자음이 탈락하는군.

④ (가)와 (마)를 비교해 보니, 겹받침이 있을 때 자음군 단순화만
 일어나기도 하고, 다른 음운 변동이 함께 일어나기도 하는군.

⑤ (나)와 (라)를 비교해 보니, 'ㅎ'으로 끝나는 겹받침은 뒤에 모음
 으로 시작하는 형식 형태소가 오더라도 'ㅎ'이 연음되지 않고
 탈락하는군.

01. (가)에 들어갈 내용으로 적절한 것은?

> **선생님:** 서로 다른 두 개의 단어가 음운 변동을 겪어 동일하게 발음되는 경우가 있습니다. 예를 들어 '다쳤다'와 '닫혔다'는 아래와 같은 음운 변동을 겪어 [다쳗따]로 동일하게 발음됩니다.
>
> ㉠ 받침소리로는 'ㄱ, ㄴ, ㄷ, ㄹ, ㅁ, ㅂ, ㅇ'의 7개 자음만 발음한다.
> ㉡ 용언의 활용형에 나타나는 '져, 쪄, 쳐'는 [저, 쩌, 처]로 발음한다.
> ㉢ 두 개의 음운이 결합하여 한 음운으로 축약되는 현상이 일어난다.
> ㉣ 구개음화가 일어나 'ㄷ, ㅌ'이 'ㅈ, ㅊ'으로 교체되는 현상이 일어난다.
> ㉤ 앞 음절의 종성에 따라 뒤 음절의 초성이 된소리로 바뀌는 현상이 일어난다.
>
> **학 생:** '다쳤다'와 '닫혔다'에 모두 적용되는 것은 　(가)　 이군요.

① ㉠, ㉡   ② ㉠, ㉣   ③ ㉢, ㉤
④ ㉠, ㉡, ㉤   ⑤ ㉡, ㉢, ㉤

03. 〈보기〉에 대한 이해로 적절한 것은? [3점]

> 〈보기〉
>
> 　연음은 두 형태소가 결합할 때 앞 음절의 끝 자음이 뒤 음절의 초성으로 이어져 소리 나는 현상을 의미한다. 이러한 현상은 뒤에 오는 형태소가 모음으로 시작하는 조사, 어미, 접사 등과 같은 형식 형태소일 때 일어난다. 만약 뒤의 음절이 모음으로 시작하는 실질 형태소일 경우 앞 음절의 받침은 받침 규정에 따라 음운을 교체시킨 뒤에 연음이 이루어진다. 그런데 받침 'ㅎ'의 경우에는 모음으로 시작하는 어미나 접미사가 결합하면, 'ㅎ'이 탈락하여 발음되지 않는다. 만약 'ㅎ'과 인접한 음운이 자음일 경우에는 음운의 교체가 일어나거나 음운의 축약 현상이 일어난다.

① '옳지'는 받침 'ㅎ'이 어미 앞에서 탈락하여 [올치]로 발음되겠군.

② '놓고'는 받침 'ㅎ'이 조사 앞에서 음운의 교체가 일어나 [논코]로 발음되겠군.

③ '쌓이다'는 받침 'ㅎ'이 모음으로 시작하는 어미 앞에서 탈락하여 [싸이다]로 발음되겠군.

④ '않은'은 받침 'ㅎ'이 어미 앞에서 탈락된 후 남은 받침이 연음되어 [아는]으로 발음되겠군.

⑤ '괜찮은'은 받침 'ㅎ'이 모음으로 시작하는 조사 앞에서 연음되어 [괜차는]으로 발음되겠군.

06회차 기본기 다지기 모의고사 01번

→ 본책 P.042 지문 참고하기

01. 윗글을 바탕으로 <보기>의 ⓐ~ⓔ를 설명한 것으로 적절하지 <u>않은</u> 것은?

〈보기〉

ⓐ 잡- + -는 → [잠는]
ⓑ 닫- + -니 → [단니]
ⓒ 속- + -는 → [송는]
ⓓ 값 + 만 → [감만]
ⓔ 굳- + -이 → [구지]

---

① ⓐ: '앞 + 만 → [암만]'에서처럼 조음 위치는 변하지 않고, 조음 방법만 바뀌는 음운 변동이 일어난다.

② ⓑ: '꽃 + 눈 → [꼰눈]'에서처럼 앞 음절의 종성이 인접하는 자음의 조음 위치로 바뀌는 음운 변동이 일어난다.

③ ⓒ: '깎- + -는 → [깡는]'에서처럼 비음의 영향으로 파열음이 비음으로 바뀌는 음운 변동이 일어난다.

④ ⓓ: '흙 + 냄새 → [흥냄새]'에서처럼 자음군 중 하나가 탈락하고 남은 자음의 조음 방법이 바뀌는 음운 변동이 일어난다.

⑤ ⓔ: '낱낱 + -이 → [난:나치]'에서처럼 자음이 모음의 조음 위치에 동화되는 음운 변동이 일어난다.

06회차 기본기 다지기 모의고사 02번

→ 본책 P.042 지문 참고하기

02. 윗글의 ㉠, ㉡의 방식에 해당하는 예로 적절한 것은?

① ㉠: 홑이불
　　㉡: 끋허디다 〉 끋허지다

② ㉠: 해돋이
　　㉡: 견듸다 〉 견디다

③ ㉠: 꽂히다
　　㉡: 옮기다 〉 옮기지

④ ㉠: 미닫이
　　㉡: 티다(打) 〉 치다

⑤ ㉠: 햇볕이
　　㉡: 마듸 〉 마디

03. 〈보기〉의 ⊙과 ⓒ이 일어나는 예로 적절한 것은?

〈보기〉

국어의 음운 변동은 교체, 탈락, 첨가, 축약으로 구분된다. 이때 한 단어에 동일한 유형의 음운 변동이 한 번 또는 여러 번 일어나기도 하고, 두 개 이상의 각기 다른 유형의 음운 변동이 여러 번 일어나기도 한다. 예를 들어, ⊙'겉모습'을 발음할 때 나타나는 음운의 변동은 한 가지 유형의 음운 변동이 두 번 일어나지만, ⓒ'물약'을 발음할 때 나타는 음운의 변동은 각기 다른 유형의 음운 변동이 두 번 일어난다.

	⊙	ⓒ
①	읽다[익따]	홑이불[혼니불]
②	깎는[깡는]	불여우[불려우]
③	엎다[업따]	값도[갑또]
④	물엿[물렫]	영업용[영엄농]
⑤	솟는[손는]	닳는[달른]

03. 〈보기〉의 (가), (나), (다)에 해당하는 예로 적절한 것은?

〈보기〉

(가) 앞 음절이 자음으로 끝날 때, 뒤 음절이 모음으로 시작하는 형식 형태소이면, 앞 음절의 자음이 뒤 음절의 초성으로 이어져 소리 난다.
(나) 앞 음절의 종성이 겹받침일 경우에는 겹받침 중 뒤의 것만을 모음으로 시작하는 형식 형태소의 첫소리로 옮겨 발음한다.
(다) 앞 음절의 받침 뒤에 모음으로 시작하는 실질 형태소가 연결되는 경우에는 먼저 받침이 대표음으로 바뀐 후, 뒤 음절의 첫소리로 옮겨 발음된다.

	(가)	(나)	(다)
①	낳은	닭을	맨입
②	덮이다	깎아	젖어미
③	웃음	앉아	겉옷
④	꽃을	읊어	솜이불
⑤	낮이	않은	솥이다

09회차 실전 대비 모의고사 03번

03. 〈보기〉의 (가)~(라)에 들어갈 내용으로 적절한 것은?

〈보기〉

선생님: 지난 시간에 음운의 변동에 대해 배웠죠? 어간에 '-다'가 결합한 기본형일 경우, '낫다'는 음운의 <u>(가)</u> 현상이 일어나고, '낳다'는 음운의 <u>(나)</u> 현상이 일어납니다. 그럼 '낫다'와 '낳다'의 어간에 모음으로 시작하는 어미가 결합하여 활용할 때 공통적으로 일어나는 음운 변동은 무엇일까요?

학생: 둘 다 음운의 <u>(다)</u> 현상이 일어납니다.

선생님: 맞아요. 그런데 '낫다'와 '낳다'가 활용할 때 하나는 규칙 활용을 하고, 다른 하나는 불규칙 활용을 합니다. 이때 불규칙 활용의 경우에는 항상 음운 변동이 표기에 반영됩니다. '낫다'와 '낳다' 중에서 불규칙 활용을 하는 것을 선택하여 어떻게 활용하는지 적어보세요.

학생: <u>(라)</u> 입니다.

	(가)	(나)	(다)	(라)
①	탈락	교체	교체	낫다-나아
②	교체	교체	축약	낫다-나아
③	교체	축약	탈락	낫다-나아
④	축약	탈락	축약	낳다-나아
⑤	교체	축약	탈락	낳다-나아

10회차 실전 대비 모의고사 03번

03. 〈보기〉의 ㉠~㉤에 대한 이해로 적절한 것은? [3점]

〈보기〉

받침 'ㅎ' 뒤에 모음으로 시작하는 어미나 접미사가 결합하면, 'ㅎ'이 탈락하여 발음되지 않는다. 만약 'ㅎ'과 인접한 음운이 자음일 경우에는 음운의 교체가 일어나거나 음운의 축약 현상이 일어난다. 이때 겹받침 중 뒤의 자음이 'ㅎ'일 경우에도 위와 같은 현상이 나타난다.

㉠ 이제야 마음이 놓이다.
㉡ 책을 학교에 놓고 왔다.
㉢ 옷이 닳지 않아서 다행이다.
㉣ 아이가 잘 먹지 않아서 걱정이다.
㉤ 이제는 하찮은 일에 마음 쓰지 말자.

① ㉠: '놓이다'는 받침 'ㅎ'이 모음으로 시작하는 어미 앞에서 탈락하여 [노이다]로 발음되겠군.

② ㉡: '놓고'는 받침 'ㅎ'이 자음으로 시작하는 조사 앞에서 축약이 일어나 [노코]로 발음되겠군.

③ ㉢: '닳지'는 겹받침 중 'ㅎ'이 자음으로 시작하는 어미 앞에서 탈락되어 [달치]로 발음되겠군.

④ ㉣: '않아서'는 겹받침 중 'ㅎ'이 모음으로 시작하는 어미 앞에서 탈락되어 [아나서]로 발음되겠군.

⑤ ㉤: '하찮은'은 겹받침 중 'ㅎ'이 모음으로 시작하는 조사 앞에서 탈락되어 [하차는]으로 발음되겠군.

03. 〈보기〉의 [A]에 들어갈 내용으로 적절하지 <u>않은</u> 것은?

〈보기〉

선생님: 음운 현상 중 첨가는 없던 음운이 덧붙는 현상으로, 'ㄴ' 첨가와 반모음 첨가가 있습니다. 'ㄴ' 첨가는 파생어나 합성어, 또는 한 번에 이어서 발음하는 두 단어 사이에서 앞말이 자음으로 끝나고 뒷말이 모음 'ㅣ'나 반모음 'ǐ'로 시작할 때 'ㄴ'이 그 사이에 첨가되는 현상입니다. 'ㄴ' 첨가는 동일한 환경을 갖추어도 일어나지 않는 경우도 있기 때문에 항상 일어나야 하는 필수적 현상은 아닙니다. 한편 반모음 첨가는 일반적으로 모음으로 끝나는 형태소 뒤에 '-아/-어'로 시작하는 형태소가 올 때 반모음 'ǐ'가 덧붙는 현상입니다. 이는 두 단모음을 연속적으로 이어서 발음하는 것이 부자연스러워 생긴 현상으로, '되어'와 같은 용언의 어미는 [어]로 발음하는 것을 원칙으로 하되, 반모음이 첨가된 [여]로 발음하는 것도 허용됩니다. 자, 그럼 주어진 예를 발음해 보고 여기에서 나타나는 음운 현상에 대해 말해볼까요?

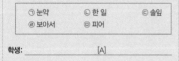

| ㉠ 눈약 | ㉡ 한 일 | ㉢ 솔잎 |
| ㉣ 보아서 | ㉤ 피어 | |

학생: _____ [A]

① ㉠은 앞말이 자음으로 끝나고 뒷말의 첫음절이 반모음 'ǐ'로 시작하는 합성어이므로, 'ㄴ' 첨가 현상이 일어나겠군요.

② ㉡은 앞말이 자음으로 끝나고 뒷말의 첫음절이 'ㅣ'로 시작하는 두 단어이므로, 한 번에 이어서 발음하면 'ㄴ' 첨가 현상이 일어나겠군요.

③ ㉢은 앞말이 자음으로 끝나고 뒷말의 첫음절이 'ㅣ'로 시작하는 합성어이므로, 'ㄴ' 첨가 현상이 일어나겠군요.

④ ㉣은 모음으로 끝나는 어간에 '-아'로 시작하는 어미가 결합하므로, 반모음 첨가 현상이 일어날 수 있겠군요.

⑤ ㉤은 두 개의 단모음을 연속적으로 이어서 발음하는 것을 피하기 위해서 반모음 첨가 현상이 일어날 수 있겠군요.

13회차 고난도 함정 모의고사 01번

→ **본책** P.090 지문 **참고하기**

01. 윗글의 관점에서 〈보기〉의 (가)~(마)를 이해한 내용으로 적절하지 <u>않은</u> 것은?

〈보기〉

(가) 국수[국쑤], 덮개[덥깨], 있던[읻떤], 닭도[닥또]
(나) ㄱ. 밥을 담대[담따], 신발을 신고[신꼬]
　　 ㄴ. 이 반지는 금도[금도] 은도[은도] 아니다.
　　　　 신발을 신기대[신기다].
(다) ㄱ. 할 것[할껃], 갈 길[갈낄]
　　 ㄴ. 널 사랑해[널사랑해]
(라) ㄱ. 갈등(葛藤)[갈뜽], 일시(一時)[일씨], 열정(熱情)[열쩡]
　　 ㄴ. 물건(物件)[물건], 출발(出發)[출발]
(마) 넓게[널께], 읽고[일꼬]

① (가): 한 단어, 어간과 어미의 결합, 체언과 조사의 결합 등에서 된소리되기가 일어나는 것으로 보아, 'ㅂ, ㄷ, ㄱ' 뒤에서 예사소리는 예외 없이 된소리로 바뀌는군.

② (나): 용언의 어간과 어미의 결합이 아닌, 체언과 조사의 결합, 어근과 접사의 결합에서는 앞말이 'ㅁ, ㄴ'으로 끝나더라도 뒤의 예사소리가 된소리로 바뀌지 않는군.

③ (다): 쉬지 않고 이어서 발음할 경우에도 관형사형 어미 '-(으)ㄹ'이 결합한 말이 문장에서 목적어로 쓰일 때에는 뒤에 오는 예사소리는 된소리로 바뀌지 않는군.

④ (라): 한자어에서 'ㄹ'로 끝나는 말 뒤에 예사소리 'ㄱ, ㅂ'이 올 때에는 된소리되기가 일어나지 않는군.

⑤ (마): 겹받침 중 'ㅂ, ㄷ, ㄱ'에 해당하는 자음이 뒤에 오는 예사소리를 된소리로 바꾼 후 탈락하는 현상이 일어나는군.

13회차 고난도 함정 모의고사 02번

→ **본책** P.090 지문 **참고하기**

02. 윗글과 〈보기〉의 표준 발음법을 참고하여 ⓐ~ⓒ에 해당하는 예시를 바르게 짝지은 것은? [3점]

〈보기〉

선생님: 오늘은 사잇소리 현상에서 나타나는 된소리되기와 관련된 표준 발음법에 대해 알아보도록 합시다.

> **표준 발음법 조항**
> **제28항** 표기상으로는 사이시옷이 없더라도, 관형격 기능을 지니는 사이시옷이 있어야 할 합성어의 경우에는, 뒤 단어의 첫소리 'ㄱ, ㄷ, ㅂ, ㅅ, ㅈ'을 된소리로 발음한다.
>
> **제30항** 'ㄱ, ㄷ, ㅂ, ㅅ, ㅈ'으로 시작하는 단어 앞에 사이시옷이 올 때는 이들 자음만을 된소리로 발음하는 것을 원칙으로 하되, 사이시옷을 'ㄷ'으로 발음하는 것도 허용한다.

학　생: 선생님, 그럼 　ⓐ　 은/는 제28항에, 　ⓑ　 은/는 제30항에 해당하는군요. 그런데 제28항과 동일한 환경인데도 　ⓒ　 은/는 된소리되기가 일어나지 않네요.

선생님: 맞아요. 사잇소리 현상에서 나타나는 된소리되기의 예시와 예외까지 아주 잘 이해했네요. 사잇소리 현상은 같은 환경에서도 된소리되기가 일어나지 않는 경우가 많아 뚜렷한 규칙성을 정하기 어려운 현상이에요.

	ⓐ	ⓑ	ⓒ
①	손재주	헛기침	산새
②	눈동자	옷걸이	쌀밥
③	문고리	빨랫돌	반달
④	메밀국수	냇가	봄가을
⑤	손금	멋신	그믐달

03. 〈보기〉의 ㉠, ㉡에 해당하는 예로 적절한 것은?

〈보기〉

학 생: 선생님, '젓가락'은 'ㅅ' 받침을 쓰는데, '숟가락'은 왜 'ㄷ' 받침을 쓰나요?

선생님: '젓가락'과 '숟가락'은 비슷한 합성어처럼 보이지만, 그 구성을 살펴보면 다른 점이 있어. 먼저, '젓가락'은 '저'와 '가락'이 결합된 말로, ㉠합성어를 이룰 때 앞말이 모음으로 끝나고 뒷말의 첫소리가 된소리로 나기 때문에 사이시옷을 붙인 것이지. 그런데 '숟가락'은 '수'와 '가락'이 결합된 것이 아니라, '술'과 '가락'이 결합된 합성어야. 한글맞춤법에서는 이처럼 ㉡끝소리가 'ㄹ'인 말이 다른 말과 합성어를 이룰 때 'ㄹ' 소리가 'ㄷ' 소리로 나는 것은 'ㄷ'으로 적는 것을 원칙으로 하고 있어.

	㉠	㉡
①	첫째	섣달
②	고깃배	미닫이
③	뒷산	이튿날
④	콧바람	홑이불
⑤	샛노랗다	맏며느리

03. 〈보기〉의 (가), (나)를 중심으로 음운 변동을 이해한 내용으로 적절하지 않은 것은?

〈보기〉

국어의 음운 변동 중에는 'ㄹ'과 관련된 다양한 음운 변동 현상이 있다.

(가) 먼저, 'ㄹ'의 앞이나 뒤에서 'ㄴ'은 [ㄹ]로 바뀌어 나타나기도 하는데, 이때 'ㄹ'을 포함한 겹받침 뒤에 위치한 'ㄴ'도 [ㄹ]로 교체되기도 한다.

(나) 그러나 위와 같은 동일한 환경에서도 'ㄹ'이 [ㄴ]으로 교체되기도 하고, 어간 끝 자음 'ㄹ'과 어미 첫 자음 'ㄴ'이 연결될 때 'ㄹ'이 탈락되기도 한다.

① '발 + 냄새 → [발램새]'에는 (가)에 해당하는 음운 변동이 있다.

② '뚫- + -는 → [뚤른]'에는 (가)에 해당하는 음운 변동이 있다.

③ '생산 + 량 → [생산냥]'에는 (나)에 해당하는 음운 변동이 있다.

④ '알- + -느냐 → [아:느냐]'에는 (나)에 해당하는 음운 변동이 있다.

⑤ '삶- + -는 → [삼:는]'에는 (가), (나) 모두에 해당하는 음운 변동이 있다.

17회차 고난도 함정 모의고사 03번

03. 〈보기〉의 ⑦~@에 들어갈 음운 변동의 사례를 바르게 짝지은 것은?

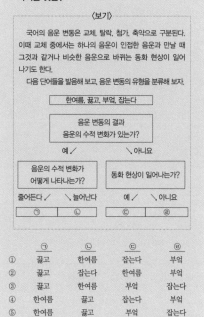

	⑦	ⓛ	ⓒ	@
①	끓고	한여름	잡는다	부엌
②	끓고	잡는다	한여름	부엌
③	끓고	한여름	부엌	잡는다
④	한여름	끓고	잡는다	부엌
⑤	한여름	끓고	부엌	잡는다

18회차 고난도 함정 모의고사 03번

03. 〈보기〉를 바탕으로 단어의 발음을 탐구한 내용으로 적절하지 않은 것은?

〈보기〉

ⓐ 겹받침 'ㄼ, ㄽ, ㄾ'은 어말이나 자음 앞에서 [ㄹ]로 발음한다. 다만, '밟-'은 자음 앞에서 [밥]으로 발음하고, '넓-'은 '넓-죽하다, 넓-둥글다'의 경우 [넙]으로 발음한다.
ⓑ 겹받침 'ㄺ, ㄻ, ㄿ'은 어말이나 자음 앞에서 각각 [ㄱ], [ㅁ], [ㅂ]으로 발음한다.
ⓒ 받침 'ㄱ(ㄲ, ㅋ, ㄳ, ㄺ), ㄷ(ㅅ, ㅆ, ㅈ, ㅊ, ㅌ), ㅂ(ㅍ, ㄼ, ㄿ, ㅄ)' 뒤에 연결되는 'ㄱ, ㄷ, ㅂ, ㅅ, ㅈ'은 된소리로 발음한다.
ⓓ 어간 받침 'ㄴ(ㄵ), ㅁ(ㄻ)' 뒤에 결합되는 어미의 첫소리 'ㄱ, ㄷ, ㅅ, ㅈ'은 된소리로 발음한다. 다만, 피동, 사동의 접미사 '-기-'는 된소리로 발음하지 않는다.
ⓔ 어간 받침 'ㄼ, ㄾ' 뒤에 결합되는 어미의 첫소리 'ㄱ, ㄷ, ㅅ, ㅈ'은 된소리로 발음한다.

① ⓐ와 ⓒ에 따라 '밟고'는 [밥:꼬]로, '넓둥글다'는 [넙뚱글다]로 발음해야겠군.
② ⓐ와 ⓔ에 따라 '훑소'는 [훌쏘]로, '여덟도'는 [여덜또]로 발음해야겠군.
③ ⓑ와 ⓒ에 따라 '밝지'는 [박찌]로, '읊고'는 [읍꼬]로 발음해야겠군.
④ ⓑ와 ⓒ에 따라 '흙과'는 [흑꽈]로, '닭장'은 [닥짱]으로 발음해야겠군.
⑤ ⓑ와 ⓓ에 따라 '젊지'는 [점:찌]로, '옮기다'는 [옴기다]로 발음해야겠군.

01. 〈보기〉의 ㉠~㉢에 해당하는 예로 적절한 것은?

〈보기〉

　　탈락이나 축약에 해당하는 음운 변동이 일어나면 음운의 수가 줄어든다. ㉠음절의 종성에 자음군이 올 때, 한 자음만 남고 나머지 자음이 탈락하는 현상이나, ㉡'ㅎ'과 다른 음운이 결합하여 한 음운으로 축약되는 현상이 이에 해당한다. 그런데 음운의 개수는 변하지 않으면서 음절의 수가 줄어드는 경우가 있다. 이는 반모음을 하나의 음운으로 보는 입장에 따른 것으로, ㉢단모음이 반모음으로 바뀌면서 음절의 수가 줄어드는 현상을 말한다.

	㉠	㉡	㉢
①	넓고	뚫고	크- + -어서 → 커서
②	닮은	닳지	오- + -아 → 와
③	여덟만	각하	기- + -어 → 겨
④	많다	역할	바꾸- + -어 → 바꿔
⑤	삶는	않는	가- + -아서 → 가서

01. 〈보기〉에 대한 이해로 적절한 것은?

〈보기〉

㉠ 색연필[생년필]　　㉡ 핥지[할찌]　　㉢ 끓는[끌른]

① ㉠, ㉡에서는 음운 변동이 각각 세 번씩 일어났군.

② ㉠에서 첨가된 음운과 ㉡에서 탈락된 음운은 동일하군.

③ ㉡과 달리 ㉢에서 음운 개수의 변화가 생기는 음운 변동이 일어났군.

④ ㉠은 'ㅇ'으로 인해, ㉢은 'ㄹ'로 인해 동화되는 음운 변동이 일어났군.

⑤ ㉠, ㉢에서는 모두 인접한 자음과 조음 방법이 같아지는 음운 변동이 일어났군.

22회차 최종 점검 모의고사 01번

01. 〈보기〉에 대한 이해로 가장 적절한 것은?

〈보기〉

· 몇 ㉠마디[마디] 건네보았다.
· 푸르른 ㉡밭이[바치] 펼쳐져 있다.
· ㉢굳이[구지] 당신들에게 부탁하지 않겠소.
· 새로운 영화가 ㉣곧이어[고디어] 개봉한다.
· 문이 ㉤닫힐[다칠] 때는 조금 떨어져 있어야 한다.

① 하나의 형태소로 이루어진 ㉠과 달리, '맏이[마지]'에서는 형태소 간의 결합 과정에서 표기된 'ㄷ'이 'ㅈ'으로 발음된다.

② ㉡은 체언 받침 'ㅌ' 뒤에 'ㅣ'로 시작하는 조사가 결합하였지만, '똑같이[똑까치]'는 어간 받침 'ㅌ' 뒤에 'ㅣ'로 시작하는 어미가 결합하였다.

③ ㉢과 마찬가지로 '안개가 걷히다'의 '걷히다[거치다]'에서도 품사가 바뀌는 과정에서 조음 위치가 동화되는 현상이 일어난다.

④ 서술격 조사가 활용한 형태로 결합한 ㉣과 달리, 서술격 조사가 그대로 결합한 '끝이다[끄치다]'에서는 구개음화가 일어난다.

⑤ ㉤은 앞 형태소의 받침이 그대로 접미사 '-히'와 결합하여 구개 음화가 일어나지만, '앉히다[안치다]'는 먼저 음운이 교체된 후 접미사 '-히'와 결합하여 구개음화가 일어난다.

22회차 최종 점검 모의고사 02번

02. 〈보기〉의 ㉠에 들어갈 말로 적절하지 <u>않은</u> 것은?

〈보기〉

선생님: 오늘은 '표준 발음법' 자료에 있는 다양한 예시들을 살펴보면서 그동안 배운 음운 변동에 대해 설명해 보는 시간을 갖도록 하겠습니다. 우선 아래의 예시들을 보면서 분류한 이유를 음운 변동 현상과 관련지어 설명해 볼까요?

(가) 깎는[깡는], 젖어미[저더미]
(나) 값어치[가버치], 닭 앞에[다가페]
(다) 맏형[마텽], 막히다[마키다]
(라) 늑막염[능망념], 들일[들릴]
(마) 앉고[안꼬], 젊대[점ː따]

학생: ㉠

① (가)는 음절 말음이 파열음의 예사소리로 바뀌는 음절의 끝소리 규칙이 먼저 적용되었습니다.

② (나)는 음절 말의 겹받침 중 하나가 탈락하는 자음군 단순화가 먼저 적용되었습니다.

③ (다)는 파열음의 예사소리가 'ㅎ'과 만나 음운이 축약되는 거센 소리되기가 적용되었습니다.

④ (라)는 첨가된 'ㄴ'의 영향으로 다른 음운이 동화되는 비음화나 유음화가 적용되었습니다.

⑤ (마)는 어간 받침에 자음군 단순화가 적용되었고, 뒤에 오는 어미의 초성에 된소리되기가 적용되었습니다.

01. 〈보기〉의 (가)와 (나)에 해당하는 예로 적절한 것은?

〈보기〉

(가) '국밥[국빱]'은 명사 '국'과 '밥'이 결합하면서 파열음의 예사소리 'ㄱ' 뒤에서 'ㅂ'이 된소리로 바뀌는 음운 변동 현상이 일어난다. 이와 같이 단어의 직접 구성 요소가 어근과 어근으로 구성될 때 그로 인하여 음운 변동 현상이 일어나는 경우가 있다.

(나) 그런데 오늘날의 합성어 중에는 현대 국어의 음운 규칙으로는 설명할 수 없는 과거의 음운 체계나 음운 변동의 결과가 표기로 굳어진 경우가 있다. 현대 국어에서는 '사니, 사신다'와 같이 용언의 어간과 어미의 결합에서만 'ㄹ' 탈락 규칙이 적용되지만 과거에는 명사와 명사가 결합할 때에도 'ㄹ'이 탈락하는 현상이 있었다. 또한 중세 국어 시기에는 'ㅄ, ㅴ'과 같은 어두 자음군도 사용되었고, 그 흔적이 현대 국어의 합성어에도 남아 있다.

	(가)	(나)
①	눈웃음[누누슴]	화살
②	칼날[칼랄]	발가락
③	집집이[집찌비]	곰셈
④	말소리[말:쏘리]	쌀집
⑤	콧날[콘날]	좁쌀

01. 〈보기〉의 ⓐ, ⓑ에 해당하는 음운 변동의 사례를 바르게 짝지은 것은?

〈보기〉

선생님: 오늘은 이중 모음의 표준 발음에 대해 알아보겠습니다. 먼저 표준 발음법 상에서 'ㅈ, ㅉ, ㅊ' 뒤에 오는 'ㅕ'는 단모음 'ㅓ'로 발음해야 해요. 그런데 이때 표기상 '져, 쪄, 쳐'가 아니라도 ⓐ구개음화의 과정을 거쳐 발음 상 '져, 쪄, 쳐'와 동일하게 발음하는 경우에도 이 규정의 적용을 받습니다. 또한 이중 모음 'ㅢ'를 반드시 단모음 [ㅣ]로만 발음해야 하는 규정도 있습니다. 음절의 초성이 자음일 경우 그 뒤에 오는 'ㅢ'는 [ㅣ]로 발음해야 합니다. 다만 단어의 둘째 음절 이하에 표기된 '의'는 [ㅢ] 이외에 [ㅣ]로 발음하는 것도 인정하고, ⓑ앞말의 받침이 뒷말의 초성으로 옮겨져 'ㅢ' 앞에 자음이 오게 되는 경우에도 이 규정이 적용되지 않고 [ㅢ]와 [ㅣ]로 모두 발음하는 것을 허용하고 있습니다.

	ⓐ	ⓑ
①	잊혀[이처]	밭의[바틔/바티]
②	묻혀[무처]	강의[강:의/강:이]
③	꽂혀[꼬처]	신의[시늬/시니]
④	붙여[부처]	협의[혀븨/혀비]
⑤	훑여[훌처]	주의[주의/주이]

MEMO

문법노트
PLUS

PART

2

형태소와 단어

1 형태소와 단어의 의미

1. 형태소: 일정한 뜻(의미)을 가진 가장 작은 말의 단위

자립성에 따라	자립 형태소	다른 형태소의 도움 없이 혼자 쓰일 수 있는 형태소 – 명사(의존 명사 포함), 대명사, 수사, 관형사, 부사, 감탄사
	의존 형태소	혼자 쓰일 수 없고 반드시 다른 말에 기대어 쓰이는 형태소 – 조사, 용언의 어간, 어미, 접사
실질적 의미에 따라	실질 형태소	구체적인 대상이나 동작, 상태를 나타내는 실질적 의미를 가진 형태소 – 명사, 대명사, 수사, 관형사, 부사, 감탄사, 용언의 어간
	형식 형태소	문법적인 기능을 나타내는 형태소 – 조사, 용언의 어미, 접사

2. 단어: 자립할 수 있는 말이나 또는 자립할 수 있는 말에 붙어 쉽게 분리할 수 있는 말 중 가장 작은 단위
      완전히 자립성을 갖지 않더라도 자립할 수 있는 말에 붙어 쉽게 분리할 수 있는 말(조사)은 단어로 인정

> ★ **어근**: 단어를 이루는 형태소 중에서 실질적인 의미를 나타내는 부분
> ★ **접사**: 어근에 붙어 뜻을 제한하는 부분

2 단어 형성의 원리

> ★ **단어** ┬ **단일어**: 하나의 어근으로 이루어진 단어
>   └ **복합어** ┬ **합성어**: 어근과 어근이 합쳐져서 만들어진 단어
>   └ **파생어**: 어근의 앞이나 뒤에 파생 접사가 붙어서 만들어진 단어

1. 합성어: 어근 + 어근

구성 요소의 관계	대등 합성어	두 성분이 대등한 관계를 이루어 형성된 것 **예** 앞뒤, 논밭, 아들딸
	종속 합성어	앞의 성분이 뒤의 성분을 수식하는 관계로 형성된 것 **예** 책가방, 쌀밥, 돌다리
	융합 합성어	구성 요소들의 의미를 벗어나 제삼의 의미를 획득한 것 **예** 쥐꼬리(매우 적은 것)
어근 배열 방식	통사적 합성어	어근의 배열이 우리말의 일반적 어순이나 단어 배열을 따른 것 – 체언 + 체언: 밤낮, 보리밥 – 관형사 + 체언: 새해, 새사람 – 용언의 관형사형 + 체언: 굳은살, 작은아버지, 건널목 – 용언의 연결형 + 용언: 뛰어놀다, 돌아가다, 갈아입다
	비통사적 합성어	어근의 배열이 우리말의 일반적 어순이나 단어 배열에 어긋난 것 – 부사 + 체언: 부슬비 – 용언의 어간 + 체언: 덮밥, 접칼 – 용언의 어간 + 용언: 뛰놀다, 높푸르다

2. 파생어

접두사	어근의 앞에 붙어 특정한 뜻을 더하거나 강조하면서 새로운 말을 만들어 내는 접사
	• 헛–: 헛고생, 헛걸음, 헛소리 • 되–: 되살리다, 되새기다, 되풀다 • 맨–: 맨몸, 맨주먹, 맨발, 맨손
접미사	어근의 뒤에 붙어 새로운 말을 만들어 내는 접사로 접두사에 비해 종류가 많고, 어근의 품사를 바꾸기도 함
	• –이: 놀이, 깊이, 먹이, 많이 • –음: 걸음, 웃음, 울음 • –스럽(다)–: 어른스럽다, 고집스럽다, 사랑스럽다

❸ 품사의 이해

1. 품사(9품사): 단어들을 성질이 공통된 것끼리 모아 갈래를 지어 놓은 것

<table>
<tr><td rowspan="13">체언</td><td colspan="4">① 명사: 사람이나 사물, 장소 등의 이름을 나타내는 말</td><td></td></tr>
<tr><td rowspan="2">사용
범위</td><td>고유 명사</td><td colspan="2">특정한 대상을 다른 개체와 구별하기 위해 쓰인 명사</td><td>예 안중근, 한라산</td></tr>
<tr><td>보통 명사</td><td colspan="2">어떤 속성을 지닌 대상들에 두루 쓰이는 명사</td><td>예 거울, 책</td></tr>
<tr><td rowspan="2">자립
여부</td><td>자립 명사</td><td colspan="2">혼자서 자립적으로 쓰일 수 있는 명사</td><td>예 나무, 안경</td></tr>
<tr><td>의존 명사</td><td colspan="2">관형어가 있어야 쓰일 수 있는 명사</td><td>예 것, 수, 바</td></tr>
<tr><td colspan="4">② 대명사: 사람이나 사물, 장소 등의 이름을 대신하여 가리키는 말</td><td></td></tr>
<tr><td colspan="2">지시 대명사</td><td colspan="2">사물이나 장소를 가리키는 대명사</td><td>예 이것, 저것, 여기, 저기</td></tr>
<tr><td rowspan="6">인칭 대명사</td><td colspan="3">사람 이름을 대신 가리키는 대명사</td><td></td></tr>
<tr><td>1인칭 명사</td><td colspan="2">화자나 화자를 포함한 대상을 가리키는 대명사</td><td>예 나, 저, 우리, 저희</td></tr>
<tr><td>2인칭 명사</td><td colspan="2">청자를 가리키는 대명사</td><td>예 너, 너희, 자네, 당신</td></tr>
<tr><td rowspan="2">3인칭 명사</td><td colspan="2">화자나 청자 이외의 제3자를 가리키는 대명사</td><td>예 이이, 이분, 그이, 그분, 누구, 아무</td></tr>
<tr><td colspan="2">재귀 대명사: 앞서 언급한 체언을 도로 가리키는 대명사</td><td>예 저, 저희, 자기, 당신</td></tr>
<tr><td colspan="3"></td><td></td></tr>
<tr><td colspan="4">③ 수사: 주로 사물의 수량이나 순서를 나타내는 말</td><td></td></tr>
</table>

<table>
<tr><td>③ 수사: 주로 사물의 수량이나 순서를 나타내는 말</td><td></td><td></td></tr>
<tr><td>양수사</td><td>수량을 나타내는 말</td><td>예 하나, 둘, 셋, 일, 이, 삼</td></tr>
<tr><td>서수사</td><td>순서를 나타내는 말</td><td>예 첫째, 둘째, 제일, 제이</td></tr>
</table>

<table>
<tr><td rowspan="11">관계언</td><td colspan="3">④ 조사: 주로 체언 뒤에 붙어 그 말과 다른 말과의 문법적 관계를 표시하거나 특수한 의미를 더해 주는 말</td><td></td></tr>
<tr><td rowspan="8">격 조사</td><td colspan="2">앞에 오는 체언이 문장 안에서 일정한 자격을 갖게 하는 조사</td><td></td></tr>
<tr><td>주격 조사</td><td>이/가, 께서, 에서</td><td></td></tr>
<tr><td>목적격 조사</td><td>을/를</td><td></td></tr>
<tr><td>관형격 조사</td><td>의</td><td></td></tr>
<tr><td>부사격 조사</td><td>에, 에게, (으)로, 에서 등</td><td></td></tr>
<tr><td>보격 조사</td><td>이/가</td><td></td></tr>
<tr><td>서술격 조사</td><td>이다 ▶ 일반 조사와는 달리 서술격 조사 '이다'는 활용함</td><td>예 책상이다, 책상이고, 책상이며</td></tr>
<tr><td>호격 조사</td><td>아/야</td><td></td></tr>
<tr><td>보조사</td><td colspan="2">앞말에 특별한 뜻을 더하여 주는 조사: 만, 도, 조차, 은/는, 까지, 라도, 나마, 밖에, 이야말로, 치고, 커녕, 마다, 부터, 나, 라도 등</td><td></td></tr>
<tr><td>접속
조사</td><td colspan="2">두 단어를 같은 자격으로 이어주는 조사: 와/과, 랑, 하고</td><td></td></tr>
</table>

<table>
<tr><td rowspan="5">용언</td><td colspan="2">⑤ 동사: 사람이나 사물 따위의 움직임이나 작용을 나타내는 말</td><td></td></tr>
<tr><td>자동사</td><td>목적어 없이 쓰일 수 있는 동사</td><td>예 피다, 웃다, 떨다</td></tr>
<tr><td>타동사</td><td>목적어를 필요로 하는 동사</td><td>예 보다, 넣다, 걸다</td></tr>
<tr><td colspan="2">⑥ 형용사: 사람이나 사물 따위의 성질이나 상태를 나타내는 말</td><td></td></tr>
<tr><td>성상 형용사</td><td>성질이나 상태를 나타내는 형용사</td><td>예 비싸다, 슬프다, 기쁘다</td></tr>
</table>

<table>
<tr><td></td><td>지시 형용사</td><td>지시성을 지닌 형용사</td><td>예 이러하다, 그러하다, 저러하다</td></tr>
</table>

<table>
<tr><td rowspan="8">수식언</td><td colspan="2">⑦ 관형사: 체언 앞에 놓여 체언을 꾸며 주는 말</td><td></td></tr>
<tr><td>지시 관형사</td><td>어떤 대상을 가리키는 관형사</td><td>예 이/그/저 사람은</td></tr>
<tr><td>성상 관형사</td><td>사물의 성질이나 상태를 꾸며 주는 관형사</td><td>예 온갖 시련, 새 집</td></tr>
<tr><td>수 관형사</td><td>수량이나 순서라는 수 개념을 나타내는 관형사</td><td>예 청소년 다섯 명</td></tr>
<tr><td colspan="3">▶ 수사와 수 관형사의 구별: 수사는 조사와 결합이 가능하고 수 관형사는 체언 앞에서 체언을 꾸며 주며 조사와 결합할 수 없음
예 사람 다섯이 왔다. vs. 다섯 명의 사람이 왔다.
　　　　　수사(체언)　　　　　수 관형사(수식언)</td><td></td></tr>
<tr><td colspan="2">⑧ 부사: 용언, 형용사, 다른 부사, 문장 등을 꾸며 주는 말</td><td></td></tr>
<tr><td>성분 부사</td><td>문장 안의 특정 성분을 수식하는 부사</td><td>예 치타는 매우 빠르다.</td></tr>
<tr><td>문장 부사</td><td>문장 전체를 수식하는 부사</td><td>예 과연 그가 다시 돌아올까?</td></tr>
</table>

<table>
<tr><td>독립언</td><td>⑨ 감탄사: 말하는 이의 놀람이나 느낌, 부름, 응답 따위를 나타내는 말</td><td>예 뭐, 아, 여보세요!, 네</td></tr>
</table>

2. 용언(동사, 형용사) 더 알아보기

★ 동사와 형용사의 구분 기준

① 기본형에 현재 시제 선어말 어미 '-는-/-ㄴ-'이 결합할 수 있으면 동사, 결합할 수 없으면 형용사   예 먹는다(O) vs. *작는다(X)

② 기본형에 관형사형 전성 어미 '-는'이 결합할 수 있으면 동사, 결합할 수 없으면 형용사   예 먹는(O) vs. *작는(X)

③ 의도나 목적을 뜻하는 어미 '-러'와 '-려'와 결합할 수 있으면 동사, 결합할 수 없으면 형용사   예 먹으려, 먹으러(O) vs. *작으려, *작으러(X)

④ 명령형 어미 '-아라/-어라', 청유형 어미 '-자'와 결합할 수 있으면 동사, 결합할 수 없으면 형용사   예 먹어라, 먹자(O) vs. *작아라, *작자(X)

★ 본용언과 보조 용언

① **본용언**: 보조 용언 앞에 쓰이고 실질적인 뜻이 담긴 용언   예 이 불고기 좀 <u>먹어</u> 보아라.

② **보조 용언**: 혼자서 쓰이지 못하고 반드시 본용언의 뒤에 붙어서 의미를 더해 주는 용언

- 보조 동사: 동사처럼 활용하는 보조 용언   예 벚꽃이 지천에 피어 <u>있다</u>. (상태 지속의 의미)
- 보조 형용사: 형용사처럼 활용하는 보조 용언   예 이 문제는 조금 어려운 <u>듯하다</u>. (추측의 의미)

★ 용언의 활용

① **어간**: 용언이 활용할 때에 변하지 않는 부분

② **어미**: 용언이 활용할 때 변하는 부분으로, 어간에 결합하여 여러 가지 문법적인 의미를 더해 주는 요소

- 선어말 어미: 어말 어미의 앞자리에 들어가는 어미   예 주체 높임 선어말 어미: '-시-', 시제 선어말 어미: '-았-/-었-', '-는-/-ㄴ-', '-겠-'
- 어말 어미: 단어의 끝자리에 들어가는 어미

종결 어미 : 문장을 끝맺어 주는 기능을 하는 어미	평서형 어미: -다	예 빵을 먹는<u>다</u>.
	감탄형 어미: -구나	예 빵을 먹는<u>구나</u>.
	의문형 어미: -느냐	예 빵을 먹<u>느냐</u>?
	명령형 어미: -아라/-어라	예 빵을 먹<u>어라</u>.
	청유형 어미: -자	예 빵을 먹<u>자</u>.
연결 어미 : 선행절과 후행절을 연결 하여 하나의 문장이 되게 하거나 본용언에 보조 용언을 연결하는 어미	대등적 연결 어미: -고, -며, -지만, -(으)나 등 (두 문장을 대등적으로 이어 주는 어미)	예 영수는 국어를 잘 하<u>고</u> 나는 수학을 잘 한다.
	종속적 연결 어미: -아서/-어서, -러, -면, -니까, -고자 등 (앞의 문장을 종속시키는 연결 어미)	예 엄마가 오<u>니</u> 아기가 울음을 그쳤다.
	보조적 연결 어미: -아/-어, -게, -지, -고 등 (본용언에 보조 용언을 이어 주는 어미)	예 버스에서 손잡이를 잡<u>고</u> 있다.
전성 어미 : 용언의 어간에 붙어 다른 품사의 기능을 수행 하게 하는 어미 (품사가 바뀌는 것은 아님)	명사형 어미: -기, -(으)ㅁ	예 봄이 오<u>기</u> 전에 대청소를 하자. 예 그에게 학생 신분<u>임</u>을 밝혔다.
	관형사형 어미: -(으)ㄴ, -는, -(으)ㄹ, -던	예 훌륭<u>한</u> 선생님 밑에서 배웠다. 예 내가 사용하<u>던</u> 만년필이다.
	부사형 어미: -게, -도록, -듯이 등	예 수험생은 든든하<u>게</u> 먹어야지. 예 할머니께서 주무시<u>도록</u> 나가 있어라.

※ 명사형 어미와 명사 파생 접사 구분하기: 명사형 어미 '-(으)ㅁ', '-기'와 명사 파생 접미사 '-(으)ㅁ', '-기'의 형태가 같음

예 그는 시골 풍경을 <u>그림</u>으로써 마음의 안식을 회복했다. → 명사형 어미 (서술성 O, 품사는 동사)

    그의 <u>그림</u>은 아주 비싼 값에 팔리곤 했다. → 명사 파생 접미사 (서술성 X, 품사는 명사)

★ **용언의 규칙 / 불규칙 활용**

① **용언의 규칙 활용:** 활용할 때 어간과 어미의 모습이 일정하거나, 변하더라도 국어의 음운 규칙으로 설명이 가능한 것

'一' 탈락	어간의 끝소리 '一'가 '-아/-어'로 시작하는 어미 앞에서 규칙적으로 탈락	예 담그- + -아 → 담가 크- + -어서 → 커서
'ㄹ' 탈락	어간의 끝소리 'ㄹ'이 'ㄴ, ㅂ, ㅅ, 오' 앞에서 규칙적으로 탈락	예 울다: 우니, 웁니다, 우시오

② **용언의 불규칙 활용:** 활용할 때 어간이나 어미의 기본 형태가 유지되지 않고, 그 현상을 국어의 음운 규칙으로 설명할 수 없는 것

• 어간 불규칙

'ㅅ' 불규칙	모음 어미 앞에서 'ㅅ'이 탈락	예 긋- + -어 → 그어	〈비교〉 웃- + -어 → 웃어
'ㅂ' 불규칙	모음 어미 앞에서 'ㅂ'이 'ㅗ/ㅜ'로 바뀜	예 곱- + -아 → 고와	〈비교〉 잡- + -아 → 잡아
'ㄷ' 불규칙	모음 어미 앞에서 'ㄷ'이 'ㄹ'로 바뀜	예 걷- + -어 → 걸어	〈비교〉 뜯- + -어 → 뜯어
'르' 불규칙	모음 어미 앞에서 어간 '르'가 'ㄹㄹ'로 바뀜	예 모르- + -아서 → 몰라서	〈비교〉 따르- + -아 → 따라 (규칙 활용: '一' 탈락)
'우' 불규칙	모음 어미 앞에서 '우'가 탈락	예 푸- + -어 → 퍼	〈비교〉 주- + -어 → 주어 / 줘

• 어미 불규칙

'여' 불규칙	용언의 어간 '하-' 뒤에서 어미 '-아/-어'가 '-여'로 바뀜	예 공부하- + -아/-어 → 공부하여	〈비교〉 읽- + -어 → 읽어
'러' 불규칙	'르'로 끝나는 어간 뒤에서 '-어'가 '-러'로 바뀜	예 이르- + -어 → 이르러	〈비교〉 치르- + -어 → 치러 (규칙 활용: '一' 탈락)

• 어간과 어미 불규칙

'ㅎ' 불규칙	'ㅎ'으로 끝나는 어간에 '-아/-어'가 오면 'ㅎ'이 없어지고 어미도 변함	예 파랗- + -아서 → 파래서	〈비교〉 넣- + -어 → 넣어

○ : 개념도 명확히 알고, 정답도 맞힌 경우   △ : 개념은 명확하게 모르지만, 정답은 맞힌 경우   × : 개념도 명확하게 모르고, 정답도 틀린 경우

01회차 기본기 다지기 모의고사 03번

03. 〈보기 1〉을 바탕으로 〈보기 2〉의 ㉠~㉤을 탐구한 내용으로 적절하지 <u>않은</u> 것은?

〈보기 1〉

용언이 활용할 때에는 어간이나 어미의 기본 형태가 달라지기도 한다. 규칙 활용은 어간이나 어미의 기본 형태가 유지되거나, 어간이나 어미가 달라지더라도 규칙적으로 변하기 때문에 국어의 음운 규칙으로 설명이 가능하다. 이에 반해 불규칙 활용은 용언이 활용할 때 어간이나 어미의 기본 형태가 달라지는 것을 국어의 음운 규칙으로 설명할 수 없는 것을 가리킨다.

〈보기 2〉

㉠ 수호야, 오늘은 아침밥을 일찍 <u>먹었니</u>?
㉡ 집에 <u>이르러서야</u> 몸에 긴장이 풀렸다.
㉢ 우리 가족은 김치를 직접 <u>담가</u> 먹는다.
㉣ 영희의 얼굴이 너무 <u>하얘서</u> 창백해 보였다.
㉤ 자기 것만 챙기는 이기적인 친구가 <u>미워</u> 보였다.

① ㉠: '먹었니'는 어간에 어미가 결합할 때 어간과 어미의 기본 형태가 변하지 않는 규칙 활용에 해당한다.

② ㉡: '이르러서야'는 어간에 모음 어미가 결합할 때 어미의 기본 형태가 변화하는 불규칙 활용에 해당한다.

③ ㉢: '담가'는 어간에 모음 어미가 결합할 때 어간의 기본 형태가 변화하는 규칙 활용에 해당한다.

④ ㉣: '하얘서'는 어간에 모음 어미가 결합할 때 어간과 어미의 기본 형태가 변화하는 불규칙 활용에 해당한다.

⑤ ㉤: '미워'는 어간에 모음 어미가 결합할 때 어간과 어미의 기본 형태가 변화하는 불규칙 활용에 해당한다.

02회차 기본기 다지기 모의고사 01번

→ 본책 P.018 지문 **참고하기**

01. 위 탐구 활동과 자료를 바탕으로 품사 분류에 대해
이해한 내용으로 적절하지 **않은** 것은?

① '방이 밝다.'와 '날이 밝는다.'의 '밝다'는 의미를 기준으로 품사를
구분할 수 있다.

② '엄마가 아기를 안다.'의 '가', '를'은 체언 뒤에 붙어서 문법적
관계를 나타내는 말이므로 하나의 품사로 묶을 수 있다.

③ '지구가 돌다.'와 '주희가 운동장을 돌다.'의 '돌다'는 의미를
기준으로 품사를 구분할 수 있다.

④ '철수가 밥을 먹다.'에서 '철수'와 '밥'을 하나의 품사로 묶어
'먹다'와 구분할 수 있다.

⑤ '나는 사과 하나를 먹었다.'에서 '나, 사과, 하나'는 형태와 기능을
기준으로 품사를 구분할 수 없다.

02회차 기본기 다지기 모의고사 02번

→ 본책 P.018 지문 **참고하기**

02. 윗글과 〈보기 1〉을 바탕으로 〈보기 2〉에서 밑줄 친
단어들이 각각 어떤 품사에 속하는지 파악한 것으로
적절한 것은?

〈보기 1〉

[명사의 문법적 특성]
○ 형태적 특성: 활용을 하지 않으며, 격 조사가 붙을 수 있다.
○ 기능적 특성: 문장에서 조사의 도움을 받아 여러 가지 문장
성분으로 쓰일 수 있으며, 관형어의 수식을 받을 수 있다.
○ 의미적 특성: 사람, 사물, 장소, 상태 등의 이름을 가리킨다.

〈보기 2〉

㉠ 광호의 생일이 <u>오늘</u>이니?
㉡ <u>새</u> 옷을 입으니 기분이 좋다.
㉢ 자기가 먹고 싶은 <u>만큼</u> 먹어라.
㉣ 훌륭한 <u>이</u> 분께 큰 상을 드려라.
㉤ 우리들은 <u>한바탕</u> 크게 웃었다.

① ㉠의 '오늘'은 서술격 조사가 붙어 활용할 수 있다는 점에서
명사가 아니다.

② ㉡의 '새'는 격 조사가 붙을 수 없고 체언을 수식한다는 점에서
명사이다.

③ ㉢의 '만큼'은 관형어의 수식을 받지만, 격 조사가 붙을 수 없다는
점에서 명사가 아니다.

④ ㉣은 '이'는 관형어의 수식을 받고 문장에서 주어로 기능한다는
점에서 명사가 아니다.

⑤ ㉤의 '한바탕'은 격 조사가 붙을 수 없고, 서술어 '웃다'를 수식
한다는 점에서 명사가 아니다.

02. 〈보기〉의 ㉠~㉣에 대해 탐구한 내용으로 적절하지 않은 것은?

〈보기〉

㉠ 동생이 밥은 먹었다. / 동생은 밥을 먹었다.
㉡ 경수가 연필만 빌려갔니? / 경수가 연필 빌려갔니?
㉢ 목표만을 위해 학교에서뿐만 아니라 집에서도 공부를
한다.
㉣ 너도 알겠지마는 공부는 어려운 과정이다. / 나는 그에
대해 잘은 모른다.

① ㉠을 보니 결합하는 앞말에 일정한 자격을 부여하여 특정한 문장
성분에만 쓰이는 격 조사와 달리 보조사는 여러 문장 성분에
쓰일 수 있군.

② ㉡을 보니 보조사는 특수한 의미를 가지고 있기 때문에 보조사가
생략된 문장은 보조사가 쓰인 문장과 의미가 달라지는군.

③ ㉢을 보니 보조사는 격 조사의 앞이나 뒤에 결합하거나 보조사
끼리 연달아 결합하여 쓰일 수 있군.

④ ㉣을 보니 보조사는 체언뿐만 아니라 용언의 어간이나 부사
뒤에도 결합하여 쓰일 수 있군.

⑤ ㉠~㉣을 보니 보조사는 격 조사와 마찬가지로 반드시 다른
말과 결합하여 쓰이는군.

04. 밑줄 친 말 중, 〈보기〉의 ㉠에 해당하지 않는 것은?

〈보기〉

접사가 어근과 결합하여 파생어를 만들 때, 어근의 앞에 붙는
접두사와 달리 ㉠어근의 뒤에 붙는 접미사는 어근의 품사를 바꾸
는 경우도 있다.
　o 명사로 파생된 단어: 예 울보, 딸꾹질, 달리기
　o 형용사로 파생된 단어: 예 정답다, 가득하다, 사랑스럽다
　o 동사로 파생된 단어: 예 잘하다, 이룩되다, 높이다
　o 부사로 파생된 단어: 예 깨끗이, 조용히, 겹겹이

① 그는 혈압을 낮추기 위해 열심히 운동을 하였다.

② 만년필로 쓴 글씨라서 지우개로 지워지지 않았다.

③ 한 달이 지나도록 연락이 없어서 마음이 놓이지 않았다.

④ 전쟁으로 인해 평화롭던 마을에 큰 위기가 찾아왔다.

⑤ 그는 아들에게 진로 문제를 깊이 생각하여 결정하도록 했다.

03. 밑줄 친 부분이 〈보기〉의 ⓐ, ⓑ에 해당하는 예로 적절한 것은?

---〈보기〉---

 우연히 소리가 같을 뿐 의미가 다른 단어들을 동음이의어라고 한다. 이들 중에서 용언은 어간에 평서형 종결 어미 '-다'가 결합된 경우에는 그 형태가 동일하지만, 각 어간에 다양한 어미를 결합시켜 활용을 해 보면, ⓐ하나는 규칙 활용을 하고, ⓑ다른 하나는 불규칙 활용을 하는 경우가 있다.

① ⌐ ⓐ: 불에 감자를 <u>굽다</u>.
　└ ⓑ: 팔이 안으로 <u>굽다</u>.

② ⌐ ⓐ: 병이 씻은 듯이 <u>낫다</u>.
　└ ⓑ: 겨울보다는 여름이 <u>낫다</u>.

③ ⌐ ⓐ: 방명록에 이름을 <u>쓰다</u>.
　└ ⓑ: 억울하게 누명을 <u>쓰다</u>.

④ ⌐ ⓐ: 목적지에 <u>이르다</u>.
　└ ⓑ: 포기하기에는 <u>이르다</u>.

⑤ ⌐ ⓐ: 옷에 잉크가 <u>묻다</u>.
　└ ⓑ: 관계자에게 책임을 <u>묻다</u>.

→ **본책** P.050 지문 **참고하기**

01. 윗글을 바탕으로 〈보기〉의 ⓐ~ⓔ를 분석한 것으로 옳지 <u>않은</u> 것은?

---〈보기〉---

ⓐ 헛웃음
ⓑ 정답다
ⓒ 가슴앓이
ⓓ 도둑이 <u>잡히다</u>.
ⓔ 바지의 <u>길이</u>를 재다.

① ⓐ: 파생어 '웃음'에 접두사 '헛-'이 결합하여 다시 파생어가 되었다는 점에서 '코웃음'과 차이가 있다.

② ⓑ: 명사인 어근이 접미사와 결합하여 형용사로 바뀌었다는 점에서 '가위질'과 차이가 있다.

③ ⓒ: 자음으로 끝난 어간에 명사 파생 접미사 '-이'가 결합되었다는 점에서 파생 명사 '구이'와 차이가 있다.

④ ⓓ: '잡히다'는 문장에서 쓰일 때 목적어를 필요로 하지 않는다는 점에서 '잡다'와 차이가 있다.

⑤ ⓔ: '길이'에 대응하는 '*짧이'를 만들 수 없다는 점에서 '길이 보전하다.'의 '길이'와 품사상 차이가 있다.

→ 본책 **P.050 지문 참고하기**

02. 〈보기〉는 [A]를 바탕으로 진행된 학습 활동이다. ⑦과 ⓒ에 해당하는 예로 적절한 것은? [3점]

〈보기〉

선생님: '책을 만듦'에서 '만듦'은 ⑦'ㄹ'로 끝나는 어간에 명사형 어미 'ㅡㅁ'이 결합한 것이고, '빠르게 걸음'에서 '걸음'은 '걷다'가 ⓒ'ㄷ' 불규칙 활용을 하여 어간 받침 'ㄷ'이 'ㄹ'로 바뀐 것으로, 명사형 어미 'ㅡ음'이 결합한 것입니다. 그런데 명사형 어미 'ㅡ(으)ㅁ'과 명사 파생 접미사 'ㅡ(으)ㅁ'은 형태가 동일하기 때문에 문장에서의 쓰임을 통해 구별해야 합니다. 일반적으로 명사는 관형어의 수식을 받고, 명사형 어미가 붙은 동사나 형용사는 부사어의 꾸밈을 받으며 서술의 기능을 유지합니다.

학 생: 이제 왜 '만듦'과 '걸음'에서 명사형 어미가 각기 다른 모습으로 결합했는지 알겠어요.

① ⑦: 만찬회를 <u>베풂</u>.
  ⓒ: 가슴에 이름표를 <u>달음</u>.

② ⑦: 나의 행복한 <u>삶</u>.
  ⓒ: 아기가 젖병을 <u>물음</u>.

③ ⑦: 머리를 <u>흔듦</u>.
  ⓒ: 음악을 크게 <u>들음</u>.

④ ⑦: 얼음이 꽁꽁 <u>얾</u>.
  ⓒ: 뻐꾸기가 슬피 <u>울음</u>.

⑤ ⑦: 수업 시간에 잠깐 <u>졺</u>.
  ⓒ: 가슴 속에 비밀을 <u>묻음</u>.

→ 본책 **P.056 지문 참고하기**

01. 윗글을 바탕으로 합성어와 구에 대해 탐구한 내용으로 적절한 것은?

① '시험 삼아 일단 한번 도전해 보자.'에서 '한번'은 각 구성 요소들의 의미가 그대로 남아 있으므로 반드시 띄어 써야겠군.

② '집에 들어오다.'에서 '들어오다'는 둘 이상의 단어가 모여 문장의 일부분을 이루고 있으므로, 사전에 표제어로 오를 수 없겠군.

③ '사람답게 살아가다.'에서 '살아가다'는 'ㅡ아서'를 'ㅡ아서'로 바꾸어 쓸 수 없으므로, 어근과 어근이 결합한 합성어로 볼 수 있겠군.

④ '밥을 다 먹어 버렸다.'에서 '먹어'를 '먹어서'로 바꾸어도 의미적인 변화가 없으므로, '먹어 버렸다'는 '본용언 + 본용언'으로 구성된 구에 해당하겠군.

⑤ '아이들에게 과자를 나누어 주다.'에서 '주다'는 본용언에 특수한 의미를 덧붙이는 기능을 하므로, '나누어 주다'는 '본용언 + 보조 용언'으로 구성된 구에 해당하겠군.

08회차 실전 대비 모의고사 02번

→ **본책** P.056 지문 **참고하기**

02. 〈보기〉는 ㉠에 대한 '한글 맞춤법'의 일부를 정리한 것이다. 이를 바탕으로 ⓐ~ⓔ를 탐구한 내용으로 적절하지 **않은** 것은? [3점]

〈보기〉

[제47항]
• 보조 용언은 띄어 씀을 원칙으로 하되, 붙여 씀도 허용한다. 이때 보조 용언은 '-아/-어' 뒤에 연결되는 보조 용언, 의존 명사에 '-하다'나 '-싶다'가 붙어서 된 보조 용언을 가리킨다.
• 다만, 본용언 뒤에 조사가 붙거나 본용언이 합성 동사일 경우 그 뒤에 오는 보조 용언은 띄어 쓴다.

ⓐ 책을 읽고 있다.
ⓑ 불이 꺼져 가다.
ⓒ 비가 올 듯하다.
ⓓ 창문을 열어만 놓다.
ⓔ 편지가 강물에 떠내려가 버렸다.

① ⓐ의 '있다'는 어미 '-아/-어'가 아닌 '-고' 뒤에 연결된 보조 용언이므로, 반드시 '읽고 있다'와 같이 띄어 써야 한다.

② ⓑ의 '가다'는 어미 '-어' 뒤에 연결된 보조 용언이므로, 띄어 씀을 원칙으로 하되 '꺼져가다'와 같이 붙여 쓸 수 있다.

③ ⓒ의 '듯하다'는 의존 명사 '듯'에 '-하다'가 결합된 보조 용언이므로, 띄어 씀을 원칙으로 하되 '올듯하다'와 같이 붙여 쓸 수 있다.

④ ⓓ의 '놓다'는 보조사 '만'이 붙은 본용언의 뒤에 연결된 보조 용언이므로, 반드시 '열어만 놓다.'와 같이 띄어 써야 한다.

⑤ ⓔ의 '버렸다'는 본용언이 합성 동사이고, 어미 '-아/-어' 뒤에 연결된 것이 아니므로, 반드시 '떠내려가 버렸다'와 같이 띄어 써야 한다.

09회차 실전 대비 모의고사 01번

→ **본책** P.062 지문 **참고하기**

01. 윗글을 바탕으로 〈보기〉의 ⓐ~ⓔ를 이해한 내용으로 적절하지 **않은** 것은?

〈보기〉

ⓐ 우리 모두 공원에 놀러가자.
ⓑ 우리는 너희와 생각이 달라.
ⓒ 아들은 집에 오자마자 자기 방으로 들어갔다.
ⓓ 선생님께서는 당신의 일을 자랑스럽게 여기셨다.
ⓔ 이분은 택시를 잡고 있는 저분과 생김새가 닮았다.

① ⓐ에서 '우리'는 화자인 '나'를 포함하여 함께 있는 청자 모두를 가리키는 1인칭 대명사이다.

② ⓑ에서 '너희'는 화자를 포함한 '우리'가 지시하는 대상을 제외하고 남은 청자를 가리키는 2인칭 대명사이다.

③ ⓒ에서 '자기'는 앞에 나온 명사인 '아들'을 다시 한 번 가리키기 위해 사용한 재귀 대명사이다.

④ ⓓ에서 '당신'은 화자보다 높임의 대상인 '선생님'을 높여 부르기 위해 사용한 2인칭 대명사이다.

⑤ ⓔ에서 '이분'과 '저분'은 화자와 지칭하는 대상과의 거리에 따라 화자가 선택적으로 표현한 3인칭 대명사이다.

→ 본책 P.062 지문 참고하기

02. 윗글을 참고할 때, 밑줄 친 부분이 서로 다른 인칭의 대명사끼리 짝지어진 것으로 적절한 것은? [3점]

① ┌ <u>당신</u>, 요즘 많이 힘드시죠?
　 └ 이 말을 한 사람이 <u>당신</u>이오?

② ┌ <u>저희</u>들은 아직도 정답을 모릅니다.
　 └ <u>이모님</u>, 언제쯤 도착하시나요?

③ ┌ 이 이야기는 <u>자네</u>만 알고 있게.
　 └ 젊은이, <u>자네</u>는 이름이 무엇인가?

④ ┌ <u>누구</u>나 가슴에 꿈을 간직하고 산다.
　 └ <u>누구</u>의 얼굴이 가장 먼저 생각났니?

⑤ ┌ 연락처를 <u>저</u>에게 말씀해 주세요.
　 └ 철수는 <u>저</u> 하고 싶은 대로만 한다.

04. 〈보기〉를 참고할 때, 밑줄 친 '은'의 의미가 같은 것끼리 묶인 것은?

〈보기〉

• 은【보조사】
1 보조사
① (받침 있는 말 뒤에 붙어) 어떤 대상이 다른 것과 대조됨을 나타내는 보조사.
② (받침 있는 체언 뒤에 붙어) 문장 속에서 어떤 대상이 화제임을 나타내는 보조사.
2 어미
('ㄹ'을 제외한 받침 있는 동사 어간 뒤에 붙어) 앞말이 관형어 구실을 하게 하고 동작이 과거에 이루어졌음을 나타내는 어미.

A: ⊙오늘<u>은</u> 5년 전 ⊙심<u>은</u> 나무에 드디어 열매가 열린 특별한 날입니다.
B: 축하드려요! 그동안 ⓒ노력<u>은</u> 했는데, 결과는 보이지 않아 걱정하셨잖아요. 축하의 의미로 이 선물을 드릴게요!
A: 감사합니다. 그런데 이게 뭔가요?
B: ○○ 연극 티켓이에요. 지난번에 ⓔ받<u>은</u> 선물에 대한 보답이에요.
A: 왜 다른 건 몰라도 이 ⓜ연극<u>은</u> 꼭 보고 싶었는데, 정말 감사해요.

① ⊙, ⓛ　　　② ⊙, ⓒ　　　③ ⓛ, ⓒ
④ ⓒ, ⓔ　　　⑤ ⓒ, ⓜ

04. 〈보기〉의 밑줄 친 부분의 품사에 대한 설명으로 적절한 것은?

〈보기〉

ⓐ 저 새 집이 너희 집이니?
ⓑ 다섯 건물을 한국 회사가 만들었다.
ⓒ 젊은 사람 대여섯이 이 자리에 모였다.
ⓓ 온 식구가 다른 곳으로 이사 가기를 원했다.

① ⓐ의 '너희'와 ⓑ의 '한국'은 체언을 꾸며 주고 있다는 점에서 관형사에 해당한다.

② ⓐ의 '저'와 ⓒ의 '이'는 뒤에 오는 체언을 가리킨다는 점에서 지시 대명사에 해당한다.

③ ⓐ의 '새'와 ⓓ의 '온'은 체언의 성질이나 상태를 한정해 준다는 점에서 관형사에 해당한다.

④ ⓑ의 '다섯'과 ⓒ의 '대여섯'은 체언의 수량을 제한해 준다는 점에서 수 관형사에 해당한다.

⑤ ⓒ의 '젊은'과 ⓓ의 '다른'은 체언의 성질이나 상태를 나타내며 형태 변화가 가능하다는 점에서 형용사에 해당한다.

→ 본책 P.082 지문 참고하기

02. 윗글의 관점을 바탕으로 〈보기〉에 제시된 국어사전의 정보를 완성한다고 할 때, ⓐ~ⓔ에 대한 설명으로 적절하지 <u>않은</u> 것은? [3점]

〈보기〉

있다

① 　ⓐ　【…에】
① 사람이나 동물이 어느 곳에서 떠나거나 벗어나지 아니하고 머물다.
¶ 오늘은 그냥 집에 있자. / 　ⓑ　
② 사람이나 동물이 어떤 상태를 계속 유지하다.
¶ 가만히 있어라.
② 　ⓒ　
어떤 사실이나 현상이 현실로 존재하는 상태이다.
¶ 확실한 증거가 있다. / 　ⓓ　

없다

① 형용사
어떤 사실이나 현상이 현실로 존재하지 않는 상태이다.
¶ 이제 그런 기회는 없다. / 　ⓔ　
② 형용사【…에】
사람이나 동물이 어느 곳에 머무르거나 살지 않는 상태이다.
¶ 그는 지금 서울에 없다.

① ⓐ에는 용례가 청유문인 것으로 보아 '동사'가 들어가야 한다.

② ⓑ에는 '내가 갈 때까지, 너는 학교에 있어라.'를 넣을 수 있다.

③ ⓒ에는 '상태이다'로 끝나는 뜻풀이로 보아 '형용사'가 들어가야 한다.

④ ⓓ에는 '철수는 수업 시간에 깨어 있으려고 노력했다.'를 넣을 수 있다.

⑤ ⓔ에는 '잘못한 것이 없는 시민들은 떳떳하게 행동했다.'를 넣을 수 있다.

03. 〈보기〉의 ㉠~㉤을 탐구한 것으로 적절하지 <u>않은</u> 것은?

〈보기〉

○ 그 사람은 ㉠덮밥을 좋아한다.
○ 계획대로 한 걸음씩 ㉡나아갔다.
○ 밤하늘 아래 바다는 ㉢검푸르렀다.
○ 양념을 ㉣뒤섞어 나물을 버무렸다.
○ ㉤젊은이가 노인에게 자리를 양보했다.

① ㉠: '용언 어간 + 명사'로 이루어진 합성 명사로 비통사적 합성어이다.

② ㉡: '용언의 연결형 + 용언 어간'으로 이루어진 합성 동사로 통사적 합성어이다.

③ ㉢: '용언 어간 + 용언'으로 이루어진 합성 형용사로 비통사적 합성어이다.

④ ㉣: '명사 + 용언'으로 이루어진 합성 동사로 통사적 합성어이다.

⑤ ㉤: '용언의 관형사형 + 명사'로 이루어진 합성 명사로 통사적 합성어이다.

04. 〈보기〉의 ⓐ~ⓔ에 해당하는 예시의 띄어쓰기가 올바르지 <u>않은</u> 것은?

〈보기〉

데 의존 명사
ⓐ '곳'이나 '장소'의 뜻을 나타내는 말.
ⓑ '일'이나 '것'의 뜻을 나타내는 말.

-데 어미
ⓒ 과거 어느 때에 직접 경험하여 알게 된 사실을 현재의 말하는 장면에 그대로 옮겨 와서 말함을 나타내는 종결 어미.

-ㄴ데/-는데 어미
ⓓ 뒤 절에서 어떤 일을 설명하거나 묻거나 시키거나 제안하기 위하여 그 대상과 상관되는 상황을 미리 말할 때에 쓰는 연결 어미.
ⓔ 일정한 대답을 요구하며 물어보는 뜻을 나타내는 종결 어미.

① ⓐ: 그는 여전히 의지할 데 없는 사람처럼 보였다.

② ⓑ: 선생님 강의를 듣는 데 하루에 2시간씩 걸렸다.

③ ⓒ: 어릴 적 살던 그 동네는 하나도 변하지 않았데.

④ ⓓ: 이 어려운 과학 책을 다 읽는데 한 달이나 걸렸다.

⑤ ⓔ: 너 아침부터 지금까지 말투가 도대체 왜 그러는데?

15회차 고난도 함정 모의고사 04번

04. 〈보기〉의 ⓐ와 ⓑ에 대해 탐구한 내용으로 적절하지 <u>않은</u> 것은?

〈보기〉

형태소는 의미를 가지고 있으면서 더 이상 나눌 수 없는 말의 단위이다. 형태소는 자립성의 유무에 따라 자립 형태소와 의존 형태소로, 의미의 성격에 따라 실질 형태소와 형식 형태소로 나뉜다. 예를 들어 단일어인 체언은 자립 형태소이자 실질 형태소에 해당하고, 단일어인 용언의 어간은 의존 형태소이자 실질 형태소에 해당하며, 여기에 결합하는 어미나 접사는 의존 형태소이자 형식 형태소에 해당한다. 이때 단어가 합성어나 파생어일 경우에는 각각의 구성 요소를 분석한 후 형태소를 분류해야 한다.

ⓐ 나는 건물의 맨 위로 올라갔다.

ⓑ 그저 당신을 만나러 왔을 따름입니다.

① ⓐ에서 체언 '나', '건물', '위'는 자립 형태소에 해당한다.

② ⓐ에서 합성어 '올라갔다'를 구성하는 5개의 형태소 중 실질 형태소는 2개이다.

③ ⓑ에서 '만나러'의 '만나-'는 실질 형태소에, '-러'는 형식 형태소에 해당한다.

④ ⓑ에서 '당신을'의 '을'과 '왔을'의 '을'은 모두 형식 형태소이지만 문법적 의미는 다르다.

⑤ ⓐ에서 관형사 '맨'과 ⓑ에서 의존 명사 '따름'은 모두 의존 형태소에 해당한다.

16회차 고난도 함정 모의고사 04번

04. 〈보기 1〉의 ⓐ~ⓒ에 해당하는 예를 〈보기 2〉에서 찾아 바르게 짝지은 것은?

〈보기 1〉

동사와 형용사가 활용을 할 때 어간과 어미의 형태가 바뀌지 않거나 바뀌더라도 그 변화가 규칙적이면 규칙 활용이라 하고, 어간과 어미의 형태 변화가 규칙적이지 않으면 불규칙 활용이라 한다. 이때 불규칙 활용은 ⓐ어간이 바뀌는 경우, ⓑ어미가 바뀌는 경우, ⓒ어간과 어미가 모두 바뀌는 경우 등으로 나눌 수 있다.

〈보기 2〉

ㄱ. 바닷물이 정말 파래서 좋다.
ㄴ. 봄이 되어 숲이 계속 푸르러 갔다.
ㄷ. 상희는 눈물이 흘러 앞을 볼 수 없었다.
ㄹ. 영수는 열심히 노력하여 대학에 합격했다.
ㅁ. 그는 길거리에 떨어진 밤을 주워 주머니에 넣었다.

	ⓐ	ⓑ	ⓒ
①	ㄱ	ㄴ, ㄷ	ㄹ, ㅁ
②	ㄴ, ㅁ	ㄷ, ㄹ	ㄱ
③	ㄴ, ㄷ	ㄹ, ㅁ	ㄱ
④	ㄷ, ㅁ	ㄹ	ㄱ, ㄴ
⑤	ㄷ, ㅁ	ㄴ, ㄹ	ㄱ

→ 본책 P.122 지문 **참고하기**

02. 〈보기〉는 [A]를 바탕으로 진행된 학습 활동이다. 밑줄 친 부분이 ⓐ와 ⓑ에 해당하는 예로 적절하지 **않은** 것은?

[3점]

〈보기〉

학 생: 선생님, 문장에 쓰인 형용사 '다른'과 관형사 '다른'은 품사의 분류 기준인 형태, 기능, 의미 면에서 모두 차이가 있군요.

선생님: 네, 맞아요. 형용사 '다른'은 '다르-'에 관형사형 어미 '-ㄴ'이 결합된 것으로, ⓐ<u>형태 변화가 가능하고, 부사어의 꾸밈을 받을 수 있으며, 서술하는 기능을 유지하고 있습니다. 이에 반해, 관형사 '다른'은 ⓑ<u>조사나 어미 등이 결합될 수 없고, 형태 변화가 불가능하며, 문장에서 체언을 수식하는 기능을 합니다.

① ⓐ: 행동이 저러니 아무도 좋아하지 <u>않지</u>.

② ⓐ: 아버지는 고향에서 <u>온</u> 편지를 받았다.

③ ⓑ: 철수는 <u>바른</u> 생각을 지닌 멋진 청년이다.

④ ⓑ: <u>어떤</u> 사람이라도 그 일에 화를 낼 것이다.

⑤ ⓑ: 그는 <u>모든</u> 노력을 다해 그 일을 성사시켰다.

→ 본책 P.141 지문 **참고하기**

04. 윗글을 바탕으로 〈보기〉의 ⓐ~ⓔ를 분석한 것으로 옳지 **않은** 것은?

〈보기〉

ⓐ 소나무, 화살

ⓑ 냇가, 건널목

ⓒ 애쓰다

ⓓ 뛰놀다

ⓔ 밤낮

① ⓐ: 'ㄴ, ㅅ' 앞에서 체언의 끝소리 'ㄹ'이 탈락하는 음운 현상을 표기에 반영한 것이다.

② ⓑ: 합성 명사를 이룰 때, 'ㅅ'이나 'ㄹ'이 첨가되는 음운 현상을 표기에 반영한 것이다.

③ ⓒ: 목적격 조사가 생략된 채 체언과 용언이 결합한 통사적 합성어에 해당한다.

④ ⓓ: 연결 어미가 생략된 채 용언의 어간과 용언이 결합한 비통사적 합성어에 해당한다.

⑤ ⓔ: '밤과 낮'의 뜻으로 쓰이면 대등 합성어에 해당하지만, '늘'의 뜻으로 쓰이면 융합 합성어에 해당한다.

20회차 최종 점검 모의고사 01번

→ 본책 P.146 지문 참고하기

01. 윗글을 바탕으로 '밭'의 발음에 대해 이해한 내용으로 적절하지 <u>않은</u> 것은?

① '밭'은 조사 '도' 앞에서 이형태가 '받'으로 나타난다.

② '밭'은 조사 '만' 앞에서 이형태가 '반'으로 나타난다.

③ '밭'은 조사 '이' 앞에서 이형태가 '밭'으로 나타난다.

④ '밭'은 명사 '꽃' 뒤에서 이형태가 '빹'으로 나타난다.

⑤ '밭'은 명사 '꽃'과 조사 '에' 사이에서 이형태가 '빹'으로 나타난다.

20회차 최종 점검 모의고사 02번

→ 본책 P.146 지문 참고하기

02. 〈보기〉는 [가]를 바탕으로 진행된 학습 활동이다. 윗글을 바탕으로 〈보기〉의 탐구 활동을 수행할 때, ⓐ∼ⓓ에 들어갈 내용으로 적절하지 <u>않은</u> 것은? [3점]

〈보기〉

예	• 그는 고향에 집을 ⓐ + -었- + -다[지얻따]. • 그녀는 늘 미소를 ⓐ + -고[짇꼬] 다닌다. • 진수의 취미는 시를 ⓐ + -는[잔는] 것이다.
이 형 태	• 자- • 짇- • 잔-
탐 구 과 정	(1) '자-'를 기본형으로 정할 경우: ⓑ (2) '짇-'을 기본형으로 정할 경우: ⓒ (3) '잔-'을 기본형으로 정할 경우: ⓓ
결 과	' ⓐ '를/을 기본형으로 설정하는 것이 타당함

① ⓐ에는 'ㅅ' 불규칙 활용 때문에 이형태들 중 어느 하나를 기본형으로 설정할 수 없으므로, 제3의 형태가 들어갈 것이다.

② ⓑ에는 비음을 제외한 자음 어미 앞에서 '짇-'으로 실현되는 것을 설명할 수 없다는 내용이 들어갈 수 있다.

③ ⓑ에는 비음 앞에서 '잔-'으로 실현되는 것을 설명할 수 없다는 내용이 들어갈 수 있다.

④ ⓒ에는 비음 앞에서 '잔-'으로 실현되는 것을 설명할 수 없다는 내용이 들어갈 것이다.

⑤ ⓓ에는 모음 어미 앞에서 '자-'로, 비음을 제외한 자음 어미 앞에서 '짇-'으로 실현되는 것을 설명할 수 없다는 내용이 들어갈 것이다.

03. 〈보기〉는 준말과 관련한 규정을 정리한 내용이다. ㉠~㉢에 들어갈 말로 적절한 것은?

〈보기〉

　　단어 또는 어간의 끝음절 모음이 줄어지고 자음만 남는 경우, 그 자음을 앞 음절의 받침으로 올려붙여 적는다. 예를 들어 '가지다'의 준말 '갖다'는 어간 '가지-'에서 모음 'ㅣ'가 줄고 남은 자음 'ㅈ'이 앞 음절의 받침으로 옮겨 적힌 것이다. 일반적으로 준말은 '*갖아, *갖은, *갖아라'처럼 모음 어미가 결합된 활용형이 성립하지 않는다. 이때 '르' 불규칙 활용에 해당하는 용언은 모음 어미 '-아/어'가 연결될 때에는 준말이 활용된 것이 아님에 유의해야 한다.

본말	준말	모음 어미가 결합된 활용형
디디다	딛다	계단을 살살 ㉠ 삐걱거리는 소리는 났다.
㉡	서툴다	나는 운전에 ㉢ 긴장이 됐다.

	㉠	㉡	㉢
①	딛어도	서툴르다	서툴러서
②	디뎌도	서툴르다	서툴어서
③	디뎌도	서투르다	서툴어서
④	딛어도	서투르다	서툴러서
⑤	디뎌도	서투르다	서툴러서

02. 〈보기〉의 [가]에 들어갈 말로 적절한 것은?

〈보기〉

선생님 : 관형사는 체언 앞에서 그 체언을 꾸며 주는 품사로, 조사가 붙을 수 없고, 서술성을 지닌 용언처럼 활용을 할 수도 없습니다. 그런데 관형사의 형태가 용언의 활용형이나 접두사의 형태와 동일한 경우가 있으므로, 이를 구분해야 할 필요가 있습니다. 반드시 어근과 결합해야만 쓰일 수 있는 접두사는 자립성이 없지만, 관형사는 자립성을 지니고 있으므로 항상 뒷말과 띄어 써야 합니다. 그럼 ㉠~㉤의 밑줄 친 관형사에 대해 설명해 봅시다.

> ㉠ 전교생들이 한 공간에 모였다.
> ㉡ 맨 처음 학교에 간 날이 생각난다.
> ㉢ 이 음식에는 갖은 양념이 들어갔군.
> ㉣ 나는 온 힘을 다해 그에게 달려갔다.
> ㉤ 수호는 축구 외에 다른 일에는 관심이 없다.

학생: ＿＿＿＿＿＿＿＿[가]＿＿＿＿＿＿＿＿

① ㉠의 '한'은 '한시름'의 접두사 '한'과 형태가 동일하지만, 관형사 '한'은 체언 앞에 온다는 점에서 차이가 있다.

② ㉡의 '맨'은 '맨발'의 접두사인 '맨'과 형태가 동일하지만, 관형사 '맨'은 조사가 결합할 수 없다는 점에서 차이가 있다.

③ ㉢의 '갖은'은 동사 '가지다'의 어간에 관형사형 어미 '-ㄴ'이 결합한 활용형과 형태가 동일하지만, 관형사 '갖은'은 서술성이 없다는 점에서 차이가 있다.

④ ㉣의 '온'은 동사 '오다'의 활용형인 '온'과 형태가 동일하며, 모두 문장에서 관형어로 쓰인다는 점에서 공통적이다.

⑤ ㉤의 '다른'은 형용사 '다르다'의 어간에 관형사형 어미 '-ㄴ'이 결합한 활용형과 형태가 동일하며, 모두 비교되는 두 대상이 같지 않다는 의미를 지닌다는 점에서 공통적이다.

03. 〈보기〉의 (가)~(다)와 ㉠~㉟의 관계에 대한 설명으로 옳지 <u>않은</u> 것은?

〈보기〉

품사는 문장 안에서 특정 문장 성분으로만 쓰이는 경우도 있고, 다양한 문장 성분으로 쓰이는 경우도 있다. 또한 각 품사는 경우에 따라 문장 안에서 조사나 어미의 도움을 받아 문장 성분으로 쓰이거나 그러한 도움 없이 그 자체로 문장 성분으로 쓰이기도 한다.

품사	문장 성분
(가) 명사, 대명사, 수사 (나) 동사, 형용사 (다) 관형사	㉠ 주어 ㉡ 목적어 ㉢ 보어 ㉣ 서술어 ㉤ 관형어 ㉥ 부사어 ㉟ 독립어

① (가)가 문장에서 ㉠~㉟으로 쓰일 때 이를 표시하는 각각의 격 조사가 나타나기도 한다.

② (가)가 문장에서 ㉠으로 쓰일 때 결합하는 조사 중 일부는 ㉢으로 쓰일 때에도 동일한 형태로 결합한다.

③ (나)가 문장에서 ㉠, ㉡, ㉢으로 쓰이면 이 성분은 항상 안긴 문장의 형식으로 나타난다.

④ (나)가 ㉠~㉥으로 쓰일 때에는 항상 각각의 전성 어미가 결합한다.

⑤ (다)가 ㉤으로 쓰일 때에는 조사나 어미와 같은 다른 형식 형태소와 결합하지 않는다.

문장의 이해

> ★ **문장:** 생각이나 감정을 완결된 내용으로 표현하는 최소의 언어 형식. 의미상 완결된 내용을 갖추고 형식상으로 문장이 끝났음을 나타내는 문장 부호가
> 있는 것을 가리킴
> ★ **절:** 주어와 서술어 관계가 나타나면서 문장의 일부분으로 쓰이는 문법 단위
>   예 나는 <u>그가 노력하고 있음</u>을 알고 있다. (문장)
>   (명사절)

1 문장 성분의 종류

1. 주성분: 문장을 이루는 데 골격이 되는 성분

  ① 주어: 문장에서 동작 또는 상태나 성질의 주체를 나타내는 문장 성분

     • '무엇이 어찌하다/어떠하다/무엇이다'에서 '무엇이'에 해당하는 성분으로 체언에 주격 조사 '이/가, 께서, 에서'가 붙어 나타남

  ② 목적어: 서술어의 동작 대상이 되는 문장 성분

     • '무엇이 무엇을 어찌하다'의 '무엇을'에 해당하는 부분으로 체언에 목적격 조사 '을/를'이 붙어 나타남

  ③ 보어: '되다', '아니다'와 같은 서술어가 필수적으로 요구하는 문장 성분 중 주어를 제외한 문장 성분을 말함

     • 주로 체언에 보격 조사 '이/가'가 붙어 나타남

  ④ 서술어: 주어의 동작, 상태, 성질 따위를 풀이하는 기능을 하는 문장 성분

     • '무엇이 어찌하다/어떠하다/무엇이다'에서 '어찌하다/어떠하다/무엇이다'에 해당함

> ★ **서술어의 자릿수**
> 서술어에 따라 문장이 성립하기 위해 반드시 요구되는 문장 성분들의 개수가 다른데, 이를 '서술어의 자릿수'라고 함
> • **한 자리 서술어:** 주어만을 요구하는 서술어   예 그 남자는 <u>잘생겼다</u>.
> • **두 자리 서술어:** 주어 이외에 목적어, 부사어, 보어 중 한 성분을 필수적으로 요구하는 서술어   예 아버지는 할아버지와 <u>닮았다</u>.
> • **세 자리 서술어:** 주어, 목적어, 부사어의 세 성분을 모두 요구하는 서술어   예 우리 집은 정직을 가훈으로 <u>삼았다</u>.

---

2. 부속 성분: 주로 주성분의 내용을 수식하는 성분

  ① 관형어: 체언을 수식하는 문장 성분

> ★ **관형어의 실현 형태**
> • 관형사 그대로 관형어가 되는 경우   예 그는 <u>순</u> 살코기만 좋아한다.
> • 체언에 관형격 조사 '의'가 결합한 경우   예 가을은 <u>독서의</u> 계절이다.
> • 체언이 그대로 관형어가 되는 경우   예 이것은 <u>장미</u> 그림이다.
> • 용언의 어간에 관형사형 어미가 결합한 경우   예 향기가 <u>없는</u> 꽃이라도 아름답다.

---

  ② 부사어: 용언, 관형어, 다른 부사어를 수식하거나 문장이나 단어를 이어 주는 역할을 하는 문장 성분

> ★ **부사어의 종류**
> • **성분 부사어:** 문장 속에서 특정한 성분을 수식함   예 그녀는 <u>정말</u> 아름답다.
> • **문장 부사어:** 문장 전체를 수식함   예 <u>과연</u> 그는 훌륭한 예술가답다.
> • **접속 부사어:** 문장이나 단어를 이어 줌   예 우리는 초등학교, 중학교 <u>그리고</u> 고등학교를 같이 다녔다.
>   ▶ **필수적 부사어: 특정 서술어가 필수적으로 요구하는 부사어**   예 그녀는 <u>이국적으로</u> 생겼다.

---

3. 독립 성분: 문장의 어느 성분과도 직접적인 관련이 없는 성분

   • 독립어: 감탄사, 호격 조사가 붙은 명사, 제시어, 문장 접속 부사 따위가 속하는 문장 성분

❷ 문장의 짜임

★ **홑문장**: 주어와 서술어의 관계가 한 번만 이루어진 문장	예 밖에 누가 왔다. (홑문장)
★ **겹문장**: 주어와 서술어의 관계가 두 번 이상 이루어진 문장	예 그는 돈만 아는 구두쇠이다. (겹문장) (관형사절)

1. 안은문장과 안긴문장

★ **안은문장**: 안긴문장을 포함하고 있는 문장	
★ **안긴문장**: 다른 문장 속에 들어가 하나의 성분처럼 쓰이는 문장 (안긴문장을 '절'이라고 함)	

명사절	– 명사형 어미 '-(으)ㅁ', '-기'가 붙어서 만들어짐 – 문장에서 주어, 목적어, 부사어 등 다양한 기능을 함	예 영화관에 도착해서야 빈 좌석이 없음을 알았다. 나는 그가 오기를 기다렸다.
관형사절	– 관형사형 어미 '-(으)ㄴ', '-는', '-(으)ㄹ', '-던'이 붙어서 만들어지며, 뒤에 오는 체언을 수식하는 기능을 함	예 그 사람이 그렇게 나이가 많은 줄은 몰랐다.
부사절	– 절 전체가 부사어의 기능을 하는 것으로, 서술어를 수식하는 기능을 함 – 부사형 어미 '-게, -도록, -아서/-어서' 등 또는 부사 파생 접미사 '-이'에 의해 만들어짐	예 밤이 새도록 이야기를 나눴다. 눈이 소리도 없이 내린다.
서술절	– 절 전체가 서술어의 기능을 하는 것으로 절 표지가 따로 없음	예 우리 집은 마당이 넓다.
인용절	– 다른 사람의 말을 인용한 것이 절의 형식으로 안기는 경우로, 주어진 문장에 인용의 부사격 조사 '고', '라고'가 붙어서 만들어짐	예 그는 "너를 좋아해."라고 말했다. 그는 나를 좋아한다고 말했다.

2. 이어진문장

★ **대등하게 이어진문장**: 앞 절과 뒤 절의 의미 관계가 대등하게 이어져 있는 문장 • 앞 절과 뒤 절의 의미 관계는 '나열, 대조, 선택' 등 다양함 　예 나는 사과를 좋아하고 영미는 딸기를 좋아한다. (나열) 　　그는 힘이 세지만 섬세하지 못하다. (대조) ★ **종속적으로 이어진문장**: 앞 절과 뒤 절의 의미가 독립적이지 못하고 종속적인 관계에 있는 문장 • 앞 절과 뒤 절의 의미 관계는 원인(이유), 조건, 가정, 목적(의도), 양보, 시간 관계 등 다양함 　예 영수는 운동을 열심히 해서 다이어트에 성공했다. (원인) 　　누구나 노력하면 성공할 수 있다. (조건이나 가정) 　　그녀는 시험에 합격하려고 치열하게 공부했다. (목적)

시험명	본책 PAGE	체크하기			시험명	본책 PAGE	체크하기		
02회차 **기본기 다지기 모의고사 04번**	P.019	O	△	X	15회차 **고난도 함정 모의고사 05번**	P.108	O	△	X
05회차 **기본기 다지기 모의고사 01번**	P.036	O	△	X	17회차 **고난도 함정 모의고사 01번**	P.122	O	△	X
05회차 **기본기 다지기 모의고사 02번**	P.036	O	△	X	18회차 **고난도 함정 모의고사 05번**	P.132	O	△	X
07회차 **실전 대비 모의고사 04번**	P.051	O	△	X	19회차 **최종 점검 모의고사 02번**	P.140	O	△	X
09회차 **실전 대비 모의고사 04번**	P.063	O	△	X	21회차 **최종 점검 모의고사 03번**	P.154	O	△	X
10회차 **실전 대비 모의고사 01번**	P.068	O	△	X	22회차 **최종 점검 모의고사 04번**	P.161	O	△	X
10회차 **실전 대비 모의고사 02번**	P.068	O	△	X	23회차 **최종 점검 모의고사 02번**	P.168	O	△	X
11회차 **실전 대비 모의고사 01번**	P.074	O	△	X	23회차 **최종 점검 모의고사 04번**	P.169	O	△	X
11회차 **실전 대비 모의고사 02번**	P.075	O	△	X	24회차 **최종 점검 모의고사 02번**	P.176	O	△	X
14회차 **고난도 함정 모의고사 01번**	P.098	O	△	X	24회차 **최종 점검 모의고사 04번**	P.177	O	△	X
14회차 **고난도 함정 모의고사 02번**	P.099	O	△	X					

O : 개념도 명확히 알고, 정답도 맞힌 경우   △ : 개념은 명확하게 모르지만, 정답은 맞힌 경우   X : 개념도 명확하게 모르고, 정답도 틀린 경우

02회차 기본기 다지기 모의고사 04번

04. 〈보기〉의 ㉠~㉣에 대한 탐구로 적절하지 **않은** 것은?

[3점]

〈보기〉

㉠ 늦게 귀가한 수호는 걱정이 아주 많았다.
㉡ 영희는 수업이 시작되기도 전에 교실에 도착했다.
㉢ 빛의 밝기가 조절되는 전구는 책을 오래 읽기에 편하다.
㉣ 내가 처음 방문한 도시는 생각보다 인구가 정말 많았다.

① ㉠~㉣은 모두 체언을 수식하는 안긴문장이 있다.

② ㉡과 ㉢은 부사어의 기능을 하는 안긴문장이 있다.

③ ㉢은 명사절 속에 부사어가 있고, ㉣은 서술절 속에 부사어가 있다.

④ ㉠은 주어가 생략된 안긴문장이 있고, ㉣은 목적어가 생략된 안긴문장이 있다.

⑤ ㉠은 부사어의 기능을 하는 안긴문장이 있고, ㉢은 관형어의 기능을 하는 안긴문장이 있다.

01. 다음은 문장의 종류에 대한 탐구 과정과 결론이다. ⓐ~ⓒ에 들어갈 말로 적절한 것은?

의문
　㉠'철수는 군인이 아니다.'와 ㉡'국어는 문법이 어렵다.'는 모두 같은 구성 방식의 문장일까?

탐구과정
1. 홑문장과 안은문장에 대해 조사하기
　: 홑문장은 주어와 서술어의 관계가 한 번 맺어진 문장이고, 안은문장은 하나의 홑문장이 더 큰 문장에 안겨 특정 문장 성분의 역할을 하는 것이다.
2. ㉠, ㉡에서 주어 찾기
　: 주어는 서술어가 의미하는 동작, 상태, 규정의 주체로서 '누가/무엇이'에 해당하는 말이다.
　2-1. ㉠에서 '철수는', '군인이' 모두 주어로 가정해 보자.
　(1) 철수는 아니다. (2) 군인이 아니다.
　2-2. ㉡에서도 '국어는', '문법이' 모두 주어로 가정해 보자.
　(3) 국어는 어렵다. (4) 문법이 어렵다.

결론
　2-1의 가정에 따르면 (1)은 철수는 '무엇이' 아닌지, (2)는 군인이 '무엇이' 아닌지를 보충해 주어야 한다. 즉, ㉠은 주어 외에 보충하는 성분이 하나 더 필요한 [　ⓐ　]이다. 하지만 2-2의 (3)과 (4)는 보충하는 성분 없이 문장이 된다. (3)은 국어 자체가 어렵다는 것으로 ㉡과 의미가 [　ⓑ　]. 따라서 ㉡에서 '어렵다'의 주어는 '문법이'이고, '문법이 어렵다'가 '국어는'의 [　ⓒ　] 역할을 하므로 ㉡은 안은문장이라 할 수 있다.

	ⓐ	ⓑ	ⓒ
①	홑문장	같다	주어
②	홑문장	다르다	서술어
③	홑문장	다르다	주어
④	안은문장	같다	서술어
⑤	안은문장	다르다	서술어

02. 〈보기〉의 ⓐ~ⓔ에 대한 이해로 적절한 것은?

〈보기〉
ⓐ 어머니, 혹시 선생님께 전화 드리셨어요?
ⓑ 아버지, 할머니께서 이것을 전해주셨어요.
ⓒ 타지에 고모가 살고 계십니다.
ⓓ 먼저 선생님께 말씀 드리고 싶습니다.
ⓔ 요즘 과장님은 이런저런 고민이 많으시다.

① ⓐ: 주어를 높이는 조사가 사용되었다.
② ⓑ: 객체를 높이는 어휘가 사용되었다.
③ ⓒ: 주체를 직접 높이는 어휘가 사용되었다.
④ ⓓ: 주체를 간접적으로 높이는 어휘가 사용되었다.
⑤ ⓔ: 주체를 직접 높이는 선어말 어미 '-시-'가 사용되었다.

04. 〈보기〉의 ㉠~㉤에 대한 탐구로 적절하지 <u>않은</u> 것은?

〈보기〉

서술어의 자릿수란 서술어가 필수적으로 요구하는 문장 성분의 개수를 의미한다. 서술어는 문장에서 사용되는 의미에 따라 필수적으로 요구하는 문장 성분이 달라지기도 한다.

㉠ ┌ 고양이가 쥐를 잡다.
　 └ 쥐가 고양이에게 잡히다.

㉡ ┌ 동생이 책을 읽다.
　 └ 엄마가 동생에게 책을 읽히다.

㉢ ┌ 햇살이 눈부시게 밝다.
　 └ 그는 세상 물정에 밝다.

㉣ ┌ 건강이 나빠져 일을 놓다.
　 └ 책상 위에 책 한 권을 놓다.

㉤ ┌ 기계가 제대로 돌다.
　 └ 그가 자전거로 모퉁이를 돌다.

① ㉠: '잡다'는 주어와 목적어를, '잡히다'는 주어와 부사어를 필수적으로 요구하는 두 자리 서술어이군.

② ㉡: '읽다'와 달리 '읽히다'는 주어와 목적어 외에도 부사어를 필수적으로 요구하는군.

③ ㉢: '밝다'는 주어만을 요구하는 한 자리 서술어와 주어와 부사어를 요구하는 두 자리 서술어로 쓰이는군.

④ ㉣: '놓다'는 주어와 목적어를 요구하는 두 자리 서술어와 주어와 목적어 외에도 부사어를 요구하는 세 자리 서술어로 쓰이는군.

⑤ ㉤: '돌다'는 주어와 부사어를 요구하는 두 자리 서술어와 주어와 부사어 외에도 목적어를 요구하는 세 자리 서술어로 쓰이는군.

---

04. 〈보기〉를 바탕으로 ㉠~㉤의 밑줄 친 부분에 대해 탐구한 내용으로 적절하지 <u>않은</u> 것은?

〈보기〉

다른 문장 속으로 들어가 하나의 성분처럼 쓰이는 문장을 안긴문장이라고 하며, 안긴문장을 포함한 문장을 안은문장이라고 한다. 안긴문장은 하나의 '절'이 되는데, 이는 크게 명사절, 관형절, 부사절, 서술절, 인용절의 다섯 가지로 나뉜다.

㉠ 오늘은 날씨가 정말 춥다.
㉡ 다시 공부를 시작하기 쉽지 않다.
㉢ 그는 얼굴에 흐르는 눈물을 닦았다.
㉣ 손님이 편히 지내도록 방을 깨끗이 정리했다.
㉤ 영미는 우리가 반드시 우승해야 한다고 생각했다.

① ㉠: 앞의 주어를 고려할 때 안은문장의 서술어 역할을 하는 서술절이다.

② ㉡: 주격 조사가 생략된 채 안은문장에서 주어 역할을 하는 명사절이다.

③ ㉢: 목적어가 생략된 채 안은문장에서 관형어의 역할을 하는 관형절이다.

④ ㉣: 부사형 어미 '-도록'이 결합하여 안은문장의 부사어 역할을 하는 부사절이다.

⑤ ㉤: 인용의 부사격 조사 '고'가 결합하여 주체의 생각을 옮기는 인용절이다.

10회차 실전 대비 모의고사 01번

→ 본책 P.068 지문 **참고하기**

01. 윗글을 바탕으로 〈보기〉의 ⓐ∼ⓔ를 탐구한 내용으로 적절한 것은?

〈보기〉

ⓐ 동생은 내가 입던 옷을 입는다.
ⓑ 그는 큰 책상에서 공부를 한다.
ⓒ 나는 대학생이 될 형에게 선물을 주었다.
ⓓ 아침부터 찾아오는 손님들로 가게가 붐볐다.
ⓔ 나는 이제야 그의 말이 옳았다는 생각이 들었다.

① ⓐ와 ⓑ에서 관형절을 안은문장의 시제는 현재이지만, 관형절의 시제는 모두 과거이군.

② ⓐ와 ⓓ에서 관형절의 꾸밈을 받는 체언은 관형절의 원래 문장에서는 목적어의 기능을 하겠군.

③ ⓑ와 ⓒ에서 관형절의 꾸밈을 받는 체언은 관형절의 원래 문장에서는 각각 주어와 부사어로 기능을 하겠군.

④ ⓑ와 ⓓ에서 두 관형절의 시제는 동일하지만, 어간의 품사가 달라서 서로 다른 형태의 어미가 사용되었군.

⑤ ⓓ와 ⓔ에서 관형절 속에 특정 문장 성분이 생략되었으므로, 관형절을 삭제해도 자연스러운 문장이 되겠군.

10회차 실전 대비 모의고사 02번

→ 본책 P.068 지문 **참고하기**

02. 윗글의 ⊙에 해당하는 예로 적절하지 **않은** 것은?

① 그는 미국으로 떠날 계획을 세웠다.

② 비가 올 경우에는 경기를 연기한다.

③ 나는 그와 결혼할 이유를 생각했다.

④ 광호는 수지와 만났던 기억이 떠올랐다.

⑤ 우리 반에 퍼진 소문은 어느새 사라졌다.

┌→ 본책 P.074 지문 참고하기

01. 윗글을 바탕으로 다음 문장에 대해 탐구하고자 할 때, 〈보기〉의 ㉠∼㉤을 이해한 내용으로 적절하지 <u>않은</u> 것은?

〈보기〉

㉠ 수지는 <u>참 얌전하게</u> 생겼다.
㉡ 명수는 <u>벌써</u> 대학생이 되었다.
㉢ <u>어제</u> 정부에서 조례를 발표했다.
㉣ 오늘 꽃밭에 <u>드디어</u> 꽃이 피었다.
㉤ 그녀는 <u>동수</u>를 <u>첫째</u> 사위로 삼았다.

① ㉠: '얌전하게'는 서술어가 필수적으로 요구하는 부사어이므로 문장에서 생략될 수 없지만, 부사어 '참'은 생략될 수 있다.

② ㉡: '대학생이'는 서술어가 필수적으로 요구하는 보어이므로 문장에서 생략될 수 없지만, 부사어 '벌써'는 생략될 수 있다.

③ ㉢: '정부에서'는 홑문장의 기본 구조를 이루는 문장 성분 중 하나인 주어이고, '어제'는 홑문장의 기본 구조에 덧붙은 부사어이다.

④ ㉣: '꽃밭에'는 홑문장의 기본 구조를 이루는 문장 성분 중 하나인 필수적 부사어이고, '드디어'는 생략 가능한 부사어이다.

⑤ ㉤: '동수를'은 홑문장의 기본 구조를 이루는 문장 성분 중 하나인 목적어이고, '첫째'는 홑문장의 기본 구조에 덧붙은 관형어이다.

11회차 실전 대비 모의고사 02번

→ 본책 P.074 지문 **참고하기**

02. 〈보기〉는 문장의 짜임을 이해하기 위한 탐구 과정이다. 윗글과 〈보기〉를 참고하여 (가), (나)에 들어갈 내용으로 적절한 것은?

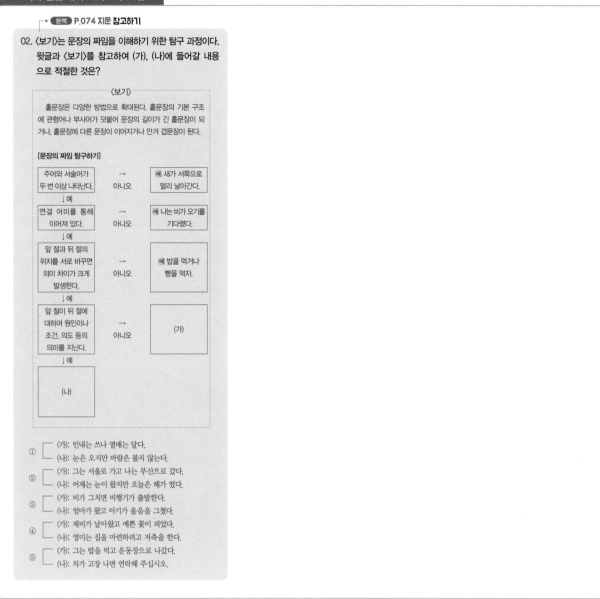

────〈보기〉────

홑문장은 다양한 방법으로 확대된다. 홑문장의 기본 구조에 관형어나 부사어가 덧붙어 문장의 길이가 긴 홑문장이 되거나, 홑문장에 다른 문장이 이어지거나 안겨 겹문장이 된다.

[문장의 짜임 탐구하기]

| 주어와 서술어가 두 번 이상 나타난다. | →아니오 | 예 새가 서쪽으로 멀리 날아간다. |

↓예

| 연결 어미를 통해 이어져 있다. | →아니오 | 예 나는 비가 오기를 기다렸다. |

↓예

| 앞 절과 뒤 절의 위치를 서로 바꾸면 의미 차이가 크게 발생한다. | →아니오 | 예 밥을 먹거나 빵을 먹자. |

↓예

| 앞 절이 뒤 절에 대하여 원인이나 조건, 의도 등의 의미를 지닌다. | →아니오 | (가) |

↓예

(나)

① ┌ (가): 인내는 쓰나 열매는 달다.
  └ (나): 눈은 오지만 바람은 불지 않는다.

② ┌ (가): 그는 서울로 가고 나는 부산으로 갔다.
  └ (나): 어제는 눈이 왔지만 오늘은 해가 떴다.

③ ┌ (가): 비가 그치면 비행기가 출발한다.
  └ (나): 엄마가 왔고 아기가 울음을 그쳤다.

④ ┌ (가): 제비가 날아왔고 예쁜 꽃이 피었다.
  └ (나): 영미는 집을 마련하려고 저축을 한다.

⑤ ┌ (가): 그는 밥을 먹고 운동장으로 나갔다.
  └ (나): 차가 고장 나면 연락해 주십시오.

→ **본책** P.098 지문 **참고하기**

01. 〈보기〉는 윗글을 바탕으로 진행된 학습 활동이다. ⓐ~ⓔ에 대한 이해로 적절하지 <u>않은</u> 것은? [3점]

〈보기〉

학 생: 보조사는 다양한 말 뒤에 결합할 수 있고, 여러 문장 성분의 자리에 쓰이면서 특별한 뜻을 더해 준다고 했는데, 어떤 뜻을 더해주는 건가요?

선생님: 보조사는 대조나 주제(화제), 제한이나 한정, 포함이나 더함, 선택, 범위의 시작과 끝 등 각각의 보조사가 가진 고유한 의미를 앞말에 더해 주는 기능을 합니다. 예를 들어 '도서관은 책을 읽는 장소이다.'에서 보조사 '은'은 주어의 자리에서 문장의 화제가 '도서관'이라는 것을 나타내기 위해 사용된 것입니다. 그럼 아래 문장에서 밑줄 친 부분의 보조사들도 자세히 살펴볼까요?

> ⓐ 인생<u>은</u> 짧고, 예술<u>은</u> 길다.
> ⓑ 나는 함께<u>든지</u> 혼자<u>든지</u> 잘 논다.
> ⓒ 세계 여행할 때 한국에<u>도</u> 꼭 놀러 와.
> ⓓ 운동을 열심히 하고<u>부터</u> 몸이 좋아졌다.
> ⓔ 하루 종일 잠<u>만</u> 잤더니 머리가 아팠다.

① ⓐ의 보조사 '은'은 체언 뒤에 결합하여 대조의 의미를 나타내면서 주어 자리에 쓰였군.

② ⓑ의 보조사 '든지'는 부사 뒤에 결합하여 선택의 의미를 나타내면서 부사어 자리에 쓰였군.

③ ⓒ의 보조사 '도'는 격 조사의 뒤에 결합하여 이미 어떤 것을 포함하고 그것에 더함의 의미를 나타내면서 부사어 자리에 쓰였군.

④ ⓓ의 보조사 '부터'는 연결 어미 뒤에 결합하여 어떤 일과 관련된 범위의 시작을 나타내면서 부사어 자리에 쓰였군.

⑤ ⓔ의 보조사 '만'은 체언에 결합하여 다른 것으로부터 제한하여 앞말의 의미로만 한정한다는 의미를 나타내면서 목적어 자리에 쓰였군.

→ **본책** P.098 지문 **참고하기**

02. [A]의 관점을 바탕으로 〈보기〉의 '자료'를 탐구한 내용
으로 적절하지 **않은** 것은?

〈보기〉

[탐구 목표]
국어 조사의 특징에 대해 이해한다.

[자료]

와/과「조사」
① 다른 것과 비교하거나 기준으로 삼는 대상임을 나타내는
  격 조사.
② 둘 이상의 사물을 같은 자격으로 이어 주는 접속 조사.

에서「조사」
①
  ① 앞말이 행동으로 이루어지고 있는 처소의 부사어임을
    나타내는 격 조사.
  ② 앞말이 출발점의 뜻을 갖는 부사어임을 나타내는 격
    조사.
② (단체를 나타내는 명사 뒤에 붙어) 앞말이 주어임을 나타
  내는 격 조사.

(가) 너 어제 식당에서 밥 먹었니?
(나) 나는 나의 길을 걸어갈 뿐이다.
(다) 수지도 국어 공부만 좋아한다.
(라) 첫째와 둘째는 아빠와 닮았다.
(마) 시청에서 개최한 마라톤 대회가 광장에서 열린다.

[탐구 내용]

[탐구 결과]
조사는 일반적인 단어와 달리 앞말과 붙여 쓰고, 문맥에 따라
비교적 쉽게 생략될 수 있으나, 조사가 지닌 고유한 의미를 나
타내기 위해서는 생략이 불가능하다. 또한 동일한 형태의 조
사라도 그 기능이 달리 사용되기도 한다.

① (가): 어휘적 의미가 강한 부사격 조사 '에서'와 달리, 주격 조사와
  목적격 조사는 생략되었다.

② (나): 체언 '나', '길', '뿐'이 앞말과 떼어 쓴 것과 달리, 조사 '는',
  '의', '을', '이다'는 앞 체언에 붙여 썼다.

③ (다): 보조사 '도'와 '만'은 각각이 지니고 있는 고유한 의미를
  나타내기 때문에, 생략되면 문장의 의미가 달라진다.

④ (라): '첫째와'와 '아빠와'의 '와'는 모두 비교하는 대상을 의미하는
  체언에 결합하였으므로, 부사격 조사에 해당한다.

⑤ (마): '시청에서'와 '광장에서'의 '에서'는 형태는 동일하지만, 각각
  주격 조사와 부사격 조사로 그 기능이 달리 사용되었다.

05. 〈보기〉를 바탕으로 부사어의 특성을 탐구한 내용으로 적절하지 <u>않은</u> 것은?

〈보기〉

ㄱ 우리 동네에 아주 큰 도서관이 생겼다.
ㄴ 동수는 매우 빨리 뛰어 집으로 갔다.
ㄷ 항상 수지에게 선물을 받기만 한다.
ㄹ 설마 그 사람을 여기에서 마주치겠어?
ㅁ 그에게는 그 사건이 중요한 문제였다.
　그 사건이 그에게는 중요한 문제였다.

① ㄱ을 보니 부사어는 서술어를 꾸며 주기도 하고, 관형어를 꾸며 주기도 하는군.

② ㄴ을 보니 부사어는 부사어를 꾸며 주기도 하고, 서술어를 꾸며 주기도 하는군.

③ ㄷ을 보니 부사어는 필수 성분을 꾸며 주는 부속 성분에 해당하므로 생략이 가능하군.

④ ㄹ을 보니 부사어는 문장 전체를 꾸미기도 하고, 특정 문장 성분을 꾸미기도 하는군.

⑤ ㅁ을 보니 부사어는 관형어에 비해 위치를 비교적 자유롭게 이동할 수 있군.

→ **본책** P.122 지문 **참고하기**

01. 윗글과 〈보기〉를 바탕으로 ⓐ~ⓔ에 대해 설명한 것으로 적절하지 <u>않은</u> 것은?

〈보기〉

품사는 공통된 성질을 가진 단어들끼리 갈래 지어 놓은 것을 의미한다. 이렇게 특정한 품사에 해당하는 단어가 문장에 쓰이면 일정한 문장 성분으로 기능하게 된다.

ⓐ어른 ⓑ다섯이 ⓒ갖은 수단을 동원하여 언덕 ⓓ아래로 ⓔ굴러가는 바위를 멈춰 세웠다.

① ⓐ의 품사는 체언에 해당하는 명사로, 문장에서는 뒤에 위치한 체언을 꾸며 주는 관형어로 기능하고 있다.

② ⓑ의 품사는 대상의 수량을 의미하는 수사로, 문장에서는 주격 조사의 도움을 받아 주어로 기능하고 있다.

③ ⓒ의 품사는 형태 변화가 가능한 형용사로, 문장에서는 관형사형 어미의 도움을 받아 관형어로 기능하고 있다.

④ ⓓ의 품사는 사람, 사물, 장소 등의 이름을 나타내는 명사로, 문장에서는 부사격 조사의 도움을 받아 부사어로 기능하고 있다.

⑤ ⓔ의 품사는 사람이나 사물 등의 움직임이나 작용을 나타내는 동사로, 문장에서는 관형사형 어미의 도움을 받아 관형어로 기능하고 있다.

18회차 고난도 함정 모의고사 05번

05. 〈보기 1〉을 바탕으로 〈보기 2〉를 탐구한 내용으로 적절하지 <u>않은</u> 것은?

〈보기 1〉

　문장은 '주어 – 서술어'의 관계가 몇 번 이루어지는가에 따라 홑문장과 겹문장으로 나뉜다. '홑문장'은 '주어 – 서술어'의 관계가 한 번만 이루어진 문장이고, '겹문장'은 '주어 – 서술어'의 관계가 두 번 이상 이루어진 문장을 말한다.

〈보기 2〉

ㄱ. 내가 바라본 푸른 바다는 하늘보다 넓었다.
ㄴ. 이 일의 성공 여부는 노력하기에 달렸다.
ㄷ. 아이는 해가 저물도록 밖에서 놀았다.
ㄹ. 그는 날씨가 참 덥다고 되뇌었다.
ㅁ. 우리 집은 딸이 아주 귀하다.

① ㄱ은 주어가 생략된 관형절이 안겨 있는 겹문장이다.

② ㄴ은 '주어 – 서술어'의 관계가 한 번만 이루어진 홑문장이다.

③ ㄷ에는 부사형 어미가 결합한 부사절이 안겨 있다.

④ ㄹ에는 부사격 조사가 결합한 인용절이 안겨 있다.

⑤ ㅁ의 '딸이 아주 귀하다'는 '우리 집은'과 '주어 – 서술어'의 관계를 이룬다.

19회차 최종 점검 모의고사 02번

02. ⓐ~ⓔ의 문장 성분과 문장 구조에 대한 설명으로 적절하지 <u>않은</u> 것은? [3점]

〈보기〉

ⓐ 영희가 동수와 만났음이 밝혀졌다.
ⓑ 광호는 동생이 어제 산 책을 읽었다.
ⓒ 나는 철호가 밥을 먹은 사실을 몰랐다.
ⓓ 아침에 사람들은 일터로 가기에 바쁘다.
ⓔ 농부는 나무가 잘 자라도록 거름을 주었다.

① ⓐ의 안긴문장 속에는 부사어가 있지만, ⓒ의 안긴문장 속에는 목적어가 있다.

② ⓐ의 안은문장에는 명사절이 안겨 있지만, ⓓ의 안은문장에는 부사절이 안겨 있다.

③ ⓑ의 안긴문장 속에는 생략된 문장 성분이 있지만, ⓒ의 안긴문장 속에는 생략된 문장 성분이 없다.

④ ⓒ의 안긴문장의 주어는 안은문장의 주어와 다르지만, ⓓ의 안긴문장의 주어는 안은문장의 주어와 같다.

⑤ ⓓ와 ⓔ의 안긴문장은 안은문장에서 모두 부사어로 쓰이고 있다.

03. 〈보기〉의 ⓐ～ⓔ에 대한 설명으로 적절한 것은?

〈보기〉

문장이나 절의 서술어로 사용되는 용언은 다양한 양상으로 나타난다. 우선 두 개의 용언으로 이루어진 구가 서술어가 되는 경우가 있다. 가령 '옷을 사 입다'에서는 개별 용언들이 각각 서술의 기능을 하므로, 이 문장의 서술어는 두 개가 된다. 그러나 뒤의 용언이 주어와 직접적으로 호응하지 않을 경우 두 용언이 하나의 서술어 역할을 하게 된다. 이때 뒤의 용언은 앞 용언의 뜻을 보충하는 역할을 한다. 한편 두 개의 용언이 새로운 단어를 형성하여 하나의 서술어를 이루는 경우도 있다.

ⓐ 철호는 이불 속으로 파고들었다.
ⓑ 누나가 동생에게 밥을 먹이고 있다.
ⓒ 영희는 마음이 무겁다고 하며 일어서고 있다.
ⓓ 산속에서 쉬지 않고 날아드는 벌레를 막지 못했다.
ⓔ 지호의 말을 들어 보니 그 바위가 신비롭게 보였다.

① ⓐ: 두 개의 용언으로 이루어진 구가 하나의 서술어 역할을 하고 있다.

② ⓑ: 두 용언 중 뒤의 용언은 앞 용언에 사동의 의미를 부여하는 보조적 역할을 하므로 이 문장의 서술어는 한 개다.

③ ⓒ: 앞 절과 뒤 절의 서술어는 모두 두 개의 용언이 하나의 서술어 역할을 하고 있다.

④ ⓓ: 안긴문장에서 서술어는 두 개의 용언이 하나의 서술어가 되는 형태와 두 개의 용언이 새로운 단어를 형성한 형태로 총 두 개이다.

⑤ ⓔ: 이어진문장에서 앞 절과 뒤 절의 서술어는 모두 두 개의 용언으로 이루어진 서술어로, 각각의 용언이 모두 서술어로 기능하고 있다.

04. 〈보기〉의 ⓐ~ⓔ에 대한 설명으로 적절하지 <u>않은</u> 것은?

〈보기〉

선생님 : 지금까지 이어진문장의 연결 어미에 대해 공부했지요? 그럼, 다음 〈자료〉에 사용된 연결 어미를 중심으로 다른 예시들을 찾아 비교해 보면서 설명해 봅시다.

〈자료〉

ⓐ 철희가 공부를 하러 도서관에 갔다.
ⓑ 공부를 하느라고 게임을 하지 못했다.
ⓒ 지호가 음악을 들으면서 공부를 한다.
ⓓ 운동을 하고자 학교 앞 체육관에 갔다.
ⓔ 민지는 밥을 먹으려고 인터넷을 검색했다.

*는 비문이라는 표시.

① ⓐ와 '*철희가 공부를 하러 영수가 도서관에 갔다.'를 비교해 보니, 연결 어미 '-러'가 결합한 이어진문장의 앞 절과 뒤 절의 주어는 동일해야 한다는 것을 알 수 있어요.

② ⓑ와 '*공부를 [했느라고/하겠느라고] 게임을 하지 못했다.'를 비교해 보니, 연결 어미 '-느라고'에는 시제 관련 선어말 어미를 결합할 수 없음을 알 수 있어요.

③ ⓒ와 '*지호가 음악을 들으면서 [공부하자./공부해라.]'를 비교해 보니 연결 어미 '-(으)면서'는 청유문이나 명령문과 어울릴 수 없음을 알 수 있어요.

④ ⓓ와 '*운동을 하고자 학교 앞 체육관에 가라.'를 비교해 보니, 연결 어미 '-고자'가 쓰인 이어진문장에서 뒤 절이 명령형 어미로 끝날 수 없음을 알 수 있어요.

⑤ ⓔ와 '*민지는 예쁘려고 인터넷을 검색했다.'를 비교해 보니, 연결 어미 '-(으)려고'는 형용사와 결합할 수 없음을 알 수 있어요.

02. 〈보기〉를 참고할 때, 〈조건〉을 모두 만족시키는 문장으로 적절하지 <u>않은</u> 것은?

─〈보기〉─

[학습 활동]
　문장은 주어-서술어 관계가 한 번만 이루어진 홑문장과 주어-서술어 관계가 두 번 이상 이루어진 겹문장으로 나눌 수 있다. 문장을 이루는 문장 성분은 주성분인 주어, 목적어, 보어, 서술어와 부속 성분인 관형어, 부사어, 독립 성분인 독립어로 구분된다. 그런데 이때 서술어에 따라서는 문장에서 필수적으로 요구하는 부사어가 존재하기도 한다. 그럼 아래의 〈조건〉을 모두 만족시키는 문장을 만들어 보자.

〈조건〉

- 홑문장일 것.
- 관형사를 사용할 것.
- 서술어가 필수적으로 요구하는 부사어를 포함할 것.

① 손자는 새 옷을 할머니께 드렸다.

② 할아버지께서 우리에게 옛 추억을 들려주셨다.

③ 우리 학교의 모든 1학년 학생들은 귀엽게 굴었다.

④ 한 사람은 외딴섬에서 바다에 제물을 바쳐야만 한다.

⑤ 저 민들레의 생김새는 씀바귀의 생김새와 비슷하다.

04. 다음은 '사전 활용하기' 학습 활동을 위한 자료이다. 이에 대해 탐구한 내용으로 적절하지 <u>않은</u> 것은?

─〈보기〉─

살다 ⑧
① 생명을 지니고 있다.
　¶ 우리 할아버지는 백 살까지 사셨다.
② 【…에】/【…에서】 어느 곳에 거주하거나 거처하다.
　¶ 선생님은 하루 종일 연구실에서 사신다.
③ 【…과】 어떤 사람과 결혼하여 함께 생활하다.
　¶ 그는 한평생 첫사랑과 살았다.
(단, 【…과】가 나타나지 않을 때는 여럿임을 뜻하는 말이 주어로 온다)

돌다 ⑧
① 물체가 일전한 축을 중심으로 원을 그리면서 움지이다.
　¶ 팽이가 오랫동안 잘도 돈다.
② 【…에】/【…에서】 어떤 기운이나 빛이 겉으로 나타나다.
　¶ 그 소식을 듣자 윤아의 얼굴에 생기가 돌았다.
③ 【…을】 무엇의 주위를 원을 그리면서 움직이다.
　¶ 달은 지구 주위를 돈다.

① '살다①'과 '돌다①'이 문장에서 필수적으로 요구하는 문장 성분은 주어 하나이겠군.

② '살다②'와 '돌다②'를 보니 서술어의 특성에 따라 부사어도 문장의 성립에 반드시 필요한 문장 성분이 될 수 있겠군.

③ '돌다'의 문형 정보를 보니, 두 자리 서술어로 쓰일 때 자동사 '돌다②'는 주어와 부사어를, 타동사 '돌다③'은 주어와 목적어를 필요로 하는군.

④ '살다②'와 '살다③'은 모두 두 자리 서술어지만, 주어 외에 필요로 하는 문장 성분에 결합하는 조사가 각각 부사격 조사와 접속 조사라는 점에서 차이가 있군.

⑤ '살다③'이 쓰인 문장에서 【…과】가 나타나지 않을 경우, '살다③'은 한 자리 서술어로 쓰이고, 용례로 '우리는 결혼해서 잘 살고 있다.'를 추가할 수 있겠군.

02. 〈보기〉의 '자료'를 탐구한 '탐구 내용'으로 적절하지 **않은** 것은?

─────〈보기〉─────

○ **탐구 과제**

　하나의 문장이 안긴문장으로 다른 문장에 안길 때, 원래 있던 문장 성분이 생략되는 경우도 있고, 같은 종류의 안긴문장이라도 안은문장에서 다른 문장 성분으로 쓰일 수 있다.

○ **자료**

　㉠ 시우가 영수와 만났음이 분명했다.

　㉡ 재영이는 형이 어제 산 책을 읽었다.

　㉢ 철호는 내가 어제 결석한 사실을 모른다.

　㉣ 수지는 어젯밤 목이 쉬게 소리를 질렀다.

　㉤ 나는 어려운 과제를 끝내고 집에 가기에 바쁘다.

① ㉠과 ㉡의 안긴문장의 종류는 다르지만, 각각의 안긴문장 속에는 모두 부사어가 있다.

② ㉠과 ㉤에서 종류가 같은 안긴문장은 각각 안은문장에서의 문장 성분이 다르다.

③ ㉡과 ㉢의 안긴문장은 안은문장에서의 문장 성분은 같지만, 안긴문장 속에 생략된 문장 성분이 있는지 여부에서 차이가 난다.

④ ㉣의 안긴문장은 안은문장의 서술어를 꾸며 주는 역할을 하는 부사어이다.

⑤ ㉤의 앞 절과 뒤 절에서 각각의 안긴문장의 주어는 안은문장의 주어와 다르다.

04. 〈보기〉의 ⓐ에 해당하는 예로 적절한 것은?

─────〈보기〉─────

　서술어의 자릿수란 서술어가 반드시 갖추어야 하는 문장 성분의 수를 의미한다. 그런데 ⓐ형태가 동일한 서술어가 쓰였더라도 그 서술어의 성격에 따라 서술어의 자릿수에는 변동이 없으나 문장에서 필요로 하는 문장 성분이 다르게 나타나는 경우가 있다.

① ┌ ㉠: 수호는 얼마 전 군대에 갔다.
　└ ㉡: 엄마의 옷에 주름이 갔다.

② ┌ ㉠: 오늘 아침은 햇살이 밝았다.
　└ ㉡: 민지는 세상 물정에 밝았다.

③ ┌ ㉠: 얼음이 녹아서 물이 되었다.
　└ ㉡: 낡은 옷이 새 가방으로 되었다.

④ ┌ ㉠: 자식은 부모에게 기쁨을 준다.
　└ ㉡: 그는 다른 사람에게 정을 잘 준다.

⑤ ┌ ㉠: 철수에게 동생이 생겼다.
　└ ㉡: 그녀는 이국적으로 생겼다.

문법노트
PLUS

PART

4

문법 요소

1 종결 표현

> * 국어의 문장은 일반적으로 종결 어미의 종류와 기능에 따라 ① 평서문, ② 의문문, ③ 명령문, ④ 청유문, ⑤ 감탄문으로 나뉨
> ① 평서문: 화자가 청자에게 특별히 요구하는 것 없이 하고 싶은 말을 단순하게 전달하는 문장
> ② 의문문: 화자가 청자에게 질문하여 대답을 요구하는 문장
>   • 종류: 설명 의문문, 판정 의문문, 수사 의문문
> ③ 명령문: 화자가 청자에게 어떤 행동을 하도록 요구하는 문장
> ④ 청유문: 화자가 청자에게 어떤 행동을 같이 할 것을 요청하는 문장
> ⑤ 감탄문: 화자가 독백 투로 혹은 청자를 의식하지 않은 상태에서 자신의 느낌을 표현하는 문장
> ※ 문장의 종결 표현과 문장의 기능이 일치하지 않는 경우도 있음
>   📵 (창가 쪽에 앉은 친구에게) 조금 덥지 <u>않니?</u>: 의문문이지만 창문을 열어 달라는 명령의 기능

2 높임 표현: 화자가 어떤 대상에 대해 높이거나 높이지 않는 태도를 나타내는 문법 요소

1. 주체 높임: 서술어가 나타내는 행위나 상태의 주체를 높이는 방법으로, 말하는 이보다 서술의 주체가 나이나 사회적 지위 등에서 상위자일 때 사용됨
   • 선어말 어미 '-(으)시-', 주격 조사 '께서', 접미사 '-님', 특수 어휘 '계시다, 잡수시다' 등을 통해 실현됨
2. 객체 높임: 목적어나 부사어가 지시하는 대상, 즉 서술의 객체를 높이는 방법
   • '드리다, 모시다' 등 몇몇 특수한 어휘나 부사격 조사 '께'에 의해 실현됨
3. 상대 높임: 화자가 청자에 대해 높임이나 낮춤의 태도를 나타내는 방법

구분		평서문	의문문	명령문	청유문	감탄문
격식체	하십시오체	-ㅂ니다	-ㅂ니까?	-ㅂ시오	(-지요)	-
	하오체	-오	-오?	-오/-구려	-ㅂ시다	-구려
	하게체	-네/-세	-는가?/-나?	-게	-세	-구먼
	해라체	-다	-냐?/-니?	-거라/-렴	-자	-구나
비격식체	해요체	요	요?	요	요	-ㄴ군요
	해체	-어/-지	-어?/-지?	-어/-지	-어/-지	-는군

3 부정 표현: 부정의 의미를 나타내는 문법 요소

구분	짧은 부정문: 부정 부사 '안, 못'		긴 부정문: 부정 용언 '아니하다, 못하다', '말다'	
평서문/의문문/감탄문	📵 문을 <u>안</u> 잠그다.	단순 부정, 의지 부정	📵 문을 잠그지 아니하다(않다).	단순 부정, 의지 부정
	📵 문을 <u>못</u> 잠그다.	능력 부정, 타의 부정	📵 문을 잠그지 못하다.	능력 부정, 타의 부정
명령문	-	-	📵 문을 잠그지 <u>마라(마)</u>.	금지
청유문	-	-	📵 문을 잠그지 말자.	금지

4 시간 표현: 과거, 현재, 미래, 진행, 완료 등을 나타내는 문법 요소

과거 시제	• 사건시가 발화시보다 앞서 있는 시제 • 선어말 어미 '-았-/-었-', '-았었-/-었었-', '-더-', 관형사형 어미 '-(으)ㄴ', '-던' • 시간 부사어: 어제, 옛날, 작년, 그제 등
현재 시제	• 발화시와 사건시가 일치하는 시제 • 선어말 어미 '-는-/-ㄴ-', 관형사형 어미 '-는', '-(으)ㄴ' • 시간 부사어: 오늘, 지금, 현재, 이제 등
미래 시제	• 사건시가 발화시보다 나중인 시제 • 선어말 어미 '-겠-', '-(으)리-', 관형사형 어미 '-(으)ㄹ' • 시간 부사어: 내일, 장차, 앞으로 등

5 피동 표현: 주어가 다른 주체에 의해서 동작을 당하게 되는 것을 나타내는 문법 요소

파생적 피동	타동사 어근 + '-이-, -히-, -리-, -기-'	예 깎이다, 먹히다, 팔리다, 안기다
	체언 + '-되다'	예 출간되다
통사적 피동	용언 어간 + '-아/-어지다, '-게 되다'	예 멀어지다, 먹게 되다

6 사동 표현: 주어가 남에게 동작을 하도록 시키는 것을 나타내는 문법 요소

파생적 사동	용언의 어근 + '-이-, -히-, -리-, -기-, -우-, -구-, -추-'	예 속이다, 굽히다, 울리다, 맡기다, 지우다, 솟구다, 낮추다
	체언 + '-시키다'	예 정지시키다
통사적 사동	용언 어간 + '-게 하다'	예 입게 하다

시험명	본책 PAGE	체크하기		
01회차 **기본기 다지기 모의고사** 04번	P.013	O	△	X
03회차 **기본기 다지기 모의고사** 03번	P.025	O	△	X
03회차 **기본기 다지기 모의고사** 04번	P.025	O	△	X
04회차 **기본기 다지기 모의고사** 05번	P.031	O	△	X
06회차 **기본기 다지기 모의고사** 04번	P.043	O	△	X
08회차 **실전 대비 모의고사** 04번	P.057	O	△	X
12회차 **실전 대비 모의고사** 01번	P.082	O	△	X
12회차 **실전 대비 모의고사** 03번	P.083	O	△	X
12회차 **실전 대비 모의고사** 04번	P.083	O	△	X

시험명	본책 PAGE	체크하기		
14회차 **고난도 함정 모의고사** 04번	P.099	O	△	X
15회차 **고난도 함정 모의고사** 03번	P.107	O	△	X
16회차 **고난도 함정 모의고사** 02번	P.115	O	△	X
18회차 **고난도 함정 모의고사** 01번	P.130	O	△	X
20회차 **최종 점검 모의고사** 04번	P.147	O	△	X
21회차 **최종 점검 모의고사** 04번	P.155	O	△	X
23회차 **최종 점검 모의고사** 03번	P.169	O	△	X
24회차 **최종 점검 모의고사** 03번	P.177	O	△	X

O : 개념도 명확히 알고, 정답도 맞힌 경우   △ : 개념은 명확하게 모르지만, 정답은 맞힌 경우   X : 개념도 명확하게 모르고, 정답도 틀린 경우

01회차 기본기 다지기 모의고사 04번

04. 밑줄 친 말에 주목하여 〈보기〉의 ⓐ～ⓔ에 대해 탐구한 내용으로 적절하지 **않은** 것은?

〈보기〉

ⓐ 수박이 참 잘 익었다.
ⓑ 작년에는 꽃이 가득 피었었다.
ⓒ 민수는 벌써 저녁을 다 먹었겠지?
ⓓ 수호는 지금 빵을 먹는다. / 수호는 내일 여행을 떠난다.
ⓔ 그는 슬픈 얼굴을 하고 있다. / 기차를 타는 그가 보였다.

① ⓐ를 보니, 선어말 어미 '-았-/-었-'은 과거에 일어난 사건의 결과가 현재까지 지속되고 있을 때에도 쓰일 수 있군.

② ⓑ를 보니, 선어말 어미 '-았-/-었-'이 중복된 '-았었-/-었었-'은 과거에 완료된 사건이 현재까지 지속되지 않을 때 쓰이는군.

③ ⓒ를 보니, 선어말 어미 '-겠-'과 함께 쓰인 '-었-'은 가까운 미래에 나타날 상황을 추측할 때에도 쓰일 수 있군.

④ ⓓ를 보니, 현재 시제를 나타내는 선어말 어미 '-는-/-ㄴ-'은 미래의 사건을 나타낼 때에도 쓰일 수 있군.

⑤ ⓔ를 보니, 현재 시제를 나타내는 관형사형 어미 '-는/-ㄴ'은 어간이 형용사이면 '-ㄴ'이, 어간이 동사이면 '-는'이 쓰이는군.

03회차 기본기 다지기 모의고사 03번

→ 본책 P.024 지문 참고하기

03. [A]를 참고하여 〈보기〉를 설명한 내용으로 적절하지 않은 것은?

<보기>

(가) 그의 행동은 교육자답지 않다./못하다.

*그의 행동은 안/못 교육자답다.

(나) 철수는 그것을 깨닫지 못했다.

*철수는 그 사실을 깨닫지 않는다.

(다) 영희는 학교에 안 가려고 한다.

*영희는 학교에 못 가려고 한다.

(라) 우리 오늘은 도서관에 가지 말자.

*우리 오늘은 도서관에 가지 않자./못하자.

(마) 아직은 나의 음식 솜씨가 좋지 못하다.

*아직은 나의 음식 솜씨가 못 좋다.

*는 비문이라는 표시.

① (가): 서술어 '교육자답다'는 긴 부정문만 허용하고, 짧은 부정문은 허용하지 않는다.

② (나): 서술어 '깨닫다'는 '못' 부정문만 허용하고, '안' 부정문은 허용하지 않는다.

③ (다): 연결 어미 '-려고'는 '안' 부정문은 허용하고, '못' 부정문은 허용하지 않는다.

④ (라): 청유형 어미 '-자'는 '말다' 부정문만 허용하고, '안' 부정문과 '못' 부정문은 허용하지 않는다.

⑤ (마): 서술어 '좋다'는 '못' 부정문의 긴 부정문만 허용하고, '안' 부정문과 짧은 부정문은 허용하지 않는다.

03회차 기본기 다지기 모의고사 04번

→ 본책 P.024 지문 참고하기

04. 윗글을 바탕으로 추론한 내용 중 적절하지 않은 것은? [3점]

① '그는 오늘 학교에 가지 못했다.'에서 '못하다'는 보조 용언에 해당하겠군.

② '다행히 어제 비가 오지 않았다.'에서 '다행히'는 부정의 대상에 해당되지 않겠군.

③ '영수가 오늘 영화를 보지 않았다.'에서 목적격 조사 '를'을 보조사 '는'으로 바꾸면 부정문의 중의성이 사라지겠군.

④ 중세 국어의 '-디 몯ᄒ다'에서 '-디'는 현대 국어의 보조적 연결 어미 '-지'에 대응되겠군.

⑤ 중세 국어의 '브ᄅ매 아니 뮐씨(바람에 아니 흔들리므로)'에서 '아니'는 명사로 사용된 것이겠군.

05. 〈보기 1〉을 바탕으로 〈보기 2〉의 ㉠~㉤을 탐구한 내용으로 적절하지 <u>않은</u> 것은?

──────〈보기 1〉──────

피동 표현은 주어가 남에 의해 동작을 당하게 되는 것을 나타내는 표현이다. 피동은 피동 접미사 '-이-, -히-, -리-, -기-'가 결합된 단형 피동과 '-어지다'가 결합된 장형 피동이 있다. 피동이 사용된 문장을 피동문이라고 하는데, 능동문을 피동문으로 바꾸면 일반적으로 타동사가 자동사로 바뀌고, 능동문에서의 문장 성분이 피동문에서는 다른 문장 성분으로 바뀌게 된다. 또한 능동문에서 중의적으로 해석되는 문장이 피동문에서는 중의성을 가지지 않게 되기도 한다. 그리고 피동문 중에는 대응되는 능동문이 없는 경우도 있다.

──────〈보기 2〉──────

㉠ 사냥꾼이 범을 잡았다.
　→ 범이 사냥꾼에게 잡혔다.
㉡ 목수가 가구를 만들었다.
　→ 가구가 목수에 의해 만들어졌다.
㉢ 세희는 아름다운 저녁노을을 보았다.
　→ 아름다운 저녁노을이 세희에게 보였다.
㉣ 포수 세 명이 토끼 한 마리를 잡았다.
　→ 토끼 한 마리가 포수 세 명에게 잡혔다.
㉤ 포수가 방아쇠를 당겼다.
　→ 방아쇠가 당겨졌다.

① ㉠은 능동문이 피동문으로 바뀌면서 서술어가 타동사에서 자동사로 바뀌었다.

② ㉡의 능동문은 피동 접미사가 아닌 '-어지다'를 사용한 장형 피동으로 바뀌었다.

③ ㉢은 능동문이 피동문으로 바뀌면서 주어는 부사어로, 목적어는 주어로 각 문장 성분이 바뀌었다.

④ ㉣은 능동문이 중의적으로 해석되는데, 피동문으로 바뀌면서 중의성이 사라졌다.

⑤ ㉤은 대응되는 능동문이 없기 때문에 피동문으로만 쓰이는 경우로, 각각 피동 접미사 '-기-'와 '-어지다'가 결합한 피동문이다.

04. 〈보기〉의 ㉠~㉤에 대한 설명으로 옳은 것은? [3점]

〈보기〉

국어의 높임법은 듣는 이를 높이거나 낮추어 말하는 상대 높임법과 서술의 주체를 높이는 주체 높임법, 서술의 객체 즉, 목적어나 부사어를 높이는 객체 높임법이 있다. 높임법은 종결 어미, 선어말 어미, 조사, 특수 어휘 등을 통해 실현된다.

㉠ 집에만 <u>계시던</u> 할아버지께서 밖으로 <u>나오셨다</u>.
㉡ 불편한 점을 <u>여쭈어</u> 보며 정성껏 <u>모시겠습니다</u>.
㉢ <u>선생님께서</u> 이 편지를 <u>아버지께</u> 드리라고 하셨어요.
㉣ 할머니께서는 피곤하신지 손님이 가자마자 <u>주무신다</u>.
㉤ 아버지는 다리를 <u>다치신</u> 할머니를 뵙고 눈물을 흘리셨다.

① ㉠의 '계시던'과 '나오셨다'에서 선어말 어미를 활용하여 주체 높임을 표현하였다.

② ㉡의 '여쭈어'와 '모시겠습니다'에서 특수 어휘를 활용하여 상대 높임을 표현하였다.

③ ㉢의 '선생님께서'와 '아버지께'에서 조사를 활용하여 객체 높임을 표현하였다.

④ ㉣의 '피곤하신지'와 '주무신다'에서 종결 어미를 활용하여 상대 높임을 표현하였다.

⑤ ㉤의 '다치신'과 '흘리셨다'에서 선어말 어미를 활용하여 주체 높임을 표현하였다.

04. 〈보기〉는 '사전 활용하기' 학습 활동을 위한 자료이다. 이에 대한 이해로 옳지 <u>않은</u> 것은?

〈보기〉

피동문은 다른 주체에 의해 동작이 이루어지거나 영향을 받는 문장을 말하고, 사동문은 주어가 다른 대상을 동작하게 하거나 특정한 상태에 이르도록 하는 문장을 말한다.

안-기다¹ 동 '안다'①의 피동사.
¶ 동생이 어머니에게 안겼다.

안-기다² 동 '안다'①의 사동사.
¶ 할머니가 어머니에게 아기를 안기다.

① '안-기다¹'이 쓰인 문장의 주어는 다른 주체에 의해 동작이 이루어지겠군.

② '안-기다¹'이 쓰인 문장의 부사어는 '안다'①이 쓰인 문장에서 주어로 나타나겠군.

③ '안-기다²'가 쓰인 문장의 주어는 다른 대상에게 어떤 동작을 하도록 하겠군.

④ '안-기다²'가 쓰인 문장의 목적어는 '안다'①에서 부사어로 나타나겠군.

⑤ '안-기다¹'과 '안-기다²'에 쓰인 접미사 '-기-'는 형태는 동일하지만 기능이 각기 다르겠군.

→ **본책** P.082 지문 **참고하기**

01. 윗글을 바탕으로 할 때, 〈보기〉의 ㉠에 해당하는 예로
적절한 것은?

〈보기〉

학 생: 선생님, 명령문과 청유문은 서술어가 동사인 경우에만
가능하다고 했는데, 형용사 '예쁘다'에 '-어지다'가 결합된
'예뻐지다'는 '건강한 음식을 먹고 예뻐져라./예뻐지자.'
처럼 쓸 수 있지 않나요?
선생님: 네 맞아요. '예뻐지다'는 '-어지다'가 결합된 피동 표현
인데, ㉠형용사의 어간에 '-어지다'가 결합되면, 동사의
특성을 갖게 되기 때문에 동사와 같이 활용하게 됩니다.

① 진심을 다해 노력하면 꿈은 <u>이루어진다</u>.
② 책상이 <u>만들어지는</u> 과정을 생생하게 보여준다.
③ 오늘 공부 모임 약속 시간이 한 시간 <u>늦춰졌다</u>.
④ 영화관에서 보니 영화의 감동이 잘 <u>느껴졌다</u>.
⑤ 아침에 10분 일찍 일어나는 습관을 들여 <u>부지런해지자</u>.

03. 〈보기〉의 ⓐ~ⓔ를 탐구한 내용으로 적절하지 <u>않은</u>
것은?

〈보기〉

ⓐ 작년 겨울에는 정말 춥더라.
ⓑ 나는 예전에 그 집에 살았었다.
ⓒ 너는 이제 집에 돌아오면 혼났다.
ⓓ 작년에 읽은 책이 제법 여러 권이다.
ⓔ 토지 개발로 아름답던 자연이 훼손되었다.

① ⓐ: '-더-'는 화자가 직접 경험한 과거 어느 때의 일을 회상할
때 사용할 수 있겠군.
② ⓑ: '-았었-'은 과거와 현재의 상황 변화를 함축하며 과거 시제를
나타낼 때 사용할 수 있겠군.
③ ⓒ: '-았-'은 과거 시제가 아니라 앞으로의 일을 확정적인 사실로
표현할 때 사용할 수 있겠군.
④ ⓓ: '-(으)ㄴ'은 동사의 어간에 결합할 때에만 관형절의 시제가
과거임을 나타낼 수 있겠군.
⑤ ⓔ: '-던'은 형용사의 어간에 결합할 때에만 관형절의 시제가
과거임을 나타낼 수 있겠군.

04. 〈보기〉의 ⓐ∼ⓔ에 대한 설명으로 적절하지 <u>않은</u> 것은?

〈보기〉

사동문은 문장의 주어(사동주)가 다른 참여자(피사동주) 에게 어떤 행위를 하게 하거나 일으키도록 하는 것을 나타낸 문장이다. 이와 달리 주동문은 문장의 주체가 스스로 행동함 을 나타내는 문장인데, 사동문 중에는 대응되는 주동문이 존재 하지 않는 경우도 있다.

ⓐ 주민들이 도로를 넓혔다.
ⓑ 아기의 재롱이 웃음꽃을 피웠다.
ⓒ 선생님이 학생들에게 책을 읽혔다.
ⓓ 그의 시시껄렁한 농담이 나를 웃겼다.
ⓔ 그 무례한 행동이 나의 화를 돋우었다.

① ⓐ: 형용사 '넓다'의 어근에 사동 접미사가 결합하여 동사로 바뀌었다.

② ⓑ: 주동문으로 바뀌면 사동문의 타동사 '피웠다'는 자동사로 바뀐다.

③ ⓒ: 주동문으로 바뀌더라도 사동문의 목적어는 그대로 목적어가 된다.

④ ⓓ: 사동문의 주어가 무정 명사이므로, 이에 대응하는 주동문은 존재하지 않는다.

⑤ ⓔ: 동사의 어근 '돋−'에 사동 접미사 '−우−'가 결합하여 사동 사로 바뀌었다.

04. 〈보기〉의 ㉠∼㉣에 대한 설명으로 적절하지 <u>않은</u> 것은?

〈보기〉

높임법은 문장과 발화 상황에 등장하는 인물 사이의 나이 나 지위 등의 높고 낮은 정도에 의해 결정된다. 이러한 높임법 은 같은 청자라도 격식적인 상황과 비격식적인 상황에 따라 다르게 표현하는 것이 일반적이며, 선어말 어미나 종결 어미, 조사, 높임의 특수 어휘 등을 통해 표현된다.

㉠ 엄마, 아버지께서 할아버지께 이 편지를 갖다 드리라고 하셨어요.
㉡ 철수야, 광호가 지수에게 이 편지를 주라고 했어.
㉢ (학급 회의에서) 다음은 철수 학생이 의견을 말씀해 주십시오.
㉣ (쉬는 시간에) 철수야, 선생님께 너의 의견을 말씀드려 봐.

① ㉠은 청자가 화자보다 높지만, ㉡은 청자가 화자보다 높지 않다.

② ㉠은 부사어가 주어보다 높지만, ㉡은 부사어가 주어보다 높지 않다.

③ ㉠과 ㉣은 부사어를 높이는 특수 어휘를 사용하여 높임을 나타 냈다.

④ ㉠과 ㉣은 부사어가 화자보다 높으며, 조사를 사용하여 객체 높임을 나타냈다.

⑤ ㉢과 ㉣은 격식적인 상황과 비격식적인 상황에 따라 종결 어미를 다르게 사용하였다.

03. 〈보기〉의 ㉠~㉢에 해당하는 문장으로 적절한 것은?

〈보기〉

부정문은 크게 '안' 부정문과 '못' 부정문으로 나뉜다. '안' 부정문은 '안, 아니하다' 등을 사용하여 ㉠행동 주체의 의지가 작용할 수 있는 행위를 부정하거나, ㉡단순히 어떤 사실이나 상태를 부정할 때 쓰인다. 한편 '못' 부정문은 '못, 못하다' 등을 사용하여 ㉢행동 주체의 능력이나 외부의 원인으로 그 행위가 일어나지 못함을 나타낸다. 또한 형용사의 어간에 '-지 못하다'가 결합하면 말하는 이의 기대에 이르지 못함을 나타낸다.

	㉠	㉡	㉢
①	다시는 늦지 않으리라 다짐했다.	오늘은 하늘이 어둡지 않다.	지호는 학교에 가지 못했다.
②	비는 여전히 오지 않았다.	철수는 키가 작지 않다.	나는 밥을 못 먹었다.
③	광호는 입맛이 없어 식사를 안 했다.	슬퍼하지 않으려고 눈물을 참았다.	나는 커피를 마셔서 잠을 자지 못했다.
④	정화는 키가 크지 않다.	화가 나서 아무것도 먹지 않았다.	아직 목표를 달성하지 못했다.
⑤	나는 커피를 마시며 잠을 자지 않았다.	오늘은 비가 안 온다.	수나는 똑똑하지 못하다.

→ **본책** P.114 지문 **참고하기**

02. 〈보기〉는 윗글을 바탕으로 진행된 학습 활동이다. [A]에 들어갈 예시로 적절한 것은? [3점]

〈보기〉

학 생: 선생님 '있다'의 주체 높임 표현은 '있으시다'와 '계시다'가 있는데, 각각 어떻게 사용해야 하나요?

선생님: 주체를 직접 높일 때에는 특수 어휘인 '계시다'를 사용하고, 주체의 신체 일부분이나 소유물, 가족 등을 간접적으로 높일 때에는 선어말 어미 '-시-'를 결합한 '있으시다'를 사용합니다. '없다'도 직접 높임에서는 '안 계시다'를, 간접 높임에서는 '없으시다'를 사용하지요. 그럼 '있다'나 '없다'의 높임 표현 1개를 사용하여 아래의 조건에 맞는 문장을 만들어 볼까요?

〈조건〉
◦ 간접 높임을 포함할 것.
◦ 주체를 높이는 특수 어휘를 포함할 것.

학 생: '_____[A]_____' 입니다.

① 이번 방학 때 외국에 계신 고모를 뵙고 왔다.

② 비가 많이 오는데, 선생님 혹시 우산 있으세요?

③ 손이 크신 선생님께서는 귀여운 아드님이 있으시다.

④ TV 앞에만 계신 할머니께서는 아직도 귀가 밝으시다.

⑤ 돈이 많으신 우리 할아버지께서는 신용 카드가 없으세요.

18회차 고난도 함정 모의고사 01번

→ **본책** P.130 지문 **참고하기**

01. 윗글을 바탕으로 〈보기〉의 ㉠~㉤을 탐구한 내용으로
적절하지 <u>않은</u> 것은? [3점]

〈보기〉

㉠ 마을 사람들이 길을 넓혔다.
㉡ 등교 시간을 1시간 늦추었다.
㉢ 누나가 동생에게 밥을 먹였다.
㉣ 그는 침대 위에 가방을 던졌다.
㉤ 어머니가 아이에게 젖을 물렸다.

① ㉠의 '넓혔다'는 두 자리 서술어인 타동사이지만, 사동 접미사를
제거하면 한 자리 서술어인 자동사가 된다.

② ㉡의 '시간을'은 목적어이지만, 사동 접미사를 제거한 형용사가
서술어로 쓰이면 주어로 나타날 것이다.

③ ㉢의 '먹였다'를 어근에 '-게 하다'가 결합된 구성으로 바꾸면,
간접 사동의 의미로만 해석될 것이다.

④ ㉣의 '던졌다'는 어근이 'ㅣ'로 끝나므로, 사동문을 만들 때 사동
접미사를 활용할 수 없다.

⑤ ㉤의 '젖을'은 사동문에서 목적어로 쓰이는데, 이에 대응하는
주동문에서도 그대로 목적어로 나타날 것이다.

20회차 최종 점검 모의고사 04번

04. 〈보기 1〉을 바탕으로 〈보기 2〉의 ⓐ~ⓔ를 탐구한
내용으로 적절하지 <u>않은</u> 것은?

〈보기 1〉

부정문은 부정 부사 '안'이나 '못'을 활용한 짧은 부정문과
'-지 않다, -지 못하다, -지 말다' 등을 활용한 긴 부정문으로
나뉜다. 이때 '못' 부정문은 서술어가 형용사인 경우 잘 성립
되지 않으나, 기대나 기준에 이르지 못함을 나타낼 때 긴 부정
문을 활용하여 표현할 수 있다. 일부 특수한 어휘는 '-지 못하
다'만을 활용하여 부정 표현을 나타내며, 명령문이나 청유문은
'-지 말다'만을 활용하여 부정 표현을 나타낼 수 있다. 또한 부
정문은 어떤 문장 성분을 부정하는가에 따라 의미의 해석이
달라지기도 한다.

〈보기 2〉

ⓐ 제발 나를 떠나지 마라.
ⓑ 철수가 자꾸 밥을 안 먹는다.
ⓒ 수지는 그 사실을 알지 못했다.
ⓓ 학교에 학생들이 다 오지 않았다.
ⓔ 우리집은 가정 형편이 좋지 못하다.

① ⓐ와 같은 문장 유형에서는 부정 부사를 활용하여 부정을 표현할
수 없겠군.

② ⓑ는 주어의 의지가 작용한 부정을 표현한 것으로, 부정 부사
'안'을 활용한 짧은 부정문이군.

③ ⓒ는 '-지 못하다'를 활용한 긴 부정문으로, 부정 부사를 활용
하면 짧은 부정을 나타낼 수 있겠군.

④ ⓓ는 전체를 부정하는 의미와 일부를 부정하는 의미의 두 가지로
해석될 수 있어 중의성이 나타나는군.

⑤ ⓔ는 '좋지 못하다' 대신에 기대나 기준에 이르지 못함을 의미
하는 '넉넉하지 못하다'를 넣을 수 있겠군.

04. 〈보기〉의 설명을 바탕으로 탐구 활동을 한다고 할 때, ⓐ~ⓔ를 탐구한 내용으로 적절하지 <u>않은</u> 것은?

〈보기〉

○ **탐구 활동**

　사동문은 주어가 다른 대상으로 하여금 어떤 동작을 하게 하거나 특정한 상태에 이르도록 하는 문장으로, 어근에 사동 접미사가 결합한 사동사에 의해 만들어진 파생적 사동과, 어간에 '-게 하다'가 결합한 구성에 의해 만들어진 통사적 사동이 있다. 이때 사동사와 '-게 하다'의 구성이 모두 쓰인 이중 사동 표현이 나타나기도 하는데, 이 경우에는 사동의 의미가 두 번 나타나게 된다. 한편 사동사가 관용구의 구성 요소로 쓰인 경우나 서술의 대상이 무정 체언이나 추상 명사일 경우 그에 대응하는 주동문을 만들기 어렵다. 또한 일부 용언들은 사동사의 형태와 동일하더라도 사동의 의미로 해석할 수 없는 경우도 있으며, 어근에 사동 접미사가 결합할 수 없는 경우도 있다. 다음의 자료를 통해 사동 표현을 탐구해 보자.

○ **자료**

ⓐ ┌ 선생님이 아이들을 운동장에서 <u>놀렸다</u>.
　 └ 철수는 동생을 오줌싸개라고 <u>놀렸다</u>.

ⓑ ┌ 아이들이 종이비행기를 <u>날렸다</u>.
　 └ 오늘도 손님이 없어 파리를 <u>날렸다</u>.

ⓒ ┌ 나무꾼은 토끼를 바위 뒤에 <u>숨겼다</u>.
　 └ 어머니는 우리에게 그 사실을 <u>숨겼다</u>.

ⓓ ┌ 엄마가 회초리로 아들의 종아리를 <u>때렸다</u>.
　 └ 엄마가 아들에게 자신의 어깨를 <u>때리게 했다</u>.

ⓔ ┌ 마을 사람들이 홍수를 대비하여 담을 <u>높였다</u>.
　 └ 이장은 마을 사람들에게 담을 <u>높이게 했다</u>.

① ⓐ를 보니, '놀리다'는 사동사로 쓰이기도 하고, 사동의 의미가 아닌 경우로 쓰이기도 하는군.

② ⓑ를 보니, 관용 표현의 구성 요소로 쓰인 '날리다'가 쓰인 문장을 주동문으로 바꾸면 관용 표현의 의미가 사라지는군.

③ ⓒ를 보니, '숨기다'가 쓰인 문장을 주동문으로 바꿀 때, 주동문의 주어가 무정 체언이면 어색한 문장이 되는군.

④ ⓑ와 ⓓ를 비교해 보니, 관용 표현의 구성 요소로 쓰인 '날리다'는 통사적 사동을 만들 수 없는 반면, '때리다'는 파생적 사동을 만들 수 없군.

⑤ ⓓ와 ⓔ를 비교해 보니, '때리게 하다'와 '높이게 하다'는 사동의 의미가 두 번 드러난다는 점에서 이중 사동 표현이겠군.

23회차 최종 점검 모의고사 03번

03. 〈보기〉의 '자료'를 탐구한 '탐구 내용'으로 적절하지 **않은** 것은?

〈보기〉

주체 높임은 주로 선어말 어미 '-(으)시-'를 통해 실현하거나 주격 조사 '께서', 접미사 '-님' 또는 '계시다. 주무시다. 잡수다, 잡수시다' 등과 같은 특수 어휘를 활용한다. 한편 주체 높임에는 주체를 직접 높이지 않고, 주체와 밀접한 대상을 높이는 간접 높임도 있다. 간접 높임의 서술어는 특수 어휘를 사용하지 않고 선어말 어미 '-(으)시-'를 활용한다. 이로 인해 '있다'의 높임 표현인 '있으시다'는 높임의 대상이 유정 명사일 때뿐만 아니라 무정 명사일 때에도 사용되지만, '계시다'는 높임의 대상이 유정 명사일 때에만 사용된다.

[자료]
㉠ 부모님께서는 고생을 참 많이 하셨다.
㉡ 교장 선생님의 말씀이 있으시겠습니다.
㉢ 할아버지께서는 지금 주무시고 계십니다.
㉣ 할머니께서는 여전히 음식을 잘 잡수십니다.
㉤ 아버지는 편찮으신 어머니를 정성껏 모셨다.

① ㉠은 주격 조사, 접미사, 선어말 어미를 활용하여 주체를 높이고 있다.

② ㉡은 '있다'의 어간에 선어말 어미 '-(으)시-'가 결합하여 무정 명사인 주어 '말씀'을 높이고 있다.

③ ㉢은 주체를 직접 높이는 본용언과 진행의 의미를 덧붙이는 보조 용언이 모두 특수 어휘로 나타나고 있다.

④ ㉣은 특수 어휘 '잡수다'에 다시 '-(으)시-'가 결합되어 하나의 어휘로 굳어진 '잡수시다'가 주체를 직접 높이고 있다.

⑤ ㉤은 '편찮으신'과 '모셨다'가 각각 안긴문장과 안은문장의 행위의 주체인 주어를 직접적으로 높이고 있다.

24회차 최종 점검 모의고사 03번

03. (가)에 들어갈 내용으로 가장 적절한 것은?

〈보기〉

선생님 : 높임 표현은 화자가 어떤 대상에 대해 높고 낮은 정도를 언어적으로 표현한 것으로, 화자와 청자의 나이나 직위 등의 차이에 따른 서열에 의해 높임 표현의 선택이 달라집니다. 높임법은 그 대상에 따라 주체 높임법, 상대 높임법, 객체 높임법으로 구분됩니다. 자 그럼, 다음의 두 문장을 보고 높임 표현에 대해 설명해 봅시다.

ⓐ 저의 부탁을 교수님께 전해주셔서 감사합니다.
ⓑ 여쭐 것이 있어서 할머니 댁에 갔는데, 할머니께서 안 계셨어.

학생 : [(가)]

① ⓐ는 청자와 앞 절의 주어가 동일하므로, '전해주셔서'를 통해 상대 높임과 주체 높임을 동시에 표현하고 있어요.

② ⓑ는 화자보다 높은 대상인 '할머니'를 높이기 위해 특수 어휘 '여쭈다', '댁', '계시다'를 사용하여 객체 높임을 표현하고 있어요.

③ ⓐ와 ⓑ는 모두 부사격 조사를 통해 행위의 대상을 높이는 객체 높임을 실현하고 있어요.

④ ⓑ와 달리 ⓐ는 선어말 어미 '-(으)시-'를 통해 주체 높임을 실현하고 있어요.

⑤ ⓐ는 종결 어미를 통해, ⓑ는 선어말 어미를 통해 상대 높임을 실현하고 있어요.

문법노트
PLUS

의미 & 국어의 역사

1 단어의 의미

> ★ **다의어와 동음이의어**
> ① 다의어: 하나의 소리에 두 가지 이상의 관련된 의미가 결합되어 있는 단어
> ② 동음이의어: 우연히 소리가 같을 뿐 의미상 전혀 관계가 없는 뜻을 지닌 단어
>
> ★ **의미 관계**
> ① 유의 관계: 의미가 같거나 비슷한 둘 이상의 단어가 맺는 의미 관계
> 　**예** 틈 –사이, 가끔 – 종종 – 더러 – 이따금
> ② 반의 관계: 둘 이상의 단어에서 의미가 짝을 이루어 대립하는 관계
> 　• 모순(상보) 반의: 상호 배타적 대립 관계에 있음　**예** 남자 ↔ 여자
> 　• 정도(등급) 반의: 등급성이 있어서 중간 단계가 있음　**예** 고 ← (중) → 저
> 　• 방향(대칭) 반의: 상대적 관계를 형성하며 의미상 대칭을 이룸　**예** 위쪽 ↔ 아래쪽
> ③ 상하 관계: 의미가 다른 단어에 포함되거나, 다른 단어를 포함하는 관계　**예** 문학(상의어)–시, 소설, 희곡, 수필(하의어)

2 중의적 표현

1. 중의문의 유형

① 어휘의 중의성으로 인한 것

동음이의어에 의한 중의성	**예** 어머니께 차를 사 드렸다. – 자동차를 사 드렸다. vs. 마시는 차를 사 드렸다.
다의어, 관용 표현에 의한 중의성	**예** 우리 할아버지는 손이 크시다. – 신체의 일부인 손(手)이 크다. vs. 씀씀이가 크다.

② 문장 구조 차이로 인한 것

원인	예	해석
주어의 범위로 인한 경우	수지가 보고 싶은 친구가 많다.	'수지'가 보고 싶은 친구가 많다. vs. '많은 친구들이' 수지를 보고 싶어 한다.
수식하는 말이 불분명한 경우	어제 예쁜 언니의 친구를 만났다.	'언니'가 예쁘다. vs. '언니의 친구'가 예쁘다.
비교 대상이 불분명한 경우	아버지는 나보다 어머니를 더 좋아하신다.	'아버지'와 '나'가 각각 '어머니'를 좋아하는 정도를 비교 vs. '아버지'가 좋아하는 대상인 '나'와 '어머니'를 비교
접속 조사로 인한 경우	은정이는 영미와 경애를 불렀다.	[은정이는 영미와] 경애를 불렀다. vs. 은정이는 [영미와 경애를] 불렀다.
부정 표현의 범위로 인한 경우	학교에 학생들이 다 오지 않았다.	학생들 전체가 오지 않았다. (전체 부정) vs. 학생들 일부가 오지 않았다. (부분 부정)

③ 상황 맥락으로 인한 것

　예 그는 헬멧을 쓰고 있다.
　• 헬멧을 쓰는 동작이 진행 중인 상황 (진행) vs. 헬멧을 쓰고 있는 상태가 지속되고 있는 상황 (완료 지속)
　선미가 단비를 차에 태웠다.
　• 선미가 직접 단비를 차에 태운 상황 (직접 사동) vs. 선미가 말로 단비를 차에 타도록 시킨 상황 (간접 사동)

2. 중의성 해소 방법

　★ 의미를 한정해 주는 문맥이나 상황을 제시하거나 쉼표의 사용, 어순 조절, 조사(은/는)의 사용 등을 통해 의미를 명확히 할 수 있다.
　　① 학생들이 다 오지 않았다. (전체 부정 / 부분 부정) → 학생들이 전부는 오지 않았다. (부분 부정)
　　② 선미가 단비를 차에 태웠다. (직접 사동 / 간접 사동) → 선미가 단비를 차에 타게 했다. (간접 사동)
　　③ 그는 헬멧을 쓰고 있다. (진행 / 완료 지속) → 그는 헬멧을 쓰는 중이다. (진행)
　　④ 어제 예쁜 언니의 친구를 만났다. (수식 범위) → 어제 언니의 예쁜 친구를 만났다. ('예쁜'이 '친구'를 수식)

❸ 국어의 변천

	고대 국어	중세 국어	근대 국어
음운 / 표기	– 예사소리와 거센소리 두 계열이 존재했으나, 된소리는 발달하지 않은 것으로 보임 – 한자의 뜻과 음을 빌려 우리말을 적음 : 향찰, 이두, 구결 등 차자(借字) 표기 ※ 향찰의 표기 방법 – 일반적으로 실질 형태소는 한자의 뜻을 빌려 표기하고 조사, 어미 등 형식 형태소는 한자의 음을 빌려 표기함 – 향찰 표기는 국어의 어순에 따랐음 예	– 받침으로는 'ㄱ, ㄴ, ㄷ, ㄹ, ㅁ, ㅂ, ㅅ, ㆁ'의 8개 자음만을 적는 것이 일반적이었음 (8종성법) – 'ㆆ, ㅸ, ㅿ, ㆍ, ㆁ'이 사용됨 – 종성에서 'ㄷ'과 'ㅅ'의 음가가 구별됨 – 어두 자음군이 존재함 예 ᄠᅡᆯ, ᄣᅢ – 모음 조화 현상이 대체로 잘 지켜짐 – 방점이 사용됨 – 이어적기를 주로 사용하고 띄어쓰기를 하지 않음 – 소리 나는 대로 적는 경향이 강했음	– 받침으로는 주로 'ㄱ, ㄴ, ㄹ, ㅁ, ㅂ, ㅅ, ㆁ'의 7개 자음을 적음 (7종성법) – 'ㅸ, ㅿ' 등이 음가를 잃음 – 종성에서의 'ㄷ'과 'ㅅ' 표기가 혼란을 겪음 예 밋다(信) – 믿다(信) – 'ㆍ'는 표기로는 나타났지만 점차 음가를 잃게 됨 – 'ㆁ'은 종성에서만 실현되고 글꼴도 'ㅇ'으로 변함 – 이중 모음으로 발음되던 'ㅔ'와 'ㅐ'가 단모음으로 변함 – 성조가 사라져 방점을 표기하지 않음 – 18세기 전후로 구개음화 현상이 전국적으로 나타남 – 중세의 이어적기 표기가 현대의 끊어적기 표기로 변하는 과도기로, 거듭적기 표기가 나타나기도 함 예 빗츨(빛을)

향찰 표기 예:

향찰 표기	善	化	公	主	主	隱
음	선	화	공	주	주	은
뜻	착하다	되다	공평하다	님	님	숨다

	고대 국어	중세 국어	근대 국어
문법	– 주격 조사 '이'만 쓰임	– 주격 조사는 대체로 '이/ㅣ/∅(zero)'가 쓰임 – 객체 높임법도 선어말 어미 '-숩-/-ᅀᆞᆸ-/-ᄌᆞᆸ-'에 의해 실현됨 예 받ᄌᆞᆸ봃 – 1인칭 주어에 호응하는 선어말 어미 '-오/-우-'가 있었음	– 주격 조사 '가'가 출현함 – 객체 높임법이 완화됨 – 1인칭 주어에 호응하던 선어말 어미 '-오-/-우-'가 소멸됨 – 개화기에 이르러 한글 사용이 확대되어 문장 구성 방식이 현대의 문장 구성 방식과 비슷하게 변함
어휘	– 점차 한자어가 늘어나기는 했으나 지금보다는 고유어가 많이 쓰였을 것으로 보임	– 한자어가 침투하여 고유어와의 경쟁이 계속되었으며, 한자어 이외에도 몽골어 등에서 어휘가 차용되기도 함	– 한자어가 점차 늘어나면서 고유어와 한자어의 경쟁이 계속됨 – 고유어가 사라지기도 함 예 ᄀᆞᄅᆞᆷ(江), 뫼(山)

※ 중요한 변화 살펴보기

★ **어휘의 변화**
① 형태의 변화: 형태의 변화만 있을 뿐 본래의 의미는 변화가 없음   예 밍ᄀᆞᆯ다(作) → 만들다(作)
② 의미의 변화: 형태의 변화는 전혀 일어나지 않으나 의미가 달라짐
   • 의미의 확대: 원래의 의미 영역이 더 넓어지는 변화   예 다리: 사람이나 짐승의 다리 → '책상 다리, 지겟 다리' 등까지 의미 확장
   • 의미의 축소: 원래의 의미 영역이 더 좁아지는 변화   예 놈: 사람 → 남자를 낮잡는 의미
   • 의미의 이동: 원래의 의미 영역이 전혀 다른 영역으로 바뀌는 변화   예 어엿브다: 불쌍하다 → 아름답다
③ 형태와 의미의 변화: 형태와 의미가 모두 변함   예 즁ᄉᆡᆼ(衆生): 많은 사람 → 짐승(獸): 동물, 가축

★ **'ㆍ'(아래아)의 소실**
① 1단계 변화(16세기 무렵): 어두가 아닌 곳에서 (둘째 음절 이하에서) 'ㆍ'가 'ㅡ'로 변함   예 ᄆᆞᅀᆞᆷ〉ᄆᆞ음
② 2단계 변화(18세기 무렵): 어두에서의 'ㆍ'가 'ㅏ'로 변함   예 ᄃᆞ리〉다리
   → 'ㆍ'의 소멸로 이중 모음이었던 'ㅐ, ㅔ, ㅚ, ㅟ'가 단모음으로 변화함

★ **문법의 주요 변화**
① 주격 조사: 중세 국어에는 주격 조사 '이, ㅣ, ∅(zero)'만 사용되다가 16세기 중반 이후 '가'가 나타났고, 현대 국어에서는 자음으로 끝나는 명사 뒤에는 '이', 모음으로 끝나는 명사 뒤에는 '가'가 쓰임
② 관형격 조사: 중세 국어에서는 무정 체언이거나 높임의 유정 체언 뒤에서 'ㅅ'을 쓰고, 낮춤의 유정 체언 뒤에 '이/의'를 사용했으나 현대 국어에서는 '의'로 통일됨
③ 의문형 종결 표현: 중세 국어에서는 설명 의문문일 경우 '-고, -뇨', 판정 의문문일 경우 '-가, -녀' 등이 쓰였으나 현대 국어에서는 '-가, -냐' 등으로 통일됨
   중세 국어에서는 주어가 2인칭일 때 의문형 어미 '-ㄴ다'를 사용했으나 현대 국어에서는 인칭에 따른 구분이 사라짐
④ 1인칭 주어에 호응하던 선어말 어미 '-오-/-우-'가 소멸되었고, 객체 높임 선어말 어미 '-숩-/-ᅀᆞᆸ-/-ᄌᆞᆸ-'도 사라짐

4 훈민정음 제자 원리

1. 자음의 제자 원리

★ **자음 17자 (상형의 원리, 가획의 원리)**

기본자 (상형)	상형	가획자 (가획)	이체자
ㄱ	혀뿌리가 목구멍을 막는 모양	ㅋ	ㆁ
ㄴ	혀끝이 윗잇몸에 닿는 모양	ㄷ → ㅌ	ㄹ (반설음)
ㅁ	입술 모양	ㅂ → ㅍ	
ㅅ	이의 모양	ㅈ → ㅊ	ㅿ (반치음)
ㅇ	목구멍 모양	ㆆ → ㅎ	

★ **초성 체계 23자**

조음 위치 \ 조음 방식	예사소리 (전청)	거센소리 (차청)	울림소리 (불청불탁)	된소리 (전탁)
어금닛소리(아음)	ㄱ	ㅋ	ㆁ	ㄲ
혓소리(설음)	ㄷ	ㅌ	ㄴ	ㄸ
입술소리(순음)	ㅂ	ㅍ	ㅁ	ㅃ
잇소리(치음)	ㅅ, ㅈ	ㅊ		ㅆ, ㅉ
목청소리(후음)	ㆆ	ㅎ	ㅇ	ㆅ
반혓소리(반설음)			ㄹ	
반잇소리(반치음)			ㅿ	

2. 모음의 제자 원리

★ **중성 체계 11자**

: '하늘(天), 땅(地), 사람(人)'을 상형하여 기본자 'ㆍ(하늘), ㅡ(땅), ㅣ(사람)'를 만들고 이들을 조합하여 나머지 글자를 제작함

상형	기본자 (상형)		초출자 (합성)	재출자 (합성)
하늘 (天)	ㆍ	→	ㅗ, ㅏ	ㅛ, ㅑ
땅 (地)	ㅡ		ㅜ, ㅓ	ㅠ, ㅕ
사람 (人)	ㅣ			

3. 종성

– 종성부용초성: 초성과 종성의 공통점을 인식하여 종성자를 따로 만들지 않고 초성자를 다시 사용함

4. 훈민정음의 제자 원리와 글자 운용의 원리

★ **훈민정음의 제자 원리**

① 상형: 모양을 본뜸 ┌ 초성자는 조음 기관을 상형하여 기본자 'ㄱ(아음), ㄴ(설음), ㅁ(순음), ㅅ(치음), ㅇ(후음)'을 창제
　　　　　　　　　　└ 중성자는 '하늘(天), 땅(地), 사람(人)'을 상형하여 기본자 'ㆍ(하늘), ㅡ(땅), ㅣ(사람)'를 창제

② 가획: 기본자에 획을 더하되 가획을 할수록 소리가 더 세어지는 특징을 반영함

③ 합성: 기본자들을 조합하여 나머지 글자들을 제작함 ┌ 초출자 'ㅗ, ㅏ, ㅜ, ㅓ': ㆍ와 ㅡ, ㅣ의 조합
　　　　　　　　　　　　　　　　　　　　　　└ 재출자 'ㅛ, ㅑ, ㅠ, ㅕ': ㆍ와 초출자의 조합

★ **글자 운용 원리**

① 이어 쓰기 (연서): 'ㅇ'을 'ㅂ' 아래 이어쓰면(연서하면) 입술가벼운 소리(순경음) 'ㅸ'이 됨

② 나란히 쓰기 (병서): ㄱ. 각자 병서: 같은 초성(자음)을 나란히 쓰는 법 **예** ㄲ, ㄸ, ㅃ, ㅆ, ㅉ, ㆅ 등
　　　　　　　　　　　ㄴ. 합용 병서: 서로 다른 글자를 가로로 나란히 쓰는 법 **예** ㅺ, ㅼ, ㅽ, ㅳ, ㅄ, ㅶ, ㅴ, ㅵ 등

③ 붙여 쓰기 (부서): 초성과 중성의 표기 방법 ┌ 초성은 위에, 중성 'ㆍ, ㅡ, ㅗ, ㅜ, ㅛ, ㅠ'는 아래에 붙여 씀 **예** 고
　　　　　　　　　　　　　　　　　　　　└ 초성은 왼쪽에, 중성 'ㅣ, ㅏ, ㅓ, ㅑ, ㅕ'는 오른쪽에 붙여 씀 **예** 가

④ 음절 이루기 (성음법): 음절을 이룰 때에는 자음과 모음이 어울려야 소리가 이루어짐 **예** 아, 을
　　〈참고〉 동국정운식 한자음 표기에는 중성만으로 끝나는 음절에도 'ㅇ'을 반드시 표기 **예** 스믈여듧 字ㅉ

⑤ 점 찍기 (가점): 성조를 표시한 것으로, 소리의 높이를 나타내는 거성, 상성, 평성을 글자 왼쪽에 점으로 찍어 표시함
　　예 활[弓] (평성), ·갈[刀] (거성), :돌[石] (상성)

시험명	본책 PAGE	체크하기		
02회차 **기본기 다지기 모의고사 05번**	P.019	○	△	×
05회차 **기본기 다지기 모의고사 03번**	P.036	○	△	×
12회차 **실전 대비 모의고사 05번**	P.083	○	△	×
16회차 **고난도 함정 모의고사 05번**	P.115	○	△	×
01회차 **기본기 다지기 모의고사 05번**	P.013	○	△	×
03회차 **기본기 다지기 모의고사 05번**	P.025	○	△	×
04회차 **기본기 다지기 모의고사 01번**	P.030	○	△	×
04회차 **기본기 다지기 모의고사 02번**	P.030	○	△	×
05회차 **기본기 다지기 모의고사 04번**	P.037	○	△	×
05회차 **기본기 다지기 모의고사 05번**	P.037	○	△	×
06회차 **기본기 다지기 모의고사 05번**	P.043	○	△	×
07회차 **실전 대비 모의고사 05번**	P.051	○	△	×
08회차 **실전 대비 모의고사 05번**	P.057	○	△	×
09회차 **실전 대비 모의고사 05번**	P.063	○	△	×
10회차 **실전 대비 모의고사 05번**	P.069	○	△	×
11회차 **실전 대비 모의고사 05번**	P.076	○	△	×
13회차 **고난도 함정 모의고사 05번**	P.092	○	△	×

시험명	본책 PAGE	체크하기		
17회차 **고난도 함정 모의고사 04번**	P.123	○	△	×
18회차 **고난도 함정 모의고사 04번**	P.132	○	△	×
19회차 **최종 점검 모의고사 03번**	P.140	○	△	×
14회차 **고난도 함정 모의고사 05번**	P.100	○	△	×
15회차 **고난도 함정 모의고사 01번**	P.106	○	△	×
15회차 **고난도 함정 모의고사 02번**	P.107	○	△	×
16회차 **고난도 함정 모의고사 01번**	P.114	○	△	×
17회차 **고난도 함정 모의고사 05번**	P.124	○	△	×
18회차 **고난도 함정 모의고사 02번**	P.131	○	△	×
19회차 **최종 점검 모의고사 05번**	P.141	○	△	×
20회차 **최종 점검 모의고사 05번**	P.148	○	△	×
21회차 **최종 점검 모의고사 05번**	P.155	○	△	×
22회차 **최종 점검 모의고사 05번**	P.162	○	△	×
23회차 **최종 점검 모의고사 05번**	P.170	○	△	×
24회차 **최종 점검 모의고사 05번**	P.178	○	△	×

○ : 개념도 명확히 알고, 정답도 맞힌 경우   △ : 개념은 명확하게 모르지만, 정답은 맞힌 경우   × : 개념도 명확하게 모르고, 정답도 틀린 경우

02회차 기본기 다지기 모의고사 05번

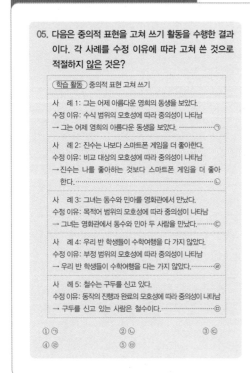

05. 다음은 중의적 표현을 고쳐 쓰기 활동을 수행한 결과이다. 각 사례를 수정 이유에 따라 고쳐 쓴 것으로 적절하지 **않은** 것은?

〔학습 활동〕 중의적 표현 고쳐 쓰기

사   례 1: 그는 어제 아름다운 영희의 동생을 보았다.
수정 이유: 수식 범위의 모호성에 따라 중의성이 나타남
→ 그는 어제 영희의 아름다운 동생을 보았다. ……………⊙

사   례 2: 진수는 나보다 스마트폰 게임을 더 좋아한다.
수정 이유: 비교 대상의 모호성에 따라 중의성이 나타남
→ 진수는 나를 좋아하는 것보다 스마트폰 게임을 더 좋아한다. …………………………………………ⓛ

사   례 3: 그녀는 동수와 민아를 영화관에서 만났다.
수정 이유: 목적어 범위의 모호성에 따라 중의성이 나타남
→ 그녀는 영화관에서 동수와 민아 두 사람을 만났다. ………ⓒ

사   례 4: 우리 반 학생들이 수학여행을 다 가지 않았다.
수정 이유: 부정 범위의 모호성에 따라 중의성이 나타남
→ 우리 반 학생들이 수학여행을 다는 가지 않았다. …………ⓔ

사   례 5: 철수는 구두를 신고 있다.
수정 이유: 동작의 진행과 완료의 모호성에 따라 중의성이 나타남
→ 구두를 신고 있는 사람은 철수이다. ………………………ⓜ

① ⊙   ② ⓛ   ③ ⓒ
④ ⓔ   ⑤ ⓜ

03. 다음은 '사전 활용하기' 학습 활동을 위한 자료이다.
이를 탐구한 내용으로 적절하지 <u>않은</u> 것은?

> **감-기다¹** 〔동〕 '감다'의 피동사.
> ¶ 잠이 부족해서 눈꺼풀이 저절로 감겼다.
>
> **감-기다²** 〔동〕
> ① 【…에】
> ① '감다³ ① ①'의 피동사.
> ¶ 줄에 발이 감겨 넘어질 뻔했다.
> ② 음식 따위가 감칠맛이 있게 착착 달라붙다.
> ② '감다³ ② ①'의 피동사.
> ¶ 비디오테이프는 완전히 감겨 있는 상태였다.
>
> **감-기다³** 〔동〕【…을】 '감다'의 사동사.
> ¶ 아이가 잔인한 장면을 보지 못하도록 눈을 감겼다.

① '감-기다¹'과 '감-기다³'을 보니, '감다'의 피동사와 사동사는 그 형태가 같군.

② '감-기다¹'과 '감-기다² ① ②'가 필수적으로 요구하는 문장 성분의 개수는 같겠군.

③ '감-기다²'의 의미를 고려할 때 '감다³'은 다의어로 볼 수 있겠군.

④ '감-기다² ① ①'을 고려할 때, '감다³ ① ①'은 '어떤 물체를 다른 물체에 말거나 빙 두르다.'의 의미이겠군.

⑤ '감-기다² ① ②'의 용례로 '어머니께서 보내 주신 김치가 입에 감겼다.'를 들 수 있겠군.

05. 〈보기 1〉을 바탕으로 〈보기 2〉의 ㉠~㉤을 이해한 것으로 적절하지 <u>않은</u> 것은?

> ─〈보기 1〉─
>
> 담화 상황에서 화자는 표면적으로 발화 의도와 문장 종결 어미의 기능을 일치시키지 않고 표현하기도 한다.

> ─〈보기 2〉─
>
> **선생님:** (수업 시간에 졸고 있는 학생에게) ㉠잠은 집에서 자는 게 좋지 않을까?
> **학생 1:** (창문 옆에 있는 친구에게 작은 소리로) ㉡너무 졸려서 그러는데 창문 좀 열재!
> **선생님:** 자, 오늘 수업은 여기까지 하겠습니다. (교실 문 앞에 있는 학생에게) 얘야! ㉢선생님이 좀 지나갈 수 있을까?
> **학생 2:** (창문 옆에 있는 친구에게 다급하게) 야! 밖에 비 많이 온다! ㉣비가 다 들어오겠어!
> **학생 3:** (창문을 재빨리 닫으며) 하마터면 물바다가 될 뻔했네! (반 친구들에게) ㉤우리 모두 우산을 챙겨야겠군.

① ㉠: 의문형 어미를 사용했지만, 학생에게 일어나라는 명령의 의미이군.

② ㉡: 청유형 어미를 사용했지만, 창문을 열어달라는 명령의 의미이군.

③ ㉢: 의문형 어미를 사용했지만, 지나갈 수 있도록 길을 비켜 달라는 명령의 의미이군.

④ ㉣: 평서형 어미를 사용했지만, 비가 오는 장면을 본 느낌을 표현하는 감탄의 의미이군.

⑤ ㉤: 감탄형 어미를 사용했지만, 우산을 챙기는 행위를 하자는 청유의 의미이군.

05. 〈보기〉의 ㉠~㉤을 이해한 내용으로 적절하지 <u>않은</u> 것은?

〈보기〉

민호: 내일 부산 할머니 댁에 가는데, 부산은 처음이라 걱정돼.
수지: 부산? 아 맞다! ㉠거기에 광호가 살고 있잖아.
민호: 그렇구나. 그럼 광호한테 한번 연락해 봐야겠다. (잠시 멈추어 편의점을 가리키며) ㉡그런데 ㉢저 가게 새로 생겼나봐.
수지: 어머! 너 ㉣저기 아직 안 가봤니? 어제 내가 마셨던 음료수도 저기에서 산거야.
민호: 아, 나도 ㉤그거 예전에 먹어본 적 있는데.

① ㉠, ㉣, ㉤은 지시 대명사, ㉢은 지시 관형사에 해당한다.

② ㉠과 ㉣은 상대방이 앞서 언급한 특정 대상을 가리키는 표현이다.

③ ㉡은 화제를 전환시키면서 다른 방향으로 내용을 이끄는 접속 부사에 해당한다.

④ ㉣은 화자와 가리키는 대상 간의 거리에 따라 그 형태가 달리 선택될 수 있다.

⑤ ㉤은 앞에서 말한 대상과 종류만 같을 뿐 동일한 것을 의미하는 것은 아니다.

04. 다음은 '사전 활용하기' 학습 활동을 위한 자료이다. 이에 대한 이해로 적절하지 <u>않은</u> 것은?

〈보기〉

보-이다¹「동사」
㉠ '보다¹㉠'의 피동사
　¶ 벽에 걸려 있는 시계가 보였다.
㉡ '보다¹㉡'의 피동사【…으로】【-게】
　¶ 그는 단순한 남자 후배로만 보였다.

보-이다²「동사」【…에게 …을】
㉠ '보다¹㉠'의 사동사
　¶ 그는 나에게 사진첩을 보였다.
㉡ '보다¹㉡'의 사동사
　¶ 친구에게 영화를 보이다.

① '보-이다¹'과 '보-이다²'가 별개의 표제어로 기술된 것을 보니 동음이의어이겠군.

② '보-이다¹'과 '보-이다²'는 '보다'의 어근에 각기 다른 기능을 하는 접미사가 결합된 파생어이겠군.

③ '보-이다¹㉠'과 달리 '보-이다¹㉡'은 '…으로'나 '-게' 등의 부사어가 필수적으로 요구되는 타동사이겠군.

④ '보-이다²㉡'의 용례를 고려할 때, '보다¹㉡'은 '눈으로 대상을 즐기거나 감상하다.'의 의미이겠군.

⑤ '보-이다¹㉠'과 '보-이다²㉠'을 고려할 때, '보다¹㉠'의 용례로 '오늘 수상한 사람을 보았다.'가 가능하겠군.

04. 〈보기〉를 바탕으로 '반의어'를 탐구한 내용으로 적절하지 않은 것은?

〈보기〉

'살다-죽다'는 '생명'이라는 하나의 개념 영역 안에서 상호 배타적인 대립 관계에 있는 '상보 반의어'에 해당한다. 상보 반의어를 동시에 긍정하거나 부정하면 모순이 발생한다. 그런데 '크다-작다'와 같은 단어들은 등급성을 가지고 대립하는 '등급 반의어'에 해당한다. 상보 반의어와 달리 등급 반의어는 두 단어 사이에 중간 단계가 있고, 정도를 표현하는 부사어의 수식을 받을 수 있으며, 두 단어를 동시에 부정할 수도 있다.

○ 상보 반의어: 남자 – 여자, 기혼 – 미혼, 참 – 거짓
○ 등급 반의어: 넓다 – 좁다, 뜨겁다 – 차갑다

① '철수는 남자이다.'는 '철수는 여자가 아니다.'의 의미와 같다.

② '*수지는 매우 미혼이다.'처럼 정도를 나타내는 부사어는 '미혼'을 꾸며줄 수 없다.

③ '그것은 참도 아니고, 거짓도 아니다.'처럼 '참'과 '거짓'을 동시에 부정하면 모순이 발생한다.

④ '방이 넓지 않다.'는 '방이 좁다.'를 의미하므로 의미 영역이 배타적이지 않음을 나타낸다.

⑤ '할머니의 손이 뜨겁지도 차갑지도 않다.'처럼 '뜨겁다'와 '차갑다'를 동시에 부정할 수 있다.

03. ㉠~㉤에서 중의성을 해소하기 위해 문장을 수정할 때 고려한 내용으로 적절하지 않은 것은?

〈보기〉

	중의성이 있는 문장	수정한 문장
㉠	배가 정말 크다.	우리가 타고 갈 배가 정말 크다.
㉡	좋아하는 작가의 책을 읽었다.	어제 읽은 책은 내가 좋아하는 작가가 썼다.
㉢	할머니는 언니보다 나를 더 사랑하신다.	언니보다 할머니가 나를 더 사랑하신다.
㉣	광호는 영수와 철수를 불렀다.	광호와 영수는 함께 철수를 불렀다.
㉤	철수는 넥타이를 매고 있다.	철수는 지금 넥타이를 매는 중이다.

① ㉠: '배'는 두 가지 이상의 의미로 해석되므로, 한 가지 의미로 해석될 수 있도록 '배'를 수식하는 관형어를 추가한다.

② ㉡: '좋아하는'이 수식하는 말이 명확하지 않으므로, '작가'만 수식하도록 주어를 추가한다.

③ ㉢: '언니'와 비교하는 대상이 '할머니'인지 '나'인지 명확하지 않으므로, '할머니'를 비교 대상으로 삼아 '언니보다'의 위치를 이동한다.

④ ㉣: 부르는 행위를 '광호' 혼자 한 것인지, '광호'와 '영수'가 같이 한 것인지 명확하지 않으므로, 동반을 의미하는 부사어를 추가한다.

⑤ ㉤: '-고 있다'로 인해 동작의 진행과 상태의 지속이라는 두 가지 의미로 해석될 수 있으므로, 동작의 진행만 의미하는 '-는 중이다'로 교체한다.

05. 〈보기〉의 (가)를 바탕으로 (나)를 이해한 것으로 적절하지 **않은** 것은?

〈보기〉

(가) 15세기 국어의 특징
㉠ 주격 조사가 표기상 드러나지 않기도 하였다.
㉡ 연철 표기(이어적기)를 하였다.
㉢ '모/무'로 끝나는 체언이 모음으로 시작되는 조사와 결합하면 체언의 끝 모음이 탈락하고 'ㄱ'이 새로 생기기도 하였다.
㉣ 조사나 어미의 형태는 모음 조화에 따라 결정되었다.
㉤ 명사 파생 접미사 '-음'이 사용되었다.

(나)
불휘(불휘) 기픈(깊-+-은) 남곤(나모+온)
브르매(브롬+애) 아니 뮐씨 곶 됴코 여름(열-+-음) 하느니.

[현대어 풀이]
뿌리가 깊은 나무는 바람에 아니 흔들리므로 꽃이 좋고 열매가 많습니다.

① ㉠을 보니, '불휘'는 주격 조사가 표면에 드러나지 않고 문장에서 주어로 쓰이고 있음을 알 수 있군.
② ㉡을 보니, '기픈'은 연철 표기가 반영된 것임을 알 수 있군.
③ ㉢을 보니, '남곤'은 '모'로 끝나는 체언과 주격 조사 '온'이 결합된 것임을 알 수 있군.
④ ㉣을 보니, '브르매'에서 '애'는 모음 조화의 원칙을 지키기 위해 선택된 것임을 알 수 있군.
⑤ ㉤을 보니, '여름'은 어근에 명사 파생 접미사가 결합하여 명사로 쓰이고 있음을 알 수 있군.

05. 〈보기〉의 밑줄 친 부분에서 알 수 있는 중세 국어의 문법적 특징을 설명한 것으로 적절하지 **않은** 것은?

〈보기〉

(가) 됴훈 소리 듣고져 [좋은 소리 듣고자]
(나) 빗트길 아디 몯ᄒ면서 [배 타기를 알지 못하면서]
(다) 目連(목련)이 그 말 듣ᄌᆞᆸ고 [목련이 그 말씀을 듣고]
(라) ᄒᆞᄅᆺ 아ᄎᆞ미 命終(명종)ᄒᆞ야 [하루아침에 목숨을 다하니]
(마) 부텻 使者(사자) 왯다 드르시고 [부처의 사자가 곁에 와 있다 들으시고]

① (가): 체언을 꾸며 주기 위해 관형사형 어미 '-온'이 쓰였다.
② (나): 목적격 조사 'ᄅᆯ'이 명사절에 결합하여 목적어로 쓰였다.
③ (다): 객체를 높이는 선어말 어미 '-ᄌᆞᆸ-'이 쓰였다.
④ (라): 높이지 않는 명사 뒤에 관형격 조사 '이'가 쓰였다.
⑤ (마): 주체를 높이는 선어말 어미 '-시-'가 쓰였다.

04회차 기본기 다지기 모의고사 01번

→ **본책** P.030 지문 **참고하기**

01. 윗글을 바탕으로 추론한 내용으로 적절하지 <u>않은</u> 것은?

① 중세 국어의 '무술'이 '마을'로 형태가 변화한 것은 음운이 소실되어 나타난 결과이겠군.

② 중세 국어의 '풀'이 '풀'로 형태가 변화한 것은 음운이 교체되어 나타난 결과이겠군.

③ 중세 국어의 '녁'이 '녘'으로 형태가 변화한 것은 음운이 추가되어 나타난 결과이겠군.

④ 중세 국어의 '디하'가 '지하'로 형태가 변화한 것은 구개음화 현상으로 인해 나타난 결과이겠군.

⑤ 중세 국어의 '스ㄱ볼'이 '시골'로 형태가 변화한 것은 음운의 소실과 교체 및 음절 수의 변화로 인해 나타난 결과이겠군.

04회차 기본기 다지기 모의고사 02번

→ **본책** P.030 지문 **참고하기**

02. 윗글을 참고할 때, ㉠~㉢에 해당하는 예를 〈보기〉에서 각각 하나씩 찾아 그 순서대로 제시한 것은?

〈보기〉

중세 국어		현대 국어
어엿비 (불쌍하게)	〉	어여쁘
즁싱 (모든 살아 있는 무리)	〉	짐승
두리 (사람이나 동물의 다리)	〉	다리

	㉠	㉡	㉢
①	즁싱 〉 짐승	어엿비 〉 어여쁘	두리 〉 다리
②	즁싱 〉 짐승	두리 〉 다리	어엿비 〉 어여쁘
③	두리 〉 다리	어엿비 〉 어여쁘	즁싱 〉 짐승
④	두리 〉 다리	즁싱 〉 짐승	어엿비 〉 어여쁘
⑤	어엿비 〉 어여쁘	두리 〉 다리	즁싱 〉 짐승

→ 본책 P.037 지문 참고하기

04. 윗글을 바탕으로 중세 국어의 자음자와 모음자에 대해 이해한 내용으로 적절하지 <u>않은</u> 것은? [3점]

① 초성자와 중성자의 기본자는 상형의 원리로 만들었다.

② 초성자에서 'ㅌ'은 'ㄷ'보다 소리가 더 세게 나는 글자이다.

③ 초성자에서 'ㄲ'과 'ㅆ'은 모두 기본자를 나란히 써서 만든 글자이다.

④ 중성자에서 두 글자를 합친 방식으로 만든 모음자는 모두 'ㅣ'가 포함되어 있다.

⑤ 종성에서 구별되어 쓰인 'ㄷ'과 'ㅅ'은 현대 국어의 받침 발음에서는 그 구별이 사라졌다.

→ 본책 P.037 지문 참고하기

05. [A]를 바탕으로 〈보기〉의 '자료'를 탐구한 내용으로 적절하지 <u>않은</u> 것은?

〈보기〉

[중세 국어의 모음]

	기본자	초출자	재출자
양성 모음	·	ㅗ, ㅏ	ㅛ, ㅑ
음성 모음	―	ㅜ, ㅓ	ㅠ, ㅕ
중성 모음	ㅣ		

[중세 국어의 예]
ⓐ누네 ⓑ됴흔 빗 보고져 ⓒ귀예 됴흔 소리 ⓓ듣고져
ⓔ고해 됴흔 내 ⓕ맏고져 모매 됴흔 옷 ⓖ닙고져
– 「석보상절」 –

[현대어 풀이]
눈에 좋은 빛 보고자, 귀에 좋은 소리 듣고자
코에 좋은 냄새 맡고자, 몸에 좋은 옷 입고자

① ⓐ와 ⓔ를 비교해 보면 모음 조화에 따라 형태를 달리하는 부사격 조사를 확인할 수 있군.

② ⓑ에서 어간의 모음은 이중 모음에, 어미의 모음은 단모음에 해당하겠군.

③ ⓒ에서 초출자끼리 합쳐 쓴 모음과 재출자끼리 합쳐 쓴 모음을 확인할 수 있군.

④ ⓖ의 어간의 모음에서 기본자를, 어미의 모음에서 초출자와 재출자를 확인할 수 있군.

⑤ ⓓ와 ⓕ를 비교해 보면 어미 '-고져'는 모음 조화에 따르지 않고 사용되었음을 확인할 수 있군.

06회차 기본기 다지기 모의고사 05번

05. 〈보기〉의 ㉠~㉤에서 알 수 있는 중세 국어의 특징으로 적절하지 않은 것은?

〈보기〉

㉠雙鵰(쌍조)ㅣ 혼 ㉡사래 ㉢뻬니 絕世(절세)ㅅ 英才(영재)를
邊人(변인)이 ㉣拜伏(배복)ㅎ삭ᄫᆞ니

[현대어 풀이]
두 마리 독수리가 한 살에 꿰이니, 절세의 영재를 변방의
사람들이 절하며 복종하니

– 「용비어천가(龍飛御天歌)」〈제23장〉 –

① ㉠이 '두 마리 독수리가'에 대응하는 것을 보니 현대 국어에는 사용되지 않는 주격 조사 'ㅣ'가 사용되었군.

② ㉡이 '살에'에 대응하는 것을 보니, 음절 단위로 각 형태소의 원형을 밝혀 적은 현대 국어와는 달리 이어적기를 하였군.

③ ㉢이 '꿰이니'에 대응하는 것을 보니, 현대 국어에서는 초성에 자음이 두 개까지만 쓰일 수 있는 것과 달리 초성에 세 개의 자음이 쓰였군.

④ ㉣이 '영재를'에 대응하는 것을 보니, 현대 국어에서는 모음 조화가 지켜지지 않은 것과 달리, 모음 조화가 지켜졌군.

⑤ ㉤이 '절하며 복종하니'에 대응하는 것을 보니, 현대 국어에서는 사용되지 않는 자음과 모음이 사용되었군.

07회차 실전 대비 모의고사 05번

05. 〈보기〉의 중세 국어 자료에서 나타난 특징을 탐구한 내용으로 적절하지 않은 것은?

〈보기〉

[중세 국어]
㉠나·라히 파망(破亡)ᄒᆞ·니 :뫼·콰 ᄀᆞ·롬:뿐 잇·고
·잣 ·앉 ㉡보·미 ·플 ·와 나모:뿐 기 ·펫도 ·다
시절(時節) ·을 감탄(感嘆) ·호니 고 ·지 ㉢·눉·므를 ㉣·쓰·리게
·코여 ·희여 ·슈믈 슬 ·후니 :새 ㉤무ᅀᆞ·ᄆᆞᆯ :놀 ·래ᄂᆞ ·다

– 「두시언해」 중에서 –

[현대어 풀이]
나라가 망하니 산과 강만 있고
성 안의 봄에 풀과 나무만이 깊어 있도다.
시절을 감탄하니 꽃이 눈물을 뿌리게 하고
헤어져 있음을 슬퍼하니 새가 마음을 놀라게 한다.

① ㉠: 체언의 종성 'ㅎ'을 모음으로 시작하는 주격 조사에 이어 적었군.

② ㉡: 무정 명사에 결합되는 관형격 조사 '이'가 쓰였군.

③ ㉢: 자음으로 끝나는 체언 뒤에서 목적격 조사 '울'이 사용되었군.

④ ㉣: 단어의 첫머리에 서로 다른 자음이 함께 사용되었군.

⑤ ㉤: 현대 국어 '마음을'에 대응하는 것을 보니 이어적기를 하였군.

05. [가]에 들어갈 내용으로 적절하지 <u>않은</u> 것은?

학 습 자 료	[중세 국어] ⑦부텻 ⓒ말쏨 ⓒ듣ᄌᆞᄫᅩ딕 [현대 국어] 부처의 말씀을 듣되 [중세 국어] ⓐ부톄 目連(목련)이ᄃᆞ려 ⑩니르샤ᄃᆡ [현대 국어] 부처가 목련에게 이르시되
학 습 활 동	⑦～⑩을 현대 국어와 비교한 후 공통점과 차이점을 정리해 보자. (　　　　　　　[가]　　　　　　　)

① ⑦: 현대 국어의 '부처의'와 달리 무정 명사 뒤에 관형격 조사 'ㅅ'이 쓰였다.

② ⓒ: 현대 국어의 '말씀'과 달리 모음 조화를 지켜 표기했다.

③ ⓒ: 현대 국어의 '듣되'와 달리 객체를 높이는 선어말 어미가 쓰였다.

④ ⓐ: 현대 국어의 '부처가'와 달리 모음으로 끝나는 체언에 주격 조사 'ㅣ'가 결합하였다.

⑤ ⑩: 현대 국어의 '이르시되'와 달리 단어의 첫머리에서 'ㄴ'이 'ㅣ' 앞에 그대로 쓰였다.

05. 〈보기〉를 바탕으로 중세 국어의 특징을 탐구한 내용으로 적절하지 <u>않은</u> 것은?

〈보기〉

聖神(성신)이 니ᅀᅡ샤도 敬天勤民(경천근민) 후샤ᅀᅡ 더욱 구드시리이다
님금하 아ᄅᆞ쇼셔 洛水(낙수)예 山行(산행)가 이셔 하나빌 미드니잇가

－「용비어천가」 〈제125장〉 －

[현대어 풀이]
성신(聖神)이 대를 이으시어도 하늘을 공경하고 백성을 부지런히 섬겨야 더욱 굳건할 것입니다.
임금이시여, 아소서. 낙수(洛水)에 사냥을 가 있으면서 할아버지를 믿으시겠습니까?

① '니ᅀᅡ샤도'에서는 현대 국어와 같이 주체를 높이기 위한 선어말 어미가 사용되었군.

② '구드시리이다'에서는 현대 국어와 달리 듣는 이를 높이기 위한 선어말 어미가 사용되었군.

③ '님금하'에서는 현대 국어에서는 사용하지 않는 호격 조사가 사용되었군.

④ '낙수예'에서는 현대 국어와 다른 형태의 부사격 조사가 사용되었군.

⑤ '미드니잇가'에서는 현대 국어와 달리 판정 의문문을 나타내는 '-아' 계열의 의문 보조사가 사용되었군.

05. 〈보기 1〉을 참고하여 〈보기 2〉의 ⓐ, ⓑ, ⓒ에 알맞은 것을 고른 것은?

〈보기 1〉

중세 국어에서 장소를 나타내는 부사격 조사에는 '애, 에, 예, 이, 의' 등이 있다. 이 중 '이/의'는 주로 시간을 나타내는 '아춤(아침), 낮, 밤' 등과 같은 특정 체언과 결합하였다.

이러한 부사격 조사 '애, 에, 예, 이, 의'는 결합하는 체언의 특징에 따라 다음과 같이 구분되어 사용되었다.

체언의 특성		부사격 조사
끝 음절의 모음이 양성 모음	+	애, 이
끝 음절의 모음이 음성 모음	+	에, 의
끝 음절의 모음이 'ㅣ'나 반모음 'ㅣ'	+	예

〈보기 2〉

[중세 국어] 五欲(오욕)온 눈 + ⓐ 됴ᄒᆞᆫ빗 보고져
[현대어 풀이] 오욕은 눈에 좋은 빛 보고자

[중세 국어] 몸 + ⓑ 됴ᄒᆞᆫ옷 닙고져
[현대어 풀이] 몸에 좋은 옷 입고자

[중세 국어] ᄒᆞᄅᆞᆺ 아춤 + ⓒ 命終ᄒᆞ야
[현대어 풀이] 하루아침에 목숨이 다하여

	ⓐ	ⓑ	ⓒ
①	에	예	이
②	예	에	의
③	에	애	이
④	에	예	의
⑤	예	애	이

05. 〈보기〉를 바탕으로 (가)~(라)를 탐구한 내용으로 적절하지 <u>않은</u> 것은? [3점]

〈보기〉

중세 국어의 특정 체언들은 결합하는 환경에 따라 형태가 변화하여 나타났다. 그 예로는 나모, 무르, 아ᅀᆞ, 노로 등이 있다. 또한 중세 국어에서는 일반적으로 형태소와 형태소 사이의 경계를 구분하지 않고, 소리나는 대로 이어 적는 특징이 있다.

	단독형	주격 조사 (이)	목적격 조사 (ᄋᆞᆯ)	부사격 조사 (와)	보조사 (도)
(가)	나모 (木)	남기	남ᄀᆞᆯ	나모와	나모도
(나)	무르 (棟)	물리	물ᄅᆞᆯ	무르와	무르도
(다)	아ᅀᆞ (弟)	앗이	앗ᄋᆞᆯ	아ᅀᆞ와	아ᅀᆞ도
(라)	노로 (獐)	놀이	놀ᄋᆞᆯ	노로와	노로도

① (가): '나모'가 조사 '이'나 'ᄋᆞᆯ'과 결합할 경우, '낡'으로 나타나는군.

② (나): '무르'가 조사 '이'나 'ᄋᆞᆯ과 결합할 경우, '물ㄹ'로 나타나는군.

③ (다), (라): '아ᅀᆞ, 노로'가 조사 '이'나 'ᄋᆞᆯ'과 결합할 경우, 각각 '앗, 놀'로 나타나는군.

④ (가)~(라): '나모, 무르, 아ᅀᆞ, 노로'가 조사 '와'와 자음으로 시작하는 조사 앞에서는 단독형과 같은 형태로 나타나는군.

⑤ (가)~(라): '나모, 무르, 아ᅀᆞ, 노로'가 조사 '와' 이외의 모음으로 시작하는 조사와 결합할 경우, 체언의 형태 변화가 나타나는군.

05. [가]에 들어갈 내용으로 적절하지 <u>않은</u> 것은?

학습 자료	[중세 국어] ⊙하놇히 聖子를 내⊙시니⊙이다
	[현대 국어] 하늘이 聖子(성자)를 내셨습니다.
	[중세 국어] 世솅尊존ㅅ 安한否불 @묻즙고
	[현대 국어] 世尊(세존)의 安否(안부)를 여쭙고
	[중세 국어] ⊕진지 오를 제 반드시
	[현대 국어] 진지 올릴 때 반드시
학습 활동	⊙~⊕을 현대 국어와 비교하여 정리해 보자. (_____ [가] _____)

① ⊙: 한 단어 내부에서도 모음 조화가 지켜졌다는 점에서 현대 국어와 같다.

② ⊙: 선어말 어미 '-시-'를 사용해 주체를 높이고 있다는 점에서 현대 국어와 같다.

③ ⊙: 상대를 높이는 선어말 어미 '-이-'가 사용되고 있다는 점에서 현대 국어와 차이가 있다.

④ @: 객체를 높이는 선어말 어미 '-즙-'이 사용되고 있다는 점에서 현대 국어와 차이가 있다.

⑤ ⊕: '밥'을 높여서 이르는 말을 사용하고 있다는 점에서 현대 국어와 같다.

05. 〈보기〉를 바탕으로 중세 국어의 특징을 탐구한 내용으로 적절하지 <u>않은</u> 것은?

〈보기〉

중세 국어에서는 어미와 보조사를 활용해 판정 의문문과 설명 의문문을 구별했다. 판정 의문문에는 어미 '-가', '-녀' 등과 보조사 '가'를 사용했고, 설명 의문문에는 '누(누가), 무슴(무엇)' 등과 같은 의문사와 함께 어미 '-고', '-뇨' 등과 보조사 '고'를 사용했다. 또한 주어가 2인칭인 경우에는 '-ㄴ다'와 같은 특수한 의문형 어미를 사용했다.

(가) 이 ᄯ리 너희 죵가
   (현대어 풀이: 이 딸이 너희들의 종이냐?)
(나) 功德(공덕)이 져그녀
   (현대어 풀이: 공덕이 적으냐?)
(나) 이세 엇더ᄒ뇨
   (현대어 풀이: 이제 어떠하냐?)
(라) 네 모ᄅᆞᆫ다
   (현대어 풀이: 너는 모르느냐?)
(마) 네 엇뎨 안다
   (현대어 풀이: 너는 어떻게 아느냐?)

① (가): '이' 대신 의문사 '엇뎐'이 쓰이면, '죵가'를 '죵고'로 바꿔야겠군.

② (나): 청자에게 판정을 요구하고 있으므로, 의문형 어미로 '-녀'가 쓰였군.

③ (다): 청자에게 설명을 요구하고 있으므로, 의문형 어미로 '-고'가 쓰였군.

④ (라): 주어를 3인칭으로 바꾸면 의문형 어미를 '모ᄅᆞᆫ다'에서 '모ᄅᆞᆫ고'로 바꿔야겠군.

⑤ (마): 설명 의문문이지만 주어가 2인칭이므로 판정 의문문과 구별 없이 '-ㄴ다'가 쓰였군.

본책 P.106 지문 참고하기

15회차 고난도 함정 모의고사 01번

01. 〈보기〉는 윗글을 바탕으로 진행된 학습 활동이다. ⓐ~ⓔ에 대한 이해로 적절하지 <u>않은</u> 것은?

〈보기〉

학 생: 15세기 국어의 모음 조화는 몇몇 예외를 제외하면 비교적 잘 지켜졌기 때문에 현대 국어에 비해 조사나 어미의 형태가 더욱 다양했군요.

선생님: 15세기 국어의 모음 조화에 대해 잘 이해했구나. 그런데 모음 조화는 시간이 지남에 따라 점차 약화되었다고 했지? 그럼 각 시기를 고려하여 아래의 15세기 국어의 예시를 탐구해 보자.

> ⓐ 번게 (현대 국어: 번개)
> ⓑ ᄆᆞᅀᆞᆯ (현대 국어: 마음을)
> ⓒ ᄆᆞᅀᆞ미 (현대 국어: 마음이)
> ⓓ 눔이 (현대 국어: 남의)
> ⓔ 거부븨 (현대 국어: 거북의)

① ⓐ를 현대 국어와 비교해 보니 15세기 국어에서는 한 단어 내부에서도 모음 조화가 지켜졌군요.

② ⓑ를 보니 15세기에는 목적격 조사가 앞 체언의 모음과 같은 성질의 모음으로 쓰여 모음 조화가 지켜졌군요.

③ ⓒ를 보니 조사 'ㅣ'는 양성 모음과 어울려 쓰였지만, 16세기에는 둘째 음절의 'ㆍ'가 변화하면서 'ㅣ'도 음성 모음으로 바뀌겠군요.

④ ⓓ를 보니 15세기에는 모음 조화가 지켜졌으나, 18세기에는 현대 국어와 같은 형태로 바뀌고 모음 조화가 지켜지지 않겠군요.

⑤ ⓔ를 보니 15세기에는 모음 조화가 지켜졌으나, 같은 시기에서도 '거붑'에 보조사 '도'가 결합하면 모음 조화가 지켜지지 않겠군요.

→ 본책 P.106 지문 **참고하기**

02. 〈보기 1〉은 윗글을 바탕으로 '모음 조화'에 대해 정리한 내용이다. (가)~(마)에 해당하는 예시를 〈보기 2〉에서 골라 설명한 것으로 적절한 것은? [3점]

─────────── 〈보기 1〉 ───────────

(가) 15세기에도 모음 조화가 지켜지지 않는 경우가 존재했다.
(나) 모음 'ㅣ'는 양성 모음에 어울리기도 하고 음성 모음에 어울리기도 하였다.
(다) 16세기에는 둘째 음절 이하에 놓인 모음 'ㆍ'가 'ㅡ'로 변화하였다.
(라) 18세기에는 첫째 음절에 놓인 모음 'ㆍ'가 'ㅏ'로 변화하였다.
(마) 현대 국어에서는 일부 용언의 어간 뒤에 어미가 결합할 때 모음 조화가 나타나기도 한다.

─────────── 〈보기 2〉 ───────────

[15세기 자료]
　겨스레 소옴 둔 오슬 닙디 아니 ᄒ고 녀르메 서늘ᄒ디 가디 아니 ᄒ며 ᄒ루 ᄡᆞᆯ 두 호부로 ᄡᅥ 쥭을 밍글오 소곰과 ᄂᆞ물ᄒᆞᆯ 먹디 아니 ᄒ더라

[현대어 풀이]
　겨울에 솜 든 옷을 입지 아니하고 여름에 서늘한 데 가지 아니하며 하루 쌀 두 홉으로써 죽을 만들고 소금과 나물을 먹지 아니하더라.

① (가): 'ᄒ고'와 'ᄒ더라'는 15세기에 모음 조화가 적용되지 않는 경우에 해당한다.
② (나): '아니'와 '가디'에서 알 수 있듯이 모음 'ㅣ'는 양성 모음과 음성 모음 모두에 어울려 쓰인다.
③ (다): '오슬'은 16세기에 둘째 음절의 모음이 변화를 겪어 목적격 조사가 양성 모음에서 음성 모음으로 바뀔 것이다.
④ (라): 'ᄂᆞ물'은 18세기에 첫째 음절의 모음이 변화를 겪어 음성 모음에서 양성 모음으로 바뀔 것이다.
⑤ (마): '겨울에'와 '여름에'는 현대 국어에서도 어간과 어미가 결합할 때 모음 조화가 지켜진 경우에 해당한다.

본책 P.114 지문 참고하기

01. 윗글을 바탕으로 〈보기〉의 ⓐ~ⓔ를 이해한 내용으로
적절하지 <u>않은</u> 것은?

〈보기〉

ⓐ 大師(대사) 그루샤되 뉘 혼 거시잇고
[현대어 풀이] 대사 말씀하시되 "누가 한 것입니까?"

ⓑ 世尊하 내 堂中에 이셔 몬져 如來 보습고
[현대어 풀이] 세존이시여, 내가 집 안에서 먼저 여래 뵙고

ⓒ 몃 間(간)ㄷ 지븨 사루시리잇고
[현대어 풀이] 몇 칸 집에 사시겠습니까?

ⓓ 大王ㅅ 말쓰미솨 올커신마룬
[현대어 풀이] 대왕의 말씀이야 옳으시겠지마는

ⓔ 聖宗(성종)올 뫼셔 九泉(구천)에 가려 하시니
[현대어 풀이] 성스러운 어른을 모시고 저승에 가려 하시니

① ⓐ: '거시잇고'에서 주체를 높이는 선어말 어미 '-시-'가 모음
어미 앞에서는 'ㄱ루샤되'와 같이 '-샤-'로 나타났군.

② ⓑ: '世尊하'에서는 앞의 체언을 높이기 위해 호격 조사 '하'가,
'보습고'에서는 목적어를 높이기 위해 선어말 어미 '-습-'이
쓰였군.

③ ⓒ: '사루시리잇고'를 보니 주체를 높이는 선어말 어미 '-시-'와
상대를 높이는 선어말 어미 '-잇-'을 사용했군.

④ ⓓ: '大王ㅅ'를 보니 높임의 대상인 체언 뒤에 관형격 조사 'ㅅ'을
사용하여 높임을 표현했군.

⑤ ⓔ: '뫼셔'를 보니 중세 국어에도 현대 국어와 마찬가지로 서술의
객체를 높이기 위하여 특수한 어휘를 사용했군.

05. 〈보기 1〉을 참고할 때 〈보기 2〉의 ㉠~㉢에 들어갈 말로 적절한 것은?

〈보기 1〉

중세 국어의 주격 조사는 현대 국어의 주격 조사인 '가'가 쓰이지 않았고, 음운 환경에 따라 다음과 같이 다양하게 나타난다.

앞 체언	주격 조사의 실현 양상
자음으로 끝나는 체언	주격 조사가 '이'로 나타나며, 앞 체언이 한자가 아닌 한글일 경우 앞 체언의 받침이 주격 조사 '이'의 초성으로 연철된다. 예: 시미 기픈 므른 (샘이 깊은 물은)
모음 'ㅣ'나 반모음 'ㅣ' 이외의 모음으로 끝나는 체언	주격 조사가 'ㅣ'로 나타나며, 앞 체언이 한자가 아닌 한글일 경우 주격 조사가 앞 체언에 결합되어 표기된다. 예: 부톄 날 爲ᄒᆞ야 (부처가 나를 위하여)
모음 'ㅣ'나 반모음 'ㅣ'로 끝나는 체언	주격 조사가 'Ø(영형태)'로 나타난다. 예: 불휘 기픈 남군 (뿌리가 깊은 나무는) * 중세 국어에서 'ㅟ'는 단모음이 아닌, 반모음 'ㅣ'로 끝나는 이중 모음이었음.

〈보기 2〉

중세 국어	현대 국어
㉠ (누 + 주격 조사) 請ᄒᆞ니	**누가** 청하였는가?
㉡ (머리 + 주격 조사) 기러	**머리가** 길어
㉢ (별 + 주격 조사) 눈 ᄀᆞᆮ디ᄂᆞ이다	**별이** 눈과 같이 떨어집니다.

	㉠	㉡	㉢
①	뉘	머리	별이
②	누이	머리ㅣ	벼리
③	뉘	머리ㅣ	별이
④	뉘	머리	벼리
⑤	누ㅣ	머리	별

→ 본책 P.130 지문 **참고하기**

02. 윗글을 바탕으로 〈보기〉의 ⊙~⑩에 나타난 중세 국어의 특징을 이해한 내용으로 적절하지 <u>않은</u> 것은?

〈보기〉

[중세 국어] 몸을 ⊙셰워 道룰 行호야
[현대 국어] 몸을 세워 도를 행하여

[중세 국어] 녀토시고 또 ⓒ기피시니
[현대 국어] 얕게 하시고 또 깊게 하시니

[중세 국어] 국루매 빈 업거늘 ⓒ얼우시고
[현대 국어] 강에 배가 없으므로 (강물을) 얼리시고

[중세 국어] 목수믈 ⓔ일케 호야뇨
[현대 국어] 목숨을 잃게 하였는가

[중세 국어] 나랏 小民을 ⓜ사루시리잇가
[현대 국어] 나라의 백성들을 살리시겠습니까

① ⊙을 보니, 현대 국어에서 '서다'의 사동사가 '세우다'로 나타나는 이유를 짐작할 수 있겠군.

② ⓒ을 현대 국어의 '깊게 하시니'와 비교해 보니, 현대 국어와 달리 어근에 사동 접미사가 결합했군.

③ ⓒ을 현대 국어의 '얼리시고'와 비교해 보니, '얼다'의 어근에 결합하는 사동 접미사가 현대 국어와 차이가 있군.

④ ⓔ이 현대 국어 '잃게 하였는가'에 대응되는 것을 보니, 현대 국어의 '-게 하다'에 해당하는 '-게 호다'를 활용하였군.

⑤ ⓜ이 현대 국어 '살리시겠습니까'에 대응되는 것을 보니, 현대 국어의 사동 접미사 '-리-'가 중세 국어에는 '-루-'로 쓰였군.

┌→ **본책** P.141 지문 **참고하기**

05. 〈보기〉는 [A]를 바탕으로 탐구한 내용이다. (가)~(다)에
　　해당하는 예로 적절한 것은?

〈보기〉

[학습 활동] 아래의 예를 활용하여, (가), (나), (다)에 해당하는
적절한 예를 적어봅시다.

[중세 국어 어휘]
ᄡᆞᆯ(쌀), ᄡᅵ(씨), ᄣᅳ다(쓸다), ᄯᅳ다(뜨다), ᄣᅢ(때)
ᄯᅡᇂ(땅), 나랗(나라), 숧(살), 긿(길), 않(암), 숳(수)

* ( )의 내용은 현대어 풀이

(가) 중세 국어에서 'ㅂ'으로 시작하는 어두 자음군의 'ㅂ'은
　　현대 국어의 복합어에서 앞 형태소의 받침으로 나타나는
　　경우가 있다.

(나) 'ㅎ' 종성 체언이 'ㄱ, ㄷ, ㅂ'으로 시작하는 말과 결합할 때
　　에는 'ㅋ, ㅌ, ㅍ'으로 축약되어 나타났는데, 이러한 현상은
　　현대 국어의 합성어에도 남아 있다.

(다) 중세 국어에서 'ㅎ' 종성 체언의 'ㅎ'은 모음으로 시작하는
　　조사 앞에서는 이어적기를 하였다.

	(가)	(나)	(다)
①	볍씨	머리털	술홀
②	휩쓸다	수컷	나라올
③	들뜨다	암탉	따히
④	입때	수펑	따홀
⑤	햅쌀	살코기	길히

20회차 최종 점검 모의고사 05번

05. 〈보기〉에 나타난 중세 국어의 특징을 탐구한 내용으로 적절한 것은?

〈보기〉

㉠ [중세 국어] 네 이제 또 묻ᄂ다
　　[현대 국어] 네가 이제 또 묻는다
㉡ [중세 국어] 功德(공덕)이 하녀 져그녀
　　[현대 국어] 공덕이 많으냐 적으냐
㉢ [중세 국어] 네 아비 ᄒ마 주그니라
　　[현대 국어] 너의 아버지가 이미 죽었다
㉣ [중세 국어] 지븨 이실 저긔 두립더라
　　[현대 국어] 집에 있을 적에 두렵더라
㉤ [중세 국어] 聖子ᄂᆞ 聖人엣 아ᄃᆞ리라
　　[현대 국어] 성자는 성인의 아들이다
㉥ [중세 국어] 내 이제 分明(분명)히 닐오리라
　　[현대 국어] 내가 이제 분명히 말하겠다

① ㉠과 ㉡을 비교해 보니 품사에 따라 현재 시제를 나타내는 방법이 달랐군.

② ㉠과 ㉥을 비교해 보니 시제가 동일하더라도 다른 선어말 어미를 사용할 수 있었군.

③ ㉡과 ㉣을 비교해 보니 형용사에는 과거를 나타내는 선어말 어미가 결합할 수 없었군.

④ ㉢과 ㉣은 모두 과거 시제를 나타낼 때, 현대 국어와 동일한 선어말 어미를 사용하였군.

⑤ ㉤과 ㉥은 모두 선어말 어미 '-리-'를 사용하여 미래 시제를 나타냈군.

21회차 최종 점검 모의고사 05번

05. 〈보기〉의 밑줄 친 부분에서 알 수 있는 중세 국어 높임법의 특징을 설명한 것으로 적절하지 <u>않은</u> 것은?

〈보기〉

(가) 우리 父母ㅣ 듣디 <u>아니호샨</u> 고ᄃᆞᆫ
　　[현대어 풀이: 우리 부모님이 듣지 않으신 것은]
(나) 大臣이 이 藥 밍ᄀᆞ라 <u>大王ᄭ긔 받ᄌᆞᄫᆞᆫ대</u>
　　[현대어 풀이: 대신이 이 약을 만들어 대왕께 바쳤는데]
(다) 님금하 <u>아ᄅᆞ쇼셔</u>
　　[현대어 풀이: 임금이시여 아소서]
(라) 이 못 ᄀᆞᅀᅢᆺ 큰 나모 아래 <u>무두이다</u>
　　[현대어 풀이: 이 연못가의 큰 나무 아래 묻었습니다.]
(마) 아자바님내ᄭᅴ 다 <u>安否ᄒᆞᅀᆞᆸ고</u>
　　[현대어 풀이: 숙부님들께 다 안부를 여쭙고]

① (가): 모음 어미 앞에서 '-(ᄋ/ᄋ)샤-'를 사용하여 주체를 높이고 있다.

② (나): 부사격 조사 'ᄭ긔'와 선어말 어미 '-ᄌᆞᇦ-'을 사용하여 객체를 높이고 있다.

③ (다): 어말 어미 '-(ᄋ)쇼셔'를 사용하여 주어인 '님금'을 높이고 있다.

④ (라): 선어말 어미 '-이-'를 사용하여 청자를 높이고 있다.

⑤ (마): 모음으로 끝나는 어간 뒤에서 선어말 어미 '-ᅀᆞᆸ-'을 사용하여 부사어를 높이고 있다.

05. 〈보기〉의 '자료'를 탐구한 '탐구 내용'으로 적절하지 않은 것은?

─── 〈보기〉 ───

중세 국어에서 과거 시제를 표현할 때에는 주로 '-더-'를 사용하였는데, 동사일 경우에는 선어말 어미와 결합하지 않은 기본형이 과거 시제를 표현하기도 하였다.

중세 국어의 '-더-'는 주어가 2·3인칭일 때에는 그대로 나타났고, 주어가 1인칭일 경우에는 '-다-'로 나타났는데, '-더-'와 '-다-'가 서술어 '이다, 아니다'와 결합할 때에는 각각 '-러-'와 '-라-'로 교체되었다. 또한 '-더-' 또는 '-다-'는 'ㅎ'과 축약되어 나타나기도 하였다.

[자료]
ⓐ 내 롱담ㅎ다라
　[내가 농담했었다]
ⓑ 如來 苦行ㅎ더신 싸히니이다
　[여래께서 고행하셨던 땅입니다]
ⓒ 내 지븨 이실 저긔 受苦ㅣ 만타라
　[내가 집에 있을 적에 고통이 많았다]
ⓓ 우리도 沙羅樹大王ㅅ 夫人돌히러니
　[우리도 사라수대왕의 부인들이더니]
ⓔ 아돌돌히 아비 죽다 듣고
　[아들들이 아버지가 죽었다 들었고]

① ⓐ를 통해 1인칭 주어가 쓰인 문장에서 '-다-'가 과거 시제를 나타내고 있음을 알 수 있다.

② ⓑ를 통해 선어말 어미 '-더-'와 '-시-'의 결합 순서가 현대 국어와 달랐음을 알 수 있다.

③ ⓒ를 통해 안긴문장의 주어가 1인칭일 때 나타난 '-다-'가 'ㅎ'과 축약하여 '-타-'로 실현되었음을 알 수 있다.

④ ⓓ를 통해 주어가 1인칭인 문장에서 나타나는 '-다-'가 '이다'와 결합하여 '-라-'로 실현되고 있음을 알 수 있다.

⑤ ⓔ를 통해 중세 국어에서는 서술어가 동사일 경우, 어간에 선어말 어미가 결합하지 않고 기본형으로 쓰여도 과거 시제를 나타냈음을 알 수 있다.

05. 〈보기〉의 중세 국어 자료에서 나타난 특징을 탐구한 내용으로 적절하지 <u>않은</u> 것은?

〈보기〉

[중세 국어]

태 자: ㉠네 어썬 사르민다

옥녀1: 내 龍王ㅅ 밧門 자븐 죠이로라

태 자: ㉡그듸 엇더니시니

옥녀2: ㉢나는 龍王ㅅ 안門 자븐 죠이로라

태 자: 그듸 날 爲ᄒᆞ야 ㉣龍王의 ᄉᆞᆲᄫᅩ듸…㉤善友太子ㅣ 보ᅀᆞ
ᄫᅡ 왯다 ᄒᆞ고라

용 왕: 福德 ᄀᆞ즌 사ᄅᆞᆷ 아니면 이런 險ᄒᆞᆫ 길헤 올 줄 업스니라.

[현대어 풀이]

태 자: 너는 어떤 사람인가?

옥녀1: 나는 용왕의 바깥문 잡은 종이다.

태 자: 그대는 어떤 사람이시니?

옥녀2: 나는 용왕의 안문을 잡은 종이다.

태 자: 그대가 나를 위하여 용왕께 아뢰되…선우태자가 뵈러
와 있다 하오.

용 왕: 복덕이 갖추어져 있는 사람이 아니면 이런 험한 길에
올 줄이 없으니라.

① ㉠: 주어가 2인칭인 경우 사용되는 의문형 종결 어미가 나타
났군.

② ㉡: 선어말 어미 '-더-'와 '-시-'의 결합 순서가 현대 국어와
차이가 있군.

③ ㉢: 높임의 유정 명사 뒤에 관형격 조사 'ㅅ'이 사용되었군.

④ ㉣: 부사어를 높이기 위해 부사격 조사 '의'가 사용되었군.

⑤ ㉤: 'ㅏ'로 끝나는 체언 뒤에서 주격 조사 'ㅣ'가 단독으로 쓰였군.

05. 〈보기 1〉의 중세 국어의 특징을 바탕으로 〈보기 2〉의 ⓐ~ⓔ를 탐구하는 활동을 수행하였다. 탐구 내용으로 적절하지 <u>않은</u> 것은?

〈보기 1〉

㉠ 현대 국어에 쓰이지 않는 부사격 조사 '이/의'가 쓰이기도 했다.
㉡ 단어의 첫머리에 둘 이상의 자음이 발음되는 경우가 있었는데, 그 흔적이 현대 국어에까지 남아 있다.
㉢ 모음으로 시작하는 조사와 결합할 때 'ㅎ'이 덧붙는 체언이 있었다.
㉣ 설명 의문문과 판정 의문문에서 쓰이는 서로 다른 보조사가 존재했다.
㉤ 현대 국어의 부정 부사 '아니'가 명사로 쓰이기도 했다.

〈보기 2〉

ⓐ 믈 우희 차 두퍼 잇ᄂᆞ니라
　[현대 국어: 물 위에 차 덮여 있느니라]
ⓑ 벼삐 가져 나오나ᄂᆞᆯ
　[현대 국어: 볍씨를 가져 나오거늘]
ⓒ 이는 賞가 罰아[현대 국어: 이는 상인가, 벌인가?]
　/ 이 어떤 光明고[현대 국어: 이 어떤 광명인가?]
ⓓ 불휘 기픈 남ᄀᆞᆫ 바라매 아니 뮐ᄊᆡ
　[현대 국어: 뿌리가 깊은 나무는 바람에 아니 흔들리므로]
ⓔ 生(생)이며 生(생) 아니를 굴히ᄂᆞ니
　[현대 국어: 삶이며 삶이 아닌 것을 분별하느니]

① ⓐ의 '우희'가 현대 국어의 '위에'와 대응되는 것을 보니, ㉠을 확인할 수 있군.

② ⓑ의 '벼삐'와 현대 국어의 '볍씨'를 비교해 보니, ㉡을 확인할 수 있군.

③ ⓐ의 '우희'와 ⓓ의 '불휘'를 보니, ㉢을 확인할 수 있군.

④ ⓒ의 '가/아'와 '고'를 보니, ㉣을 확인할 수 있군.

⑤ ⓓ의 '아니'와 ⓔ의 '아니를'을 비교해 보니, ㉤을 확인할 수 있군.

MEMO

나만의 문법 오답 노트

문법노트
P L U S

문법백제 PLUS [본책]

1. 문법 모의고사 총 24회 (총 120제)

평가원 기출 문제를 치밀하게 분석하여 수능 국어와 동일한 형식으로 제작한 고난도 국어 문법 모의고사입니다.

2. 문법 개념 PLUS

단순한 문제 풀이로만 끝나지 않고 모의고사 문항에 사용된 모든 문법 개념과 이론을 정리합니다.

문법노트 PLUS [별책]

3. 문법 핵심 정리

단원별 문법 핵심 정리를 통해 국어 문법의 체계를 잡으며 복습합니다.

4. 나만의 오답 노트

단원별로 정리된 문제를 다시 한번 복습하며, 나만의 오답 노트를 완성합니다.